여러분의 합격을 응원하:

KB101224

해커스공무원의 특별 예백

FREE 공무원 컴퓨터일반 **동영상강의**

해커스공무원(gosi.Hackers.com) 접속 후 로그인 ▶ 상단의 [무료강좌] 클릭 ▶
좌측의 [교재 무료특강] 클릭

 해커스공무원 온라인 단과강의 **20% 할인쿠폰**

C979DBA4857CDFL2

해커스공무원(gosi.Hackers.com) 접속 후 로그인 ▶ 상단의 [나의 강의실] 클릭 ▶
좌측의 [쿠폰등록] 클릭 ▶ 위 쿠폰번호 입력 후 이용

* 쿠폰 등록 후 7일간 사용 가능

🗂 합격예측 모의고사 응시권+해설강의 수강권

5DC8F3A37DA9CJBU

해커스공무원(gosi.Hackers.com) 접속 후 로그인 ▶ 상단의 [나의 강의실] 클릭 ▶
좌측의 [쿠폰등록] 클릭 ▶ 위 쿠폰번호 입력 후 이용

* 쿠폰 등록 후 7일간 사용 가능

쿠폰 이용 관련 문의 **1588-4055**

단기 합격을 위한
해커스 커리큘럼

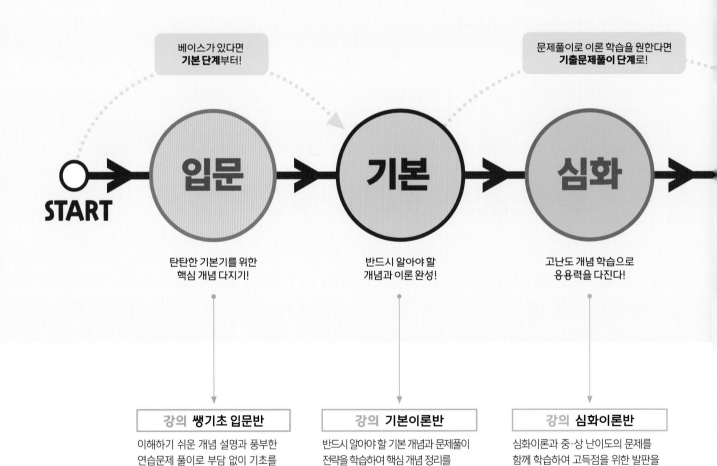

베이스가 있다면
기본 단계부터!

문제풀이로 이론 학습을 원한다면
기출문제풀이 단계로!

START

입문
탄탄한 기본기를 위한
핵심 개념 다지기!

기본
반드시 알아야 할
개념과 이론 완성!

심화
고난도 개념 학습으로
응용력을 다진다!

강의 쌩기초 입문반

이해하기 쉬운 개념 설명과 풍부한
연습문제 풀이로 부담 없이 기초를
다질 수 있는 강의

강의 기본이론반

반드시 알아야 할 기본 개념과 문제풀이
전략을 학습하여 핵심 개념 정리를
완성하는 강의

강의 심화이론반

심화이론과 중·상 난이도의 문제를
함께 학습하여 고득점을 위한 발판을
마련하는 강의

* 커리큘럼은 과목별·선생님별로 상이할 수 있으며, 자세한 내용은 해커스공무원 사이트에서 확인하세요.

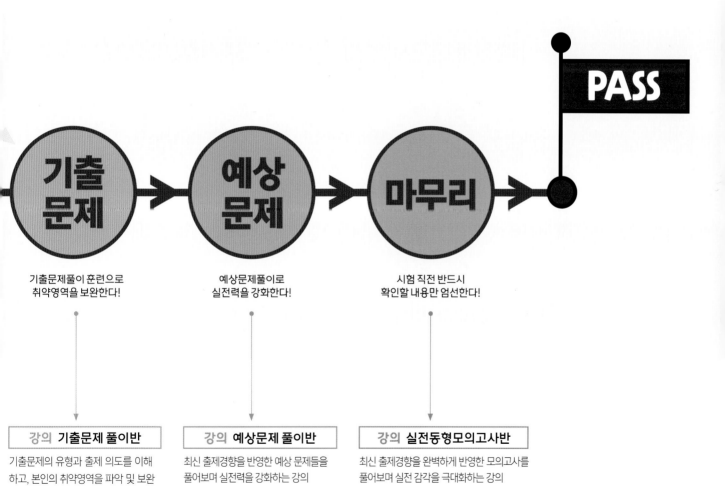

PASS

기출문제
기출문제풀이 훈련으로
취약영역을 보완한다!

예상문제
예상문제풀이로
실전력을 강화한다!

마무리
시험 직전 반드시
확인할 내용만 엄선한다!

강의 기출문제 풀이반
기출문제의 유형과 출제 의도를 이해
하고, 본인의 취약영역을 파악 및 보완
하는 강의

강의 예상문제 풀이반
최신 출제경향을 반영한 예상 문제들을
풀어보며 실전력을 강화하는 강의

강의 실전동형모의고사반
최신 출제경향을 완벽하게 반영한 모의고사를
풀어보며 실전 감각을 극대화하는 강의

강의 봉투모의고사반
시험 직전에 실제 시험과 동일한 형태의
모의고사를 풀어보며 실전력을 완성하는 강의

해커스공무원

곽후근
컴퓨터일반

기본서 | 2권

해커스공무원

곽후근

약력

숭실대학교 공학박사
현 ㅣ 해커스공무원 컴퓨터일반, 정보보호론 강의
전 ㅣ 대방고시 전산직, 군무원, 계리직 전임교수
전 ㅣ 숭실대학교, 세종대학교, 가톨릭대학교 겸임교수 및 강사
전 ㅣ 펌킨네트웍스 기술이사
전 ㅣ 한국소프트스페이스 고문

저서

해커스공무원 곽후근 컴퓨터일반 기본서, 해커스패스
해커스공무원 곽후근 정보보호론 기본서, 해커스패스
곽후근 컴퓨터일반, 하이앤북
곽후근 컴퓨터일반 기출문제풀이, 하이앤북
곽후근 정보보호론, 하이앤북
곽후근 정보보호론 기출문제풀이, 하이앤북
임베디드 리눅스 시스템 구축 및 응용, 그린(윤덕우)

공무원 시험
합격을 위한 필수 기본서!

컴퓨터일반의 모든 과목(디지털공학, 컴퓨터구조, 데이터통신, 운영체제, 프로그래밍 언어, 자료구조, 데이터베이스, 소프트웨어공학, 인터넷)은 모두 컴퓨터를 만들기 위한 것입니다. 디지털공학은 컴퓨터를 만들 때 작은 관점(Gate, Register 등)에서 바라본 것이고, 컴퓨터구조는 컴퓨터를 만들 때 큰 관점(CPU, 주기억장치 등)에서 바라본 것입니다. 데이터통신은 컴퓨터 간의 통신을 의미하고, 프로그래밍 언어는 컴퓨터에서 동작하는 응용 소프트웨어를 만들기 위한 것입니다. 자료구조는 컴퓨터에서 응용 소프트웨어를 만들기 위한 자료(데이터)의 형태(스택, 큐 등)를 의미하고, 데이터베이스는 컴퓨터의 자료(데이터)를 저장하기 위한 것입니다. 그리고 소프트웨어공학은 컴퓨터 소프트웨어 제품 개발을 위한 효율적인 방법을 의미하고, 인터넷은 컴퓨터 관련 최신 기술 등을 의미합니다.

현재 컴퓨터일반 과목은 단순 암기 보다는 이해를 위주로 한 다양한 문제들이 출제되고 있으므로, 『해커스공무원 곽후근 컴퓨터일반 기본서』는 이해를 기반으로 내용을 학습할 수 있도록 구성하였습니다. 고득점을 위해서는 기본 이론에 대한 제대로 된 학습이 필요하며, 본 교재가 이를 확실하고 정확하게 도와줄 것입니다.

『해커스공무원 곽후근 컴퓨터일반 기본서』의 특징은 다음과 같습니다.

첫째, 2014년 이후의 국가직, 지방직, 서울시, 지방교행, 국회직 최신 기출문제와 선제적 공부를 위한 예상문제를 단원별로 수록하여 이론뿐만 아니라 문제 응용력까지 함께 키울 수 있습니다.

둘째, 복잡한 이론을 따로 정리한 '요약정리', 스스로 학습한 내용을 점검해볼 수 있는 '주요개념 셀프체크', 학습의 이해를 돕는 '개념PLUS+' 등 다양한 학습장치를 수록하여 효과적인 학습이 가능하도록 하였습니다.

셋째, 가능한 많은 그림과 표를 수록하여 컴퓨터일반의 주요 내용을 명확하게 이해하고, 핵심 내용 중심으로 효과적인 학습이 가능하도록 하였습니다.

더불어, 공무원 시험 전문 사이트 해커스공무원(gosi.Hackers.com)에서 교재 학습 중 궁금한 점을 나누고 다양한 무료 학습 자료를 함께 이용하여 학습 효과를 극대화할 수 있습니다.

『해커스공무원 곽후근 컴퓨터일반 기본서』가 공무원 합격을 꿈꾸는 모든 수험생 여러분에게 훌륭한 길잡이가 되기를 바랍니다.

곽후근

목차

1권

목차

2권

학습 플랜

효율적인 학습을 위하여 DAY별로 권장 학습 분량을 제시하였으며, 이를 바탕으로 본인의 학습 진도나 수준에 따라 조절하여 학습하기 바랍니다. 또한 학습한 날은 표 우측의 각 회독 부분에 형광펜이나 색연필 등으로 표시하며 채워나가기 바랍니다.

* 1, 2회독 때에는 60일 학습 플랜을, 3회독 때에는 30일 학습 플랜을 활용하면 좋습니다.

1권

60일 플랜	30일 플랜	학습 플랜		1회독	2회독	3회독
DAY 1	DAY 1	PART 1	CHAPTER 01~03	DAY 1	DAY 1	DAY 1
DAY 2			CHAPTER 04~05	DAY 2	DAY 2	
DAY 3	DAY 2		CHAPTER 06~07	DAY 3	DAY 3	DAY 2
DAY 4			CHAPTER 08~09	DAY 4	DAY 4	
DAY 5	DAY 3		CHAPTER 10~11	DAY 5	DAY 5	DAY 3
DAY 6			PART 1 복습	DAY 6	DAY 6	
DAY 7	DAY 4	PART 2	CHAPTER 01~02	DAY 7	DAY 7	DAY 4
DAY 8			CHAPTER 03~04	DAY 8	DAY 8	
DAY 9	DAY 5		CHAPTER 05~06	DAY 9	DAY 9	DAY 5
DAY 10			CHAPTER 07~09	DAY 10	DAY 10	
DAY 11	DAY 6		CHAPTER 10~13	DAY 11	DAY 11	DAY 6
DAY 12			PART 2 복습	DAY 12	DAY 12	
DAY 13	DAY 7	PART 3	CHAPTER 01~02	DAY 13	DAY 13	DAY 7
DAY 14			CHAPTER 03~04	DAY 14	DAY 14	
DAY 15	DAY 8		CHAPTER 05~06	DAY 15	DAY 15	DAY 8
DAY 16			CHAPTER 07~08	DAY 16	DAY 16	
DAY 17	DAY 9		CHAPTER 09~12	DAY 17	DAY 17	DAY 9
DAY 18			PART 3 복습	DAY 18	DAY 18	
DAY 19	DAY 10	PART 4	CHAPTER 01~04	DAY 19	DAY 19	DAY 10
DAY 20			CHAPTER 05~07	DAY 20	DAY 20	
DAY 21	DAY 11		CHAPTER 08~13	DAY 21	DAY 21	DAY 11
DAY 22			PART 5 복습	DAY 22	DAY 22	
DAY 23	DAY 12	PART 5	CHAPTER 01~03	DAY 23	DAY 23	DAY 12
DAY 24			CHAPTER 04~06	DAY 24	DAY 24	
DAY 25	DAY 13		CHAPTER 07~09	DAY 25	DAY 25	DAY 13
DAY 26			CHAPTER 10~11	DAY 26	DAY 26	
DAY 27	DAY 14		CHAPTER 12~14	DAY 27	DAY 27	DAY 14
DAY 28			PART 5 복습	DAY 28	DAY 28	
DAY 29	DAY 15	1권 전체 복습		DAY 29	DAY 29	DAY 15
DAY 30		1권 전체 복습		DAY 30	DAY 30	

- 1회독 때에는 처음부터 완벽하게 학습하려고 욕심을 내는 것보다 전체적인 내용을 가볍게 익힌다는 생각으로 교재를 읽는 것이 좋습니다.
- 2회독 때에는 1회독 때 확실히 학습하지 못한 부분을 정독하면서 꼼꼼히 교재의 내용을 익힙니다.
- 3회독 때에는 기출 또는 예상 문제를 함께 풀어보며 본인의 취약점을 찾아 보완하면 좋습니다.

2권

60일 플랜	30일 플랜	학습 플랜		1회독	2회독	3회독
DAY 31	DAY 16	PART 6	CHAPTER 01~02	DAY 31	DAY 31	DAY 16
DAY 32	DAY 16	PART 6	CHAPTER 03~04	DAY 32	DAY 32	DAY 16
DAY 33	DAY 17	PART 6	CHAPTER 05~06	DAY 33	DAY 33	DAY 17
DAY 34	DAY 17	PART 6	CHAPTER 07~08	DAY 34	DAY 34	DAY 17
DAY 35	DAY 18	PART 6	CHAPTER 09~10	DAY 35	DAY 35	DAY 18
DAY 36	DAY 18	PART 6	CHAPTER 11~12	DAY 36	DAY 36	DAY 18
DAY 37	DAY 19	PART 6	CHAPTER 13~14	DAY 37	DAY 37	DAY 19
DAY 38	DAY 19	PART 6	PART 6 복습	DAY 38	DAY 38	DAY 19
DAY 39	DAY 20	PART 7	CHAPTER 01~03	DAY 39	DAY 39	DAY 20
DAY 40	DAY 20	PART 7	CHAPTER 04~05	DAY 40	DAY 40	DAY 20
DAY 41	DAY 21	PART 7	CHAPTER 06	DAY 41	DAY 41	DAY 21
DAY 42	DAY 21	PART 7	CHAPTER 07	DAY 42	DAY 42	DAY 21
DAY 43	DAY 22	PART 7	CHAPTER 08~09	DAY 43	DAY 43	DAY 22
DAY 44	DAY 22	PART 7	CHAPTER 10~11	DAY 44	DAY 44	DAY 22
DAY 45	DAY 23	PART 7	CHAPTER 12~13	DAY 45	DAY 45	DAY 23
DAY 46	DAY 23	PART 7	PART 7 복습	DAY 46	DAY 46	DAY 23
DAY 47	DAY 24	PART 8	CHAPTER 01~03	DAY 47	DAY 47	DAY 24
DAY 48	DAY 24	PART 8	CHAPTER 04~06	DAY 48	DAY 48	DAY 24
DAY 49	DAY 25	PART 8	CHAPTER 07~08	DAY 49	DAY 49	DAY 25
DAY 50	DAY 25	PART 8	CHAPTER 09~11	DAY 50	DAY 50	DAY 25
DAY 51	DAY 26	PART 8	CHAPTER 12~16	DAY 51	DAY 51	DAY 26
DAY 52	DAY 26	PART 8	PART 8 복습	DAY 52	DAY 52	DAY 26
DAY 53	DAY 27	PART 9	CHAPTER 01~02 ❶	DAY 53	DAY 53	DAY 27
DAY 54	DAY 27	PART 9	CHAPTER 02 ❷~03	DAY 54	DAY 54	DAY 27
DAY 55	DAY 28	PART 9	CHAPTER 04~05	DAY 55	DAY 55	DAY 28
DAY 56	DAY 28	PART 9	PART 9 복습	DAY 56	DAY 56	DAY 28
DAY 57	DAY 29	2권 전체 복습		DAY 57	DAY 57	DAY 29
DAY 58	DAY 29	2권 전체 복습		DAY 58	DAY 58	DAY 29
DAY 59	DAY 30	총 복습		DAY 59	DAY 59	DAY 30
DAY 60	DAY 30	총 복습		DAY 60	DAY 60	DAY 30

PART 6

자료구조

CHAPTER 01 | 자료구조와 알고리즘

1 일상생활에서의 사물의 조직화

일상생활에서의 사물의 조직화는 자료구조와 비슷하다. 아래의 표는 일상생활과 자료구조의 비교를 나타낸다.

일상생활에서의 예	자료 구조
물건을 쌓아 두는 것	스택
영화관 매표소의 줄	큐
할일 리스트	리스트
영어사전	사전, 탐색 구조, 정렬
지도	그래프
조직도	트리

2 자료구조와 알고리즘

일반적으로 프로그램은 자료구조와 알고리즘으로 구성된다. 아래의 그림은 최대값 탐색 프로그램을 자료구조와 알고리즘으로 분류한 것이다. 여기서, 자료구조는 배열을 사용했고, 알고리즘은 순차탐색을 사용하였다.

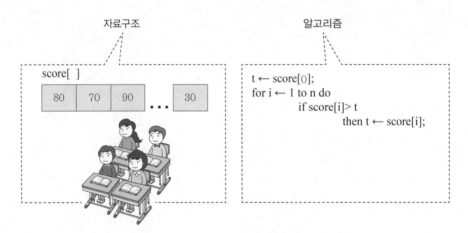

▲ 자료구조와 알고리즘

알고리즘(algorithm)은 컴퓨터로 문제를 풀기 위한 단계적인 절차를 의미한다. 알고리즘의 조건은 다음과 같다.

- **입력**: 0개 이상의 입력이 존재하여야 한다.
- **출력**: 1개 이상의 출력이 존재하여야 한다.
- **명백성**: 각 명령어의 의미는 모호하지 않고 명확해야 한다.
- **유한성**: 한정된 수의 단계 후에는 반드시 종료되어야 한다.
- **유효성**: 각 명령어들은 실행 가능한 연산이어야 한다(만약, 유사코드로 알고리즘을 기술한다면 유효성을 주의해야 함).

알고리즘의 기술 방법은 다음과 같다.

- 영어나 한국어와 같은 자연어
- 흐름도(flow chart)
- 유사 코드(pseudo-code)
- C와 같은 프로그래밍 언어

예를 들어, 배열에서 최대값 찾기 알고리즘을 4가지 알고리즘 기술 방법으로 기술해 보자.

자연어로 표기된 최대값 찾기 알고리즘의 장점은 인간이 읽기가 쉽고, 단점은 자연어의 단어들을 정확하게 정의하지 않으면 의미 전달이 모호해질 우려가 있다(알고리즘의 조건 중 명백성이 깨짐).

- ArrayMax(A,n)
- 배열 A의 첫 번째 요소를 변수 t에 복사
- 배열 A의 다음 요소들을 차례대로 t와 비교하여 더 크면 t로 복사
- 배열 A의 모든 요소를 비교했으면 t를 반환

다음의 그림은 흐름도로 표기된 최대값 찾기 알고리즘을 나타낸다. 장점은 직관적이고 이해하기 쉬운 알고리즘 기술 방법이고, 단점은 복잡한 알고리즘의 경우, 상당히 복잡해진다(그림의 한계).

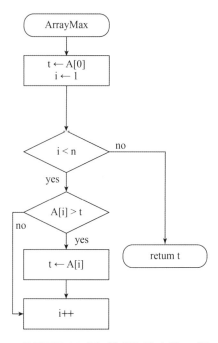

▲ 흐름도로 표기된 최대값 찾기 알고리즘

📁 개념 PLUS+

나씨 - 슈나이더만 차트
흐름도와 비슷한 나씨 - 슈나이더만 차트라는 것이 있다. 이에 대해서는 나중에 자세하게 배운다.

다음은 유사코드(수도코드)로 표현된 최대값 찾기 알고리즘을 나타낸다. 알고리즘의 고수준 기술 방법이고, 자연어보다는 더 구조적인 표현 방법이다. 알고리즘 기술에 가장 많이 사용한다. 장점은 프로그램을 구현할 때의 여러 가지 문제들을 감출 수 있다. 즉 알고리즘의 핵심적인 내용에만 집중할 수 있다. 단점은 프로그래밍 언어보다는 덜 구체적인 표현 방법이다.

```
ArrayMax(A,n)
t ← A[0];
for i←1 to n-1 do
  if t < A[i] then
     t ← A[i];
return t;
```

다음은 C로 표현된 최대값 찾기 알고리즘을 나타낸다. 장점은 알고리즘의 가장 정확한 기술이 가능하고, 단점은 실제 구현 시, 많은 구체적인 사항들이 알고리즘의 핵심적인 내용에 대한 이해를 방해할 수 있다.

```c
#define MAX_ELEMENTS 100
int score[MAX_ELEMENTS];
int find_max_score(int n)
{
        int i, t;
        t = score[0];
        for(i = 1;i<n;i + +){
                if( score[i] > t ){
                        t = score[i];
                }
        }
        return t;
}
```

3 데이터 타입, 추상 데이터 타입(* 참고)

데이터 타입(data type)은 데이터의 집합과 연산의 집합을 의미한다. 아래의 그림은 int 데이터 타입을 나타낸다.

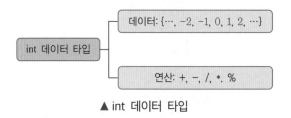

▲ int 데이터 타입

추상 데이터 타입(ADT: Abstract Data Type)은 데이터 타입을 추상적(수학적)으로 정의한 것이다. 데이터나 연산이 무엇(what)인가는 정의되지만 데이터나 연산을 어떻게(how) 컴퓨터 상에서 구현할 것인지는 정의되지 않는다. 추상 데이터 타입의 정의를 위해서는 객체와 연산이 필요하다. 객체는 추상 데이터 타입에 속하는 객체가 정의된다. 그리고 연산은 이들 객체들 사이의 연산이 정의된다. 이 연산은 추상 데이터 타입(객체)과 외부를 연결하는 인터페이스의 역할을 한다(예 객체를 수정하려면 연산을 이용해야 한다). 예를 들어, 추상 데이터 타입이 자연수라면 객체는 1, 2 등을 나타내고, 연산은 +, - 등을 나타낸다.

아래의 그림은 추상 데이터 타입을 나타낸다.

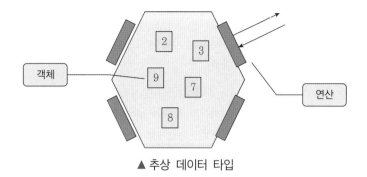

▲ 추상 데이터 타입

다음은 추상 데이터 타입의 예(자연수)를 나타낸다. 객체와 연산만 주어지고 구체적인 구현은 주어지지 않았음에 주의한다(그래서 추상이라고 부름).

```
Nat
객체: 0에서 시작하여 INT_MAX까지의 순서화된 정수의 부분범위
연산:
zero()    ::=   return 0;
is_zero() ::=  if (x) return FALSE;
                    else return TRUE;
add(x,y)  ::=  if( (x + y) <= MAX ) return x + y;
                    else return MAX
sub(x,y)  ::=  if ( x<y ) return 0;
                    else return x-y;
equal(x,y)::=  if( x = y ) return TRUE;
                                    else return FALSE;
successor(x)::= if( (x + 1) <= MAX )
                                        return x + 1;
```

추상 데이터 타입을 설명하기 위해 예전에 많이 사용했던 VCR의 예를 들어보도록 하자. 추상 데이터 타입은 다음과 같은 특징을 가진다.

- 사용자들은 추상 데이터 타입이 제공하는 연산만을 사용할 수 있다.
- 사용자들은 추상 데이터 타입을 어떻게 사용하는지를 알아야 한다.
- 사용자들은 추상 데이터 타입 내부의 데이터(객체)를 접근할 수 없다.
- 사용자들은 어떻게 구현되었는지 몰라도 이용할 수 있다.
- 만약 다른 사람이 추상 데이터 타입의 구현을 변경하더라도 인터페이스가 변경되지 않으면 사용할 수 있다.

VCR은 추상 데이터 타입과 비슷한 다음과 같은 특징을 가진다.

- VCR의 인터페이스가 제공하는 특정한 작업만을 할 수 있다.
- 사용자는 이러한 작업들을 이해해야 한다. 즉, 비디오를 시청하기 위해서는 무엇을 해야 하는지를 알아야 한다.
- VCR의 내부를 볼 수는 없다.
- VCR의 내부에서 무엇이 일어나고 있는지 몰라도 이용할 수 있다.
- 누군가가 VCR의 내부의 기계장치를 교환한다고 하더라도 인터페이스만 바뀌지 않는 한 그대로 사용이 가능하다.

4 알고리즘의 성능분석

알고리즘의 성능 분석 기법은 수행 시간 측정과 알고리즘 복잡도 분석이 존재한다. 수행 시간 측정은 두개의 알고리즘의 실제 수행 시간을 측정하는 것이다. 실제로 구현하는 것이 필요하고, 단점은 측정을 위해 동일한 하드웨어를 사용하여야 한다(하드웨어가 바뀌면 측정 시간도 바뀜).

알고리즘의 복잡도 분석은 직접 구현하지 않고서도 수행 시간을 분석하는 것이다. 알고리즘이 수행하는 연산의 횟수를 측정하여 비교한다(비교, 이동 등). 일반적으로 연산의 횟수는 n의 함수(n: 입력)가 된다. 시간 복잡도 분석은 수행 시간을 분석하는 것이고, 공간 복잡도 분석은 수행 시 필요로 하는 메모리 공간을 분석하는 것이다.

컴퓨터에서 수행시간을 측정하는 방법에는 주로 다음과 같은 clock 함수가 사용된다.

```
clock_t clock(void);
```

clock 함수는 호출되었을 때 시스템 시각을 CLOCKS_PER_SEC 단위로 반환한다. 다음은 수행시간을 측정하는 전형적인 프로그램이다.

```c
#include <stdio.h>
#include <stdlib.h>
#include <time.h>
void main( void )
{
    clock_t start, finish;
    double  dur;
    start = clock();
     // 수행시간을 측정하고 하는 코드....
      // ....
    finish = clock();
    dur = (double)(finish - start) / CLOCKS_PER_SEC;
    printf("%f 초입니다.\n", dur);
}
```

시간 복잡도는 알고리즘을 이루고 있는 연산들이 몇 번이나 수행되는지를 숫자로 표시한다.

연산에는 산술 연산, 대입 연산, 비교 연산, 이동 연산 등이 존재한다. 알고리즘이 수행하는 연산의 개수를 계산하여 두 개의 알고리즘을 비교할 수 있다. 연산의 수행 횟수는 고정된 숫자가 아니라 입력의 개수 n에 대한 함수이다. 그리고 이를 시간복잡도 함수라고 하고 $T(n)$이라고 표기한다.

아래의 그림은 프로그램에 따른 연산의 회수를 보여준다. n = 2일 때, 프로그램 A는 연산의 수는 8이고, 프로그램 B를 연산의 수가 26이다. 연산의 수가 작다는 의미는 더 빠르게 수행될 수 있음을 의미한다.

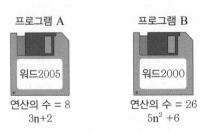

▲ 프로그램에 다른 연산의 횟수

n을 n번 더하는 문제를 생각해보자. 다음 그림과 같은 3가지 알고리즘에 대해 각 알고리즘이 수행하는 연산의 개수를 세어 본다. 단, for 루프 제어 연산은 고려하지 않는다. 어떤 알고리즘이 가장 좋은가? 단순하게 생각하면 알고리즘 A가 연산의 개수가 적으므로 해당 알고리즘이 제일 좋다고 할 수 있다(여기까지가 공무원 시험이 원하는 답). 공무원 시험과 무관하게 조금 깊게 이야기하면 알고리즘 A가 항상 좋은 것은 아니다. 왜냐하면 곱셈연산은 다른 연산에 비해 비용이 많이 들기 때문이다. 즉, 알고리즘을 정확하게 측정하려면 연산이 가지는 어려움도 가중치를 적용해야 한다.

알고리즘 A	알고리즘 B	알고리즘 C

sum ← n*n;	sum ← 0:
	for i ← to n do
	  sum ← sum + n;
		sum ← 0:
		for i ← 1 to n do
		  for j ← 1 to n do
		    sum ← sum + n1;

구분	알고리즘 A	알고리즘 B	알고리즘 C
대입연산	1	n + 1	n*n + 1
덧셈연산		n	n*n
곱셈연산	1		
나눗셈연산			
전체연산수	2	2n + 1	$2n^2 + 1$

▲ n을 n번 더하는 문제(3가지 알고리즘)

다음 그림은 연산의 횟수를 그래프로 표현한 것이다. 알고리즘 B, C는 n이 증가함에 따라 연산의 횟수가 증가하는데, 알고리즘 A는 입력의 개수가 늘어나도 연산의 횟수가 일정함에 유의한다.

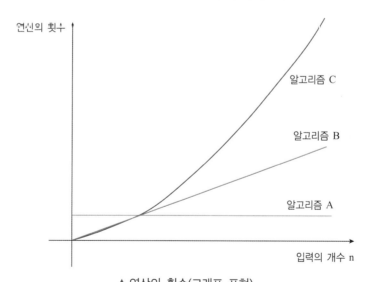

▲ 연산의 횟수(그래프 표현)

다음은 시간복잡도 함수의 계산 예이다. 코드를 분석해보면 수행되는 연산들의 횟수를 입력 크기(n)의 함수로 만들 수 있다. n-1번의 대입 연산은 매번 일어나는 연산이 아니기 때문에 최악의 경우라고 가정한다.

```
ArrayMax(A,n)

  tmp ← A[0];                    1번의 대입 연산
  for i←1 to n-1 do              루프 제어 연산은 제외
      if tmp < A[i] then         n-1번의 비교 연산
              tmp ← A[i];        n-1번의 대입 연산(최악의 경우)
  return tmp;                    1번의 반환 연산

                                 총 연산수 =  2n(최악의 경우)
```

5 빅오 표기법

시간 복잡도를 어떻게 표시할 것인가를 생각해보자. 자료의 개수가 많은 경우에는 차수가 가장 큰 항이 가장 영향을 크게 미치고 다른 항들은 상대적으로 무시될 수 있다. 예를 들어, $T(n) = n^2 + n + 1$이 있다고 가정하자. $n = 1,000$일 때, $T(n)$의 값은 $1,001,001$이고 이중에서 첫 번째 항인 n^2의 값이 전체의 약 99%인 $1,000,000$이고 두 번째 항의 값이 1000으로 전체의 약 1%를 차지한다. 따라서 보통 시간복잡도 함수에서 가장 영향을 크게 미치는 항만을 고려하면 충분하다. 이는 시간복잡도 함수를 간단하게 표시하기 위해서이다.

빅오표기법은 연산의 횟수를 대략적(점근적/근사적)으로 표기한 것이다. 두개의 함수 f(n)과 g(n)이 주어졌을 때, 모든 $n \geq n_0$에 대하여 $|f(n)| \leq c|g(n)|$을 만족하는 2개의 상수 c와 n_0가 존재하면 $f(n) = O(g(n))$이다(만족하는 2개의 상수는 여러 개가 존재할 수 있으므로 이중 가장 근사적인 것을 표현). 즉, 빅오는 함수의 상한을 표시한다. 예를 들어, $f(n) = 2n + 1$, $g(n) = n$이고, $n_0 = 5$, $c = 10$이면 다음과 같은 표현이 가능하다.

$$n \geq 5이면\ 2n + 1 < 10n이므로\ 2n + 1 = O(n)$$

결론은 $2n + 1$은 최고차항인 n으로 표현할 수 있다는 것을 의미한다. 아래의 그림은 빅오표기법을 보여준다.

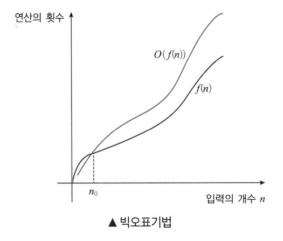

▲ 빅오표기법

다음은 빅오표기법의 예를 보여준다. 빅오표기법은 최고차 항보다 같거나 큰 것을 의미한다.

- $f(n) = 5$이면 $O(1)$이다. 왜냐하면 $n_0 = 1$, $c = 10$일 때, $n \geq 1$에 대하여 $5 \leq 10 \cdot 1$이 되기 때문이다.
- $f(n) = 2n + 1$이면 $O(n)$이다. 왜냐하면 $n_0 = 2$, $c = 3$일 때, $n \geq 2$에 대하여 $2n + 1 \leq 3n$이 되기 때문이다.
- $f(n) = 3n^2 + 100$이면 $O(n^2)$이다. 왜냐하면 $n_0 = 100$, $c = 5$일 때, $n \geq 100$에 대하여 $3n^2 + 100 \leq 5n^2$이 되기 때문이다.
- $f(n) = 5 \cdot 2^n + 10n^2 + 100$이면 $O(2^n)$이다. 왜냐하면 $n_0 = 1000$, $c = 10$일 때, $n \geq 1000$에 대하여 $5 \cdot 2^n + 10n^2 + 100 \leq 10 \cdot 2^n$이 되기 때문이다.

빅오 표기법의 종류는 다음과 같다.

- $O(1)$: 상수형
- $O(\log n)$: 로그형
- $O(n)$: 선형
- $O(n\log n)$: 로그선형
- $O(n^2)$: 2차형
- $O(n^3)$: 3차형
- $O(n^k)$: k차형
- $O(2^n)$: 지수형
- $O(n!)$: 팩토리얼형

빅오표기법의 종류를 그림으로 나타내면 다음과 같다.

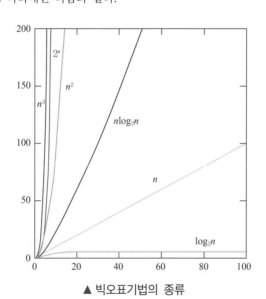

▲ 빅오표기법의 종류

다음의 표는 빅오표기법의 종류에 n을 대입한 예를 보여준다.

시간복잡도	n					
	1	2	4	8	16	32
1	1	1	1	1	1	1
$\log n$	0	1	2	3	4	5
n	1	2	4	8	16	32
$n\log n$	0	2	8	24	64	160
n^2	1	4	16	64	256	1024
n^3	1	8	64	512	4096	32768
2^n	2	4	16	256	65536	4294967296
$n!$	1	2	24	40326	20922789888000	26313×10^{33}

빅오메가 표기법은 모든 n ≥ n_0에 대하여 |f(n)| ≥ c|g(n)|을 만족하는 2개의 상수 c와 n_0가 존재하면 f(n) = Ω(g(n))이다. 빅오메가는 함수의 하한을 표시한다. 예를 들어, f(n) = 2n + 1, g(n) = n이고 n_0 = 1, c = 1이면 다음과 같은 수식이 만족된다(* 참고).

> n ≥ 1이면 2n + 1 ≥ n이므로 2n + 1 = Ω(n)

결론은 2n + 1의 하한을 최고차항인 n으로 표시할 수 있다는 것을 의미한다(최고차항이 작거나 같다). 다음 그림은 빅오메가 표기법을 나타낸다.

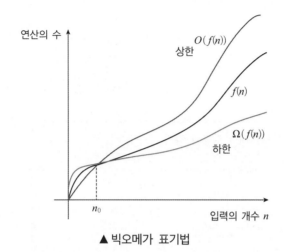

▲ 빅오메가 표기법

빅세타 표기법은 모든 n≥n_0에 대하여 c_1|g(n)| ≤ |f(n)| ≤ c_2|g(n)|을 만족하는 3개의 상수 c_1, c_2와 n_0가 존재하면 f(n) = Θ(g(n))이다. 빅세타는 함수의 하한인 동시에 상한을 표시한다(* 참고).

f(n) = O(g(n))이면서 f(n) = Ω(g(n))이면 f(n) = Θ(n)이다. 예를 들어, f(n) = 2n + 1, g(n) = n이고 n_0 = 1, c_1 = 1, c_2 = 3이면 다음과 같은 수식을 만족한다.

> n ≥ 1이면 n ≤ 2n + 1≤3n이므로 2n + 1 = Θ(n)

결론은 2n + 1의 중간을 최고차항인 n으로 표시할 수 있다는 것을 의미한다(최고차항이 같다). 다음 그림은 빅세타 표기법을 나타낸다.

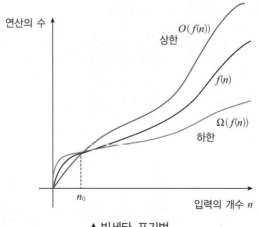

▲ 빅세타 표기법

6 최선, 평균, 최악의 경우(* 참고)

알고리즘의 수행시간은 입력 자료 집합에 따라 다를 수 있다. 예를 들어, 정렬 알고리즘의 수행 시간은 입력 집합에 따라 다를 수 있고 다음과 같은 경우의 수로 나눠서 생각할 수 있다.

- 최선의 경우(best case): 수행 시간이 가장 빠른 경우
- 평균의 경우(average case): 수행시간이 평균적인 경우
- 최악의 경우(worst case): 수행 시간이 가장 늦은 경우

아래의 그림은 최선, 평균, 최악의 경우를 나타낸다. 일반적으로 알고리즘의 수행시간은 최악의 경우를 고려해야 한다.

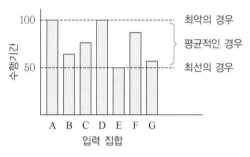

▲ 최선, 평균, 최악의 경우

최선의 경우는 의미가 없는 경우가 많다. 평균적인 경우는 계산하기가 상당히 어렵다. 왜냐하면, 입력이 계속 바뀌면 평균도 계속 바뀌기 때문이다. 최악의 경우는 가장 널리 사용된다. 계산하기 쉽고 응용에 따라서 중요한 의미를 가질 수도 있다. 예를 들면, 비행기 관제업무, 게임, 로보틱스 등을 들 수 있다. 비행기 관제업무에서 최선 또는 평균이 고려하면 재앙이 발생할 수 있음에 유의한다.

순차탐색의 예를 생각해보자. 최선의 경우는 찾고자 하는 숫자가 맨앞에 있는 경우로 O(1)이 된다. 최악의 경우는 찾고자 하는 숫자가 맨뒤에 있는 경우로 O(n)이 된다. 그리고 평균적인 경우로 각 요소들이 균일하게 탐색된다고 가정하면 $(1+2+\cdots+n)/n = (n+1)/2 = O(n)$이 된다. 이를 그림으로 나타내면 다음과 같다.

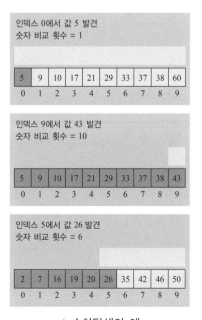

▲ 순차탐색의 예

7 그 외(* 참고)

자료구조의 C언어 표현방법 중 자료구조와 관련된 데이터들을 구조체(서로 다른 자료형을 묶어놓은 것)로 정의한 경우를 생각해보자. 연산(함수)을 호출할 경우, 이 구조체를 함수의 파라미터로 전달한다. 즉, 자료를 구조화하면 편하게 파라미터화할 수 있다. 다음의 코드는 자료구조 중에 구조체를 나타낸다.

```
// 자료구조 스택과 관련된 자료들을 정의
typedef int element; // 자료구조의 요소
typedef struct { // 관련된 데이터를 구조체로 정의(서로 다른 자료형)
                int top;
                element stack[MAX_STACK_SIZE];
} Stack;
// 자료구조 스택과 관련된 연산들을 정의
void push(Stack *s, element item)
// 연산을 호출할 때 구조체를 함수의 파라미터로 전달
{
                if( s->top > = (MAX_STACK_SIZE -1)){
                    stack_full();
                    return;
                }
                s->stack[ + +(s->top)] = item;
}
```

자료구조 기술규칙 중 가장 큰 원칙 가독성(제 3자가 알아볼 수 있어야 한다)이다. 상수는 대문자로 표기한다. 예를 들면 다음과 같은 코드가 있다.

```
#define MAX_ELEMENT 100
```

변수의 이름은 소문자를 사용하며 언더라인을 사용하여 단어와 단어를 분리한다. 예를 들면 다음과 같은 코드가 있다.

```
int increment;
int new_node;
```

함수의 이름은 동사를 이용하여 함수가 하는 작업을 표기한다. 예를 들면 다음과 같은 코드가 있다.

```
int add(ListNode *node)     // 혼동이 없는 경우
int list_add(ListNode *node)  // 혼동이 생길 우려가 있는 경우
```

typedef(type definition)는 C언어에서 사용자 정의 데이터 타입을 만드는 경우에 쓰이는 키워드이다. 다음과 같이 사용한다.

```
typedef <타입의 정의> <타입 이름>;
typedef int element; // int 대신에 element 사용 가능(의미가 부여된 이름)
typedef struct List {
  element data;
  struct List *link;
} List; // 구조체 대신에 ListNode를 사용할 수 있음(구조체를 간략화함)
```

⚓ **주요개념 셀프체크**

☑ 자료구조 vs. 알고리즘
☑ 시간 복잡도 vs. 공간 복잡도
☑ 빅오(O)

📋 **핵심 기출**

다음의 C 언어로 작성된 프로그램에서 calc함수의 실행시간(또는 실행 단계 수)를 점근 표기법으로 표시했을 때 옳은 것은?

2020년 국회직

```
int calc(int n) {
        int i, j, ret = 0;
        if (n <= 0)
                return 0;
        for (i = 1; i <= n; i ++)
                ret += 1;
        return ret + calc(n - 1);
}
```

① $O(\log_2 n)$
② $O(n\log_2 n)$
③ $O(n)$
④ $O(n^2)$
⑤ $O(n^3)$

해설

실행 시간은 다음과 같이 계산이 가능하다.

calc(n) // n번 연산이 수행된다고 가정하자(for 문에서 발생하는 연산만 계산해 포함).
calc(n-1) // n-1번 연산이 수행된다고 가정하자.
...
cal(1) // 1번 연산이 수행된다고 가정하자.
이들의 연산을 모두 더하면 다음과 같다.
n + (n-1) + (n-2) + ... + 1 = n(n+1)/2 = (n²+n)/2
빅오에서는 최고차 항만을 고려하므로 O(n2)이 된다.

정답 ④

CHAPTER 02 | 순환(Recursion)

1 개요

순환(Recursion)이란 알고리즘이나 함수가 수행 도중에 자기 자신을 다시 호출하여 문제를 해결하는 기법(재귀 호출)이다. 정의 자체가 순환적으로 되어 있는 경우에 적합한 방법이다. 일반적으로 반복과 호환되어 사용되나 꼭 사용해야 하는 경우가 존재한다(하노이탑, 이후에 설명). 순환은 자료 구조가 아닌 알고리즘으로 분류되며, 분할정복법(divide and conquer approach)을 사용한다.

순환(Recursion)의 예는 팩토리얼 값 구하기, 피보나치 수열, 이항계수, 하노이의 탑, 이진 탐색 등을 들 수 있다. 다음 그림은 팩토리얼 값 구하기, 피보나치 수열, 이항계수를 나타낸다.

$$n \neq \begin{cases} 1 & n=0 \\ n*(n-1)! & n \geq 1 \end{cases}$$

$$fib(n) \begin{cases} 0 & \text{if } n=0 \\ 1 & \text{if } n=1 \\ fib(n-2)+fib(n-1) & otherwise \end{cases}$$

$$_nC_k = \begin{cases} 1 & n=0 \text{ or } n=k \\ _{n-1}C_{k-1} + {}_{n-1}C_k & otherwise \end{cases}$$

▲ 팩토리얼 값 구하기, 피보나치 수열, 이항계수

2 팩토리얼 프로그래밍

팩토리얼의 정의는 다음과 같다.

$$n! = \begin{cases} 1 & n=0 \\ n*(n-1)! & n \geq 1 \end{cases}$$

팩토리얼 프로그래밍을 수행하는 첫 번째 방법은 위의 정의대로 구현하는 것이다. (n-1)! 팩토리얼을 구하는 서브 함수 factorial_n_1를 따로 제작하는 것이다. 그러나 factorial_n_1을 무한정 구현할 수 없다는 문제가 발생한다. 다음은 첫 번째 방법으로 구현된 코드이다.

```
int factorial(int n)
{
    if( n <= 1 ) return(1);
    else return (n * factorial_n_1(n-1) );
}
```

다음의 코드는 팩토리얼 프로그래밍을 수행하는 두 번째 방법을 나타낸다. 두 번째 방법에서는 (n-1)! 팩토리얼을 현재 작성중인 함수를 다시 호출하여 계산(순환 호출)한다.

```
int factorial(int n)
{
    if( n <= 1 ) return(1);
    else return (n * factorial(n-1) );
}
```

3 순환호출순서

팩토리얼 함수의 호출 순서는 다음과 같다.

```
factorial(5) = 5 * factorial(4)
             = 5 * 4 * factorial(3)
             = 5 * 4 * 3 * factorial(2)
             = 5 * 4 * 3 * 2 * factorial(1)
             = 5 * 4 * 3 * 2 * 1
             = 120
```

다음 그림은 팩토리얼 함수의 호출 순서를 나타낸 것이다.

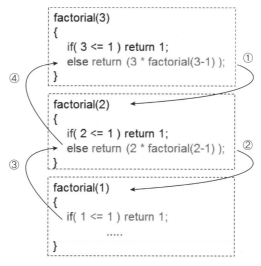

▲ 팩토리얼 함수의 호출 순서

순환 알고리즘은 순환 호출을 하는 부분과 순환 호출을 멈추는 부분(가장 중요)들을 포함한다. 아래의 그림은 순환 호출을 나타낸다.

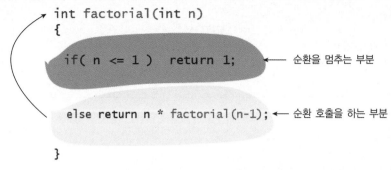

▲ 순환 호출(호출 부분과 멈추는 부분)

만약 순환 호출을 멈추는 부분이 없다면 시스템 오류가 발생할 때까지 무한정 호출하게 된다. 그리고 이로 인해 시스템에 이상 동작이 발생하게 된다.

4 순환과 반복

컴퓨터에서의 되풀이는 순환과 반복이 존재한다. 순환(recursion)은 순환 호출을 이용(호출과 복귀를 반복하고 이를 위해 스택을 사용)하고, 반복(iteration)은 for나 while을 이용한다. 대부분의 순환은 반복으로 바꾸어 작성할 수 있다.

순환은 순환적인 문제에서는 자연스러운 방법이지만, 함수 호출의 오버헤드가 발생한다. 반복은 수행 속도가 빠르지만, 순환적인 문제에 대해서는 프로그램 작성이 아주 어려울 수도 있다. 예를 들어, 하노이탑의 경우 반복으로 작성이 거의 불가능하다.

참고로 팩토리얼의 반복적 구현은 다음과 같다. 코드를 이해하는 가장 쉬운 방법은 실제 값을 대입해 보는 것이다. n = 3이라고 가정하고 코드를 수행해본다(직접 코딩해 보면 더 좋다).

$$n! = \begin{cases} 1 & n = 1 \\ n*(n-1)*(n-2)*\cdots*1 & n \geq 2 \end{cases}$$

```
int factorial_iteration(int n)
{
    int k, v = 1;
    for(k = n; k>0; k--)
        v = v*k; // v = 3*2*1;
    return(v);
}
```

5 거듭제곱 값 프로그래밍

다음은 순환적인 방법이 반복적인 방법보다 더 효율적인 예를 나타낸다. 숫자 x의 n제곱 값을 구하는 문제(x^n)이다. 반복적인 방법으로 구현한 예는 다음과 같다. x = 3, n = 3이라고 가정하고 실제로 동작하는지 확인해보자.

```
double iteration_power(double x, int n)
{
    int i;
    double r = 1.0;
    for(i = 0; i<n; i++)
        r = r * x; // r = 3*3*3;
    return(r);
}
```

이를 순환적인 방법으로 구현한 유사코드는 다음과 같다.

```
power(x, n)

if n = 0
        then return 1; // 종료 조건
else if n이 짝수
        then return power(x², n/2);
else if n이 홀수
        then return x*power(x², (n-1)/2);
```

n = 1, 2, 3, 4를 가정했을 때 호출 순서를 정리하면 다음과 같다.

```
x, 1 (n이 1인 경우)
return x * power(x², 0); -> return x;
x², 0
return 1;

x, 2 (n이 2인 경우)
return power(x², 1); -> return x²;
x², 1
return x² * power(x⁴, 0); -> return x²;
x⁴, 0
return 1;

x, 3 (n이 3인 경우)
return x*power(x², 1); -> return x³;
x², 1
return x²;

x, 4 (n이 4인 경우)
return power(x², 2); -> return x⁴;
x², 2
return power(x⁴, 1); -> return x⁴;
x⁴, 1
return x⁴*power(x⁸, 0); -> return x⁴;
```

순환적인 방법은 다음과 같이 정리할 수 있다. 간단한 예로, 짝수인 경우에 x^2을 n/2번 호출한다고 생각하면 된다. n이 짝수이면 다음과 같이 계산한다.

$$power(x, n) = power(x^2, n/2) = (x^2)^{n/2} = x^{2(n/2)} = xn$$

n이 홀수이면 다음과 같이 계산한다.

$$power(x, n) = x \cdot power(x^2, (n-1)/2) = x \cdot (x^2)^{(n-1)/2} = x \cdot x^{n-1} = x^n$$

다음은 순환적인 알고리즘의 구현된 코드를 나타낸다. 코드 중에 %는 나머지 연산(modulation)을 나타낸다.

```
double power(double x, int n)
{
        if( n = = 0 ) return 1;
        else if ( (n%2) = = 0 )
                return power(x*x, n/2);
        else return x*power(x*x, (n-1)/2);
}
```

순환적인 방법의 시간 복잡도는 만약 n이 2의 제곱이라고 가정하면 다음과 같이 문제의 크기가 줄어든다. 즉, n이 ½씩 줄어들기 때문에 logn의 특성을 갖는다.

$$2^n \rightarrow 2^{n/2} \rightarrow \ldots \rightarrow 2^2 \rightarrow 2^1 \rightarrow 2^0$$

반복적인 방법과 순환적인 방법의 비교하면 다음과 같다. 빅오 표기법을 사용하였고, n = 8인 경우를 가정하였다.

구분	반복	순환
시간복잡도	O(n)	O(logn)
실제수행속도	7.17초	0.47초

6 피보나치 수열의 계산

피보나치 수열은 순환 호출을 사용하면 비효율적인 예이다. 피보나치 수열이란 다음과 같이 바로 앞 두 항의 합을 나타낸다.

$$0,1,1,2,3,5,8,13,21, \cdots$$
$$fib(n) \begin{cases} 0 & n=0 \\ 1 & n=1 \\ fib(n-2) + fib(n-1) & otherwise \end{cases}$$

순환적인 구현은 다음과 같다.

```
int fib(int n)
{
    if( n = = 0 ) return 0;
    if( n = = 1 ) return 1;
    return (fib(n-1) + fib(n-2));
}
```

순환 호출을 사용했을 경우의 비효율성은 같은 항이 중복해서 계산되기 때문이다. 예를 들어 fib(6)을 호출하게 되면 fib(3)이 3번이나 중복되어서 계산된다. 이러한 현상은 n이 커지면 더 심해진다. 실제 시험에서는 호출의 횟수를 묻는 질문 등이 출제되었다.

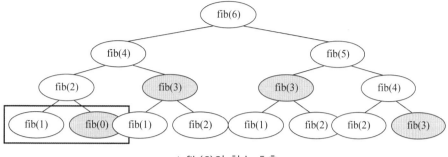

▲ fib(6)의 함수 호출

다음은 피보나치 수열의 반복적인 구현을 나타낸다. 반복 구조를 사용한 구현에서 last를 fib(n-2)로 보고, current를 fib(n-1)로 보면 이해하기가 쉬울 것이다.

```
fib_iteration(int n)
{
        if( n < 2 ) return n;
        else {
                int i, tmp, current = 1, last = 0;
                for(i = 2;i < = n;i + + ){
                        tmp = current;
                        current  + =  last;
                        last = tmp;
                }
                return current;
        }
}
```

다음은 반복적인 구현에서 n이 2, 3일 때를 가정하고 코드를 돌려본 것이다.

```
n = 2
tmp = 1 = current;
current = 1 = current  +  last;
last = 1 = tmp;
Return 1;


n = 3
tmp = 1 = current;
current = 2 = current  +  last;
last = 1 = tmp;
return 2;
```

7 하노이 탑 문제(* 참고)

하노이 탑 문제는 막대 A에 쌓여있는 원판 n개를 막대 C로 옮기는 것이다. 단, 다음의 조건을 지켜야 한다.

- 한 번에 하나의 원판만 이동할 수 있다.
- 맨 위에 있는 원판만 이동할 수 있다.
- 크기가 작은 원판 위에 큰 원판이 쌓일 수 없다.
- 중간의 막대를 임시적으로 이용할 수 있으나 앞의 조건들을 지켜야 한다.

그림은 원판이 3개인 경우의 하노이 탑 예제를 나타낸다.

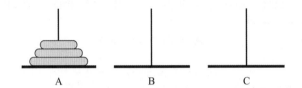

▲ 하노이 탑(원판이 3개인 경우)

원판이 3개인 경우(n = 3인 경우)의 해답은 다음의 그림과 같다.

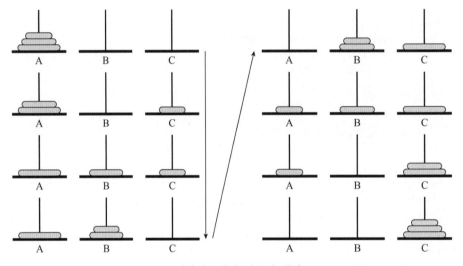

▲ 원판이 3개인 경우의 해답

그렇다면 일반적인 경우(원판이 3개 이상인 경우)에는 어떻게 옮기면 될까? 아래의 그림은 일반적인 경우의 해답을 나타낸다.

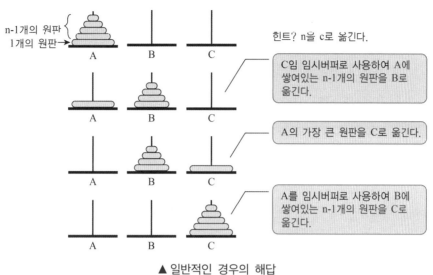

▲ 일반적인 경우의 해답

자, 그러면 어떻게 n-1개의 원판을 A에서 B로, 또 B에서 C로 이동하는가? 우리의 원래 문제가 n개의 원판을 A에서 C로 옮기는 것임을 기억하라. 따라서 지금 작성하고 있는 함수의 파라미터를 n-1로 바꾸어 순환 호출하면 된다. 원리는 n에 적용하는 것을 n-1에 적용하는 것을 순환적으로 반복하면 된다. 다음은 일반적인 경우의 유사 코드를 나타낸다.

```
// 막대 from(A)에 쌓여있는 n개의 원판을 막대 tmp(B)를 사용하여 막대 to(C)로 옮긴다.
void hanoi(int n, char from, char tmp, char to)
{
   if (n = = 1){
       from에서 to로 원판을 옮긴다. // 맨 위의 원판
   }
   else{
       hanoi(n-1, from, to, tmp); // n-1, A -> B
       from에 있는 한 개의 원판을 to로 옮긴다. // n, A -> C
       hanoi(n-1, tmp, from, to); // n-1, B -> C
   }
}
```

하노이탑 최종 프로그램은 다음과 같다. n-1개의 원판을 A에서 B로 옮기고 n번째 원판을 A에서 C로 옮긴 다음, n-1개의 원판을 B에서 C로 옮기면 된다.

```c
#include <stdio.h>
void hanoi(int n, char from, char tmp, char to)
{
  if( n == 1 ) printf("원판 1을 %c 에서 %c으로 옮긴다.\n", from, to); // 맨위
  else {
        hanoi(n-1, from, to, tmp); // n-1, A -> B
        printf(" 원판 %d을 %c에서 %c으로 옮긴다.\n ", n, from, to); // n, A -> C
        hanoi(n-1, tmp, from, to); // n-1, B -> C
  }
}
```

다음은 최종 프로그램에 n이 2, 3일 때를 가정하고 돌려본 결과이다. 코드가 제대로 동작하는지 확인하기 위해 스스로 돌려보고 확인하기 바란다.

```
n = 2
hanoi(2, a, b, c);
hanoi(1, a, c, b);
원판 1 : a -> b // (1)
원판 2 : a -> c // (2)
hanoi(1, b, a, c);
원판 1 : b -> c // (3)

n = 3
hanoi(3, a, b, c);
hanoi(2, a, c, b);
hanoi(1, a, b, c);
원판 1 : a -> c // (1)
원판 2 : a -> b // (2)
hanoi(1, c, a, b);
원판 1 : c -> b // (3)
원판 3 : a -> c // (4)
hanoi(2, b, a, c);
hanoi(1, b, c, a);
원판 1 : b -> a // (5)
원판 2 : b -> c // (6)
hanoi(1, a, b, c);
원판 1 : a -> c // (7)
```

✓ 순환 vs. 반복
✓ 팩토리얼
✓ 거듭제곱 값
✓ 피보나치 수열

핵심 기출

1. 다음 C 언어로 작성된 프로그램의 실행 결과에서 세 번째 줄에 출력되는 것은?   2015년 국가직

```c
# include <stdio.h>
int func(int num)
{
  if(num == 1)
    return 1;
  else
    return num * func(num - 1) ;
}
int main()
{
  int i;
  for(i = 5 ; i > = 0 ; i--) {
    if(i % 2 == 1)
      printf("func(%d) : %d\n", i, func(i));
  }
  return 0 ;
}
```

① func(3): 6
② func(2): 2
③ func(1): 1
④ func(0): 0

해설

i를 2로 나눠서 나머지가 1인 경우에만 printf()를 출력하므로 다음과 같은 순서로 출력된다.

i = 5 → func(5): ? // ?를 한 이유는 굳이 계산할 필요가 없기 때문이다.
i = 3 → func(3): ? // ?를 한 이유는 굳이 계산할 필요가 없기 때문이다.
i = 1 → func(1): 1 // 우리의 관심사인 세 번째 줄에 출력되는 문장이다.

TIP 전체의 코드를 모두 돌려볼 필요가 없이 문제의 조건에 맞는 코드만 살펴보면 된다.

정답 ③

```
#include <stdio.h>
int func(int n);
int main(void)
{
  int num;
  printf("%d\n", func(5));
  return 0;
}
int func(int n)
{
  if (n < 2)
    return n;
  else {
    int i, tmp, current=1, last=0;
    for(i=2; i<=n; i++) {
      tmp = current;
      current += last;
      last = tmp;
    }
  }
  return current;
}
```

① 5
② 6
③ 8
④ 9

해설

해당 코드는 피보나치 수열을 반복을 이용해서 구현한 것이다(자료구조의 순환 부분에 나오는 대표적인 코드). 원래는 순환을 이용해서 구현해야 하나 피보나치 수열의 경우에는 순환보다 반복이 더 효율적이다.

```
초기 조건: current = 1, last = 0
i = 2, current = 1, last = 1 // 전단계의 current와 last를 더하면 현재의 current가 되고, 전단계의 current
가 현재의 last가 된다.
i = 3, current = 2, last = 1
i = 4, current = 3, last = 2
i = 5, current = 5, last = 3
```

TIP i = 2에서 코드의 패턴을 파악하면 더 이상 코드 없이 기계적으로 계산하면 된다. 그리고 해당 코드가 피보나치 수열 계산 코드라는 것을 미리 알고 있었다면 코드를 볼 필요 없이 계산이 가능하다.

정답 ①

CHAPTER 03 | 배열, 구조체, 포인터

1 개요

배열이란 다음과 같이 같은 형의 변수를 여러 개 만드는 경우에 사용한다. 배열을 사용하면 각각을 따로 정의하는 것보다 훨씬 효율적으로 변수를 관리할 수 있다.

```
int A0, A1, A2, A3, …, A9; // 각각을 따로 정의
int A[10]; // 배열로 정의
```

반복 코드 등에서 배열을 사용하면 효율적인 프로그래밍이 가능하다. 다음은 최대값을 구하는 프로그램을 보여준다. 만약 배열이 없었다면 몇 개가 될지도 모르는 개별 변수들을 개별적으로 비교해야한다.

```
t = score[0];
for(i = 1;i<n;i + +){
            if( score[i] > t )
                        t = score[i];
}
```

2 배열 ADT(추상데이터타입)

배열은 인덱스, 요소 쌍의 집합으로 구성된다. 인덱스가 주어지면 해당되는 요소가 대응되는 구조이다. 배열의 ADT는 다음과 같이 정의될 수 있다.

```
배열 ADT

객체: <인덱스, 요소> 쌍의 집합
연산:
 ▪ create(n) :: = n개의 요소를 가진 배열의 생성.
 ▪ retrieve(A, i) :: = 배열 A의 i번째 요소 반환.
 ▪ store(A, i, item) :: = 배열 A의 i번째 위치에 item 저장.
```

3 n차원 배열

1차원 배열은 다음과 같이 정의되고, 이를 그림으로 나타내면 다음과 같다. 그림에서 sizeof 함수는 자료형의 크기를 바이트로 반환하는 함수이다. 예를 들어, sizeof(int)는 4가 된다.

```
int A[6];
```

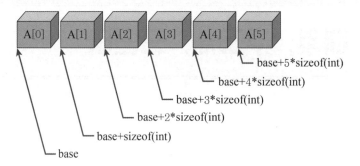

▲ 1차원 배열

2차원 배열은 다음과 같이 정의되고, 이를 그림을 나타내면 다음과 같다. n차원 배열은 2차원 배열의 확장으로 생각하면 된다.

```
int A[3][4];
```

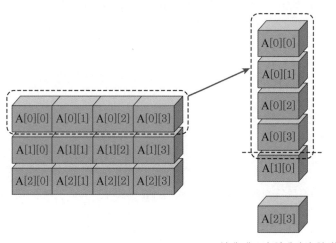

실제 메모리 안에서의 위치(?)

▲ 2차원 배열

4 배열의 응용 - 다항식(* 참고)

다항식의 일반적인 형태는 다음과 같다. 프로그램에서 다항식을 처리하려면 다항식을 위한 자료구조가 필요하다. 어떤 자료구조를 사용해야 다항식의 덧셈, 뺄셈, 곱셈, 나눗셈 연산을 할 때 편리하고 효율적일까?

$$p(x) = a_n x^n + a_{n-1} x^{n-1} + \ldots + a_1 x + a_0$$

배열을 사용한 2가지 방법이 존재한다. 하나는 다항식의 모든 항을 배열에 저장하는 것이고, 다른 하나는 다항식의 0이 아닌 항만을 배열에 저장하는 것이다.

다항식의 모든 항을 배열에 저장하는 방법은 모든 차수에 대한 계수값을 배열로 저장한다. 하나의 다항식을 하나의 배열로 표현하고, 이를 그림으로 나타내면 다음과 같다(알고리즘이 어떻게 동작할지 top-down을 생각해보자).

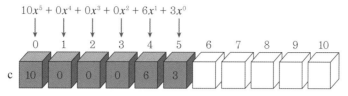

$$10x^5 + 0x^4 + 0x^3 + 0x^2 + 6x^1 + 3x^0$$

▲ 다항식의 모든 항을 배열에 저장하는 방법

다항식의 모든 항을 배열에 저장하는 방법의 장점은 다항식의 각종 연산이 간단해지지만, 단점은 대부분의 항의 계수가 0이면 공간의 낭비가 심하다(물론 메모리가 크면 문제가 되진 않지만 그 경우는 논외로 함). 다음은 다항식의 덧셈 연산 프로그램을 나타낸다.

```c
#include <stdio.h>
#define MAX(a,b) (((a)>(b))?(a):(b))
#define MAX_DEGREE 101
typedef struct {                 // 다항식 구조체 타입 선언
        int degree;              // 다항식의 차수
        float c[MAX_DEGREE];     // 다항식의 계수
} polynomial;

// C = A + B 여기서 A와 B는 다항식이다.
polynomial poly_add1(polynomial A, polynomial B)
{
        polynomial C;            // 결과 다항식
        int Apos = 0, Bpos = 0, Cpos = 0;        // 배열 인덱스 변수
        int degree_a = A.degree;
        int degree_b = B.degree;
        C.degree = MAX(A.degree, B.degree); // 결과 다항식 차수
        while( Apos <= A.degree && Bpos <= B.degree ){
                if( degree_a > degree_b ){ // A항 > B항
                C.c[Cpos + +] = A.c[Apos + +];
                degree_a--;
                }
        else if( degree_a = = degree_b ){ // A항 = = B항
                C.c[Cpos + +] = A.c[Apos + +] + B.c[Bpos + +];
                degree_a--; degree_b--;
                }
        else {                           // B항 > A항
                C.c[Cpos + +] = B.c[Bpos + +];
                degree_b--;
                }
        }
        return C;
}
// 주함수
main()
{
        // bottom-up : 실제 값 대입?
        polynomial a = { 5, {3, 6, 0, 0, 0, 10} };
        polynomial b = { 4, {7, 0, 5, 0, 1} };
        polynomial c;
        c = poly_add1(a, b);
}
```

다음은 프로그램이 제대로 동작하는지 확인하기 위해 실제 값을 대입해 본 결과를 나타낸다(bottom-up 해석).

```
{ 5, {3, 6, 0, 0, 0, 10} };
{ 4, {7, 0, 5, 0, 1} };
degree_a = A.degree = 5;
degree_b = B.degree = 4;
C.degree = 5;
while(0 <= 5 && 0 <= 4) {
if (5 > 4) {
C.c[0 + +] = A.c[0 + +]; //3
5--;
}
...
```

다항식의 0이 아닌 항만을 배열에 저장하는 방법은 (계수, 차수) 형식으로 배열에 저장한다. 예를 들면, $10x^5 + 6x + 3$에서 ((10,5), (6,1), (3,0))만을 저장하는 것이다. 이 경우에는 하나의 배열로 여러 개의 다항식을 나타낼 수 있고, 다음 그림은 이를 나타낸다.

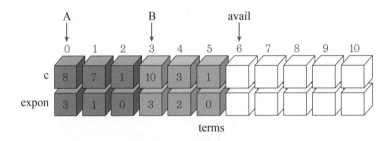

▲ 다항식의 0이 아닌 항만을 배열에 저장하는 방법

다항식의 0이 아닌 항만을 배열에 저장하는 방법의 장점은 메모리 공간을 효율적으로 이용하는 것이고(메모리가 많다면 장점이 될 수 없음은 논외로 함), 단점은 다항식의 연산들이 복잡해진다(구현 비용이 많이 들어감). 예를 들어, 다음 그림과 같이 다항식의 덧셈을 한다고 가정하자($A = 8x^3 + 7x + 1$, $B = 10x^3 + 3x^2 + 1$, $C = A + B$). 알고리즘이 어떻게 동작할지 top-down으로 생각해보자.

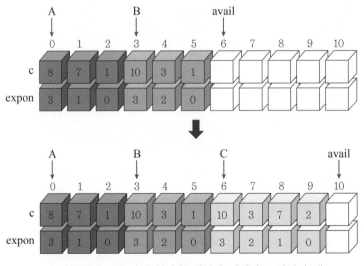

▲ 다항식의 0이 아닌 항만을 배열에 저장하는 방법의 예

다음은 다항식의 0이 아닌 항만을 배열에 저장하는 방법의 예를 프로그램의 형태로 구현한 것이다.

```
#define MAX_TERMS 101
struct {
        float c;
        int expon;
} terms[MAX_TERMS] = { {8,3}, {7,1}, {1,0}, {10,3}, {3,2},{1,0} };
int avail = 6; // 배열에서 index 6부터 사용 가능
// 두 개의 정수를 비교
char compare(int a, int b)
{
        if( a>b ) return '>';
        else if( a = =b ) return ' = ';
        else return '<';
}
// 새로운 항을 다항식에 추가한다.
void attach(float c, int expon)
{
        if( avail>MAX_TERMS ){
                fprintf(stderr, "항의 개수가 너무 많음\n");
                exit(1);
        }
        terms[avail].c = c;
        terms[avail + +].expon = expon;
}
// C = A + B
poly_add2(int As, int Ae, int Bs, int Be, int *Cs, int *Ce) // 포인터?
{
        float tempcoef;
        *Cs = avail;
        while( As <= Ae && Bs <= Be )
        switch(compare(terms[As].expon,terms[Bs].expon)){
        case '>':         // A의 차수 > B의 차수
                attach(terms[As].c, terms[As].expon);
                As + +; break;
        case ' = ':         // A의 차수 = = B의 차수
                tempcoef = terms[As].c + terms[Bs].c;
                if( tempcoef ) attach(tempcoef,terms[As].expon);
                As + +; Bs + +; break;
        case '<':         // A의 차수 < B의 차수
                attach(terms[Bs].c, terms[Bs].expon);
                Bs + +; break;
        }
        // A의 나머지 항들을 이동함
        for(;As<= Ae;As + +)
                attach(terms[As].c, terms[As].expon);
        // B의 나머지 항들을 이동함
        for(;Bs<= Be;Bs + +)
                attach(terms[Bs].c, terms[Bs].expon);
        *Ce = avail -1;
}
```

```
// bottom-up : 실제 값 대입?
void main()
{
        int Cs, Ce;
        poly_add2(0,2,3,5,&Cs,&Ce); // 포인터?
}
```

다음은 프로그램이 제대로 동작하는지 확인하기 위해 실제 값을 대입해 본 결과를 나타낸다(bottom-up 해석).

```
poly_add2(0,2,3,5,&Cs,&Ce);
{ {8,3}, {7,1}, {1,0},
{10,3}, {3,2},{1,0} };
*Cs = avail; // 6
while (0 <= 2 && 3 <= 5)
switch (compare(3, 3)) {
case ' = ':
        tempcoef = 8 + 10;
        if (18) attach(18, 3);
        0 + +; 3 + +; break;
}
...
```

5 희소행렬 - 배열의 응용(* 참고)

배열을 이용하여 행렬(matrix)을 표현하는 2가지 방법이 존재한다. 하나는 2차원 배열을 이용하여 배열의 전체 요소를 저장하는 방법이고, 나머지 하나는 0이 아닌 요소들만 저장하는 방법이다. 여기서는 행렬 중 희소행렬(대부분의 항들이 0인 행렬)을 대상으로 한다고 가정한다. 희소행렬은 다음 그림과 같다.

$$A = \begin{bmatrix} 2 & 3 & 0 \\ 8 & 6 & 1 \\ 7 & 0 & 5 \end{bmatrix} \quad B = \begin{bmatrix} 0 & 0 & 0 & 7 & 0 & 0 \\ 9 & 0 & 0 & 0 & 0 & 8 \\ 0 & 0 & 0 & 0 & 0 & 0 \\ 6 & 5 & 0 & 0 & 0 & 0 \\ 0 & 0 & 0 & 0 & 0 & 1 \\ 0 & 0 & 2 & 0 & 0 & 0 \end{bmatrix}$$

▲ 희소행렬

2차원 배열을 이용하여 배열의 전체 요소를 저장하는 방법(다음 그림)의 장점은 행렬의 연산들을 간단하게 구현할 수 있다는 것이고(구현 비용이 적게 들어감), 단점은 대부분의 항들이 0인 희소 행렬의 경우 많은 메모리 공간 낭비가 발생한다는 것이다(메모리가 많다면 단점이 될 수 없다는 논외로 함). 알고리즘이 어떻게 동작할지 top-down으로 생각해보자.

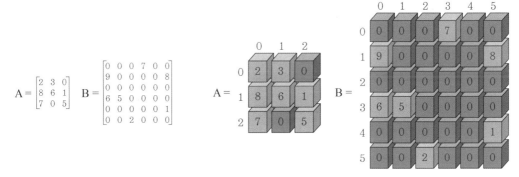

▲ 2차원 배열을 이용하여 배열의 전체 요소를 저장하는 방법

다음은 2차원 배열을 이용하여 배열의 전체 요소를 저장하는 방법을 프로그램으로 구현한 것이다.

```c
#include <stdio.h>
#define ROWS 3
#define COLS 3
// 희소 행렬 덧셈 함수
void sparse_matrix_add1(int A[ROWS][COLS], int B[ROWS][COLS], int C[ROWS][COLS]) // C = A + B
{
        int r,c;
        for(r=0;r<ROWS;r++)
                for(c=0;c<COLS;c++)
                        C[r][c]=A[r][c] + B[r][c];
}
main()
{
        // bottom-up : 실제 값 대입?
        int array1[ROWS][COLS]={{ 2,3,0 }, { 8,6,1 }, { 7,0,5 } };
        int array2[ROWS][COLS]={{ 1,0,0 }, { 1,0,0 }, { 1,0,0 } };
        int array3[ROWS][COLS];
        sparse_matrix_add1(array1,array2,array3); // 포인터?
}
```

다음은 프로그램이 제대로 동작하는지 확인하기 위해 실제 값을 대입해 본 결과를 나타낸다(bottom-up 해석).

```c
int array1[ROWS][COLS]={{ 2,3,0 }, { 8,6,1 }, { 7,0,5 } };
int array2[ROWS][COLS]={{ 1,0,0 }, { 1,0,0 }, { 1,0,0 } };
// bottom-up : 실제 값 대입?
for (r=0; r < 3; r++)
        for (c=0; c < 3; c++)
                C[0][0]=A[0][0] + B[0][0]; // 3=2 + 1
...
C[0][1]=A[0][1] + B[0][1]; // 3=3 + 0;
...
```

0이 아닌 요소들만 저장하는 방법(다음 그림)의 장점은 희소 행렬의 경우, 메모리 공간을 절약할 수 있다는 것이고 (메모리가 많다면 장점이 될 수 없다는 논외로 함), 단점은 각종 행렬 연산들의 구현이 복잡해진다(구현 비용이 높아 짐). 알고리즘이 어떻게 동작할지 top-down으로 생각해보자.

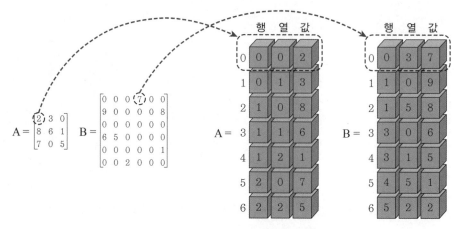

▲ 0이 아닌 요소들만 저장하는 방법

다음은 0이 아닌 요소들만 저장하는 방법을 프로그램으로 구현한 것이다.

```c
#define ROWS 3 // 필요 없음
#define COLS 3 // 필요 없음
#define MAX_TERMS 10
typedef struct {
        int r;
        int c;
        int value;
} element;
typedef struct SparseMatrix {
        element data[MAX_TERMS]; // 구조체가 아니라면?
        int rows;  // 행의 개수
        int cols;  // 열의 개수
        int terms;          // 항의 개수
} SparseMatrix;
// 희소 행렬 덧셈 함수
// c = a + b
SparseMatrix sparse_matrix_add2(SparseMatrix a, SparseMatrix b)
{
        SparseMatrix c;
        int ca = 0, cb = 0, cc = 0; // 각 배열의 항목을 가리키는 인덱스
        // 배열 a와 배열 b의 크기가 같은지를 확인
        if( a.rows != b.rows || a.cols != b.cols ){
                fprintf(stderr,"희소행렬 크기에러\n");
                exit(1);
        }
        c.rows = a.rows;
        c.cols = a.cols;
        c.terms = 0;
```

```
        while( ca < a.terms && cb < b.terms ){
            int inda = a.data[ca].r * a.cols + a.data[ca].c; // 각 항목의 순차적인
            int indb = b.data[cb].r * b.cols + b.data[cb].c; // 번호를 계산한다.
            if( inda < indb)  // a 배열 항목이 앞에 있으면
                    c.data[cc++] = a.data[ca++];
            else if( inda == indb ) { // a와 b가 같은 위치
                    if( (a.data[ca].value + b.data[cb].value)!=0){
                        c.data[cc].r = a.data[ca].r;

                        c.data[cc].c = a.data[ca].c;
                        c.data[cc++].value = a.data[ca++].value + b.data[cb++].value;
                    }
                    else { // 합이 0이라면…
                        ca++; cb++;
                    }
            }
            else    // b 배열 항목이 앞에 있음
                    c.data[cc++] = b.data[cb++];
        }
// 배열 a와 b에 남아 있는 항들을 배열 c로 옮긴다.
        for(; ca < a.terms; )
                    c.data[cc++] = a.data[ca++];
        for(; cb < b.terms; )
                    c.data[cc++] = b.data[cb++];
        c.terms = cc;
        return c;
}
// bottom up : 실제 값을 대입?
main()
{
        SparseMatrix m1 = {{{ 1,1,5 }, { 2,2,9 }}, 3,3,2};
        SparseMatrix m2 = {{{ 0,0,5 }, { 2,2,9 }}, 3,3,2};
        SparseMatrix m3;
        m3 = sparse_matrix_add2(m1, m2);

}
```

다음은 프로그램이 제대로 동작하는지 확인하기 위해 실제 값을 대입해 본 결과를 나타낸다(bottom-up 해석).

```
SparseMatrix m1 = {{{ 1,1,5 }, { 2,2,9 }}, 3,3,2};
SparseMatrix m2 = {{{ 0,0,5 }, { 2,2,9 }}, 3,3,2};
c.rows = a.rows; // 3
c.cols = a.cols; // 3
c.terms = 0;
while (0 < 2 && 0 < 2) {
int inda = 1 * 3 + 1; // 4
int indb = 0 * 3 + 0; // 0
else // 4 > 0
        c.data[0++] = b.data[0++]; // {0,0,5}
...
```

6 배열의 응용 - 스트링 매칭(* 참고)

배열은 스트링 매칭에 사용할 수 있고, 스트링 매칭은 네트워크 보안 장비에 활용된다. 아래의 그림은 스트링 매칭을 나타내는데 S가 보안 장비를 지나는 패킷이고, P가 시그너처(웜 또는 바이러스가 가지는 특정 문자열)라고 가정하면 이해하기 쉬울 것이다. 즉, 패킷을 모두 검사해서 시그너처와 매치가 되면 해당 패킷을 폐기한다.

▲ 스트링 매칭

7 구조체

구조체(structure)는 타입이 다른 데이터를 하나로 묶는 방법이고, 배열(array)은 타입이 같은 데이터들을 하나로 묶는 방법이다. 이렇게 묶으면 해당 데이터들을 파라미터화해서 함수 등에 사용하기가 수월하게 된다. 다음 그림은 배열과 구조체를 나타낸다.

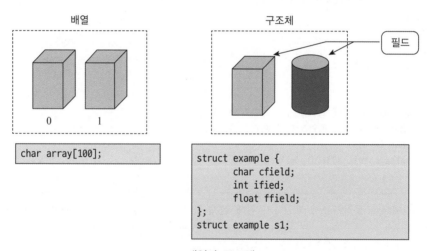

▲ 배열과 구조체

구조체의 선언과 구조체 변수의 생성의 예는 다음과 같다.

```
struct person {
        char name[10];      // 문자배열로 된 이름
        int age;             // 나이를 나타내는 정수값
        float h;             // 키를 나타내는 실수값
};
struct person a;             // 구조체 변수 선언
```

typedef을 이용한 구조체의 선언과 구조체 변수의 생성의 예는 다음과 같다.

```
typedef struct person {
        char name[10];         // 문자배열로 된 이름
        int age;               // 나이를 나타내는 정수값
        float h;               // 키를 나타내는 실수값
} person;
person a;                      // 구조체 변수 선언(struct를 사용할 필요가 없음)
```

구조체 변수의 대입은 다음과 같이 가능하다.

```
struct person {
        char name[10];         // 문자배열로 된 이름
        int age;               // 나이를 나타내는 정수값
        float h;               // 키를 나타내는 실수값
};
main()
{
        person a, b;
        b = a;                 // 가능(예를 들면?)
}
```

구조체 변수끼리의 비교는 다음과 같이 불가능하다.

```
main()
{
        if( a > b )
                        printf("a가 b보다 나이가 많음");  // 불가능
}
```

자체 참조 구조체(self-referential structure)는 필드 중에 자기 자신을 가리키는 포인터가 한 개 이상 존재하는 구조체이다. 연결 리스트나 트리에 많이 등장한다. 자체 참조 구조체의 코드는 다음과 같다.

```
typedef struct List {
    char            data[10];
    struct                  List *link; // 자체 참조 구조체
} List;
```

자체 참조 구조체를 이용한 연결 리스트의 예는 다음 그림과 같다.

```
List *p1, *p2; p1->link = p2;
```

▲ 연결 리스트

다음은 구조체를 사용한 예제 프로그램을 나타낸다.

```c
#include<stdio.h> // 전처리기, 헤더 파일

struct score{
    char name[10];
    int kor;
    int eng;
    int mat;
    int tot;
    float avg;
}; // 구조체?

#define LEN 1 // 전처리기

void main(){ // main 함수

    int i; // 변수

    struct score aa[LEN]; // 구조체 배열
        for(i = 0; i < LEN; i + +){ // 반복문
            printf("Name input : "); // 출력
            scanf("%s",&aa[i].name); // 입력 & 포인터
            printf("kor input :");
            scanf("%d",&aa[i].kor);
            printf("eng input :");
            scanf("%d",&aa[i].eng);
            printf("mat input :");
            scanf("%d",&aa[i].mat);
            aa[i].tot = aa[i].kor + aa[i].eng + aa[i].mat; // 덧셈 & 대입
            aa[i].avg = aa[i].tot/3.f; // 나누기 & 대입
        }
        for(i = 0; i < LEN; i + +){
            printf("%s\t",aa[i].name);
            printf("%d\t",aa[i].kor);
            printf("%d\t",aa[i].eng);
            printf("%d\t",aa[i].mat);
            printf("%d\t",aa[i].total);
            printf("%.2f\n",aa[i].avg);
        }
}
```

8 포인터(pointer)

주소(address)란 변수가 가지는 메모리(주기억장치) 상의 위치를 나타낸다. 포인터는 다른 변수의 주소를 가지고 있는 변수를 나타낸다. 다음 그림은 변수와 포인터를 나타낸다.

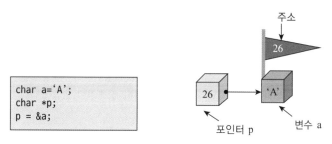

```
char a='A';
char *p;
p = &a;
```

▲ 변수와 포인터

다음 그림은 포인터가 가리키는 내용의 변경하기 위해 * 연산자를 사용하는 것을 보여준다.

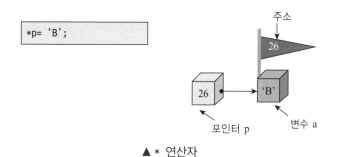

```
*p= 'B';
```

▲ * 연산자

포인터와 관련된 연산자 중에 & 연산자는 변수의 주소를 추출하고, * 연산자는 포인터가 가리키는 곳의 내용을 추출한다. 아래의 그림은 &, * 연산자를 나타낸다.

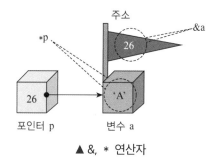

▲ &, * 연산자

다음은 포인터의 연산을 나타낸다.

```
p          // 포인터
*p         // 포인터가 가리키는 값
*p++       // 포인터가 가리키는 값을 가져온 다음, 포인터를 한칸 증가한다. (다음 주소) (연산자 우선순위에 주의)
*p--       // 포인터가 가리키는 값을 가져온 다음, 포인터를 한칸 감소한다. (이전 주소)
(*p)++     // 포인터가 가리키는 값을 증가시킨다.
```

다음은 이중 포인터를 나타낸다.

```
int a;      // 정수 변수 선언
int *p;     // 정수 포인터 선언
int **pp;   // 정수 포인터의 포인터 선언(이중 포인터)
p = &a;     // 변수 a와 포인터 p를 연결
pp = &p;    // 포인터 p와 포인터의 포인터 pp를 연결
```

다음은 포인터의 종류를 나타낸다. 모두(포인터, 구조체, 함수 등) 주소를 가지는 것에 유의한다.

```
void *p;        // p는 아무것도 가리키지 않는 포인터(포인터의 형이 정해지지 않았을 때)
int *pi;        // pi는 정수 변수를 가리키는 포인터
float *pf;      // pf는 실수 변수를 가리키는 포인터
char *pc;       // pc는 문자 변수를 가리키는 포인터
int **pp;       // pp는 포인터를 가리키는 포인터(포인터의 주소)
struct test *ps; // ps는 test 타입의 구조체를 가리키는 포인터(구조체의 주소)
void (*f)(int); // f는 함수를 가리키는 포인터(함수의 주소)
```

필요할 때마다 포인터의 형변환(type casting)하는 것이 가능하다. 다음의 포인터의 형변환을 나타낸다. 이후로는 변환된 형으로 포인터 연산이 수행된다.

```
void *p;
pi = (int *) p;
```

함수 안에서 파라미터로 전달된 포인터(call-by-reference)를 이용하여 외부 변수의 값 변경이 가능하다(포인터 사용이유). 다음은 함수 안에서 파라미터로 전달된 포인터를 나타낸다.

```
void swap(int *px, int *py)
{
        int tmp;
        tmp = *px;
        *px = *py;
        *py = tmp;
}
main()
{
        int a = 1, b = 2;
        printf("swap을 호출하기 전: a = %d, b = %d\n", a,b);
        swap(&a, &b);
        printf("swap을 호출한 다음: a = %d, b = %d\n", a,b);
}
```

배열의 이름은 사실상의 포인터와 같은 역할을 수행한다. 즉, &가 필요 없다. 다음 그림은 배열과 포인터의 관계를 나타낸다. 컴파일러가 배열의 이름을 배열의 첫 번째 주소로 대치한다(약속).

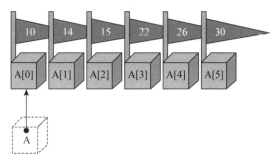

▲ 배열과 포인터의 관계

구조체의 요소에 접근하는 연산자는 포인터일 때는 ->를 사용하고, 포인터 아닐 때는 .를 사용한다. 다음 그림은 구조체의 요소에 접근하는 연산자를 나타낸다.

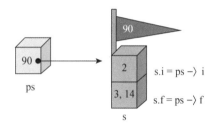

▲ 구조체의 요소에 접근하는 연산자

다음은 포인터를 이용한 구조체 접근을 나타낸다.

```
main()
{
        struct {
                int i;
                float f;
        } s, *ps;
        ps = &s;
        ps->i = 2;
        ps->f = 3.14;
}
```

다음은 포인터의 포인터(이중 포인터)를 나타낸다.

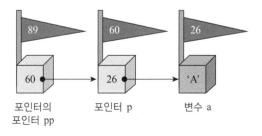

▲ 포인터의 포인터

포인터에 대한 사칙 연산은 포인터가 가리키는 객체단위로 계산된다. 예를 들어, int는 4바이트, double은 8바이트, void는 1바이트로 계산된다. 단, 이는 32 비트 컴퓨터를 기준으로 하는 것이고, 64비트 컴퓨터라면 여기에 2배를 해주어야 한다(특별한 언급이 없으면 무조건 32비트 컴퓨터 기준). 만약, 64bit 컴퓨터에서 int에 8바이트를 할당하면 기존 프로그램과의 호환성 문제가 발생한다(기존은 int를 4바이트라고 생각하고 코딩이 되어있음). 다음은 포인터 연산을 나타낸다.

```
p          // 포인터
p + 1      // 포인터 p가 가리키는 객체의 바로 뒤 객체(다음 주소)
p-1        // 포인터 p가 가리키는 객체의 바로 앞 객체(이전 주소)
```

다음 그림은 포인터 연산을 보여준다.

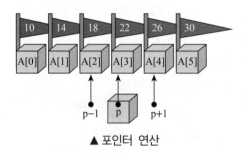

▲ 포인터 연산

포인터가 아무것도 가리키고 있지 않을 때는 다음과 같이 NULL로 설정한다.

```
int *pi = NULL;
```

초기화가 안된 상태에서 사용을 금지하고, 널 포인터도 사용을 금지한다(널 포인터 역참조). 다음은 초기화가 안된 상태의 포인터 사용을 나타낸다.

```
main()
{
        char *p;  // 포인터 pi는 초기화가 안되어 있음(쓰레기 값)
        *p = 'E'; // 위험한 코드(임의의 위치에 쓰려고 함)
}
```

포인터 타입 간의 변환 시에는 명시적인 타입 변환을 사용한다. 타입 간의 변환을 수행하면 자신의 타입 만큼의 포인터 연산이 수행된다. 다음은 포인터 타입 간의 변환을 나타낸다.

```
int *pi;
float *pf;
pf = (float *)pi;
```

포인터 크기는 다음과 같은 sizeof 함수로 알 수 있는데 32비트 컴퓨터에서는 4바이트이고, 64비트 컴퓨터에서는 8 바이트이다.

```
sizeof(pi);
sizeof(pf);
```

다음은 포인터를 사용한 예제 프로그램을 나타낸다.

```c
#include <stdio.h> // 전처리기 & 헤더파일(printf, scanf 함수 등을 사용하게 해줌)

void ShowAray(int * param, int lcn) // 함수(입력 & 출력), 포인터(1차원 배열)
{
        int i; // 변수
        for(i=0; i<len; i++) // 반복문
                    printf("%d ", param[i]); // printf는 stdio.h에 있음
        printf("\n");
}
void AddAray(int * param, int len, int add)
{
        int i;
        for(i=0; i<len; i++)
                    param[i] += add;
}

int main(void)
{
        int arr[3]={1, 2, 3}; // 배열의 초기화
        AddAray(arr, sizeof(arr)/sizeof(int), 1); // 배열 이름(포인터), sizeof는 stdio.h에 있음
        ShowAray(arr, sizeof(arr)/sizeof(int));

        AddAray(arr, sizeof(arr)/sizeof(int), 2);
        ShowAray(arr, sizeof(arr)/sizeof(int));

        AddAray(arr, sizeof(arr)/sizeof(int), 3);
        ShowAray(arr, sizeof(arr)/sizeof(int));
        return 0; // return 0이란 main 함수가 정상적으로 끝났음을 main 함수를 호출한 프로세스에게 알려줌
}
```

9 동적 메모리 할당

프로그램이 메모리를 할당받는 방법은 정적 메모리 할당과 동적 메모리 할당이 존재한다. 정적 메모리 할당에서 메모리의 크기는 프로그램이 시작하기 전에 결정되고, 프로그램의 수행 도중에 그 크기가 변경될 수는 없다. 만약 처음에 결정된 크기보다 더 큰 입력이 들어온다면 처리하지 못할 것이고 더 작은 입력이 들어온다면 남은 메모리 공간은 낭비될 것이다. 예를 들면, 배열을 들 수 있다. 동적 메모리 할당은 프로그램의 실행 도중에 메모리를 할당 받는 것이다. 필요한 만큼만 할당을 받고 또 필요한 때에 사용하고 반납한다. 메모리를 매우 효율적으로 사용이 가능하다. 정적 메모리는 연속적인 공간에 할당받기 때문에 Memory linearity(메모리 선형성)이 존재하고, 동적 메모리는 메모리 선형성이 존재하지 않는다.

다음은 C언어에서 전형적인 동적 메모리 할당 코드이다. C++, Java에서는 new, delete라는 키워드를 사용한다.

```
main()
{
    int *pi;
    pi = (int *)malloc(sizeof(int)); // 동적 메모리 할당(하고 그 주소를 pi에 대입)
    ...
    …                                 // 동적 메모리 사용
    ...
    free(pi);                         // 동적 메모리 반납(pi가 가리키는 주소의 메모리를 해제)
}
```

동적 메모리 할당 관련 라이브러리 함수는 다음과 같다.

```
malloc(size)        // 메모리 할당
free(ptr)           // 메모리 할당 해제
sizeof(var)         // 변수나 타입의 크기 반환(바이트 단위)
```

malloc(int size)은 다음과 같이 size 바이트 만큼의 메모리 블록을 할당한다.

```
(char *)malloc(200);            /* 200 바이트 할당 */
(int *)malloc(sizeof(int));     /* 정수 1개를 저장할 메모리 확보*/
(struct Book *)malloc(sizeof(struct Book));     /* 하나의 구조체 생성 */
```

free(void ptr)는 ptr이 가리키는 할당된 메모리 블록을 해제한다. 만약, free를 호출하지 않으면 memory leakage (메모리 누수, 시스템의 메모리가 점점 줄어듦)가 발생한다.

sizeof 키워드는 변수나 타입의 크기를 반환한다(바이트 단위). 여기서, size_t는 unsigned int를 나타낸다(typedef 를 통해 재정의 됨).

```
size_t  i = sizeof( int );                     // 4 (32bit 컴퓨터)
struct AlignA {
    char c;
    int i;
};
size_t size = sizeof(struct AlignA);           // 5가 아닌 8 (메모리는 4바이트씩 읽어 오기 때문에 5가
아닌 8이 구조체의 크기가 됨)
int  array[] = { 1, 2, 3, 4, 5 };
size_t  sizearr = sizeof( array ) / sizeof( array[0] ); // 20/4 = 5
```

다음은 동적 메모리 할당 예제 프로그램을 나타낸다.

```
// 아래의 프로그램에서 free를 없애면 메모리 누수 발생
struct A {
        int number;
        char name[10];
};
void main()
{
        struct A *p;
        p = (struct A *)malloc(2*sizeof(struct A);
        if(p = = NULL){ // 시스템에 여유 공간이 없을 때 발생
          fprintf(stderr, "can't allocate memory\n") ;
          exit(1) ;
        }
        p->number = 1;
        strcpy(p->name,"Lee"); // strcpy는 버퍼 오버플로우 문제 발생
        (p + 1)->number = 2;
        strcpy((p + 1)->name,"Kim"); // buffer overflow attack
        free(p);
}
```

동적 메모리에서 malloc과 free는 쌍을 이루어야 한다. 아니면 메모리 누수가 발생한다. 실제는 프로그램이 복잡하여 쌍을 확인하기 어렵다. 이때 memory leakage가 발생하면 counter를 두어 해결하면 된다. 즉, malloc을 하면 counter를 증가하고 free를 하면 counter를 감소한 후 나중에 counter가 0인지를 확인한다.

> **주요개념 셀프체크**
>
> ☑ 배열, 2차원 배열
> ☑ 구조체, 자체 참조 구조체
> ☑ 포인터, *p++ vs. (*p)++, 이중, call-by-reference, 배열, 구조체, 크기, 동적 할당

CHAPTER 04 | 연결리스트(Linked List)

1 리스트 구현 방법

리스트를 구현하는 방법은 배열을 이용하는 방법과 연결리스트를 이용한 방법이 존재한다. 배열을 이용한 방법은 구현이 간단하고, 삽입, 삭제 시 오버헤드가 발생한다. 그리고 항목의 개수가 제한된다(메모리 선형성이 있음). 연결리스트를 이용하는 방법은 구현이 복잡하고(구현 비용이 발생), 삽입, 삭제가 효율적이다(포인터만 바꾸면 끝, 포인터가 중요한 이유). 그리고 크기가 제한되지 않는다(메모리 선형성이 없음). 아래의 그림은 리스트 구현 방법을 나타낸다.

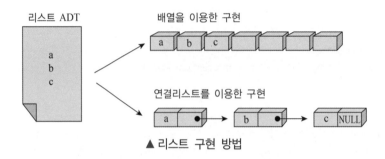

▲ 리스트 구현 방법

2 배열로 구현된 리스트(* 참고)

아래의 그림은 배열로 구현된 리스트를 나타낸다. 1차원 배열에 항목들을 순서대로 저장한다.

L = (A, B, C, D, E)

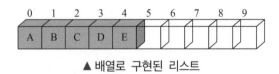

▲ 배열로 구현된 리스트

다음 그림은 삽입 연산을 나타낸다. 삽입 위치 다음의 항목들을 이동하여야 한다(오버헤드).

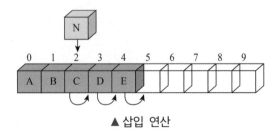

▲ 삽입 연산

다음 그림은 삭제 연산을 나타낸다. 삭제 위치 다음의 항목들을 이동하여야 한다(오버헤드).

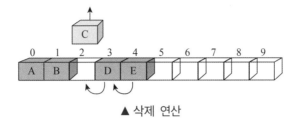

▲ 삭제 연산

1. ArrayListType의 구현

실제로 배열로 구현된 리스트(ArrayListType)를 구현해보자. 항목들의 타입은 element로 정의하고, list라는 1차원 배열에 항목들을 차례대로 저장한다. length에 항목의 개수를 저장한다.

```
typedef int element;
typedef struct {
        element list[MAX_LIST_SIZE];    // 배열 정의
        int length;                     // 현재 배열에 저장된 항목들의 개수
} ArrayList;
// 리스트 초기화
void init(ArrayList *L) // 구조체 포인터
{
        L->length = 0;
}
```

2. is_empty 연산과 is_full 연산의 구현

is_empty(배열이 비었는지?) 연산과 is_full(배열이 꽉찼는지?) 연산은 다음과 같이 구현한다.

```
// 리스트가 비어 있으면 1을 반환
// 그렇지 않으면 0을 반환
int is_empty(ArrayList *L)
{
        return L->length = = 0; // 같은지를 검사
}
// 리스트가 가득 차 있으면 1을 반환
// 그렇지 많으면 1을 반환
int is_full(ArrayList *L)
{
        return L->length = = MAX_LIST_SIZE; // 같은지를 검사
}
```

3. ArrayList의 삽입 연산

add 함수는 먼저 배열이 포화상태인지를 검사하고 삽입위치가 적합한 범위에 있는지를 검사한다. 삽입 위치 다음에 있는 자료들을 한칸씩 뒤로 이동한다. 참고로, 배열은 비용을 절감하고(배열을 하나라도 더 사용함) 포인터와 짝을 맞추기 위해 0부터 시작한다(배열에서 포인터로 바로 변환이 가능함).

다음은 삽입 연산 프로그램을 나타낸다.

```
// position: 삽입하고자 하는 위치
// item: 삽입하고자 하는 자료
void add(ArrayList *L, int position, element item)
{
  if( !is_full(L) && (position >= 0) &&
          (position <= L->length) ){
    int i;
    for(i = (L->length-1); i >= position;i--)
          L->list[i + 1] = L->list[i]; // 없어지는 개념
    L->list[position] = item;
    L->length + +; // length는 실제 개수이므로 1부터 시작
  }
}
```

삽입 연산을 그림으로 나타내면 다음과 같다.

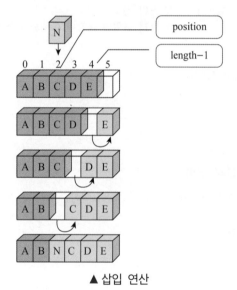

▲ 삽입 연산

4. ArrayList의 삭제 연산

delete 함수는 삭제 위치를 검사한다(공백인지 확인). 삭제위치부터 맨 끝까지의 자료를 한 칸씩 앞으로 옮긴다. 다음 프로그램은 삭제 연산을 나타낸다.

```
// position: 삭제하고자 하는 위치
// 반환값: 삭제되는 자료
element delete(ArrayList *L, int position)
{
        int i;
        element item;

        if( position < 0 ¦¦ position >= L->length )
                error("위치 오류");
```

```
        item = L->list[position];
        for(i = position; i<(L->length-1);i + + )  // 아래에서 i + 1을 하므로 length-2까지만 수행
                L->list[i] = L->list[i + 1];
        L->length--;
        return item;
}
```

삭제 연산을 그림으로 나타내면 다음과 같다.

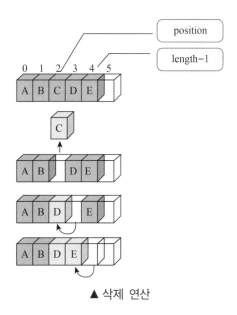

▲ 삭제 연산

3 연결 리스트

1. 리스트 표현의 2가지 방법

리스트 표현은 순차 표현과 연결된 표현이 존재한다. 순차(sequential) 표현은 배열을 이용한 리스트 표현이고, 연결된(linked) 표현은 연결 리스트를 사용한 리스트 표현이다. 리스트 표현은 하나의 노드가 데이터와 링크로 구성되어 있고 링크가 노드들을 연결한다. 다음 그림은 리스트 표현을 나타낸다.

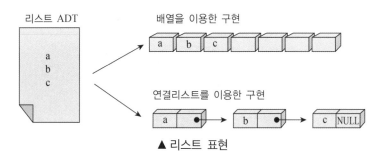

▲ 리스트 표현

2. 연결된 표현

연결된 표현은 리스트의 항목들을 노드(node)라고 하는 곳에 분산하여 저장한다. 다음 항목을 가리키는 주소도 같이 저장한다.

노드 (node): <항목, 주소> 쌍

노드는 데이터 필드와 링크 필드로 구성된다. 데이터 필드는 리스트의 원소, 즉 데이터 값을 저장하는 곳이고, 링크 필드는 다른 노드의 주소값을 저장하는 장소(포인터)이다. 메모리 안에서의 노드의 물리적 순서가 리스트의 논리적 순서와 일치할 필요가 없다(배열과의 차이이고 메모리 선형성이 없다고 함). 다음 그림은 연결된 표현을 나타낸다.

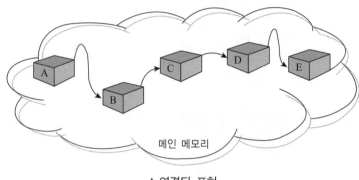

▲ 연결된 표현

3. 연결된 표현의 장단점

연결된 표현의 장점은 삽입, 삭제가 보다 용이하고(포인터 연산), 연속된 메모리 공간이 필요 없다(메모리 연속성 또는 선형성이 없음). 그리고 크기 제한이 없다. 단점은 구현이 어렵고(구현 비용이 발생), 오류가 발생하기 쉽다(포인터 실수). 다음 그림은 연결된 표현의 삽입과 삭제를 나타낸다.

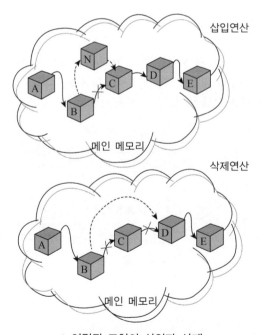

▲ 연결된 표현의 삽입과 삭제

4. 연결 리스트의 구조

연결 리스트에서 노드는 다음 그림과 같이 데이터 필드와 링크 필드를 가진다.

▲ 연결 리스트의 노드

헤드 포인터(head pointer)는 리스트의 첫 번째 노드를 가리키는 변수로서 연결 리스트의 삽입과 삭제를 편리하게 수행하기 위해 필요하다. 다음 그림은 헤드 포인터를 나타낸다.

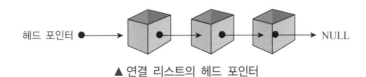

▲ 연결 리스트의 헤드 포인터

연결 리스트에서 노드의 생성은 필요할 때마다 동적 메모리 생성을 이용하여 노드를 생성한다. 다음 그림은 연결 리스트에서 노드의 생성을 나타낸다.

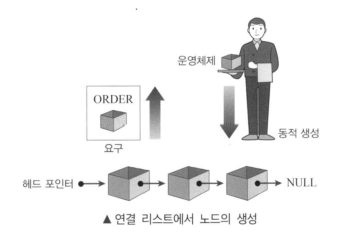

▲ 연결 리스트에서 노드의 생성

5. 연결 리스트의 종류

연결 리스트에는 단순 연결, 원형 연결, 이중 연결 리스트가 존재한다(이에 대한 자세한 설명은 이후에 나옴). 실제로는 원형 연결과 이중 연결이 결합된 형태가 사용된다. 다음 그림은 연결 리스트의 종류를 나타낸다.

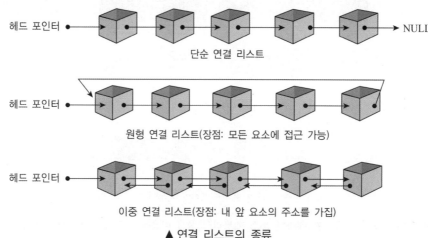

▲ 연결 리스트의 종류

6. 단순 연결 리스트

단순 연결 리스트는 하나의 링크 필드를 이용하여 연결하고, 마지막 노드의 링크 값은 NULL이 된다. 이를 그림으로 나타내면 다음과 같다.

▲ 단순 연결 리스트

아래의 그림은 단순 연결 리스트에서 삽입 연산을 나타낸다.

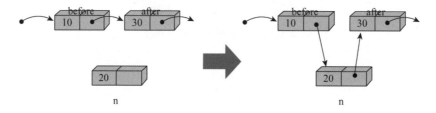

▲ 단순 연결 리스트에서 삽입 연산

다음의 유사 코드는 단순 연결 리스트에서 삽입 연산을 나타낸다.

```
insert_node(L, before, n) // 유사코드

if   L = NULL // 리스트(L)이 비어 있다면
then  L←n // 리스트에 n을 할당
else    n.link←before.link // 이전 before는 after를 가리킴
        before.link←n // 현재 before는 n을 가리킴
```

아래의 그림은 단순 연결 리스트에서 삭제 연산을 나타낸다.

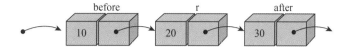

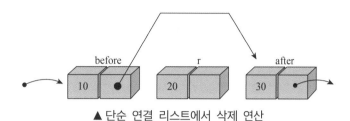

▲ 단순 연결 리스트에서 삭제 연산

다음의 유사 코드는 단순 연결 리스트에서 삭제 연산을 나타낸다.

```
remove_node(L, before, r)

if L ≠ NULL // 리스트(L)이 비어 있지 않다면
    then        before.link←r.link // r은 after를 가리킴
        destroy(r) // r 삭제(메모리 해제)
```

프로그래밍 언어로 단순 연결 리스트를 구현해 보자. 리스트의 노드는 구조체로 정의(데이터 & 링크)하고, 링크 필드는 포인터를 사용한다. 다음은 리스트의 노드와 링크 필드를 나타낸다.

```
typedef int element;
typedef struct List {
        element data;
        struct List *link; // 자체 참조 구조체
} List;
```

노드의 생성은 동적 메모리 생성 라이브러리 malloc 함수를 이용한다(노드가 미리 만들어진 것이 아니라 필요할 때마다 생성). 다음의 코드는 노드의 생성을 나타낸다.

```
List *p1;
p1 = (List *)malloc(sizeof(List)); // 동적 할당
```

노드의 생성을 그림으로 나타내면 다음과 같다.

▲ 노드의 생성

생성된 노드에 데이터 필드와 링크 필드를 다음과 같이 설정한다.

```
p1->data = 20;
p1->link = NULL;
```

다음 그림은 생성된 노드에 데이터 필드와 링크 필드가 설정된 것을 나타낸다.

▲ 데이터 필드와 링크 필드 설정

그리고 다음과 같이 두 번째 노드 생성하고 이를 첫 번째 노드에 연결한다.

```
List *p2;
p2 = (List *)malloc(sizeof(List));
p2->data = 30;
p2->link = NULL;
p1->link = p2; // linked list(리스트를 서로 연결함)
```

다음 그림은 두 번째 노드의 생성과 이를 첫 번째 노드에 연결한 것을 보여준다.

▲ 두 번째 노드의 생성과 이를 첫 번째 노드에 연결

그림에 사용된 헤드포인터(head pointer, p1)은 연결 리스트의 맨 처음 노드를 가리키는 포인터로 삽입과 삭제 연산을 위해 사용된다.

단순 연결 리스트 연산 중 삽입 함수의 프로토타입은 다음과 같다. 헤드포인터가 함수 안에서 변경되므로 헤드포인터의 포인터(이중 포인터) 필요하다.

```
void insert_node(List **phead, List *p, List *new)

phead: 헤드 포인터 head에 대한 포인터 // 이중 포인터
p: 삽입될 위치의 선행 노드를 가리키는 포인터, 이 노드 다음에 삽입된다.
new: 새로운 노드를 가리키는 포인터
```

삽입의 3가지 경우는 다음과 같다.

- head가 NULL인 경우: 공백 리스트에 삽입한다.
- p가 NULL인 경우: 리스트의 맨 처음에 삽입한다(삽입 위치가 없음).
- 일반적인 경우: 리스트의 중간에 삽입한다(p 다음에 삽입).

첫째, head가 NULL인 경우로서 head가 NULL이라면 현재 삽입하려는 노드가 첫 번째 노드가 된다. 따라서 head의 값만 변경하면 된다(이중 포인터 필요). 다음 그림은 head가 NULL인 경우를 나타낸다.

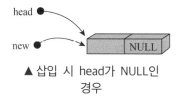

▲ 삽입 시 head가 NULL인
경우

둘째, p가 NULL인 경우로서 새로운 노드를 리스트의 맨 앞에 삽입한다. head의 값 변경이 필요하다(이중 포인터 필요). 다음 그림은 p가 NULL인 경우를 나타낸다.

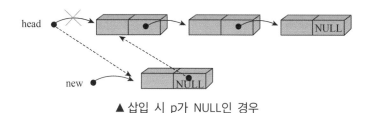

▲ 삽입 시 p가 NULL인 경우

셋째, head와 p가 NULL이 아닌 경우로서 가장 일반적인 경우이다. new의 link에 p->link값을 복사한 다음, p->link가 new를 가리키도록 한다. 다음 그림은 head와 p가 NULL이 아닌 경우를 나타낸다.

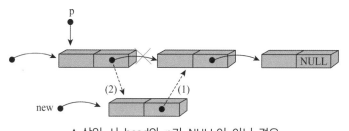

▲ 삽입 시 head와 p가 NULL이 아닌 경우

삽입의 3가지 경우를 고려한 삽입 연산 코드는 다음과 같다. 위의 그림과 매칭해서 코드를 보기 바란다.

```
// phead: 리스트의 헤드 포인터의 포인터
// p : 선행 노드
// new_node : 삽입될 노드
void insert_node(List **phead, List *p, List *new_node)
{
        if( *phead = = NULL ){        // 공백리스트인 경우
                new->link = NULL;
                *phead = new; // 값을 변경(포인터), 포인터를 변경(이중 포인터)
        }
        else if( p = = NULL ){ // p가 NULL이면 첫 번째 노드로 삽입
                new->link = *phead; // 이전 *phead가 가리키는 곳에 주의
                *phead = new; // 현재 *phead가 가리키는 곳에 주의
        }
        else { // p 다음에 삽입
                new->link = p->link; // 이전 p->link가 가리키는 곳에 주의
                p->link = new; // 현재 p->link가 가리키는 곳에 주의
        }
}
```

단순 연결 리스트 연산 중 삭제 함수의 프로토타입은 다음과 같다.

```
//phead: 헤드 포인터 head의 포인터 (이중 포인터)
//p: 삭제될 노드의 선행 노드를 가리키는 포인터
//r: 삭제될 노드를 가리키는 포인터

void remove_node(List **phead, List *p, List *removed)
```

삭제의 2가지 경우는 다음과 같다.

- p가 NULL인 경우: 맨 앞의 노드를 삭제한다.
- p가 NULL이 아닌 경우: 중간 노드를 삭제한다(p의 다음 노드 삭제).

첫째, p가 NULL인 경우로서 연결 리스트의 첫 번째 노드를 삭제한다. 헤드포인터를 변경하므로 이중 포인터 필요하다. 다음 그림은 p가 NULL인 경우를 나타낸다.

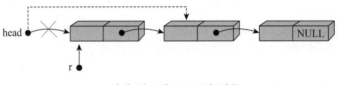

▲ 삭제 시 p가 NULL인 경우

둘째, p가 NULL이 아닌 경우로서 removed 앞의 노드인 p의 링크가 removed 다음 노드를 가리키도록 변경한다. 다음 그림은 p가 NULL이 아닌 경우를 나타낸다.

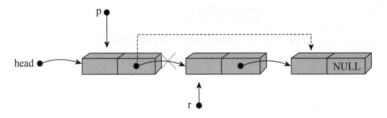

▲ 삭제 시 p가 NULL이 아닌 경우

단순 연결 리스트에서 삭제의 2가지 경우를 고려한 삭제 연산 코드는 다음과 같다. 위의 그림과 매칭해서 코드를 보기 바란다.

```
// phead : 헤드 포인터에 대한 포인터
// p: 삭제될 노드의 선행 노드
// removed: 삭제될 노드
void remove_node(List **phead, List *p, List *removed)
{
        if( p = = NULL )
                *phead = (*phead)->link; // 이전 (*phead)->link가 가리키는 곳에 주의
        else
                p->link = r->link; // 이전 removed->link가 가리키는 곳에 주의
        free(r); // removed 메모리 해제
}
```

7. 그 외 연산(* 참고)

방문 연산은 리스트 상의 노드를 순차적으로 방문하는 것이다. 반복과 순환 기법을 모두 사용 가능하다. 반복 버전의 코드는 다음과 같다.

```
void display(List *head)
{
        List *p = head; // 헤드 포인터 할당
        while( p != NULL ){
                printf("%d->", p->data);
                p = p->link; // 다음 노드 연결
        }
        printf("\n");
}
```

순환 버전의 코드는 다음과 같다.

```
void display_recur(List *head)
{
        List *p = head;
        if( p != NULL ){ // 순환 종료 조건
                printf("%d->", p->data);
                display_recur(p->link); // 다음 노드 호출
        }
}
```

탐색 연산은 특정한 데이터 값을 갖는 노드를 찾는 연산이다. 다음 코드와 그림은 탐색 연산을 나타낸다.

```
List *search(List *head, int x)
{
        List *p;
        p = head;
        while( p != NULL ){
                if( p->data == x ) return p;  // 탐색 성공
                p = p->link;
        }
        return p;  // 탐색 실패일 경우 NULL 반환(리스트가 없거나 마지막 이거나)
}
```

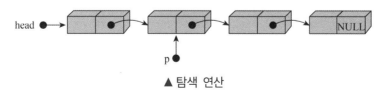

▲ 탐색 연산

합병 연산은 2개의 리스트를 합하는 연산이다. 다음의 코드와 그림은 합병 연산을 나타낸다.

```
List *concat(List *head1, List *head2)
{
        List *p;
        if( head1 = = NULL ) return head2; // head1이 빈 리스트
        else if( head2 = = NULL ) return head1; // head2가 빈 리스트
        else {
                p = head1;
                while( p->link != NULL )
                        p = p->link; // head1의 마지막 링크를 찾음
                p->link = head2; // head1의 마지막 링크에 head2를 연결
                return head1;
        }
}
```

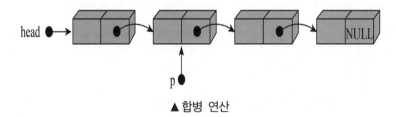

▲ 합병 연산

역순 연산은 리스트의 노드들을 역순으로 만드는 연산이다. 다음의 코드와 그림은 역순 연산을 나타낸다.

```
List *reverse(List *head)
{
   // 순회 포인터로 p, q, r을 사용
   List *p, *q, *r;
   p = head;        // p는 역순으로 만들 리스트
   q = NULL;        // q는 역순으로 만들 노드
   while (p != NULL){
       r = q;           // r은 역순으로 된 리스트.  r은 q, q는 p를 차례로 따라간다.
       q = p;
       p = p->link; // p는 다음 링크로 옮긴다.
       q->link = r;  // q의 링크 방향을 바꾼다. (이 부분이 핵심)
   }
   return q;        // q는 역순으로 된 리스트의 헤드 포인터
}
```

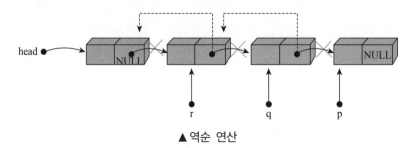

▲ 역순 연산

4 연결리스트의 응용(다항식)

1. 개요

자료구조가 얼마나 효율적인가를 나타내기 위해 다항식 계산을 수행해보자. 다항식의 덧셈과 뺄셈 등을 컴퓨터로 처리하기 위한 자료구조로 연결리스트를 사용한다고 가정한다. 다항식은 $A = 3x^{12} + 2x^8 + 1$을 사용하고, 이를 연결리스트로 나타내면 다음 그림과 같다.

▲ 연결리스트로 표현된 다항식

다음의 예는 다항식을 계산하기 위한 구조체의 예를 나타낸다.

```
typedef struct List {
        int c;
        int expon;
        struct List *link;
} List;
List *A, *B;
```

2. 다항식의 덧셈 구현

2개의 다항식을 더하는 덧셈 연산을 구현해보자. 2개의 다항식과 이를 더한 결과는 다음과 같다.

- $A = 3x^{12} + 2x^6 + 1$
- $B = 8x^{12} - 3x^{10} + 10x^6$
- $A + B = 11x^{12} - 3x^{10} + 2x^8 + 10x^6 + 1$

다항식 A와 B의 항들을 따라 순회하면서 각 항들을 더한다. 해당 알고리즘을 정리하면 다음과 같다(top - down approach).

- p.expon = = q.expon: 두 계수를 더해서 0이 아니면 새로운 항을 만들어 결과 다항식 C에 추가한다. 그리고 p와 q는 모두 다음 항으로 이동한다.
- p.expon < q.expon: q가 지시하는 항을 새로운 항으로 복사하여 결과 다항식 C에 추가한다. 그리고 q만 다음 항으로 이동한다.
- p.expon > q.expon: p가 지시하는 항을 새로운 항으로 복사하여 결과 다항식 C에 추가한다. 그리고 p만 다음 항으로 이동한다.

3. 다항식의 덧셈

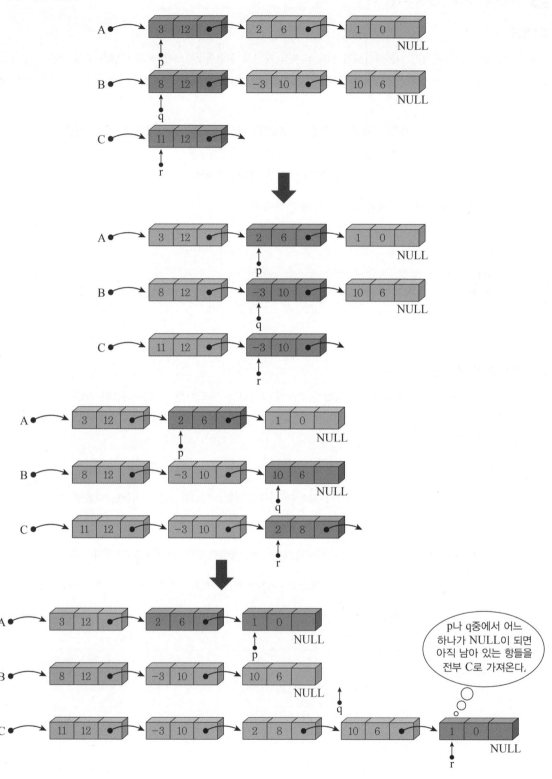

▲ 다항식의 덧셈

4. 다항식 프로그램

```c
#include <stdio.h>
#include <stdlib.h>
// 연결 리스트의 노드의 구조
typedef struct List {
        int c;
        int expon;
        struct List *link;
} List;
// 연결 리스트 헤더(헤더 노드?)
typedef struct ListHeader {
        int length;
        List *head;
        List *tail;
} ListHeader;
// 초기화 함수
void init(ListHeader *plist)
{
        plist->length = 0;
        plist->head = plist->tail = NULL;
}
// plist는 연결 리스트의 헤더를 가리키는 포인터, coef는 계수, expon는 지수
void insert_node_last(ListHeader *plist, int c, int expon)
{
        List *temp = (List *)malloc(sizeof(List));
        if( temp == NULL ) error("메모리 할당 에러");
        temp->c = c;
        temp->expon = expon;
        temp->link = NULL; // 마지막에 추가
        if( plist->tail == NULL ){ // 리스트가 비어 있다면?
                plist->head = plist->tail = temp;
        }
        else {
                plist->tail->link = temp; // 이전 plist->tail은? (1)
                plist->tail = temp; // 현재 plist->tail은? (2)
        }
        plist->length++;
}
// list3 = list1 + list2
void poly_add(ListHeader *plist1, ListHeader *plist2, ListHeader *plist3)
{
        List *a = plist1->head;
        List *b = plist2->head;
        int sum;
        while (a && b) { // a와 b 둘 다 NULL이 아니라면
                if (a->expon == b->expon) { // a의 차수 == b의 차수
                        sum = a->c + b->c;
                        if (sum != 0) insert_node_last(plist3, sum, a->expon);
```

```
                                      a = a->link; b = b->link; // 다음 항으로 이동
                              }
                      else if (a->expon > b->expon) { // a의 차수 > b의 차수
                              insert_node_last(plist3, a->c, a->expon);
                              a = a->link; // 다음 항으로 이동
                      }
                      else {              // a의 차수 < b의 차수
                              insert_node_last(plist3, b->c, b->expon);
                              b = b->link; // 다음 항으로 이동
                      }
              }
// a나 b중의 하나가 먼저 끝나게 되면 남아있는 항들을 모두 결과 다항식으로 복사
      for (; a != NULL; a = a->link)
              insert_node_last(plist3, a->c, a->expon);
      for (; b != NULL; b = b->link)
              insert_node_last(plist3, b->c, b->expon);
}
// 리스트를 출력
void poly_print(ListHeader *plist)
{
      List *p = plist->head;
      for (; p; p = p->link) {
              printf("%d %d\n", p->c, p->expon);
      }
}
// 메인 프로그램
void main()
{
      ListHeader list1, list2, list3;

      // 연결 리스트의 초기화
      init(&list1);
      init(&list2);
      init(&list3);
      // 다항식 1을 생성
      insert_node_last(&list1, 3,12);
      insert_node_last(&list1, 2,6);
      insert_node_last(&list1, 1,0);
      // 다항식 2를 생성
      insert_node_last(&list2, 8,12);
      insert_node_last(&list2, -3,10);
      insert_node_last(&list2, 10,6);
      // 다항식 3 = 다항식 1 + 다항식 2
      poly_add(&list1, &list2, &list3);
      poly_print(&list3);
}
```

다음 그림은 위의 함수 중에 insert_node_last() 함수의 이해를 돕기 위한 그림이다.

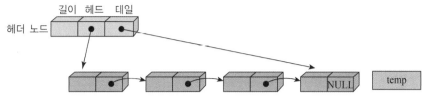

▲ insert_node_last() 함수의 동작 과정(헤더 노드)

다음은 프로그램을 실제 동작시켜본 결과(일부)를 나타낸다(bottom - up approach).

```
(&list1, 3,12); (&list1, 2,6); (&list1, 1,0);
(&list2, 8,12); (&list2, -3,10); (&list2, 10,6);
if (12 = = 12) {
sum = 3 + 8;
if (11 != 0) insert_node_last(plist3, 11, 12);
a = a->link; b = b->link;
}
```

5 원형 연결 리스트

1. 개요

원형 연결 리스트는 마지막 노드의 링크가 첫 번째 노드를 가리키는 리스트이다. 한 노드에서 다른 모든 노드로의
접근이 가능하다(장점). 다음 그림은 원형 연결 리스트를 나타낸다.

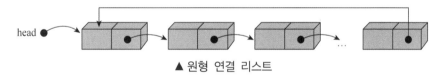

▲ 원형 연결 리스트

보통 헤드포인터가 마지막 노드를 가리키게끔 구성하면 리스트의 처음이나 마지막에 노드를 삽입하는 연산이 단순
연결 리스트에 비하여 용이하다. 다음 그림은 마지막 노드를 가리키는 헤드포인터를 나타낸다.

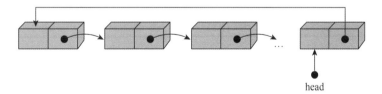

▲ 마지막 노드를 가리키는 헤드포인터

2. 리스트의 처음에 삽입

다음의 프로그램과 그림은 리스트의 처음에 삽입하는 것을 나타낸다.

```
// phead: 리스트의 헤드 포인터의 포인터
// node : 삽입될 노드
void insert_first(List **phead, List *node)
{
        if( *phead = = NULL ){
                *phead = node; // 현재 *phead는 E를 가리킴
                node->link = node; // 원형이므로 NULL이 아니라 자신을 가리킴
        }
        else {
                node->link = (*phead)->link; // (1) 이전 (*phead)->link는 A를 가리킴
                (*phead)->link = node; // (2) 현재 (*phead)->link는 E를 가리킴
        }
}
```

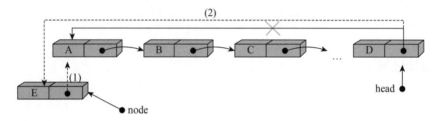

▲ 리스트의 처음에 삽입

3. 리스트의 끝에 삽입

다음의 프로그램과 그림은 리스트의 끝에 삽입하는 것을 나타낸다.

```
// phead: 리스트의 헤드 포인터의 포인터
// node : 삽입될 노드
void insert_last(List **phead, List *node)
{
        if( *phead = = NULL ){
                *phead = node; // 현재 *phead는 E를 가리킴
                node->link = node; // 원형이므로 NULL이 아니라 자신을 가리킴
        }
        else {
                node->link = (*phead)->link; // (1) 이전 (*phead)->link는 A를 가리킴
                (*phead)->link = node; // (2) 현재 (*phead)->link는 E를 가리킴
                *phead = node; // (3) *phead는 E를 가리킴(헤드 포인터 변경)
        }
}
```

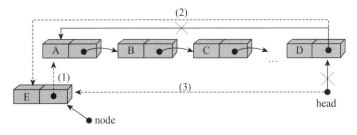

▲ 리스트의 끝에 삽입

6 이중 연결 리스트

1. 개요

단순 연결 리스트의 문제점은 선행 노드를 찾기가 힘들다는 것이고, 삽입이나 삭제 시에는 반드시 선행 노드가 필요하다. 이중 연결 리스트는 하나의 노드가 선행 노드와 후속 노드에 대한 두 개의 링크를 가지는 리스트이다. 링크가 양방향이므로 양방향으로 검색이 가능하고(장점), 단점은 공간을 많이 차지하고 코드가 복잡하다. 실제 사용되는 이중연결 리스트의 형태는 헤드노드＋이중연결 리스트＋원형연결 리스트의 결합 형태이다(다음 그림).

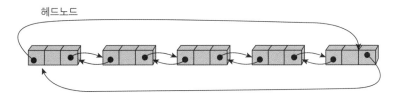

▲ 헤드노드＋이중연결 리스트＋원형연결 리스트

2. 헤드노드

헤드 노드(head node)는 데이터를 가지지 않고 단지 삽입, 삭제 코드를 간단하게 할 목적으로 만들어진 노드이고, 헤드 포인터(head pointer)와의 구별이 필요하다. 공백상태에서는 헤드 노드만 존재한다. 다음의 그림은 헤드 노드를 나타낸다.

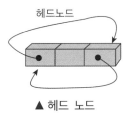

▲ 헤드 노드

다음의 예와 그림은 이중연결리스트에서의 노드의 구조를 나타낸다.

```
typedef int element;
typedef struct Dlist {
        element data;
        struct Dlist *llink;
        struct Dlist *rlink;
} Dlist;
```

▲ 이중연결리스트에서의 노드의 구조

3. 삽입연산

다음의 예와 그림은 삽입연산을 나타낸다.

```
// 노드 new_node를 노드 before의 오른쪽에 삽입한다.
void dinsert_node(Dlist *before, Dlist *new_node) (after 노드가 있다면?)
{
        new->llink = before; // (1)
        new->rlink = before->rlink; // (2)
        before->rlink->llink = new; // (3)
        before->rlink = new; // (4)
}
```

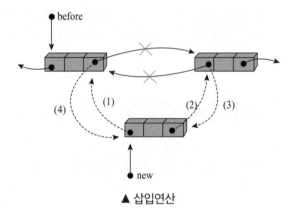

▲ 삽입연산

4. 삭제연산

다음의 예와 그림은 삭제연산을 나타낸다.

```
// 노드 r을 삭제한다.
void dremove_node(Dlist *phead_node, Dlist *r) (r만 존재?)
{
        if( removed = = phead_node ) return; // head node 삭제 불필요
        r->llink->rlink = r->rlink; // (1)
        r->rlink->llink = r->llink; // (2)
        free(r);
}
```

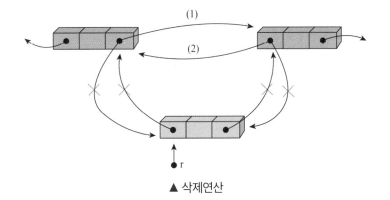

▲ 삭제연산

✍️ **주요개념 셀프체크**

☑ 단순 연결 리스트 - 삽입 & 삭제
☑ 원형 연결 리스트 - 삽입 & 삭제
☑ 이중 연결 리스트 - 삽입 & 삭제

📋 **핵심 기출**

연결리스트(linked list)의 'preNode' 노드와 그 다음 노드사이에 새로운 'newNode' 노드를 삽입하기 위해 빈 칸 ㉠에 들어갈 명령문으로 옳은 것은?   2015년 국가직

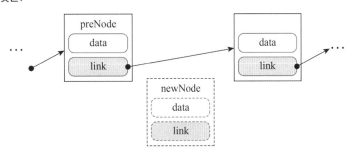

```
...
Node *newNode = (Node *)malloc(sizeof(Node)) ;
㉠
preNode->link = newNode;
...
```

① newNode->link = preNode;   ② newNode->link = preNode->link;
③ newNode->link->link = preNode;   ④ newNode = preNode->link;

해설

newNode->link = preNode->link // newNode->link는 오른쪽 노드에 연결되어야 하는데 그 정보를 가지고 있는 노드가 preNode->link이다. 그래서 newNode->link에 preNode->link를 연결한다.
preNode->link = newNode // preNode->link는 새로운 노드인 newNode에 연결해야 한다.

정답 ②

CHAPTER 05 | 스택(Stack)

1 개요

1. 정의

스택(Stack)은 쌓아놓은 더미를 나타낸다. 스택의 특징은 후입선출(LIFO; Last - In First - Out)로서 가장 최근에 들어온 데이터가 가장 먼저 나간다. 참고로, 큐는 FIFO 구조이다. 다음 그림은 스택의 구조를 나타낸다.

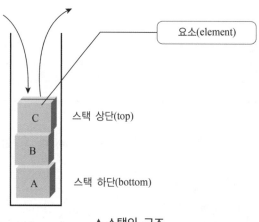

▲ 스택의 구조

2. 스택의 연산

스택의 연산 중 push()는 스택에 데이터를 추가하는 것이고, pop()은 스택에서 데이터를 삭제하는 것이다. 다음 그림은 push()와 pop()을 나타낸다.

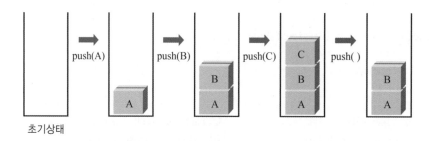

▲ push()와 pop()

스택의 연산 중 is_empty(s)는 스택이 공백상태인지 검사하고, is_full(s)은 스택이 포화상태인지 검사한다. create()는 스택을 생성하고, peek(s)는 요소를 스택에서 삭제하지 않고 보기만 하는 연산이다. 참고로, pop 연산은 요소를 스택에서 완전히 삭제하면서 가져온다.

3. 스택의 용도

스택의 용도는 입력과 역순의 출력이 필요한 경우이다. 예를 들면, 에디터에서 되돌리기(undo) 기능 또는 함수 호출 (연속 호출 시)에서 복귀 주소(return address) 기억에 사용된다. 다음 그림은 함수 호출에 사용된 스택을 나타낸다.

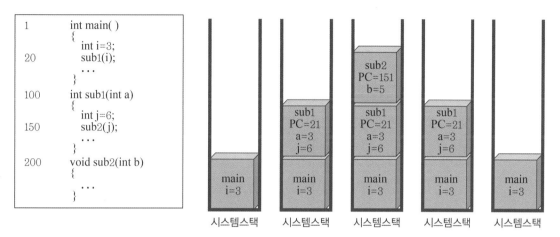

▲ 함수 호출에 사용된 스택

2 배열을 이용한 스택의 구현

1. 개요

배열을 이용한 스택은 1차원 배열 stack[ ]을 사용한다. 스택에서 가장 최근에 입력되었던 자료를 가리키는 top 변수를 사용하고, 가장 먼저 들어온 요소는 stack[0]에, 가장 최근에 들어온 요소는 stack[top]에 저장한다. 스택이 공백 상태이면 top은 -1이다. 초기 조건이 중요함에 유의한다. 예를 들어, 스택이 공백상태일 때 top이 0이라고 가정하면 아래의 동작 과정이 어떻게 변할지 생각해보자. 다음 그림은 배열을 이용한 스택을 나타낸다.

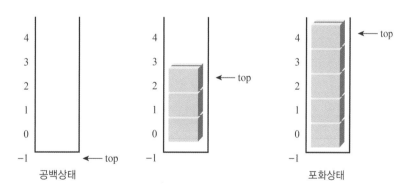

▲ 배열을 이용한 스택

2. is_empty, is_full 연산의 구현

is_empty 연산의 유사 코드와 그림은 다음과 같다.

```
is_empty(S)
if top = -1
    then return TRUE
    else return FALSE
```

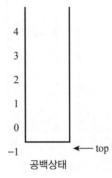

▲ is_empty 연산

is_full 연산의 유사 코드와 그림은 다음과 같다.

```
is_full(S)
if top = (MAX_STACK_SIZE - 1)
    then return TRUE
    else return FALSE
```

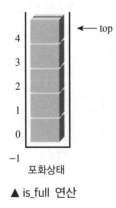

▲ is_full 연산

3. push, pop 연산의 구현

push 연산의 유사 코드와 그림은 다음과 같다. top이 선증가 함에 유의한다.

```
push(S, x)
if is_full(S)
    then error "overflow"
    else top←top + 1
          stack[top]←x
```

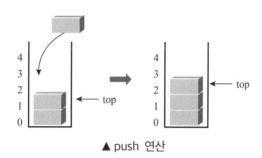

▲ push 연산

pop 연산의 유사 코드와 그림은 다음과 같다. top이 후감소 함에 유의한다.

```
pop(S, x)
if is_empty(S)
    then error "underflow"
    else e←stack[top]
          top←top − 1
           return e
```

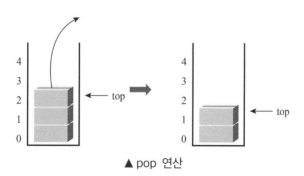

▲ pop 연산

4. 예제 프로그램

배열을 이용한 스택의 예제 프로그램은 다음과 같다.

```c
typedef int element; // 배열의 요소는 element 타입으로 선언
typedef struct {
    element stack[MAX_STACK_SIZE];
    int top;
} Stack; // 관련 데이터를 구조체로 묶어서 함수의 파라미터로 전달

// 스택 초기화 함수
void init(Stack *s)
{
    s->top = -1;
}
// 공백 상태 검출 함수
int is_empty(Stack *s)
{
    return (s->top == -1);
}
// 포화 상태 검출 함수
int is_full(Stack *s)
{
    return (s->top == (MAX_STACK_SIZE-1)); // 0부터 시작
}
// 삽입함수
void push(Stack *s, element i)
{
    if( is_full(s) ) {
            fprintf(stderr,"스택 포화 에러\n");
            return;
     }
     else s->stack[++(s->top)] = i; // 선증가
}
// 삭제함수
element pop(Stack *s)
{
    if( is_empty(s) ) {
            fprintf(stderr, "스택 공백 에러\n");
            exit(1);
    }
    else return s->stack[(s->top)--]; // 후감소
}
// 피크함수
element peek(Stack *s)
{
    if( is_empty(s) ) {
            fprintf(stderr, "스택 공백 에러\n");
            exit(1);
    }
    else return s->stack[s->top];
}
```

3 연결리스트를 이용한 스택의 구현(연결된 스택)

1. 개요

연결된 스택(linked stack)은 연결리스트를 이용하여 구현한 스택을 나타낸다. 장점은 크기가 제한되지 않는다는 것이고, 단점은 구현이 복잡하고 삽입이나 삭제 시간이 오래 걸린다(구현 비용). 다음 그림은 연결된 스택을 나타낸다.

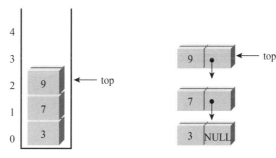

▲ 연결된 스택

2. 연결된 스택 정의

다음의 예와 그림은 연결된 스택의 정의를 나타낸다.

```
typedef int element; // 요소의 타입
typedef struct Stack {
    element item;
    struct Stack *link;
} Stack; // 노드의 타입
typedef struct {
    Stack *top;
} LinkedStack; // 연결된 스택의 관련 데이터
```

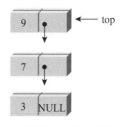

▲ 연결된 스택의 정의

3. 연결된 스택에서 push 연산

연결된 스택에서 push 연산의 예와 그림은 다음과 같다. 그림의 숫자와 코드의 숫자를 일치시켜 보기 바란다.

```
// 삽입 함수
void push(LinkedStack *s, element item)
{
    Stack *t = (Stack *)malloc(sizeof(Stack));
    if( t = = NULL ){
```

```
        fprintf(stderr, "메모리 할당에러\n");
         return;
    }
    else{
       t->item = item;
       t->link = s->top; // (1)
       s->top = t; // (2)
    }
}
```

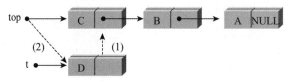

▲ 연결된 스택에서 push 연산

4. 연결된 스택에서 pop 연산

연결된 스택에서 pop 연산의 예와 그림은 다음과 같다. 그림의 숫자와 코드의 숫자를 일치시켜 보기 바란다.

```
// 삭제 함수
element pop(LinkedStack *s)
{
    if( is_empty(s) ) {
            fprintf(stderr, "스택이 비어있음\n");
            exit(1);
    }
    else{
            Stack *t = s->top;
            int item = t->item;
            s->top = s->top->link; // (1)
            free(t);
            return item;
    }
}
```

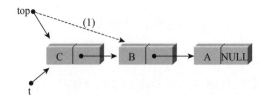

▲ 연결된 스택에서 pop 연산

4 스택의 응용(괄호검사)

1. 개요

괄호의 종류는 대괄호('[', ']'), 중괄호('{', '}'), 소괄호('(', ')')가 존재한다. 괄호검사의 조건은 다음과 같다.

- 왼쪽 괄호의 개수와 오른쪽 괄호의 개수가 같아야 한다.
- 같은 괄호에서 왼쪽 괄호는 오른쪽 괄호보다 먼저 나와야 한다.
- 괄호 사이에는 포함 관계만 존재한다(대괄호 > 중괄호 > 소괄호).

괄호검사의 조건에 따른 잘못된 괄호 사용의 예는 다음과 같다.

- (a(b)
- a(b)c)
- a{b(c[d]e}f)

2. 스택을 이용한 괄호 검사

다음 그림은 스택을 이용한 괄호 검사를 나타낸다.

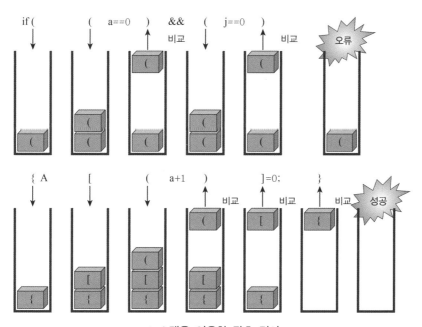

▲ 스택을 이용한 괄호 검사

3. 알고리즘

알고리즘의 개요를 정리하면 다음과 같다(위의 조건과 매칭에서 보기 바람).

- 문자열에 있는 괄호를 차례대로 조사하면서 왼쪽 괄호를 만나면 스택에 삽입하고, 오른쪽 괄호를 만나면 스택에서 top 괄호를 삭제한 후 오른쪽 괄호와 짝이 맞는지를 검사한다.
- 이 때, 스택이 비어 있으면 조건 1 또는 조건 2 등을 위배하게 되고 괄호의 짝이 맞지 않으면 조건 3 등에 위배된다.
- 마지막 괄호까지를 조사한 후에도 스택에 괄호가 남아 있으면 조건 1에 위배되므로 0(거짓)을 반환하고, 그렇지 않으면 1(참)을 반환한다.

4. 괄호 검사 알고리즘 - pseudo code

다음의 예는 괄호 검사 알고리즘의 유사 코드를 나타낸다.

```
check_matching(exp)
// expr = 괄호를 포함한 문자열
while (입력 exp의 끝이 아니면)
  ch ← exp의 다음 글자
  switch(ch)
    case '(': case '[': case '{':
        ch를 스택에 삽입
        break
    case ')': case ']': case ']':
        if ( 스택이 비어 있으면 )
          then 오류
          else 스택에서 open_ch를 꺼낸다
              if (ch 와 open_ch가 같은 짝이 아니면)
                  then 오류 보고
        break
if( 스택이 비어 있지 않으면 )
  then 오류
```

5. 괄호 검사 프로그램

다음의 예는 괄호 검사 프로그램을 나타낸다.

```c
// C언어 구현
int check_matching(char *exp)
{
    Stack s;
    char ch, open_ch;
    int i, n = strlen(exp); // 문자열 길이(strlen)
    init(&s);

    for (i = 0; i < n; i++) {
        ch = exp[i]; // 포인터와 배열은 동일
        switch(ch){
          case '(':   case '[':    case '{': // case를 이렇게 사용해도 된다!
            push(&s, ch);
            break;
          case ')':   case ']':    case '}':
            if(is_empty(&s))  return FALSE;
            else {
              open_ch = pop(&s);
              if ((open_ch == '(' && ch != ')') || (open_ch == '[' && ch != ']')
                      || (open_ch == '{' && ch != '}')) {
                  return FALSE;
              }
              break;
          }
```

```
        }
    }
    if(!is_empty(&s)) return FALSE;
    return TRUE;
}

int main()
{
        if( check_matching("{ A[(i + 1)] = 0; }") = = TRUE )
                printf("괄호검사성공\n");
        else
                printf("괄호검사실패\n");
}
```

5 수식의 계산

1. 개요

수식의 표기방법에는 전위(prefix), 중위(infix), 후위(postfix)가 존재한다. 다음의 표는 수식의 표기방법을 나타낸다.

중위 표기법	전위 표기법	후위 표기법
2 + 3*4	+ 2*34	234* +
a*b + 5	+ 5*ab	ab*5 +
(1 + 2) + 7	+ 7 + 12	12 + 7 +

컴퓨터에서의 수식 계산순서는 중위표기식을 후위표기식으로 바꾸고 후위표기식은 계산한다. 예를 들면, 2 + 3*4를 234* + 로 바꾸고, 234* + 를 계산해서 14를 얻는다. 이때, 계산 과정에서 모두 스택을 사용함에 유의한다. 먼저 후위 표기식의 계산법을 알아보자.

> **개념 PLUS+**
>
> **왜 컴퓨터에서는 중위표기식을 바로 계산할 수 없는가?**
> 중위표기식은 인간의 관점에서 만든 표기식으로 컴퓨터가 중위표기식으로 계산을 하기 위해서는 굉장히 복잡한 연산 과정을 거쳐야 한다(괄호와 연산자 우선순위 등을 고려). 반대로 후위표기식을 사용하게 되면 컴퓨터는 주어진 순서대로 기계적으로 계산만 수행하면 된다.

2. 후위 표기식의 계산

수식을 왼쪽에서 오른쪽으로 스캔하여 피연산자이면 스택에 저장하고 연산자이면 필요한 수만큼의 피연산자를 스택에서 꺼내 연산을 실행하고 연산의 결과를 다시 스택에 저장한다.

다음 그림은 82/3 - 32*+의 계산 과정을 나타낸다.

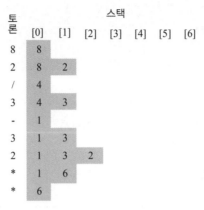

▲ 82/3 - 32**의 계산 과정

다음 그림은 후위 표기식의 계산을 나타낸다. 그림에서 연산 순서에 주의하기 바란다(8/2를 2/8로 계산하지 않기 바란다).

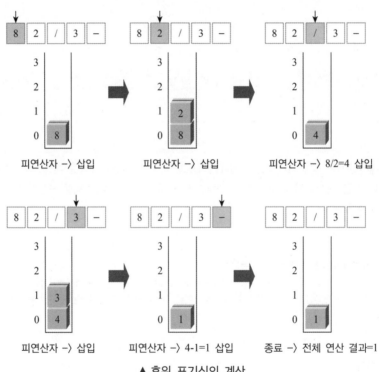

▲ 후위 표기식의 계산

3. 후위 표기식 계산 알고리즘

다음의 예는 후위 표기식 계산 알고리즘을 유사 코드로 나타낸 것이다.

```
스택 s를 생성하고 초기화한다.
for 항목 in 후위표기식
    do if (항목이 피연산자이면)
          push(s, item)
       if (항목이 연산자 op이면)
```

```
        then second ← pop(s)
            first ← pop(s)
            result ← first oper second // oper 는 + -*/중의 하나 (연산 순서에 주의)
            push(s, result)
final_result ← pop(s);
```

다음의 예는 후위 표기식 계산 알고리즘을 프로그램의 형태로 구현한 것이다.

```c
// 후위 표기 수식 계산 함수
eval(char expr[])
{
int op1, op2, value, i = 0;
int len = strlen(expr); // 문자열에서 문자의 개수
char ch;
Stack s;

init(&s);
for( i = 0; i<len; i + + ){
    ch = expr[i];
   if( ch != ' + ' && ch != ' - ' && ch != '*' && ch != '/' ){ // 입력이 피연산자이면
        value = ch - '0';  // ch는 숫자가 아니라 문자이기 때문에 숫자로 바꿔주기 위해 - '0'이 필요.
        push(&s, value);
    }
    else{ // 연산자이면 피연산자를 스택에서 제거
        op2 = pop(&s);
        op1 = pop(&s);
        switch(ch){ // 연산을 수행하고 스택에 저장
            case ' + ': push(&s,op1 + op2); break;
            case ' - ': push(&s,op1 - op2); break;
            case '*': push(&s,op1*op2); break;
            case '/': push(&s,op1/op2); break;
        }  // 에러 처리는 안되어 있다.
    }
}
return pop(&s);
}
```

4. 중위표기식 → 후위표기식

중위표기와 후위표기에서 공통점은 피연산자의 순서는 동일하고, 연산자들의 순서만 다르다(연산자 우선순위). 즉, 연산자만 스택에 저장했다가 출력하면 된다. 예를 들어, 2+3*4는 234*+로 바꾼다.

중위를 후위로 바꾸는 알고리즘은 다음과 같다.

- 피연산자를 만나면 그대로 출력한다.
- 연산자를 만나면 스택에 저장했다가 스택보다 우선 순위가 낮은 연산자가 나오면 그때 출력한다.
- 왼쪽 괄호는 우선순위가 가장 낮은 연산자로 취급한다.
- 오른쪽 괄호가 나오면 스택에서 왼쪽 괄호위에 쌓여있는 모든 연산자를 출력한다.

다음 그림은 중위표기식을 후위표기식으로 바꾸는 과정을 나타낸다.

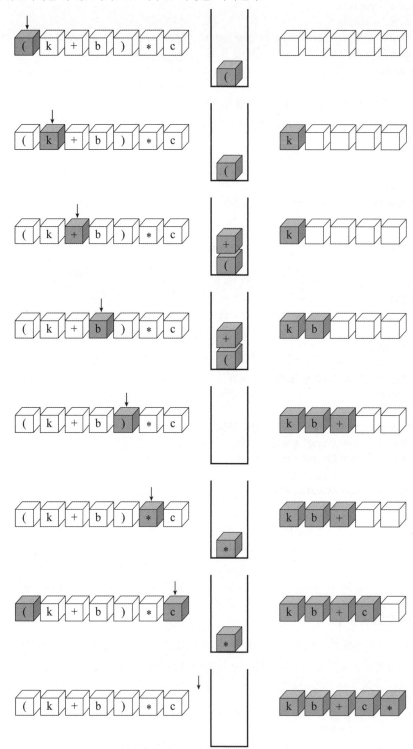

▲ 중위표기식을 후위표기식으로 바꾸는 과정

5. 중위표기식 → 후위표기식 알고리즘

다음의 예는 중위표기식을 후위표기시으로 바꾸는 유사코드를 나타낸다.

```
infix_to_postfix(expr)
스택 s를 생성하고 초기화
while (expr에 처리할 문자가 남아 있으면)
    ch ← 다음에 처리할 문자
    switch (ch)
      case 연산자: // 첫 번째로 중요
        while ( peek(s)의 우선순위 ≥ ch의 우선순위 )
          do e ← pop(s)
              e를 출력
        push(s, ch); // ch 자신은 push
        break;
      case 왼쪽 괄호:
        push(s, ch);
        break;
      case 오른쪽 괄호: // 두 번째로 중요
        e ← pop(s);
        while( e ≠ 왼쪽괄호 )
          do e를 출력
              e ← pop(s)
        break;
      case 피연산자:
        ch를 출력
        break;
while( not is_empty(s) )
      do e ← pop(s)
          e를 출력
```

6. 중위표기식 → 후위표기식 프로그램

다음의 예는 중위표기식을 후위표기식으로 바꾸는 예제 프로그램을 나타낸다.

```
// 중위 표기 수식 -> 후위 표기 수식
void infix_to_postfix(char expr[])
{
        int i = 0;
        char ch, top_op;
        int len = strlen(expr);
        Stack s;

        init(&s);                    // 스택 초기화
        for (i = 0; i<len; i++) {
                ch = expr[i];
                // 연산자이면
                switch (ch) {
                case '+': case '-': case '*': case '/': // 연산자
                // 스택에 있는 연산자의 우선순위가 더 크거나 같으면 출력
```

```
                        while (!is_empty(&s) && (prec(ch) <= prec(peek(&s)))) // prec(우선순위), prec는 *, /
의 경우 2를 리턴, +, -의 경우 1을 리턴
                                printf("%c", pop(&s));
                        push(&s, ch); // ch 자신은 push
                        break;
                    case '(': // 왼쪽 괄호
                        push(&s, ch);
                        break;
            case ')': // 오른쪽 괄호
              top_op = pop(&s);
              // 왼쪽 괄호를 만날때까지 출력
              while( top_op != '(' ){
                printf("%c", top_op);
                top_op = pop(&s);
              }
              break;
            default:            // 피연산자
              printf("%c", ch);
              break;
          }
    }
  while( !is_empty(&s) )    // 스택에 저장된 연산자들 출력
        printf("%c", pop(&s));
}
//
main()
{
  infix_to_postfix("(2 + 3)*4 + 9");
}
```

7. 전위 → 중위

뒤에서부터 앞으로 연산자, 변수, 변수 순으로 된 것을 찾아 연산자를 변수와 변수 사이로 옮긴다. 전위를 중위로 바꾸는 예는 다음과 같다.

+ * A B / C D -> + * A B C / D -> + A * B C / D -> A * B + C / D

8. 전위 → 후위(미시험, 2014년 이전에 출제)

뒤에서부터 앞으로 동작한다. 오퍼랜드면 스택에 push한다. 오퍼레이터면 오퍼랜드 2개를 pop하고 이들을 (오퍼렌드1, 오퍼렌드2, 오퍼레이터) 형태로 연결하고 이를 스택에 push한다(오퍼렌드 순서에 주의).

다음 그림은 전위를 후위로 바꾸는 예를 나타낸다.

Example: $(+-435) \rightarrow (43-5+)$

Symbol	opnd1	opnd2	value	opndstack
5				5
3				5, 3
4				5, 3, 4
-	4	3	43-	5
				5, 43 −
+	43-	5	43-5+	
				43 − 5 +

Equivalent
Postfix notation

▲ 중위를 전위로 바꾸는 예

9. 중위 → 전위(미시험)

오퍼랜드면 오퍼랜드 스택에 push한다(앞에서 뒤로 동작한다). 오퍼레이터면 오퍼레이터 스택으로부터 오퍼레이터를 pop한다(peek를 해도 됨). 두 개의 오퍼레이터의 우선순위를 비교한다.

> • 오퍼레이터 > 오퍼레이터(스택): 오퍼레이터(스택)과 오퍼레이터를 push한다.
> • 오퍼레이터 <= 오퍼레이터(스택): 오퍼랜드 2개를 pop하고 (오퍼레이터(스택), 오퍼랜드1, 오퍼랜드2) 형태로 만들고 이를 오퍼랜드 스택에 push한다. 계속 반복하고, 오퍼랜드 순서에 주의한다. 그리고 오퍼레이터 자신은 push한다.

수식 문자열이 끝나면, 오퍼레이터와 오퍼랜드 2개를 pop한다(오퍼레이터 스택의 bottom까지 반복한다) 다음 그림은 중위를 전위로 바꾸는 예를 나타낸다.

Example: $4+5*3-2$

Symbol	opndstk	optrstk	popped optr	opnd1	opnd2	value
4	4	#				
+	4	#, +				
5	4, 5	#, +				
*	4, 5	#, +, *				
3	4, 5, 3	#, +, *				
-	4	#, +	*	5	3	*53
	4, *53	#	+	4	*53	+4*53
	+4*53	#, −				
2	+4*53, 2	#, −	−	+4*53	2	− +4*532
	− +4*532	#				

Equivalent Prefix expression

▲ 중위를 전위로 바꾸는 예

10. 후위 → 전위

수식의 앞에서부터 뒤로 읽어 들인다. 피연산자는 push한다. 연산자이면 pop을 두번하여 연결한다. 첫 번째 pop는 피연산자A이고, 두 번째 pop는 피연산자B(순서 주의)이면 순서는 "연산자 - 피연산자B-피연산자A"가 된다. 해당 결과를 스택에 push한다. 앞의 과정을 입력스트링이 끝날 때까지 반복한다. 다음 그림은 후위를 전위로 바꾸는 예를 나타낸다.

Example: $(43-5+) \rightarrow (+-435)$

Symbol	opnd1	opnd2	value	opndstack
4				4
3				4, 3
-	4	3	-43	
				-43
5				-43, 5
+	-43	5	+ -435	
				(+ -435)

Equivalent Prefix notation

▲ 후위를 전위로 바꾸는 예

11. 후위 → 중위

Stack을 이용하고, 앞에서 뒤로 동작한다. 오퍼랜드 순서에 주의한다. 다음 그림은 후위를 중위로 바꾸는 예를 나타낸다.

ABC - /DEF + * +										

							F			
		C				E	E	E+F		
	B	B	B-C		D	D	D	D	D*(E+F)	
A	A	A	A	A/(B-C)	A/(B-C)	A/(B-C)	A/(B-C)	A/(B-C)	A/(B-C)	A/(B-C)+D*(E+F)

▲ 후위를 중위로 바꾸는 예

6 미로탐색문제

1. 개요

미로탐색문제는 체계적인 방법이 필요하다. 현재의 위치에서 가능한 방향을 스택에 저장해 놓았다가 막다른 길을 만나면 스택에서 다음 탐색 위치를 꺼낸다(알고리즘).

다음 그림은 미로탐색문제를 나타낸다.

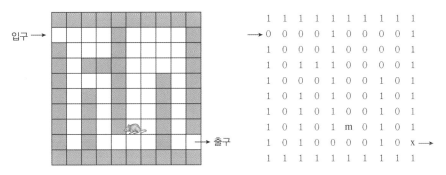

▲ 미로탐색문제

다음 그림은 미로탐색문제를 해결하는 과정을 나타낸다.

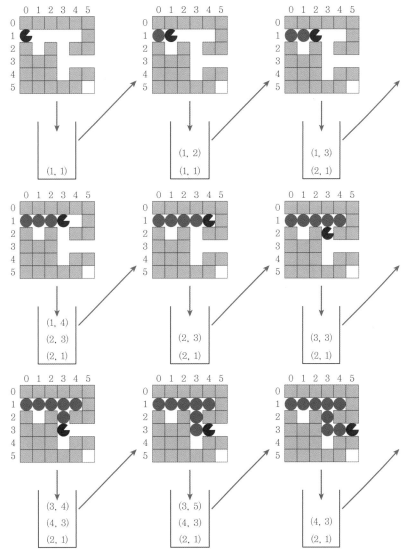

▲ 미로탐색문제를 해결하는 과정

2. 미로탐색 알고리즘

미로탐색 알고리즘을 유사코드로 나타내면 다음과 같다.

```
스택 s과 출구의 위치 x, 현재 생쥐의 위치를 초기화
while( 현재의 위치가 출구가 아니면 )
  do  현재위치를 방문한 것으로 표기
      if( 현재위치의 위, 아래, 왼쪽, 오른쪽 위치가 아직 방문되지 않았고 갈수 있으면 ) (사선은 아님)
        then 그 위치들을 스택에 push
      if( is_empty(s) )
        then 실패
        else 스택에서 하나의 위치를 꺼내어 현재 위치로 만든다;
성공;
```

3. 미로탐색 프로그램

다음은 미로탐색 프로그램을 나타낸다.

```c
#define MAX_STACK_SIZE 100
#define MAZE_SIZE 6

typedef struct  StackRec {
        short r; // 행(raw)
        short c; // 열(column)
} Stack;

Stack   stack[MAX_STACK_SIZE]; // 배열로 만든 스택
int  top  =  -1;
Stack here = {1,0}, entry = {1,0};

char maze[MAZE_SIZE][MAZE_SIZE]  =  { // 6x6 미로
        {'1', '1', '1', '1', '1', '1'},
        {'e', '0', '1', '0', '0', '1'},
        {'1', '0', '0', '0', '1', '1'},
        {'1', '0', '1', '0', '1', '1'},
        {'1', '0', '1', '0', '0', 'x'},
        {'1', '1', '1', '1', '1', '1'},
void push(int r, int c)
{
        if( r < 0 || c < 0 ) return;
        // 벽이 아니고('1'), 방문하지 않았다면('.')
        if( maze[r][c] != '1' && maze[r][c] != '.' ){
                StackObject tmp;
                tmp.r = r;
                tmp.c = c;
                push(tmp); // 스택에 넣는다
        }
}

void printMaze(char m[MAZE_SIZE][MAZE_SIZE])
```

```
{
        // 미로 출력
}
void printStack() // 스택에 있는 내용물을 출력
{
        int i;
        for(i = 5;i>top;i− −)
                printf("¦      ¦\n");
        for(i = top;i > = 0;i− −)
                printf("¦(%01d,%01d)¦\n", stack[i].r, stack[i].c);
        printf(" − − − − − − −\n");
}
void main()
{
        int r,c;
        here =  entry; // here(현재위치), entry(입구)
        printMaze(maze); // 미로 출력
        printStack(); // 스택 출력
        while ( maze[here.r][here.c]! = 'x' ){ // 출구가 아니라면
                printMaze(maze);
                r = here.r;
                c = here.c;
                maze[r][c] = '.'; // 방문 표기
                push(r−1,c); // 왼쪽
                push(r+1,c); // 오른쪽
                push(r,c−1); // 아래
                push(r,c+1); // 위
                // 사선은 갈 수 없다
                printStack();
                if( isEmpty() ){ // 막다른 골목
                        printf("실패\n");
                        return;
                }
                else
                        here = pop(); // 스택을 통해 새로운 위치 지정
                printMaze(maze);
                printStack();
                getch(); // 문자를 하나 입력하면 다음 단계로 진행(버퍼, 에코 없음)
        }
        printf("성공\n");
}
```

전위, 중위, 후위 간 변환

변환	방향	오퍼랜드	오퍼레이터
전위 → 중위	뒤 → 앞	그냥 출력	연산자, 변수, 변수 순으로 된 것을 찾아 연산자를 변수와 변수 사이로 옮긴다.
전위 → 후위 (미시험, 2014)	뒤 → 앞	스택에 push	오퍼랜드 2개를 pop하고 이들을 (오퍼랜드1(top), 오퍼랜드2, 오퍼레이터) 형태로 연결하고 이를 스택에 push한다.
중위 → 전위 (미시험)	앞 → 뒤	스택에 push	오퍼레이터 스택으로부터 오퍼레이터를 peek. 스택의 오퍼레이터 우선순위가 크거나 같다면 오퍼랜드 2개를 pop하고[오퍼레이터(스택), 오퍼랜드1, 오퍼랜드2(top)] 형태로 만들고 이를 오퍼랜드 스택에 push한다.
중위 → 후위	앞 → 뒤	그냥 출력	오퍼레이터 스택으로부터 오퍼레이터를 peek. 스택의 오퍼레이터 우선순위가 크거나 같다면 출력한다(괄호 주의).
후위 → 전위	앞 → 뒤	스택에 push	오퍼랜드 2개를 pop하고 이들을 [오퍼레이터, 오퍼랜드1, 오퍼랜드2(top)] 형태로 연결하고 이를 스택에 push한다.
후위 → 중위	앞 → 뒤	스택에 push	오퍼랜드 2개를 pop하고 이들을 [오퍼랜드1, 오퍼레이터, 오퍼랜드2(top)] 형태로 연결하고 이를 스택에 push한다.

주요개념 셀프체크

☑ 스택
☑ 배열 - 삽입 & 삭제
☑ 연결 - 삽입 & 삭제
☑ 수식: 전위 ↔ 중위 ↔ 후위

핵심 기출

1. 다음 전위(prefix) 표기 수식을 중위(infix) 표기 수식으로 바꾼 것으로 옳은 것은? (단, 수식에서 연산자는 + , * , /이며 피연산자는 A, B, C, D이다)

2014년 국가직

> + * AB / CD

① A + B * C / D
② A + B / C * D
③ A * B + C / D
④ A * B / C + D

해설

전위(prefix)를 중위(infix)로 바꾸는 방법은 다음과 같다. 앞에서부터 연산자, 변수, 변수 순으로 된 것을 찾아 연산자를 변수와 변수 사이로 옮긴다.

> + * A B / C D → + * A B (C / D) → + (A * B) (C / D) → (A * B) + (C / D)

TIP 전위(prefix), 중위(infix), 후위(postfix)를 서로 간에 교환하는 방식은 6가지가 존재한다. 2014년 이후로 4가지가 시험 문제에 나왔고, 2가지(전위 → 후위, 중위 → 전위)가 아직 시험 문제에 나오지 않았다. 자주 나오는 문제이므로 꼭 숙지를 해두어야 한다.

정답 ③

2. 다음은 배열로 구현한 스택 자료구조의 push() 연산과 pop() 연산이다. ⊙과 ⓛ에 들어갈 코드가 옳게 짝지어진 것은?

2017년 지방직

```
#define ARRAY_SIZE 10
#define IsFull() ((top == ARRAY_SIZE-1) ? 1: 0)
#define IsEmpty() ((top == -1) ? 1: 0)
int a[ARRAY_SIZE]; int top = -1;
void push(int d) {
  if( IsFull() )
    printf("STACK FULL\n");
  else
    ⊙
}
int pop() {
  if( IsEmpty() )
    printf("STACK EMPTY\n");
  else
    ⓛ
}
```

	⊙	ⓛ
①	a[++top] = d;	return a[--top];
②	a[++top] = d;	return a[top--];
③	a[--top] = d;	return a[++top];
④	a[top--] = d;	return a[top++];

해설

int top = -1; 이라는 조건은 top이 최상위 데이터를 가리킨다는 것이다. 그러므로 스택에 데이터를 넣으려면(push) top을 하나 증가시키고(++top) 데이터를 넣어야 하고, 스택에서 데이터를 빼려면(pop) 일단 빼내고 나중에 top을 하나 감소시킨다(top--).

TIP 만약 초기 조건이 int top = 0; 라면 top이 최상위 데이터의 바로 위의 데이터를 가리킨다는 것이다. 그러므로 스택에 데이터를 넣으려면(push) 일단 넣고 나중에 top을 하나 증가시키고(top++), 스택에서 데이터를 빼려면(pop) top을 하나 감소시키고 (--top) 나중에 뺀다.

정답 ②

CHAPTER 06 | 큐(Queue)

1 개요

1. 정의

큐(Queue)는 먼저 들어온 데이터가 먼저 나가는 자료구조이다. 선입선출(FIFO; First - In First - Out) 구조를 가진다. 예를 들면, 매표소의 대기열 등이 큐의 형태를 가진다. 큐는 스택과 사용되는 용어가 다르므로 이에 유의한다.

2. 큐의 응용

직접적인 응용은 시뮬레이션의 대기열(공항에서의 비행기들, 은행에서의 대기열), 통신에서의 데이터 패킷들의 모델링, 프린터와 컴퓨터 사이의 버퍼링 등을 들 수 있다. 간접적인 응용은 스택과 마찬가지로 프로그래머의 도구로서 많은 알고리즘에서 사용된다. 응용을 묻는 문제가 간혹 출제됨에 유의한다.

3. 배열을 이용한 큐

선형큐는 배열을 선형으로 사용하여 큐를 구현한 것이다. 삽입을 계속하기 위해서는 요소들을 이동시켜야 하고, 문제점이 많아 사용되지 않는다. 다음 그림은 선형큐를 나타낸다.

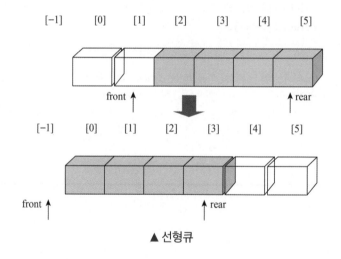

▲ 선형큐

2 원형큐

1. 구조

원형큐는 배열을 원형으로 사용하여 큐를 구현한 것이다. 큐의 전단과 후단을 관리하기 위한 다음과 같은 2개의 변수가 필요하다(조건은 바뀔 수 있음에 유의). 다음 그림은 원형큐의 구조를 나타낸다.

- front: 첫 번째 요소 하나 앞의 인덱스
- rear: 마지막 요소의 인덱스

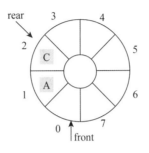

▲ 원형큐의 구조

다음 그림은 원형큐의 삽입과 삭제를 나타낸다.

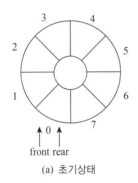

(a) 초기상태

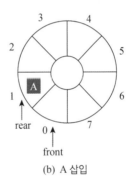

(b) A 삽입

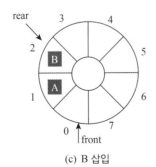

(c) B 삽입

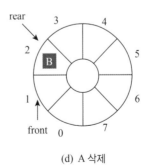

(d) A 삭제

▲ 원형큐의 삽입과 삭제

2. 공백상태와 포화상태

원형큐에서 공백상태와 포화상태는 다음과 같이 검사한다. 공백상태와 포화상태를 구별하기 위하여 하나의 공간은 항상 비워둔다. 다음 그림은 원형큐의 공백상태와 포화상태를 나타낸다.

- 공백상태: front = = rear
- 포화상태: front = = (rear + 1) % M // 원형큐의 특성으로 인해 % M을 해준다.

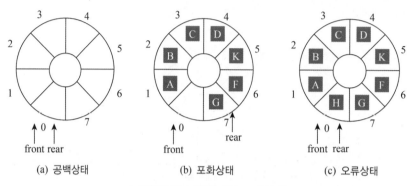

(a) 공백상태   (b) 포화상태   (c) 오류상태

▲ 원형큐의 공백상태와 포화상태

3. 큐의 연산

큐는 나머지(modulo) 연산을 사용하여 인덱스를 원형으로 회전시킨다. 다음의 예는 큐의 연산을 나타낸다. enqueue 와 dequeue에서 선증가가 사용되었는데, 만약 큐의 front와 rear 조건 바뀌면 선증가를 후증가로 수정해야 한다(문 제의 조건을 주의).

```
typedef int element;
typedef struct {
  element queue[100];
  int front, rear;
} Queue;
// 공백 상태 검출 함수
int is_empty(Queue *q)
{
        return (q->front = = q->rear);
}
// 포화 상태 검출 함수
int is_full(Queue *q)
{
        return ((q->rear + 1)%MAX_QUEUE_SIZE = = q->front);
}
// 삽입 함수
void enqueue(Queue *q, element item)
{
        if( is_full(q) )
                error("큐가 포화상태입니다");
        q->rear = (q->rear + 1) % MAX_QUEUE_SIZE;
        q->queue[q->rear] = item;
}
```

```
// 삭제 함수
element dequeue(Queue *q)
{
        if( is_empty(q) )
                        error("큐가 공백상태입니다");
        q->front = (q->front + 1) % MAX_QUEUE_SIZE;
        return q->queue[q->front];
}
```

3 연결된 큐

1. 개요

연결된 큐(linked queue)는 연결리스트로 구현된 큐이다. front 포인터는 삭제와 관련되며 rear 포인터는 삽입에 사용된다. front는 연결 리스트의 맨 앞에 있는 요소를 가리키며, rear 포인터는 맨 뒤에 있는 요소를 가리킨다. 큐에 요소가 없는 경우에는 front와 rear는 NULL로 표현한다. 다음 그림은 연결된 큐를 나타낸다.

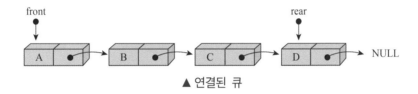

▲ 연결된 큐

2. 연결된 큐에서의 삽입

다음의 그림과 예는 연결된 큐에서의 삽입을 나타낸다. 그림과 예의 숫자를 매칭해서 보기 바란다.

```
typedef int element;
typedef struct {
  element item;
  struct Queue *link;
} Queue;
typedef struct {
  Queue *front, *rear;
} QueueType;
void enqueue(QueueType *q, element item)
{
        Queue *temp = (Queue *)malloc(sizeof(Queue));
        if(temp == NULL )
                error("메모리를 할당할 수 없습니다");
        else {
                temp->i = i; // 데이터 저장
                temp->link = NULL; // 링크 필드를 NULL
                if( is_empty(q) ){ // 큐가 공백이면
                        q->front = temp;
                        q->rear = temp;
                }
                else { // 큐가 공백이 아니면
```

```
                        q->rear->link = temp; // (1)
                        q->rear = temp; // (2)
                }
        }
}
```

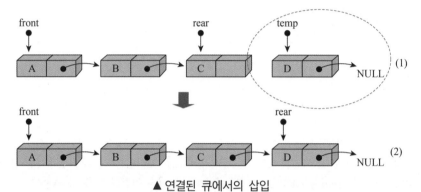

▲ 연결된 큐에서의 삽입

3. 연결된 큐에서의 삭제

다음의 그림과 예는 연결된 큐에서의 삭제를 나타낸다. 그림과 예의 숫자를 매칭해서 보기 바란다.

```
element dequeue(QueueType *q)
{
        Queue *temp = q->front;
        element i;
        if( is_empty(q) ) // 공백상태
                error("큐가 비어 있습니다");
        else {
                i = temp->i; // 데이터를 꺼낸다.
                q->front = q->front->link; // (1) front를 다음 노드를 가리키도록 한다.
                if( q->front == NULL ) q->rear = NULL; // 공백 상태(왜 하는가?)
                free(temp); // 동적메모리 해제
                return i; // 데이터 반환
        }
}
```

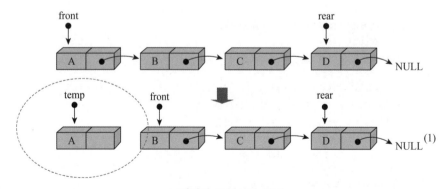

▲ 연결된 큐에서의 삭제

4 덱(deque)

1. 개요

덱(deque)은 double - ended queue의 줄임말로서 큐의 전단(front)와 후단(rear)에서 모두 삽입과 삭제가 가능한 큐이다. 다음은 덱을 나타낸다.

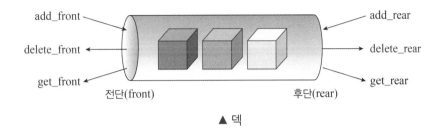

▲ 덱

2. 덱의 연산

다음 그림은 덱의 연산을 나타낸다.

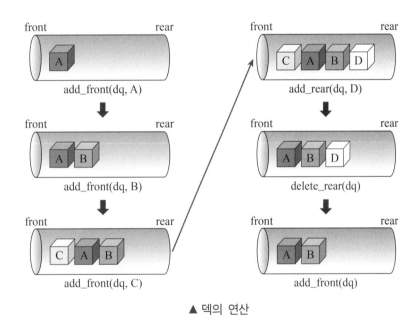

▲ 덱의 연산

3. 덱의 구현(* 참고)

양쪽에서 삽입, 삭제가 가능하여야 하므로 일반적으로 이중 연결 리스트를 사용한다. 다음의 예는 덱의 구현을 나타낸다.

```c
typedef int element;          // 요소의 타입
typedef struct Dlist {      // 노드의 타입
    element data;
    struct Dlist *llink; // left
    struct Dlist *rlink; // right
} DlistNode;
typedef struct Deque {      // 덱의 타입
    Dlist *head;
    Dlist *tail;
} Deque;
```

다음의 예는 덱에서의 삽입연산에 사용되는 공통 함수를 나타낸다. 연결리스트의 연산과 유사하고, 헤드포인터 대신 head와 tail 포인터를 사용함에 유의한다.

```c
DlistNode *create_node(Dlist *llink, element i, Dlist *rlink)
{
        Dlist *new_node = (Dlist *)malloc(sizeof(Dlist));
        if (new_node == NULL)
                error("메모리 할당 오류");
        new_node->llink = llink;
        new_node->data = i;
        new_node->rlink = rlink;
        return new_node;
}
```

4. 덱에서의 삽입연산(후단)(* 참고)

다음 그림과 예는 덱에서의 삽입연산(후단)을 나타낸다. 그림과 예에서의 숫자를 매칭해서 보기 바란다.

```c
// 후단에서의 삽입
void add_rear(Deque *dq, element item)
{
  Dlist *new_node = create_node(dq->tail, item, NULL); // (1)
  if( is_empty(dq))
     dq->head = new_node;
  else
     dq->tail->rlink = new_node; // (2)
  dq->tail = new_node; // (3)
}
```

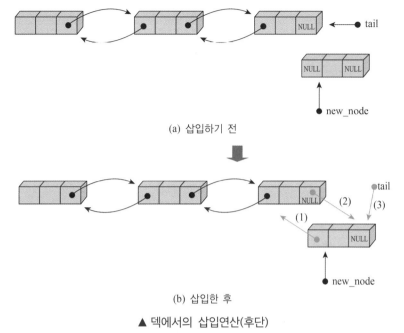

(a) 삽입하기 전

(b) 삽입한 후

▲ 덱에서의 삽입연산(후단)

5. 덱에서의 삽입연산(전단)(* 참고)

다음의 예는 덱에서의 삽입연산(전단)을 나타낸다. add_rear에서 head와 tail 교환해주면 됨에 유의한다.

```
// 전단에서의 삽입
// 아래의 (1), (2), (3)을 그림으로 표현해보자.
void add_front(Deque *dq, element item)
{
  Dlist *new_node = create_node(NULL, item, dq->head); // (1)

  if( is_empty(dq))
          dq->tail = new_node;
  else
          dq->head->llink = new_node; // (2)
  dq->head = new_node; // (3)
}
```

6. 덱에서의 삭제연산(전단)(* 참고)

다음 그림과 예는 덱에서의 삭제연산(전단)을 나타낸다. 그림과 예에서의 숫자를 매칭해서 보기 바란다.

```
// 전단에서의 삭제
element delete_front(Deque *dq)
{
        element item;
        Dlist *removed_node;

        if (is_empty(dq)) error("공백 덱에서 삭제");
```

```
        else {
                removed_node = dq->head; // 삭제할 노드
                item = removed_node->data; // 데이터 추출
                dq->head = dq->head->rlink; // (1) 헤드 포인터 변경
                free(removed_node); // 메모리 공간 반납
                if (dq->head == NULL) // 공백상태이면
                        dq->tail = NULL;
                else // 공백상태가 아니면
                        dq->head->llink = NULL; // (2)
        }
        return item;
}
```

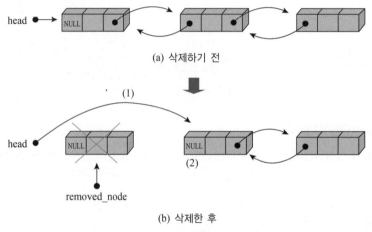

(a) 삭제하기 전

(1)

head

removed_node

(2)

(b) 삭제한 후

▲ 덱에서의 삭제연산(전단)

7. 덱에서의 삭제연산(후단) - delete_front에서 head, tail 교환(* 참고)

다음의 예는 덱에서의 삭제연산(후단)을 나타낸다. delete_front에서 head와 tail 교환해주면 됨에 유의한다.

```
// 후단에서의 삭제
// 아래의 (1), (2)를 그림으로 표현해보자.
element delete_rear(Deque *dq)
{
        element item;
        Dlist *removed_node;

        if (is_empty(dq)) error("공백 덱에서의 삭제");
        else {
                removed_node = dq->tail; // 삭제할 노드
                item = removed_node->data; // 데이터 추출
                dq->tail = dq->tail->llink; // (1) 테일 포인터 변경
                free(removed_node); // 메모리 공간 반납
                if (dq->tail == NULL) // 공백상태이면
                        dq->head = NULL;
                else // 공백상태가 아니면
```

```
                                    dq->tail->rlink = NULL; // (2)
        }
        return item;
}
```

5 큐의 응용(* 참고)

1. 버퍼

큐는 서로 다른 속도로 실행되는 두 프로세스 간의 상호 작용을 조화시키는 버퍼(buffer) 역할을 담당한다. CPU와 프린터 사이의 프린팅 버퍼(보조기억장치를 이용한 스폴링), 또는 CPU와 키보드 사이의 키보드 버퍼(주기억장치를 이용한 버퍼링)가 이에 해당한다.

대개 데이터를 생산하는 생산자 프로세스가 있고 데이터를 소비하는 소비자 프로세스가 있으며 이 사이에 큐로 구성되는 버퍼가 존재한다. 다음의 예는 큐의 응용인 버퍼를 나타낸다.

```
QueueType buf;
/* 생산자 프로세스 */
producer()
{
    while(1){
            데이터 생산;
            while( lock(buf) != SUCCESS ) ; // 동시에 다른 곳에서 사용 못함
            if( !is_full(buf) ){
                    enqueue(buf, 데이터);
            }
            unlock(buf); // 다른 곳에서 사용함
    }
}
/* 소비자 프로세스 */
consumer()
{
    while(1){
            while( lock(buf) != SUCCESS ) ;  // 세마포어(busy waiting)
            if( !is_empty(buf) ){
                    데이터 = dequeue(buf);
                    데이터 소비;
            }
            unlock(buf);
    }
}
```

2. 시뮬레이션

큐잉이론에 따라 시스템의 특성을 시뮬레이션하여 분석하는 데 이용한다. 큐잉모델은 고객에 대한 서비스를 수행하는 서버와 서비스를 받는 고객들로 이루어진다. 은행에서 고객이 들어와서 서비스를 받고 나가는 과정을 시뮬레이션하여 고객들이 기다리는 평균시간을 계산한다. 예를 들면, 평균 시간 5분의 서비스를 하기 위해 몇 명의 은행원이 필요한가 등을 이론적으로 계산할 수 있다.

📖 핵심 기출

다음 그림과 같은 원형 큐에 한 객체를 입력하는 알고리즘에 대해 의사코드(pseudo code)를 순서대로 바르게 나열한 것은? (단, 객체는 rear 쪽에 입력되고 front 쪽에서 출력되며, M은 큐의 크기를 나타내는 정수이다)   2015년 지방직

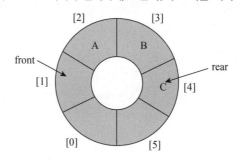

ㄱ. 큐가 공백 상태 인 검사: (front == rear)
ㄴ. front 값을 1 증가: front = (front + 1) % M
ㄷ. 큐가 포화 상태 인지 검사: (front == rear)
ㄹ. 객체를 rear 위치에 입력
ㅁ. rear 값을 1 증가: rear = (rear + 1) % M

① ㄱ - ㄴ - ㄹ
② ㄴ - ㄹ - ㄷ
③ ㄹ - ㅁ - ㄱ
④ ㅁ - ㄷ - ㄹ

해설

주어진 조건으로 하면 다음과 같은 단계로 큐에 한 객체를 입력한다.
ㅁ. rear 값을 1 증가: rear = (rear+1) % M
    포화 상태인지를 검사하고 객체를 rear 위치에 입력하기 위해 rear 값을 1 증가한다(원형 큐이기 때문에 % M을 수행한다).
ㄷ. 큐가 포화 상태인지 검사: (front == rear)
    큐가 포화 상태면 객체를 입력할 수 없다.
ㄹ. 객체를 rear 위치에 입력
    rear가 증가된 상태이므로 해당 자리에 입력한다.

TIP 다른 동작 과정으로도 동일한 작업을 수행할 수 있다(시험 문제가 어떻게 나올지 모르므로 이해를 하는 것이 중요하다).
ㄷ. 큐가 포화 상태인지 검사: (front == (rear+1) % M)
    rear를 하나 증가시키고 해당 위치가 front와 같다면 포화 상태이다.
ㅁ. rear 값을 1 증가: rear = (rear+1)% M
    객체를 rear 위치에 입력하기 위해 rear 값을 1 증가한다.
ㄹ. 객체를 rear 위치에 입력
    rear가 증가된 상태이므로 해당 자리에 입력한다.

정답 ④

CHAPTER
07 | 트리(Tree)

1 개요

1. 정의

트리는 계층적인 구조를 나타내는 자료구조로서 비선형 구조이다(1:N 또는 N:N의 관계를 가짐). 참고로, 리스트, 스택, 큐 등은 선형 구조이다(1:1의 관계를 가짐). 트리는 부모 - 자식 관계의 노드들로 이루어진다.

트리의 응용분야는 계층적인 조직 표현, 컴퓨터 디스크의 디렉토리 구조(용량 계산), 인공지능에서의 결정 트리(decision tree) 등에 사용할 수 있다.

2. 선형과 비선형

다음의 그림은 자료 구조를 선형과 비선형으로 구분한 것을 나타낸다. 선형 구조는 노드(요소)가 1:1로 연결되어 있고, 비선형 구조는 노드(요소)가 1:N 또는 N:N으로 연결되어 있다.

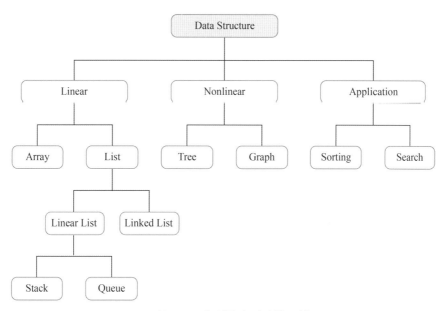

▲ 자료 구조의 선형과 비선형 구분

3. 트리의 용어

다음 그림은 트리 중 노드, 루트, 서브트리를 나타낸다. 노드(node)는 트리의 구성요소이고, 루트(root)는 부모가 없는 노드(A)이다. 그리고 서브트리(subtree)는 하나의 노드와 그 노드들의 자손들로 이루어진 트리이다.

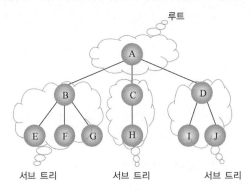
▲ 트리 중 노드, 루트, 서브트리

다음 그림은 트리 중 단말노드와 비단말노드를 나타낸다. 단말노드(terminal node)는 자식이 없는 노드(E, F, G, H, I, J)이고, 비단말노드는 적어도 하나의 자식을 가지는 노드(A, B, C, D)이다.

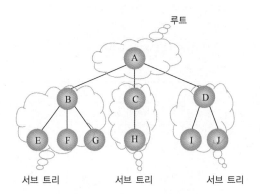
▲ 트리 중 단말노드와 비단말노드

다음 그림은 트리 중 레벨, 높이, 차수를 나타낸다. 트리는 자식, 부모, 형제, 조상, 자손 노드를 가지는데 이는 인간과 비슷하다. 레벨(level)은 트리 각층의 번호이고, 높이(height)는 트리의 최대 레벨(3)을 나타낸다. 차수(degree)은 노드가 가지고 있는 자식 노드의 개수이다.

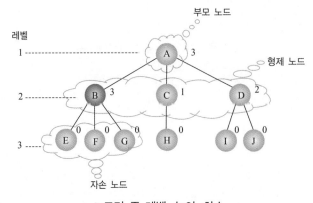
▲ 트리 중 레벨, 높이, 차수

4. 트리의 종류

다음 그림은 트리의 종류를 나타낸다. 문제를 단순화하기 위해 자식의 개수를 2개 이하로 가지는 트리를 이진 트리라고 하고, 자식을 최소 2개 이상 가지는 트리를 일반 트리라고 한다.

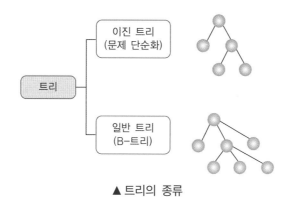

▲ 트리의 종류

5. 이진 트리(binary tree)

이진 트리(binary tree)는 모든 노드가 2개의 서브 트리를 가지고 있는 트리이다. 서브트리는 공집합일수 있다. 이진 트리의 노드에는 최대 2개까지의 자식 노드가 존재하고, 모든 노드의 차수가 2 이하가 된다(구현하기가 편리함). 이진 트리에는 서브 트리간의 순서가 존재한다(왼쪽에서 오른쪽)

6. 이진 트리의 분류

다음 그림은 이진 트리의 분류를 나타낸다. 이진 트리에는 포화 이진 트리(full binary tree), 완전 이진 트리(complete binary tree), 기타 이진 트리가 존재한다.

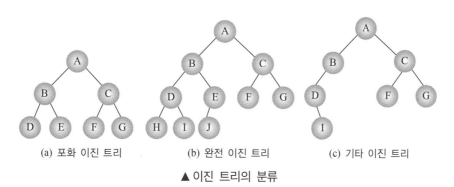

(a) 포화 이진 트리   (b) 완전 이진 트리   (c) 기타 이진 트리

▲ 이진 트리의 분류

포화 이진 트리는 용어 그대로 트리의 각 레벨(k)에 노드가 꽉 차있는 이진 트리를 의미한다. 전체 노드 개수는 다음과 같이 계산된다.

$$\text{전체 노드 개수: } 2^{1-1} + 2^{2-1} + 2^{3-1} + \cdots + 2^{k-1} = \sum_{i=0}^{k-1} 2^i = 2^k - 1$$

포화 이진 트리에는 다음 그림과 같이 각 노드에 번호를 붙일 수 있다.

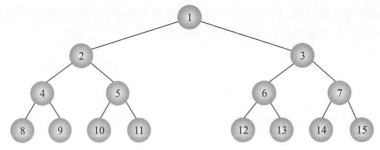

▲ 포화 이진 트리(번호)

완전 이진 트리(complete binary tree)는 레벨 1부터 k - 1까지는 노드가 모두 채워져 있고 마지막 레벨 k에서는 왼쪽부터 오른쪽으로 노드가 순서대로 채워져 있는 이진 트리이다. 포화 이진 트리와 노드 번호가 일치한다. 다음 그림은 완전 이진 트리를 니티낸다(나중에 우선순위 큐와 연관됨으로 유의할 것).

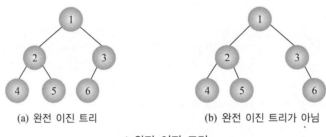

(a) 완전 이진 트리   (b) 완전 이진 트리가 아님

▲ 완전 이진 트리

2 이진 트리의 표현

1. 개요

이진 트리를 표현할 수 있는 방법은 배열을 이용하는 방법과 포인터를 이용하는 방법(연결 리스트)이 존재한다.

2. 배열 표현법

배열표현법은 모든 이진 트리를 포화 이진 트리라고 가정하고 각 노드에 번호를 붙여서 그 번호를 배열의 인덱스로 삼아 노드의 데이터를 배열에 저장하는 방법이다(해당 방법은 우선순위 큐에서 사용). 다음 그림은 배열 표현법을 나타낸다.

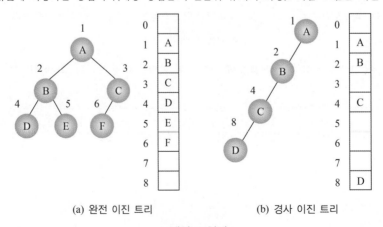

(a) 완전 이진 트리   (b) 경사 이진 트리

▲ 배열 표현법

배열 표현법에서 부모와 자식 인덱스 관계는 다음과 같다. 다음 그림은 배열 표현법에서 부모와 자식 인덱스 관계를 나타낸다.

- 노드 i의 부모 노드 인덱스 = i/2
- 노드 i의 왼쪽 자식 노드 인덱스 = 2i
- 노드 i의 오른쪽 자식 노드 인덱스 = 2i + 1

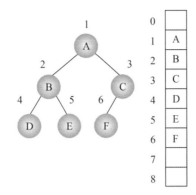

▲ 배열 표현법에서 부모와 자식 인덱스 관계

3. 링크 표현법

링크 표현법은 포인터를 이용하여 부모노드가 자식노드를 가리키게 하는 방법이다. 다음 그림은 링크 표현법을 나타낸다.

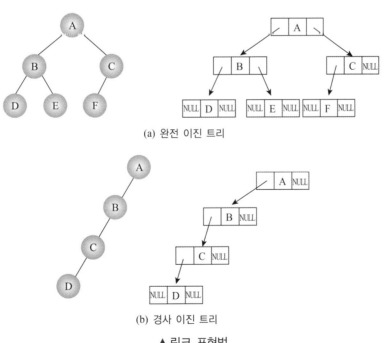

(a) 완전 이진 트리

(b) 경사 이진 트리

▲ 링크 표현법

4. 링크의 구현

링크의 구현은 다음과 같이 노드는 구조체로 표현하고, 링크는 포인터로 표현한다.

```
typedef struct Tree {
        int data;
        struct Tree *left, *right;
} Tree;
```

5. 링크 표현법 프로그램(* 참고)

다음의 예는 링크 표현법 프로그램을 나타낸다.

```
#include <stdio.h>
#include <stdlib.h>
#include <memory.h>

typedef struct Tree {
        int data;
        struct Tree *left, *right;
} Tree;

//      n1
//     / ¦
// n2   n3

void  main()
{
  TreeNode *n1, *n2, *n3;

 n1 = (Tree *)malloc(sizeof(Tree));
 n2 = (Tree *)malloc(sizeof(Tree));
 n3 = (Tree *)malloc(sizeof(Tree));
 n1->data = 10;    // 첫 번째 노드를 설정한다.
 n1->left = n2;
 n1->right = n3;

 n2->data = 20;    // 두 번째 노드를 설정한다.
 n2->left = NULL;
 n2->right = NULL;

 n3->data = 30;    // 세 번째 노드를 설정한다.
 n3->left = NULL;
 n3->right = NULL;
}
```

3 이진 트리의 순회(자주 시험 출제)

1. 순회

순회(traversal)는 트리의 노드들을 체계적으로 방문하는 것이고, 3가지의 기본적인 순회방법이 존재한다. 다음 그림은 이진 트리의 순회를 나타낸다.

- 전위순회(preorder traversal, VLR): 자손노드보다 루트노드를 먼저 방문한다.
- 중위순회(inorder traversal, LVR): 왼쪽 자손, 루트, 오른쪽 자손 순으로 방문한다.
- 후위순회(postorder traversal, LRV): 루트노드보다 자손을 먼저 방문한다.

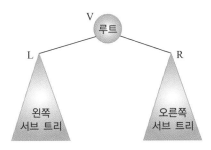

▲ 이진 트리의 순회

2. 전위 순회

다음 그림은 전위 순회를 나타내고, 해당 알고리즘은 다음과 같다.

- 루트 노드를 방문한다.
- 왼쪽 서브트리를 방문한다.
- 오른쪽 서브트리를 방문한다.

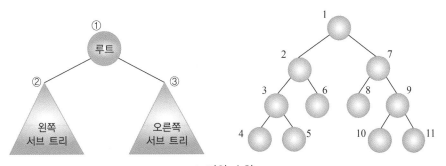

▲ 전위 순회

전위순회 프로그램은 다음과 같고, 순환 호출을 이용한다(스택).

```
preorder(x)
if x≠NULL
        then     print DATA(x); // root
                 preorder(LEFT(x));
                 preorder(RIGHT(x));
```

3. 중위 순회

다음 그림은 중위 순회를 나타내고, 해당 알고리즘은 다음과 같다.

- 왼쪽 서브트리를 방문한다.
- 루트 노드를 방문한다.
- 오른쪽 서브트리를 방문한다.

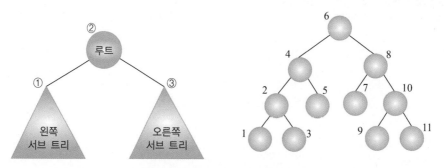

▲ 중위 순회

중위순회 프로그램은 다음과 같고, 순환 호출을 이용한다(스택).

```
inorder(x)
if x≠NULL
        then    inorder(LEFT(x));
                print DATA(x); // root
                inorder(RIGHT(x));`
```

4. 후위 순회

다음 그림은 후위 순회를 나타내고, 해당 알고리즘은 다음과 같다.

- 왼쪽 서브트리를 방문한다.
- 오른쪽 서브트리를 방문한다.
- 루트 노드를 방문한다.

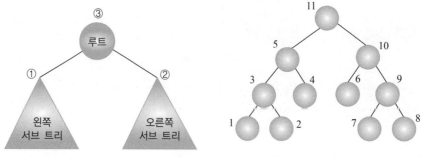

▲ 후위 순회

후위순회 프로그램은 다음과 같고, 순환 호출을 이용한다(스택).

```
postorder(x)
if x≠NULL
        then    postorder(LEFT(x));
                postorder(RIGHT(x));
                print DATA(x); // root
```

5. 순회 프로그램(* 참고)

다음의 예는 순회 프로그램를 나타낸다(아래의 노드 구성 그림과 매칭해서 보기 바람).

```
typedef struct Tree {
        int data;
        struct Tree *left, *right;
} Tree;
//              15
//      4                20
//      1               16 25
Tree n1 = {1, NULL, NULL};
Tree n2 = {4, &n1, NULL};
Tree n3 = {16, NULL, NULL};
Tree n4 = {25, NULL, NULL};
Tree n5 = {20, &n3, &n4};
Tree n6 = {15, &n2, &n5};
Tree *root = &n6;

// 전위 순회
preorder( Tree *root ){
        if ( root ){
                printf("%d", root->data );             // 노드 방문
                preorder( root->left );    // 왼쪽 서브트리 순회
                preorder( root->right );   // 오른쪽 서브트리 순회
        }
}
// 중위 순회
inorder( Tree *root ){
        if ( root ){
                inorder( root->left );     // 왼쪽 서브트리 순회
                printf("%d", root->data );             // 노드 방문
                inorder( root->right );    // 오른쪽 서브트리 순회
        }
}
// 후위 순회
postorder( Tree *root ){
        if ( root ){
                postorder( root->left );   // 왼쪽 서브트리 순회
                postorder( root->right );  // 오른쪽 서브트리 순회
                printf("%d", root->data );             // 노드 방문
        }
```

```
        }

        void main()
        {
                preorder(root); // 15 -> 4 -> 1 -> 20 -> 16 -> 25
                inorder(root); // 1 -> 4 -> 15 -> 16 -> 20 -> 25
                postorder(root); // 1 -> 4 -> 16 -> 25 -> 20 -> 15
        }
```

위의 예에서 노드의 구성은 다음과 같다.

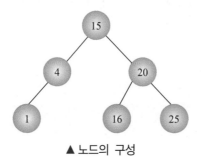

▲ 노드의 구성

6. 레벨 순회

레벨 순회(level order)는 각 노드를 레벨 순으로 검사하는 순회 방법이다. 지금까지의 순회 법이 스택(stack)을 사용했던 것에 비해 레벨 순회는 큐(queue)를 사용하는 순회 법이다(스택과 큐의 응용에 유의). 다음 그림은 레벨 순회를 나타낸다.

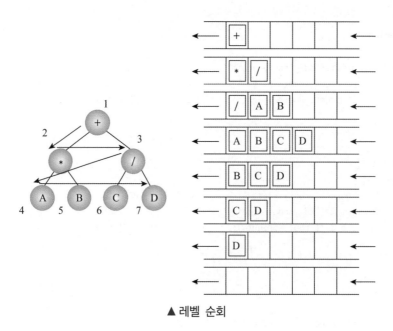

▲ 레벨 순회

레벨 순회 알고리즘(유사코드)은 다음과 같다.

```
level_order(root)

initialize queue;
enqueue(queue, root);    // 시작 조건
while is_empty(queue)≠TRUE do
        x← dequeue(queue);
        if( x≠NULL) then
                print DATA(x);
        enqueue(queue, LEFT(x)); // 자식 노드
        enqueue(queue, RIGHT(x)); // 자식 노드
```

레벨 순회 프로그램(C언어)은 다음과 같다.

```
void level_order(Tree *ptr)
{
        QueueType q;
        init(&q);
        if (!ptr) return;
        enqueue(&q, ptr);
        while (is_empty(&q)) {
                ptr = dequeue(&q);
                printf(" %d ", ptr->data);
                if (ptr->left) enqueue(&q, ptr->left); // 자식 노드
                if (ptr->right) enqueue(&q, ptr->right); // 자식 노드
        }
}
```

4 순회의 응용(* 참고)

1. 수식 트리

수식트리는 산술식을 트리 형태로 표현한 것이다. 비단말노드는 연산자(operator)이고, 단말노드는 피연산자(operand)이다. 다음 그림은 수식 트리를 나타낸다.

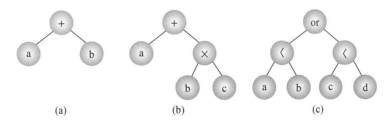

(a)   (b)   (c)

수식	a+b	a-(b×c)	(a < b) or (c < d)
전위 순회	+ ab	- a × bc	or < ab < cd
중위 순회	a+b	a - (b × c)	(a < b) or (c < d)
후위 순회	ab +	abc × -	ab < cd < or

▲ 수식 트리

2. 수식 트리 계산

수식 트리 계산에는 후위 순회를 사용한다. 서브트리의 값을 순환 호출(스택)로 계산한다. 비단말노드를 방문할 때 양쪽 서브트리의 값을 노드에 저장된 연산자를 이용하여 계산한다. 다음 그림은 수식 트리 계산을 나타낸다.

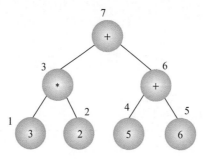

▲ 수식 트리 계산(후위 순회)

3. 수식 트리 알고리즘

다음의 유사 코드는 수식 트리 알고리즘을 나타낸다. 알고리즘 내에서 순환 호출이 사용되고, 이는 스택을 이용하여 수행됨을 알 수 있다.

```
evaluate(expr)

if expr = NULL
   then return 0;
   else x←evaluate(expr->left); // 왼쪽
        y←evaluate(expr->right); // 오른쪽
        op←expr->data; // 루트
        return (x op y);
```

4. 수식 트리 프로그램

다음의 예는 수식 트리 프로그램을 나타낸다.

```
typedef struct Tree {
        int data;
        struct Tree *left, *right;
} Tree;
//                  +
//          *               +
//       1    4          16   25
Tree n1 = {1, NULL, NULL};
Tree n2 = {4, NULL, NULL};
Tree n3 = {'*', &n1, &n2};
Tree n4 = {16, NULL, NULL};
Tree n5 = {25, NULL, NULL};
Tree n6 = {' + ', &n4, &n5};
Tree n7 = {' + ', &n3, &n6};
```

```
Tree *exp = &n7;

int evaluate(Tree *root)
{
        if( root = = NULL)
                return 0;
        if( root –>left = = NULL && root –>right = = NULL)
                return root –>data;
        else {
                int op1 = evaluate(root –>left); // 왼쪽 서브트리 방문
                int op2 = evaluate(root –>right); // 오른쪽 서브트리 방문
                switch(root –>data){ // 노드 방문
                case ' + ': return op1 + op2;
                case ' – ': return op1 – op2;
                case '*': return op1*op2;
                case '/': return op1/op2;
                }
        }
        return 0;
}
void main()
{
        printf("%d", evaluate(exp));
}
```

다음의 그림은 위의 프로그램으로 계산된 수식 트리를 나타낸다.

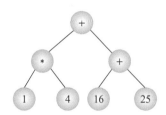

▲ 위의 프로그램으로 계산된 수식 트리

5. 디렉토리 용량 계산

디렉토리의 용량을 계산하는데 후위 트리 순회를 사용한다. 다음 그림은 디렉토리 용량 계산을 나타낸다.

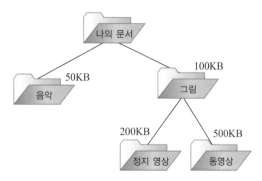

▲ 디렉토리 용량 계산(후위 순회)

6. 디렉토리 용량 계산 프로그램

다음의 예는 디렉토리 용량 계산 프로그램을 나타낸다. 프로그램 내에서 순환 호출이 사용되고, 이는 스택이 사용됨을 의미한다.

```
int calc_dir_size(Tree *root)
{
        int left_size, right_size;
        if ( root != NULL ){
            left_size = calc_dir_size(root->left); // 왼쪽 서브트리 방문
            right_size = calc_dir_size(root->right); // 오른쪽 서브트리 방문
            return (root->data + left_size + right_size); // 노드 방문
        }
}
void main()
{
        Tree n4 = {500, NULL, NULL};
        Tree n5 = {200, NULL, NULL};
        Tree n3 = {100, &n4, &n5};
        Tree n2 = {50, NULL, NULL};
        Tree n1 = {0, &n2, &n3};
        printf("디렉토리의 크기 = %d\n", calc_dir_size(&n1));
}
```

7. 이진 트리 연산 - 노드 개수

후위 순회(스택)를 이용하면 탐색 트리안의 노드의 개수를 계산할 수 있다. 각각의 서브트리에 대하여 순환 호출한 다음, 반환되는 값에 1(자기 자신)을 더하여 반환한다. 다음의 예와 그림은 이진 트리 연산에서 노드 개수를 구하는 것을 나타낸다.

```
int get_node(Tree *node)
{
  int count = 0;
  if( node != NULL )
    count = 1 + get_node(node->left) +
          get_node(node->right); // 왼쪽 + 오른쪽 + 루트
  return count;
}
```

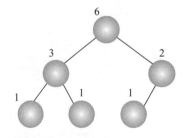

▲ 이진 트리 연산에서의 노드 개수 계산

8. 이진 트리 연산 - 높이

서브트리에 대하여 순환호출(스택)하고 서브 트리들의 반환값 중에서 최대값을 구하여 반환하면 이진 트리에서 높이를 구할 수 있다. 다음의 예와 그림은 이진 트리에서 높이를 구하는 것을 나타낸다.

```c
int get_height(Tree *node)
{
  int height = 0;
  if( node != NULL )
    height = 1 + max(get_height(node->left),
          get_height(node->right)); // 1(자기 자신), 왼쪽 + 오른쪽 + 루트
  return height;
}
```

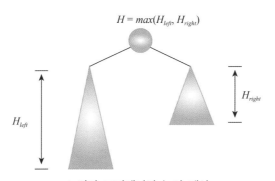

▲ 이진 트리에서의 높이 계산

🖋 **주요개념 셀프체크**

☑ 선형 vs. 비선형
☑ 루트, 단말, 차수, 높이
☑ 포화 vs. 완전
☑ 배열 - i/2, 2i, 2i + 1
☑ 순회 - 전위, 중위, 후위, 레벨

1. 다음 이진 트리(binary tree)의 노드들을 후위 순회(post-order traversal)한 경로를 나타낸 것은?　　　2015년 국가직

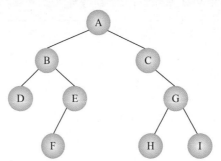

① F → H → I → D → E → G → B → C → A
② D → F → E → B → H → I → G → C → A
③ D → B → F → E → A → C → H → G → I
④ I → H → G → C → F → E → D → B → A

[해설]
D, F, E, B, H, I, G, C, A: 후위 순회

[선지분석]
① 해당 순회 방법은 존재하지 않는다.
③ D, B, F, E, A, C, H, G, I: 중위 순회
④ 해당 순회 방법은 존재하지 않는다.

정답 ②

2. 300개의 노드로 이진 트리를 생성하고자 할 때, 생성 가능한 이진 트리의 최대 높이와 최소 높이로 모두 옳은 것은?
(단, 1개의 노드로 생성된 이진 트리의 높이는 1이다)　　　2021년 국가직

	최대 높이	최소 높이
①	299	8
②	299	9
③	300	8
④	300	9

[해설]
최대 높이는 경사 이진 트리를 의미하므로 300이 된다. 최소 높이는 균형 이진 트리를 의미하므로 log2300의 상한을 적용하면 9가 된다.

정답 ④

CHAPTER 08 | 이진 탐색 트리(Binary Search Tree)

1 이진 탐색 트리

1. 개요

이진 탐색 트리는 탐색작업을 효율적으로 하기 위한 자료구조이고 다음과 같은 성질을 가진다. 그리고 이진 탐색를 중위 순회하면 오름차순으로 정렬된 값을 얻을 수 있다.

key(왼쪽 서브트리) ≤ key(루트노드) ≤ key(오른쪽 서브트리)

2. 경로 길이

외부 경로 길이(external path length)는 루트로부터 각 외부노드 경로 길이(E)의 합이고, 내부 경로 길이(internal path length)는 루트로부터 각 내부노드 경로 길이(I)의 합이다. I와 E의 관계는 다음과 같다(n개의 내부노드를 가질 경우).

$E = I + 2n$, E가 최고일 때 I도 최고

다음 그림은 경로 길이의 예를 나타낸다. 외부 경로 길이와 내부 경로 길이는 다음과 같이 구해진다.

- 외부 경로 길이(E) = 2 + 2 + 4 + 4 + 3 + 2 = 17
- 내부 경로 길이(I) = 0 + 1 + 1 + 2 + 3 = 7

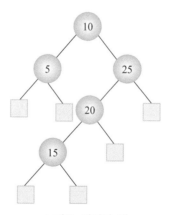

▲ 경로 길이의 예

2 탐색 연산

1. 개요

비교한 결과가 같으면 탐색이 성공적으로 끝난다. 비교한 결과가, 주어진 키값이 루트 노드의 키값보다 작으면 탐색은 이 루트 노드의 왼쪽 자식을 기준으로 다시 시작한다. 비교한 결과가, 주어진 키 값이 루트 노드의 키값보다 크면 탐색은 이 루트 노드의 오른쪽 자식을 기준으로 다시 시작한다. 다음 그림은 탐색 연산을 나타낸다.

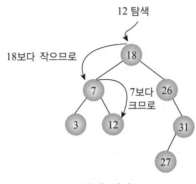

▲ 탐색 연산

2. 반복적 방법

다음 프로그램은 반복적인 탐색 함수를 나타낸다.

```
// 반복적인 탐색 함수
Tree *search(Tree *node, int key)
{
        while(node != NULL){
                if( key == node->key ) return node; // 종료 조건
                else if( key < node->key )
                        node = node->left;
                else
                        node = node->right;
        }
        return NULL;        // 탐색에 실패했을 경우 NULL 반환
}
```

3. 순환적 방법

다음 프로그램은 순환적인 탐색 함수를 나타낸다.

```
//순환적인 탐색 함수
Tree *search(Tree *node, int key)
{
    if ( node == NULL )  return NULL; // 종료 조건
    if ( key == node->key ) return node; (1) // 종료 조건
    else if ( key < node->key )
        return  search(node->left, key); (2)
```

```
        else
                return  search(node->right, key); (3)
}
```

3 삽입 연산

1. 개요

이진 탐색 트리에 원소를 삽입하기 위해서는 먼저 탐색을 수행하는 것이 필요하다. 탐색에 실패한 위치가 바로 새로
운 노드를 삽입하는 위치이다. 다음 그림은 삽입 연산을 나타낸다.

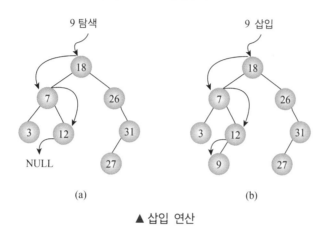

▲ 삽입 연산

2. 유시 코드(* 참고)

다음 유사 코드는 삽입 연산을 나타낸다.

```
insert_node(T, a)

p←NULL; // 부모 노드
t←root; // 현재 노드
while t≠NULL do
  p←t;
  if a->key < p->key
      then t←p->left;
      else t←p->right;
if p=NULL
  then root←a;        // 트리가 비어있음
  else if a->key < p->key
          then p->left←a
          else p->right←a
```

3. 프로그램(* 참고)

다음 프로그램은 삽입 연산을 나타낸다.

```
// key를 이진 탐색 트리 root에 삽입한다.
// key가 이미 root안에 있으면 삽입되지 않는다.
void insert_node(Tree **root, int k)
{
        Tree *p, *t;    // p는 부모노드, t는 현재노드
        Tree *n;        // n은 새로운 노드
        t = *root;
        p = NULL;
        // 탐색을 먼저 수행
        while (t != NULL){
            if( k == t->data ) return; // 트리 안에 key가 있음
            p = t;
            if( k < t->data ) t = t->left;
            else t = t->right;
        }
        // key가 트리 안에 없으므로 삽입 가능
        n = (Tree *) malloc(sizeof(Tree));
        if( n == NULL ) return;
        // 데이터 복사
        n->data = k;
        n->left = n->right = NULL;
        // 부모 노드와 링크 연결
        if( p != NULL )
                    if( k < p->data )
                            p->left = n;
                    else p->right = n;
        else *root = n; // 트리가 비어 있음
}
```

4 삭제 연산

1. 개요

삭제 연산의 3가지의 경우는 다음과 같다.

- 삭제하려는 노드가 단말 노드일 경우
- 삭제하려는 노드가 하나의 왼쪽이나 오른쪽 서브 트리 중 하나만 가지고 있는 경우
- 삭제하려는 노드가 두개의 서브 트리 모두 가지고 있는 경우

삭제하려는 노드가 단말 노드일 경우는 다음 그림과 같이 단말노드의 부모노드를 찾아서 연결을 끊으면 된다.

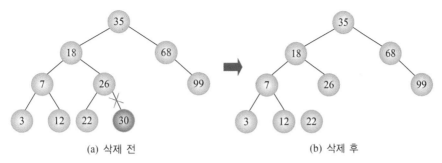

(a) 삭제 전   (b) 삭제 후

▲ 삭제하려는 노드가 단말 노드일 경우

삭제하려는 노드가 하나의 서브 트리만 갖고 있는 경우는 다음 그림과 같이 삭제되는 노드가 왼쪽이나 오른쪽 서브 트리중 하나만 갖고 있을 때, 그 노드는 삭제하고 서브 트리는 부모 노드에 붙여준다.

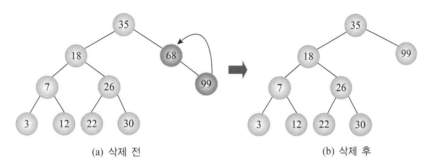

(a) 삭제 전   (b) 삭제 후

▲ 삭제하려는 노드가 하나의 서브 트리만 갖고 있는 경우

삭제하려는 노드가 두개의 서브 트리를 갖고 있는 경우는 다음 그림과 같이 삭제 노드와 가장 비슷한 값을 가진 노드를 삭제 노드 위치로 가져온다(중위 순회).

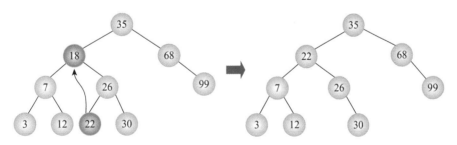

▲ 삭제하려는 노드가 두개의 서브 트리를 갖고 있는 경우

가장 비슷한 값은 중위 순회의 관점에서 보면 다음 그림과 같이 왼쪽 서브 트리에서 제일 큰 값 또는 오른쪽 서브 트리에서 제일 작은 값이다. 둘 중에 어떤 것도 사용이 가능하지만 편의를 위해 오른쪽 서브 트리에서 제일 작은 값을 사용한다고 가정한다.

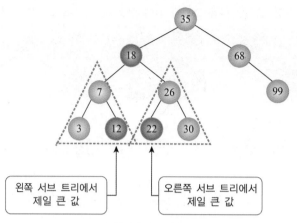

왼쪽 서브 트리에서
제일 큰 값

오른쪽 서브 트리에서
제일 큰 값

▲ 가장 비슷한 값의 선택

2. 삭제 함수(* 참고)

다음 프로그램은 삭제 함수를 나타낸다.

```c
// 삭제 함수
void delete_node(Tree **root, int k)
{
Tree *p, *child, *succ, *succ_p, *t;
// k를 갖는 노드 t를 탐색, p는 t의 부모노드
p = NULL;
t = *root;
// k를 갖는 노드 t를 탐색한다.
while( t != NULL && t->data != k ){ // t가 NULL이거나 k를 찾았거나
        p = t;
        t = ( k < t->data ) ? t->left : t->right;
}
// 탐색이 종료된 시점에 t가 NULL이면 트리안에 k가 없음
if( t == NULL ) {              // 탐색트리에 없는 키(키가 없으면 삭제 불가)
        printf("k is not in the tree");
        return;
}
// 첫 번째 경우: 단말노드인 경우
if( (t->left==NULL) && (t->right==NULL) ){
        if( p != NULL ){
                // 부모 노드의 자식필드를 NULL로 만든다.
                if( p->left == t )
                        p->left = NULL;
                else p->right = NULL;
        }
        else    // 만약 부모 노드가 NULL이면 삭제되는 노드가 루트
                *root = NULL;
}
// 두 번째 경우: 하나의 자식만 가지는 경우
else if((t->left==NULL)||(t->right==NULL)){ // 오류(세 번째와 순서를 바꿔야 함)
        child = (t->left != NULL) ? t->left : t->right;
```

```
            if( p != NULL ){
                    if( p->left == t )          // 부모를 자식과 연결
                            p->left = child;
                    else p->right = child;
            }
            else // 만약 부모노드가 NULL이면 삭제되는 노드가 루트
                    *root = child;
    }
    // 세 번째 경우: 두개의 자식을 가지는 경우
    else{
            // 오른쪽 서브트리에서 후계자를 찾는다.
            succ_p = t;
            succ = t->right;
            // 후계자를 찾아서 계속 왼쪽으로 이동한다.
            while(succ->left != NULL){
                    succ_p = succ;
                    succ = succ->left;
            }
            // 후속자의 부모와 자식을 연결
            if( succ_p->left == succ ) // 후계자가 왼쪽에 있는 경우
                    succ_p->left = succ->right; // 후계자 오른쪽 노드
            else // 후계자가 왼쪽에 없는 경우
                    succ_p->right = succ->right; // 후계자의 오른쪽 노드
            // 후속자가 가진 키값을 현재 노드에 복사
            t->key = succ->key;
            // 원래의 후속자 삭제
            t = succ;
    }
    free(t);
}
```

5 성능 분석

1. 탐색, 삽입, 삭제 연산의 시간 복잡도

이진 탐색 트리에서의 탐색, 삽입, 삭제 연산의 시간 복잡도는 다음 그림과 같이 트리의 높이를 h라고 했을 때 h에 비례한다.

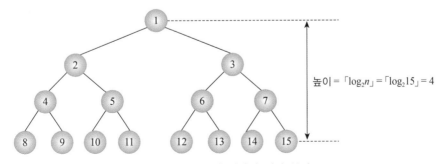

높이 $= \lceil \log_2 n \rceil = \lceil \log_2 15 \rceil = 4$

▲ 탐색, 삽입, 삭제 연산의 시간 복잡도

2. 최선의 경우와 최악의 경우

다음 그림은 최선의 경우와 최악의 경우를 나타낸다. 최선의 경우는 이진 트리가 균형적으로 생성되어 있는 경우이다($h = \log_2 n$). 최악의 경우는 한쪽으로 치우친 경사 이진 트리의 경우이다($h = n$). 순차탐색과 시간복잡도가 같다.

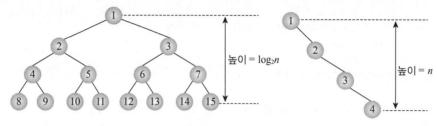

▲ 최선의 경우와 최악의 경우

주요개념 셀프체크

- ☑ 중위순회 - 오름차순
- ☑ 외부 경로 vs. 내부 경로
- ☑ 삭제 - 단말, 하나의 서브트리, 양쪽 서브 트리
- ☑ 시간복잡도 - 최선 vs. 최악

핵심 기출

1. 초기에 빈 Binary Search Tree를 생성하고, 입력되는 수는 다음과 같은 순서로 된다고 가정한다. 입력되는 값을 이용하여 Binary Search Tree를 만들고 난 후 Inorder Traversal을 했을 때의 방문하는 순서는?　　　2017년 서울시

> 7, 5, 1, 8, 3, 6, 0, 2

① 01235678
② 02316587
③ 75103268
④ 86230157

해설

inorder traversal(중위 순회)이다. 이진 탐색 트리에 원소를 삽입하기 위해서는 먼저 탐색을 수행하는 것이 필요하다. 탐색에 실패한 위치가 바로 새로운 노드를 삽입하는 위치이다. 주어진 조건으로 이진 탐색 트리를 구성하면 다음과 같다.

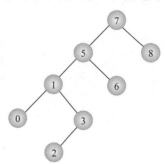

② postorder traversal(후위 순회)이다.
③ preorder traversal(전위 순회)이다.
④ 어떠한 순회도 아니다.

TIP 이진 탐색 트리를 중위 순회하면 오름차순으로 정렬된 값을 얻을 수 있다. 해당 원리를 알고 있었다면 이진 탐색 트리를 구성해서 중위 순회를 할 필요가 없이 바로 오름차순으로 정렬하면 원하는 답을 찾을 수 있다.

정답 ①

2. 1과 1000 사이의 정수로 구성된 이진 탐색 트리(binary search tree)에서 숫자 573을 탐색하는 경우 다음 중 비교경로로 옳지 않은 것은? 　　2018년 국회직

① 2, 173, 241, 856, 301, 489, 710, 516, 573
② 7, 816, 68, 714, 121, 561, 278, 395, 573
③ 981, 825, 693, 38, 137, 608, 224, 461, 573
④ 926, 139, 884, 278, 734, 319, 662, 481, 573
⑤ 14, 970, 831, 765, 111, 249, 318, 473, 573

해당 조건을 그림으로 그리면 다음과 같다. 이진 탐색 트리의 조건은 자신의 노드를 기준으로 왼쪽 자식은 자신보다 같거나 작고, 오른쪽 자식은 자신보다 크거나 같다는 전제 조건에서 출발한다. 816에서 왼쪽 자식(86)을 비교했기 때문에 이후의 비교 숫자는 816보다 적어야 한다. 마찬가지 조건으로 714보다 적어야 하고, 561보다 적어야 한다. 그런데 마지막 비교 숫자가 573으로 이는 561보다 크기 때문에 잘못된 비교 경로가 된다. 즉, 561에서 왼쪽의 비교 경로로 온 이상 이진 탐색 트리의 조건에 의해 561보다 큰 숫자가 나올 수 없다.

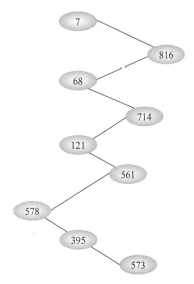

①③④⑤ 그림을 그려서 확인해보면 모두 다 이진 탐색 트리에서 정상적인 비교 경로를 가짐을 알 수 있다.

정답 ②

1 히프(heap)

1. 개요

히프란 노드들이 저장하고 있는 키들이 다음과 같은 식을 만족하는 완전 이진 트리이다. 최대 히프(max heap)는 부모 노드의 키값이 자식 노드의 키값보다 크거나 같은 완전 이진 트리이다[key(부모노드) ≥ key(자식노드)]. 최소 히프(min heap)는 부모 노드의 키값이 자식 노드의 키값보다 작거나 같은 완전 이진 트리이다[key(부모노드) ≤ key(자식노드)]. 다음 그림은 최대 히프와 최소 히프를 나타낸나.

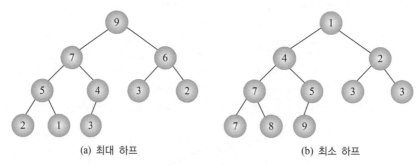

(a) 최대 히프   (b) 최소 히프

▲ 최대 히프와 최소 히프

2. 히프의 높이

n개의 노드를 가지고 있는 히프의 높이는 다음 그림과 같이 O(logn)이다. 히프는 완전 이진 트리이고, 마지막 레벨 h을 제외하고는 각 레벨 i에 2^{i-1}개의 노드가 존재한다.

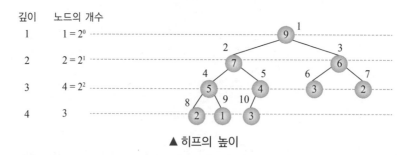

▲ 히프의 높이

3. 히프의 구현방법

히프는 배열을 이용하여 구현한다. 완전 이진 트리이므로 각 노드에 번호를 붙일 수 있다. 이 번호를 배열의 인덱스라고 생각하면 되고, 부모노드와 자식노드를 찾기가 쉽다. 다음과 같은 관계가 성립한다. 다음 그림은 배열을 이용한 히프의 구현을 나타낸다.

- 왼쪽 자식의 인덱스 = (부모의 인덱스)*2
- 오른쪽 자식의 인덱스 = (부모의 인덱스)*2+1
- 부모의 인덱스 = (자식의 인덱스)/2

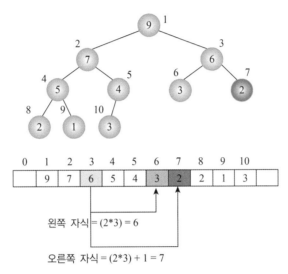

▲ 배열을 이용한 히프의 구현

2 히프에서의 삽입

1. 개요

히프에 있어서 삽입 연산은 회사에서 신입 사원이 들어오면 일단 말단 위치에 앉힌 다음에, 신입 사원의 능력을 봐서 위로 승진시키는 것과 비슷하다. 삽입은 다음의 단계로 수행된다.

- 히프에 새로운 요소가 들어오면, 일단 새로운 노드를 히프의 마지막 노드에 이어서 삽입한다.
- 삽입 후에 새로운 노드를 부모 노드들과 교환해서 히프의 성질을 만족시킨다.

2. upheap 연산

다음 그림은 upheap 연산을 나타낸다. 새로운 키 k의 삽입 연산 후 히프의 성질이 만족되지 않을 수 있다. upheap는 삽입된 노드로부터 루트까지의 경로에 있는 노드들을 k와 비교 및 교환함으로써 히프의 성질을 복원한다. 키 k가 부모노드보다 작거나 같으면 upheap는 종료한다. 히프의 높이가 O(logn)이므로 upheap연산은 O(logn)이다.

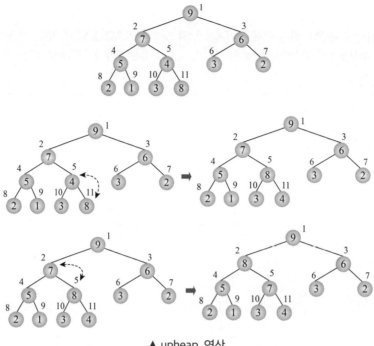

▲ upheap 연산

3. upheap 알고리즘(* 참고)

```
insert_max_heap(A, k)

  heap_size ← heap_size + 1;
  i ← heap_size;
  A[i] ← k;
  while i ≠ 1 and A[i] > A[PARENT(i)] do
                   A[PARENT(i)];
                   i ← PARENT(i);
```

4. 삽입 프로그램(* 참고)

```
typedef struct {
  int key;
} element;
typedef struct {
  element heap[100];
  int heap_size;
} Heap;
// 현재 요소의 개수가 heap_size인 히프 h에 i을 삽입한다.
// 삽입 함수
void insert_max_heap(Heap *h, element it)
 {
    int i;
    i = ++(h->heap_size);
```

```
      //  트리를 거슬러 올라가면서 부모 노드와 비교하는 과정
    while((i !- 1) && (it.key > h->hcap[i/2].key)) {
            h->heap[i] = h->heap[i/2];
        i /= 2;
    }
    h->heap[i] = it;      // 새로운 노드를 삽입
}
```

3 히프에서의 삭제

1. 개요

최대 히프에서의 삭제는 가장 큰 키값을 가진 노드를 삭제하는 것을 의미한다. 따라서 루트 노드가 삭제된다. 삭제 연산은 회사에서 사장의 자리가 비게 되면 먼저 제일 말단 사원을 사장 자리로 올린 다음에, 능력에 따라 강등시키는 것과 비슷하다.

2. downheap 연산

다음 그림은 downheap 연산을 나타낸다. 루트 노드를 삭제하고, 마지막 노드를 루트 노드로 이동한다. 그리고 루트에서부터 단말 노드까지의 경로에 있는 노드들을 교환하여 히프 성질을 만족시킨다. 히프의 높이가 $O(\log n)$이므로 downheap 연산은 $O(\log n)$이다.

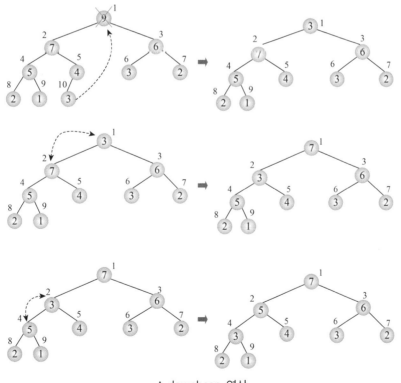

▲ downheap 연산

3. downheap 알고리즘(* 참고)

```
delete_max_heap(A)

a ← A[1];
A[1] ← A[heap_size];
heap_size←heap_size-1;
i ← 2;
while i ≤ heap_size do
        if i < heap_size and A[LEFT(i)] > A[RIGHT(i)]
                then largest ← LEFT(i);
                else largest ← RIGHT(i);
        if A[PARENT(largest)] > A[largest]
                then break;
        A[PARENT(largest)] ↔ A[largest];
        i ← CHILD(largest);

return a;
```

4. 삭제 프로그램(* 참고)

```
// 삭제 함수
element delete_max_heap(Heap *h)
{
    int parent, child;
    element i, temp;

    i = h->heap[1];
    temp = h->heap[(h->heap_size)--];
    parent = 1;
    child = 2;
    while( child <= h->heap_size ) {
            // 현재 노드의 자식노드중 더 큰 자식노드를 찾는다.
            if( ( child < h->heap_size ) &&
                (h->heap[child].key) < h->heap[child+1].key)
                child++;
            if( temp.key >= h->heap[child].key ) break;
            // 한단계 아래로 이동
            h->heap[parent] = h->heap[child];
            parent = child;
            child *= 2;
    }
    h->heap[parent] = temp;
    return i;
}
```

4 히프 정렬

1. 개요

히프를 이용히면 정렬이 가능하디. 먼지 정렬해야 할 n개의 요소들을 최대 히프에 삽입하고, 힌 번에 하나씩 요소를 히프에서 삭제하여 저장하면 된다. 삭제되는 요소들은 값이 증가되는 순서이다(최소히프의 경우). 하나의 요소를 히프에 삽입하거나 삭제할 때 시간이 O(logn) 만큼 소요되고 요소의 개수가 n개이므로 전체적으로 O(nlogn)시간이 걸린다(빠른편). 히프 정렬이 최대로 유용한 경우는 전체 자료를 정렬하는 것이 아니라 가장 큰 값 몇 개만 필요할 때이다. 이렇게 히프를 사용하는 정렬 알고리즘을 히프 정렬이라고 한다.

2. 히프 정렬 프로그램

```
// 우선 순위 큐인 히프를 이용한 정렬
void heap_sort(element a[], int n)
{
        int i;
        Heap h;

        init(&h);
        for(i=0;i<n;i++){
                insert_max_heap(&h, a[i]);
        }
        for(i=(n-1);i>=0;i--){
                a[i] = delete_max_heap(&h);
        }
}
```

주요개념 셀프체크

☑ max heap vs. min heap
☑ 구현 – 배열
☑ upheap(삽입) vs. downheap(삭제)
☑ 힙정렬

아래의 최대힙(max heap)에서 노드를 한 개 삭제하는 연산을 실행하였을 때의 결과로 옳은 것은?

2020년 국회직

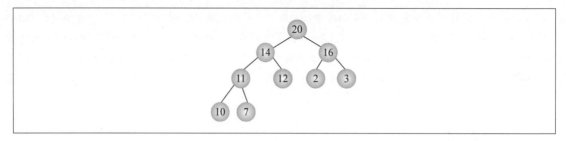

①
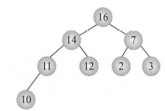

②
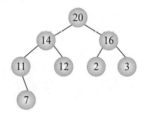

③
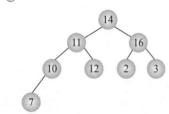

④
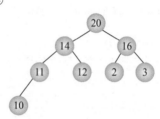

⑤
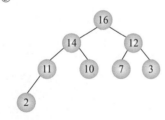

해설

최대힙에서 삭제 연산은 다음과 같다.

루트 20을 삭제한다.
7을 루트로 올린다.
7의 자식 중 큰 자식(16)가 최대힙 조건(부모가 크거나 같아야 함)을 비교한다.
7과 16을 교환한다.
7은 자식(2 또는 3)보다 크므로 최대힙 조건을 만족한다.
삭제 연산을 마친다.

정답 ①

CHAPTER 10 | 정렬(Sorting)

1 비효율적인 정렬

1. 선택 정렬(selection sort)

선택 정렬은 정렬된 왼쪽 리스트와 정렬안된 오른쪽 리스트를 가정한다. 초기에는 왼쪽 리스트는 비어 있고, 정렬할 숫자들은 모두 오른쪽 리스트에 존재한다. 오른쪽 리스트에서 최소값을 선택하여 오른쪽 리스트의 첫 번째 수와 교환한다. 왼쪽 리스트 크기가 1 증가하고, 오른쪽 리스트 크기가 1 감소한다. 오른쪽 리스트가 소진되면 정렬이 완료된다. 다음 그림은 선택 정렬을 나타낸다.

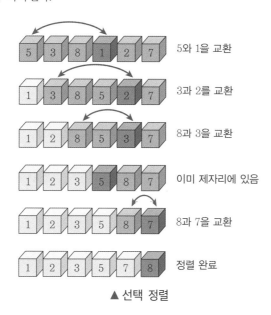

▲ 선택 정렬

2. 삽입 정렬(insertion sort)

삽입 정렬은 정렬되어 있는 부분에 새로운 레코드를 올바른 위치에 삽입하는 과정을 반복한다. 다음 그림은 삽입 정렬의 개념을 나타낸다.

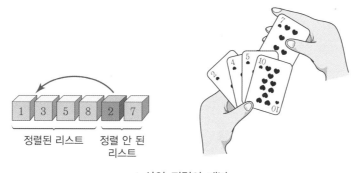

▲ 삽입 정렬의 개념

다음 그림은 삽입 정렬 과정을 나타낸다. 이미 정렬된 경우 새로운 데이터가 입력되면, 간단한 비교만 수행됨에 유의한다(최선의 경우 정렬이 빠름).

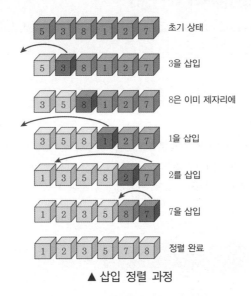

▲ 삽입 정렬 과정

다음 그림은 삽입 정렬의 상세 과정을 나타낸다.

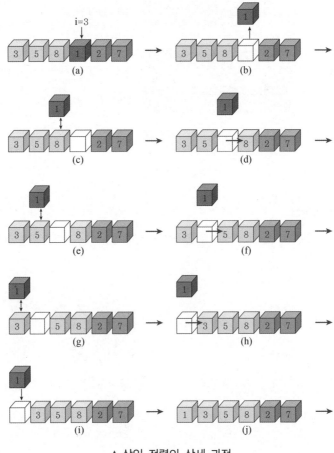

▲ 삽입 정렬의 상세 과정

3. 버블 정렬(bubble sort)

버블 정렬은 인접한 2개의 레코드를 비교하여 순서대로 되어 있지 않으면 서로 교환한다. 이러한 비교-교환 과정을 리스트의 왼쪽 끝에서 오른쪽 끝까지 반복한다. 다음 그림은 버블 정렬을 나타낸다.

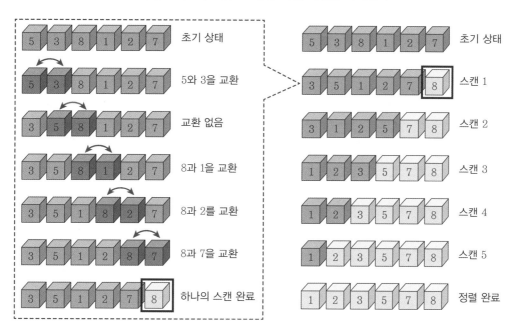

▲ 버블 정렬

다음의 유사 코드는 버블 정렬 알고리즘을 나타낸다.

```
BubbleSort(A, a)

for i←a-1 to 1 do
    for j←0 to i-1 do
            j와 j+1번째의 요소가 크기 순이 아니면 교환
            j++;
        i--;
```

다음의 프로그램은 버블 정렬을 나타낸다.

```
#define SWAP(x, y, t) ( (t)=(x), (x)=(y), (y)=(t) )
void bubble_sort(int list[], int a)
{  int i, j, temp;
    for(i=a-1; i>0; i--){
                    for(j=0; j<i; j++)              // 앞뒤의 레코드를 비교한 후 교체
                if(list[j]>list[j+1])  // 오름차순
                        SWAP(list[j], list[j+1], temp);
    }
}
```

4. 셸 정렬(Shell sort)

다음 그림은 삽입 정렬의 변형인 셸 정렬을 나타낸다.

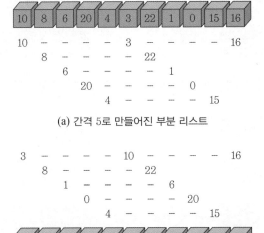

(a) 간격 5로 만들어진 부분 리스트

(b) 부분 리스트들이 정렬된 후의 리스트

▲ 셸 정렬

다음 그림은 셸 정렬(Shell sort)의 상세 과정을 나타낸다.

입력 배열	10	8	6	20	4	3	22	1	0	15	16
간격 5일 때의 부분 리스트	10					3					16
		8					22				
			6					1			
				20					0		
					4					15	
부분 리스트 정렬 후	3					10					16
		8					22				
			1					6			
				0					20		
					4					15	
간격 5 정렬 후의 전체 배열	3	8	1	0	4	10	22	6	20	15	16
간격 3일 때의 부분 리스트	3			0			22			15	
		8			4			6			16
			1			10			20		
부분 리스트 정렬 후	0			3			15			22	
		4			6			8			16
			1			10			20		
간격 3 정렬 후의 전체 배열	0	4	1	3	6	10	15	8	20	22	16
간격 1 정렬 후의 전체 배열	0	1	3	4	6	8	10	15	16	20	22

▲ 셸 정렬의 상세 과정

2 효율적인 정렬

1. 합병 정렬(merge sort)

다음 그림은 합병 정렬을 나타낸다(분할 정복의 원리를 적용).

- 입력파일: (27 10 12 20 25 13 15 22)
- 분할(Divide): 전체 배열을 (27 10 12 20), (25 13 15 22) 2개 부분배열로 분리
- 정복(Conquer): 각 부분배열 정렬 (10 12 20 27), (13 15 22 25)
- 결합(Combine): 2개의 정렬된 부분배열 통합 (10 12 13 15 20 22 25 27)

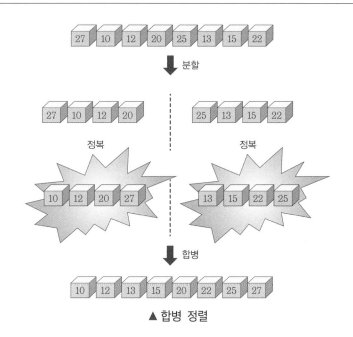

▲ 합병 정렬

다음 그림은 합병 정렬(merge sort)의 전체 과정을 나타낸다.

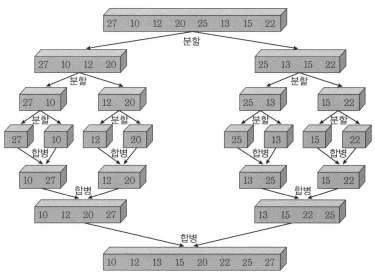

▲ 합병 정렬의 전체 과정

2. 퀵 정렬(quick sort)

퀵 정렬은 평균적으로 가장 빠른 정렬 방법이다(토니 호어가 개발). 분할 정복법(divide and conquer)을 사용한다. 리스트를 2개의 부분리스트로 비균등 분할하고, 각각의 부분리스트를 다시 퀵 정렬한다(재귀호출). 다음 그림은 퀵 정렬을 나타낸다.

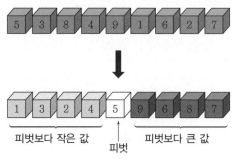

▲ 퀵 정렬

다음의 프로그램은 퀵 정렬 알고리즘을 나타낸다. 정렬할 범위가 2개 이상의 데이터이면 part 함수를 호출하여 피벗을 기준으로 2개의 리스트로 분할한다. part 함수의 반환 값이 피벗의 위치이고, left에서 피벗 바로 앞까지를 대상으로 순환 호출하고(피벗 제외), 피벗 바로 다음부터 right까지를 대상으로 순환 호출한다(피벗 제외).

```
void quick_sort(int list[], int left, int right)
{
    if(left<right){
        int q=part(list, left, right);
        quick_sort(list, left, q-1);
        quick_sort(list, q+1, right);
    }
}
```

분할(part)은 다음과 같이 수행된다. 피벗(pivot)을 가장 왼쪽 숫자라고 가정하면 두개의 변수 low와 high를 사용한다. 다음 그림은 분할 과정을 나타낸다.

- low는 피벗보다 작으면 통과, 크면 정지한다.
- high는 피벗보다 크면 통과, 작으면 정지한다.
- 정지된 위치의 숫자를 교환한다.
- low와 high가 교차하면 종료한다.

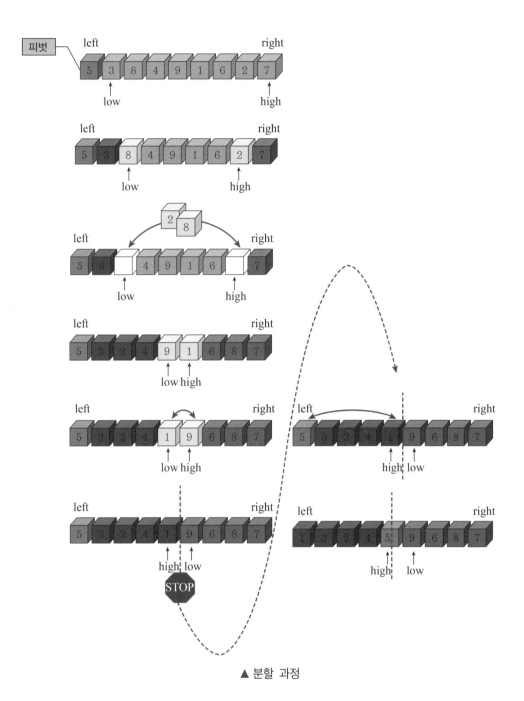

▲ 분할 과정

퀵정렬의 전체 과정은 다음 그림과 같다. 밑줄 친 숫자는 피벗이다.

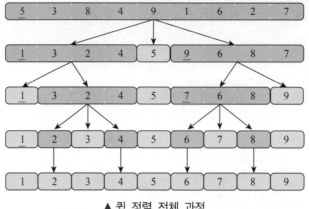

▲ 퀵 정렬 전체 과정

다음의 그림은 최선의 경우(거의 균등한 리스트로 분할되는 경우)를 나타낸다. 패스 수는 log(n)이고, 각 패스 안에서의 비교 횟수는 n이다. 총 비교 횟수는 n*log(n)이고, 총 이동횟수는 비교 횟수에 비하여 적으므로 무시 가능하다.

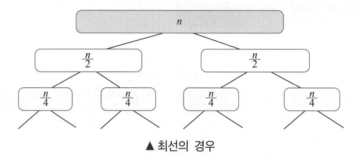

▲ 최선의 경우

다음 그림은 최악의 경우(극도로 불균등한 리스트로 분할되는 경우)를 나타낸다. 패스 수는 n이고, 각 패스 안에서의 비교 횟수는 n이다. 총 비교 횟수는 n^2이고, 총 이동 횟수는 무시 가능하다. 예를 들어, 이미 정렬된 리스트를 정렬할 경우에 해당하며, 중간값(medium)을 피벗으로 선택하면 불균등 분할에 대한 완화가 가능하다.

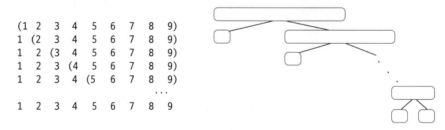

▲ 최악의 경우

3. 기수 정렬(radix sort)

한자리수 (8, 2, 7, 3, 5)의 기수 정렬은 다음 그림과 단순히 자리수에 따라 버켓(bucket)에 넣었다가 끄내면 정렬된다.

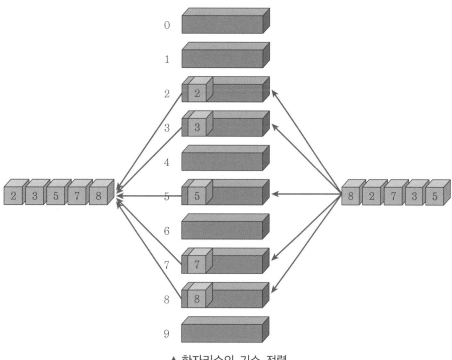

▲ 한자리수의 기수 정렬

만약 2자리수(28, 93, 39, 81, 62, 72, 38, 26)이면, 다음 그림과 같이 낮은 자리수로 먼저 분류한 다음 순서대로 읽어서 다시 높은 자리수로 분류한다(인간의 방식과 유사).

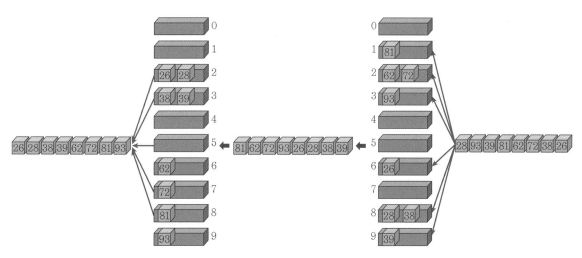

▲ 2자리수 기수 정렬

3 비교

1. 안정성 및 추가 메모리

다음의 표는 알고리즘 별 안정성 및 추가 메모리를 나타낸다. 여기서, 안정성이란 같은 값을 가진 데이터의 순서가 정렬 후에도 바뀌지 않고 그대로 유지하는 정렬을 의미한다. 그리고 추가 메모리란 정렬을 위해 별도의 추가 메모리가 필요함을 의미한다.

알고리즘	안정성	추가 메모리 필요
삽입 정렬	○	×
선택 정렬	×	×
버블 정렬	○	×
쉘 정렬	×	×
힙 정렬	×	×
합병 정렬	○	○
퀵 정렬	×	×
기수 정렬	○	○

2. 시간 복잡도

다음의 표는 정렬 알고리즘 별 시간 복잡도를 나타낸다.

알고리즘	최선	평균	최악
삽입 정렬	$O(n)$	$O(n^2)$	$O(n^2)$
선택 정렬	$O(n^2)$	$O(n^2)$	$O(n^2)$
버블 정렬	$O(n^2)$	$O(n^2)$	$O(n^2)$
쉘 정렬	$O(n)$	$O(n^{1.5})$	$O(n^2)$
퀵 정렬	$O(nlog_2n)$	$O(nlog_2n)$	$O(n^2)$
힙 정렬	$O(nlog_2n)$	$O(nlog_2n)$	$O(nlog_2n)$
합병 정렬	$O(nlog_2n)$	$O(nlog_2n)$	$O(nlog_2n)$
기수 정렬	$O(dn)$	$O(dn)$	$O(dn)$

 주요개념 셀프체크

☑ 비효율적 - 선택, 삽입, 버블, 쉘
☑ 효율적 - 합병, 퀵, 기수
☑ 안정성(삽버합기), 추가메모리(합기)
☑ 시간복잡도(삽선버 - 퀵힙합)

핵심 기출

1. 배열에 저장된 n개의 레코드를 키의 오름차순으로 정렬 하는 알고리즘에 대한 설명으로 옳은 것은? 2016년 국회직

① 힙(heap) 정렬은 안정적 정렬 알고리즘이다.
② 최악의 경우 퀵(quick) 정렬의 시간 복잡도는 O(nlogn)이다.
③ 평균적인 상황에서 병합(merge) 정렬의 시간 복잡도는 O(nlogn)이다.
④ 이미 정렬되어 있는 경우 병합 정렬의 시간 복잡도는 O(n)이다.
⑤ 삽입(insertion) 정렬은 평균적인 상황에서 n이 클수록 퀵 정렬에 비해 빠르다.

해설
병합(합병) 정렬의 시간 복잡도는 평균에서 O(nlogn)이다.

선지분석
① 힙 정렬은 안정적이지 않다. 즉, 같은 값을 가진 데이터의 순서가 정렬 후에도 바뀐다(삽버합기).
② 퀵 정렬의 시간 복잡도는 최악에서 O(n^2)이다.
④ 이미 정렬되어 있는 경우 병합 정렬의 시간 복잡도는 O(nlogn)이다. 병합 정렬은 이미 정렬된 것과 상관없이 다시 정렬을 수행한다.
⑤ 삽입 정렬(n^2)은 평균적인 상황에서 n이 클수록 퀵 정렬(nlogn)에 비해서 느리다.

정답 ③

2. 다음 정수 리스트를 퀵 정렬 알고리즘으로 오름차순 정렬할 때, 리스트를 처음 분할한 직후의 분할된 두 리스트의 상태로 옳은 것은? (단, 제어키는 5로 한다) 2017년 국회직

(5 2 6 4 7 3 8 1)

① (5 2 6 4), (7 3 8 1)　　② (2 4 3 1), (6 7 8)　　③ (3 1 2 4), (7 6 8)
④ (3 2 1 4), (7 8 6)　　⑤ (1 2 3 4), (6 7 8)

해설
퀵 정렬에서 분할 알고리즘은 다음과 같다.

> 피벗(pivot)을 가장 왼쪽 숫자라고 가정한다.
> 두개의 변수 low(피벗 다음의 숫자를 가리킴)와 high(맨 오른쪽을 가리킴)를 사용한다.
> low를 오른쪽으로 이동하면서 피벗보다 작으면 통과, 크면 정지한다.
> high를 왼쪽으로 이동하면서 피벗보다 크면 통과, 작으면 정지한다.
> 정지된 위치의 숫자를 교환한다.
> low와 high가 교차하면 종료한다.
> 피벗과 high가 가리키는 숫자를 교환한다.

주어진 조건을 이용해서 문제를 풀면 다음과 같다.

> 피벗(제어키)을 5라고 가정한다.
> low는 6에서 정지하고, high는 1에서 정지한다.
> 이 둘을 교환한다: (5 2 1 4 7 3 8 6)
> low는 7에서 정지하고, high는 3에서 정지한다.
> 이 둘을 교환한다: (5 2 1 4 3 7 8 6)
> low(7)와 high(3)가 교차하므로 종료한다.
> 피벗(5)와 high(3)을 교환한다: (3 2 1 4 5 7 8 6)
> 피벗을 기준으로 두 리스트로 분할하면 다음과 같다: (3 2 1 4) (7 8 6)

정답 ④

CHAPTER 11 | 그래프(Graph)

1 개요

1. 그래프(Graph)

그래프는 연결되어 있는 객체 간의 관계를 표현하는 자료구조이고, 가장 일반적인 자료구조 형태이다. 우리가 배운 트리(tree)도 그래프의 특수한 경우이다. 다음과 같은 응용이 가능하다.

- 전기회로의 소자 간 연결 상태
- 운영체제의 프로세스와 자원 관계
- 큰 프로젝트에서 작은 프로젝트 간의 우선 순위
- 지도에서 도시들의 연결 상태(네비게이션)

2. 그래프의 역사

그래프는 1800년대 오일러에 의하여 창안되었다. 오일러 문제는 모든 다리를 한번만 건너서 처음 출발했던 장소로 돌아오는 문제이다(다음 그림). A, B, C, D 지역의 연결 관계에서 위치는 정점(node, vertex)으로 표현되고, 다리는 간선(edge, link)으로 표현된다. 오일러 정리는 모든 정점에 연결된 간선의 수가 짝수이면 오일러 경로가 존재함을 의미한다. 따라서 그래프 (b)에는 오일러 경로가 존재하지 않는다.

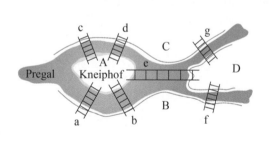

(a) 모든 다리를 한 번만 건너 돌아오는 경로 문제

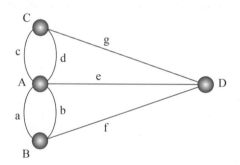

(b) 문제 (a)의 그래프 표현

▲ 오일러 문제

3. 그래프 정의

그래프 G는 다음 그림과 같이 (V, E)로 표시한다. 정점(vertices)은 여러 가지 특성을 가질 수 있는 객체를 의미하고 (응용에 따라 틀림), V(G)는 그래프 G의 정점들의 집합으로 노드(node)라고도 불린다. 간선(edge)은 정점들 간의 관계 의미하고, E(G)는 그래프 G의 간선들의 집합으로 링크(link)라고도 불린다.

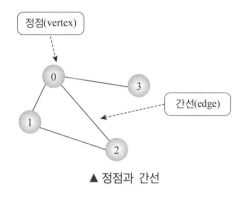

▲ 정점과 간선

4. 그래프의 종류

무방향 그래프(undirected graph)는 무방향 간선(undirected edge)만 사용한다. 간선을 통해서 양방향으로 갈수 있고, 도로의 왕복통행 길과 비슷하다. (A, B)와 같이 정점의 쌍으로 표현하고, (A, B) = (B, A)의 관계를 가진다. 방향 그래프(directed graph)는 방향 간선(directed edge)만 사용한다. 간선을 통해서 한쪽 방향으로만 갈 수 있고, 도로의 일방통행 길과 비슷하다. <A, B>와 같이 정점의 쌍으로 표현하고, <A, B> ≠ <B, A>의 관계를 가진다. 다음 그림은 무방향과 방향 그래프를 나타낸다.

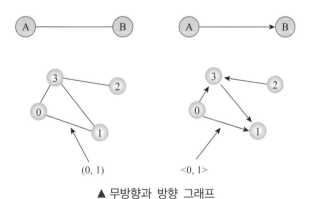

▲ 무방향과 방향 그래프

5. 가중치 그래프

가중치 그래프(weighted graph)는 네트워크(network)라고도 하고, 간선에 비용(cost)이나 가중치(weight)가 할당된 그래프이다. 가중치 그래프 예는 다음 그림과 같다.

- 정점: 각 도시를 의미
- 간선: 도시를 연결하는 도로 의미
- 가중치: 도로의 길이(비용)
- 응용: 네비게이션

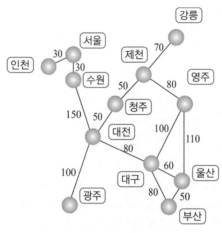

▲ 가중치 그래프 예

6. 그래프 표현의 예

다음 그림은 그래프 표현의 예를 나타낸다. 이를 (V, E)로 표현하면 다음과 같다.

- V(G1) = {0, 1, 2, 3}, E(G1) = {(0, 1), (0, 2), (0, 3), (1, 2), (2, 3)}
- V(G2) = {0, 1, 2, 3}, E(G2) = {(0, 1), (0, 2))}
- V(G3) = {0, 1, 2}, E(G3) = {<0, 1>, <1, 0>, <1, 2>}

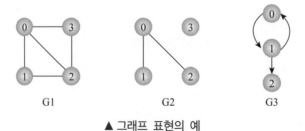

▲ 그래프 표현의 예

7. 부분 그래프(subgraph)

부분 그래프는 정점 집합 V(G)와 간선 집합 E(G)의 부분 집합으로 이루어진 그래프이다. 다음 그림은 그래프 G1의 부분 그래프들(subgraph)을 나타낸다.

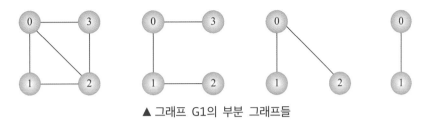

▲ 그래프 G1의 부분 그래프들

8. 인접 정점(adjacent vertex)과 차수(degree)

인접 정점(adjacent vertex)은 하나의 정점에서 간선에 의해 직접 연결된 정점이다. 다음 그림과 같이 G1에서 정점 0의 인접 정점은 정점 1, 정점 2, 정점 3이다.

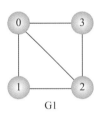

G1

▲ 그래프 G1

무방향 그래프의 차수(degree)는 하나의 정점에 연결된 다른 정점의 수이고, G1에서 정점 0의 차수는 3이다. 무방향 그래프의 모든 차수의 합은 간선 수의 2배이다. G1의 차수의 합는 10이고, G1의 간선의 합은 5(양방향)이다.

방향 그래프의 차수(degree)는 진입과 진출 차수가 존재한다. 진입 차수(in-degree)는 외부에서 오는 간선의 수이고, 진출 차수(out-degree)는 외부로 향하는 간선의 수이다. 다음 그림과 같이 G3에서 정점 1의 차수는 내차수 1, 외차수 2이다. 방향 그래프의 모든 진입(진출) 차수의 합은 간선의 수와 같다. G3의 진입 차수의 합은 3이고, G3의 진출 차수의 합은 3이며, G3의 간선 합은 3(단방향)이다.

G3

▲ 그래프 G3

9. 그래프의 경로(path)

무방향 그래프의 정점 s로부터 정점 e까지의 경로는 정점(s, v1, v2, …, vk, e)의 나열이다. 나열된 정점들 간에 반드시 간선 (s, v1), (v1, v2), …, (vk, e)이 존재한다. 방향 그래프의 정점 s로부터 정점 e까지의 경로는 정점(s, v1, v2, …, vk, e)의 나열이다. 나열된 정점들 간에 반드시 간선 <s, v1>, <v1, v2>, …,<vk, e>이 존재한다.

경로의 길이(length)는 경로를 구성하는데 사용된 간선의 수이고, 단순 경로(simple path)는 경로 중에서 반복되는 간선이 없는 경로이다. 사이클(cycle)은 단순 경로의 시작 정점과 종료 정점이 동일한 경로이다. 다음 그림과 같이 G1의 0, 1, 2, 3은 경로지만 0, 1, 3, 2는 경로가 아니다. G1의 1, 0, 2, 3은 단순경로이지만 1, 0, 2, 0은 단순경로가 아니다. 그리고 G1의 0, 1, 2, 0과 G3의 0, 1, 0은 사이클이다.

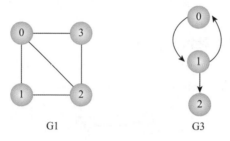

▲ 그래프 G1과 G3

10. 그래프의 연결정도

연결 그래프(connected graph)는 무방향 그래프 G에 있는 모든 정점쌍에 대하여 항상 경로가 존재한다. 그림과 같이 G2는 비연결 그래프이다.

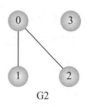

▲ 그래프 G2

트리(tree)는 그래프의 특수한 형태로서 사이클을 가지지 않는 연결 그래프이다. 다음 그림은 트리의 예를 나타낸다.

▲ 트리의 예

완전 그래프(complete graph)는 다음 그림과 같이 모든 정점이 연결되어 있는 그래프이다. n개의 정점을 가진 무방향 완전그래프의 간선의 수는 n × (n - 1)/2이다. n = 4일 때, 간선의 수는 (4 × 3)/2 = 6이다.

▲ 완전 그래프

11. 그래프 표현 방법

인접행렬 (adjacent matrix) 방법(기준: 세로)은 간선 (i, j)가 그래프에 존재하면 M[i][j] = 1이고, 그렇지 않으면 M[i][j] = 0이다. 인접 행렬의 대각선 성분은 모두 0(자체 간선 불허)이고, 무방향 그래프의 인접 행렬은 대칭이다. 다음 그림은 인접행렬 방법을 나타낸다.

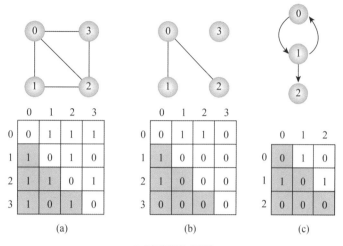

▲ 인접행렬 방법

인접리스트(adjacency list) 방법은 각 정점에 인접한 정점들을 연결리스트로 표현한다. 정점들의 나열일 뿐, 정점들이 서로 연결된 것이 아님에 유의한다. 다음 그림은 인접리스트 방법을 나타낸다.

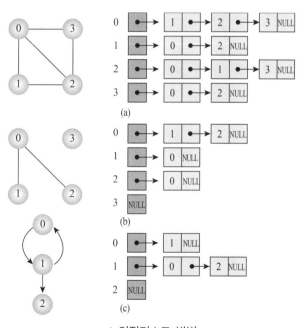

▲ 인접리스트 방법

2 그래프 탐색

1. 개요

그래프 탐색은 그래프의 가장 기본적인 연산으로 하나의 정점으로부터 시작하여 차례대로 모든 정점들을 한 번씩 방문한다. 많은 문제들이 단순히 그래프의 노드를 탐색하는 것으로 해결된다. 예를 들어, 도로망에서 특정 도시로부터 다른 도시로 갈 수 있는지 여부와 전자회로에서 특정 단자와 다른 단자가 서로 연결되어 있는지 여부 등을 알 수 있다.

2. 깊이 우선 탐색(DFS)

깊이 우선 탐색(DFS; depth-first search)은 한 방향으로 갈 수 있을 때까지 가다가 더 이상 갈 수 없게 되면 가장 가까운 갈림길로 돌아와서 이곳으로부터 다른 방향으로 다시 탐색 진행한다. 되돌아가기 위해서는 스택(stack)이 필요하다(순환함수 호출로 묵시적인 스택 이용 가능).

다음의 유사코드와 그림은 DFS 알고리즘을 나타낸다. 그림의 backtracking에서 스택이 사용됨에 유의한다.

```
depth_first_search(v)
        v를 방문되었다고 표시;
        for all u ∈ (v에 인접한 정점) do
            if (u가 아직 방문되지 않았으면) then depth_first_search(u)
```

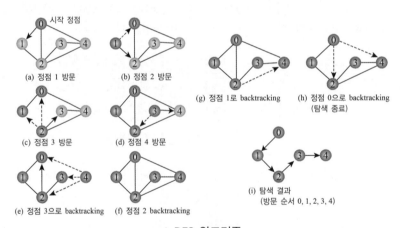

▲ DFS 알고리즘

다음의 DFS 프로그램은 인접 행렬로 구현된 것을 나타낸다.

```
// 인접 행렬로 표현된 그래프에 대한 깊이 우선 탐색
void dfs_mat(Graph *g, int v)
{
   int w;
   visited[v] = TRUE;              // 정점 v의 방문 표시
   printf("%d ", v);                    // 방문한 정점 출력
   for(w=0; w<g->n; w++)                // 인접 정점 탐색(모든 정점 시도)
      if(g->adj_mat[v][w] && !visited[w]) dfs_mat(g, w); // 정점 w에서 DFS 새로 시작
}
```

다음의 DFS 프로그램은 인접 리스트로 구현된 것을 나타낸다.

```
// 인접 리스트로 표현된 그래프에 대한 깊이 우선 탐색
void dfs_list(Graph *g, int v)
{
    GraphNode *w;
    visited[v] = TRUE;              // 정점 v의 방문 표시
    printf("%d ", v);               // 방문한 정점 출력
    for(w=g->adj_list[v]; w; w=w->link)   // 인접 정점 탐색(인접 정점 시도)
        if(!visited[w->vertex]) dfs_list(g, w->vertex); // 정점 w->vertex에서 DFS 새로 시작
}`
```

3. 너비우선 탐색(BFS)

너비 우선 탐색(BFS; breadth-first search)은 시작 정점으로부터 가까운 정점을 먼저 방문하고 멀리 떨어져 있는 정점을 나중에 방문하는 순회 방법이다. 큐(queue)를 사용하여 구현됨에 유의한다.

다음의 유사코드와 그림은 BFS 알고리즘을 나타낸다. 그림에서 BFS 알고리즘을 위해 큐가 사용됨에 유의한다.

```
breadth_first_search(v)
v를 방문되었다고 표시;
큐 Q에 정점 v를 삽입;
while (not is_empty(Q)) do
        큐 Q에서 정점 w를 삭제;
        for all u ∈ (w에 인접한 정점) do
                if (u가 아직 방문되지 않았으면) then u를 큐 Q에 삽입;
                                                u를 방문되었다고 표시;
```

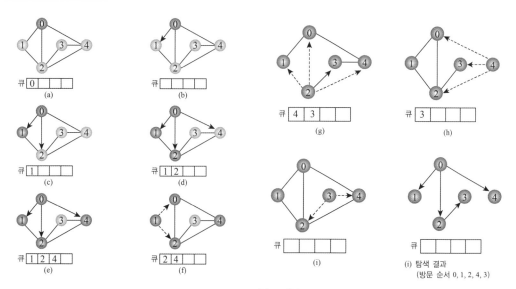

▲ BFS 알고리즘

다음의 BFS 프로그램은 인접 행렬로 구현된 것을 나타낸다.

```
typedef struct {
  int n;
  int adj_mat[100][100];
} Graph;
void bfs_mat(Graph *g, int a)
{       int w;
        Queue q;
        init(&q);                    // 큐 초기화
        visited[a] = TRUE;                   // 정점 v 방문 표시
        printf("%d ", a);            // 정점 출력
        enqueue(&q, a);              // 시작 정점을 큐에 저장
        while(!is_empty(&q)){
        v = dequeue(&q);             // 큐에 정점 추출
        for(w=0; w<g->n; w++)        // 인접 정점 탐색(모든 정점 시도)
                if(g->adj_mat[v][w] && !visited[w]){
                        visited[w] = TRUE;   // 방문 표시
                        printf("%d ", w);    // 정점 출력
                        enqueue(&q, w);      // 방문한 정점을 큐에 저장
                }
        }
}
```

다음의 BFS 프로그램은 인접 리스트로 구현된 것을 나타낸다.

```
typedef struct {
  int vertex;
  struct Graph *link;
} Graph;
typedef struct {
  int n;
  Graph *adj_list[100];
} GraphType;
void bfs_list(GraphType *g, int a)
{       Graph *w;
        QueueType q;
        init(&q);                    // 큐 초기화
        visited[a] = TRUE;  // 정점 v 방문 표시
        printf("%d ", a);   // 정점 v 출력
        enqueue(&q, a);              // 시작정점을 큐에 저장
        while(!is_empty(&q)){
        v = dequeue(&q);                     // 큐에서 정점 추출
        for(w=g->adj_list[a]; w; w = w->link) // 인접 정점 탐색(인접 정점 시도)
                if(!visited[w->vertex]){     // 미방문 정점 탐색
                    visited[w->vertex] = TRUE;       // 방문 표시
                    printf("%d ", w->vertex);        // 정점 출력
                    enqueue(&q, w->vertex);   // 방문한 정점을 큐에 삽입
                }
        }
}
```

3 신장 트리(spanning tree)

1. 개요

신장 트리는 그래프내의 모든 정점을 포함하는 트리이고, 모든 정점들은 연결되어 있어야 하고 사이클을 포함해서는 안된다. n개의 정점을 가지는 그래프의 신장트리는 n-1개의 간선을 가진다. 최소의 링크를 사용하는 네트워크(통신망, 도로망, 유통망 등) 구축 시 사용된다. 다음의 유사코드는 신장 트리 알고리즘을 나타낸다.

```
depth_first_search(v)

v를 방문되었다고 표시;
for all u ∈ (v에 인접한 정점) do
        if (u가 아직 방문되지 않았으면)
                then    (v,u)를 신장트리 간선이라고 표시;
                        depth_first_search(u);
```

다음 그림은 신장 트리를 나타낸다.

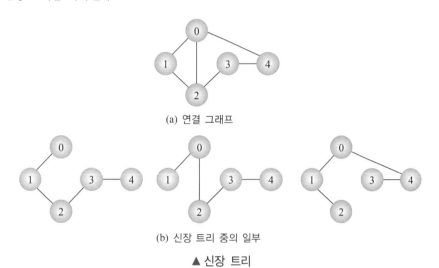

(a) 연결 그래프

(b) 신장 트리 중의 일부

▲ 신장 트리

2. 최소비용 신장트리(MST; minimum spanning tree)

MST는 네트워크에 있는 모든 정점들을 가장 적은 수의 간선과 비용으로 연결한다. MST의 응용은 다음과 같다.

(1) 도로 건설

도시들을 모두 연결하면서 도로의 길이를 최소가 되도록 하는 문제

(3) 전기 회로

단자들을 모두 연결하면서 전선의 길이를 가장 최소로 하는 문제

(3) 통신

전화선의 길이가 최소가 되도록 전화 케이블 망을 구성하는 문제

(4) 배관

파이프를 모두 연결하면서 파이프의 총 길이를 최소로 하는 문제

3. Kruskal의 MST 알고리즘

Kruskal의 MST 알고리즘은 탐욕적인 방법(greedy method)을 사용하는데, 탐욕적인 방법은 주요 알고리즘 설계 기법이다. 각 단계에서 최선의 답을 선택하는 과정을 반복함으로써 최종적인 해답에 도달한다. 탐욕적인 방법은 항상 최적의 해답을 주는지 검증이 필요하고, Kruskal MST 알고리즘은 최적의 해답임이 증명되었다. 다음의 유사 코드는 Kruskal의 MST 알고리즘을 나타낸다(* 참고).

```
// 최소비용 스패닝트리를 구하는 Kruskal의 알고리즘
// 입력: 가중치 그래프 G = (V, E), n은 노드의 개수
// 출력: ET, 최소비용 신장 트리를 이루는 간선들의 집합
kruskal(G)
    E를 W(e₁) ≤ ⋯ ≤ W(eₑ)가 되도록 정렬한다.
    E_T ← ∅; ecounter ← 0
    k ← 0
    while ecounter < (n - 1) do
        k ← k + 1
        if ETU{eₖ}가 사이클을 포함하지 않으면
        then ET ← ET ∪ {eₖ}; ecounter ← ecounter + 1
    return E_T
```

Kruskal의 MST 알고리즘에서 MST는 최소 비용의 간선으로 구성됨과 동시에 사이클을 포함하지 않아야 한다. 각 단계에서 사이클을 이루지 않는 최소 비용 간선을 선택한다. 각 단계를 정리하면 다음과 같다.

- 그래프의 간선들을 가중치의 오름차순으로 정렬한다.
- 정렬된 간선 중에서 사이클을 형성하지 않는 간선을 현재의 MST 집합에 추가한다.
- 만약 사이클을 형성하면 그 간선은 제외한다(n-1개).

다음 그림은 Kruskal의 MST 알고리즘을 나타낸다.

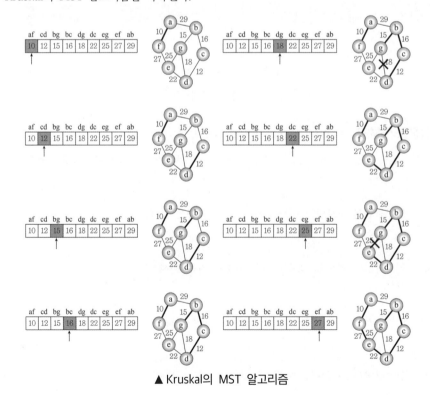

▲ Kruskal의 MST 알고리즘

Kruskal의 MST 알고리즘에서 사용하는 union-find 알고리즘은 두 집합들의 합집합 만든다. 원소가 어떤 집합에 속하는지 알아내고, 사이클 검사에 사용한다. 다음 그림은 union-find 알고리즘을 나타낸다.

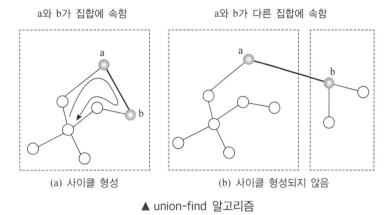

a와 b가 집합에 속함　　　　　　　a와 b가 다른 집합에 속함

　　　(a) 사이클 형성　　　　　　　　　(b) 사이클 형성되지 않음

▲ union-find 알고리즘

다음은 union-find 프로그램을 나타낸다(* 참고).

```c
int p[MAX_VERTICES];           // 부모 노드
int num[MAX_VERTICES];    // 각 집합의 크기
// 초기화
void set_init(int n)
{int i;
for(i=0;i<n;i++){
        p[i] = -1;
        num[i] = 1;
        }
}
 // vertex가 속하는 집합 반환
int set_find(int vertex)
{
    int p, s, i=-1;
    for(i=vertex;(p=p[i])>=0;i=p) ;    // 루트 노드까지 반복
    s = i;                             // 집합의 대표 원소
    for(i=vertex;(p=p[i])>=0;i=p)
        p[i] = s;                // 집합의 모든 원소들의 부모를 s로 설정
    return s;
}
// 두 개의 원소가 속한 집합을 합함
void set_union(int s1, int s2)
{
    if( num[s1] < num[s2] ){
        p[s1] = s2;
        num[s2] += num[s1];
    }
    else {
        p[s2] = s1;
        num[s1] += num[s2];
    }
}
```

다음은 Kruskal의 MST 프로그램을 나타낸다(* 참고).

```c
#include <stdio.h>
#define MAX_VERTICES 100
#define INF 1000
// 기존의 union-find 프로그램 삽입
// ...
// 히프의 요소 타입 정의
typedef struct {
        int key;  // 간선의 가중치
        int u;    // 정점 1
        int v;    // 정점 2
} element;
// 기존의 최소 히프 프로그램 삽입
// ...
// 정점 u와 정점 v를 연결하는 가중치가 weight인 간선을 히프에 삽입
void insert_heap_edge(Heap *h, int u, int v, int weight) {
        element e;
        e.u = u;
        e.v = v;
        e.key = weight;
        insert_min_heap(h, e);
}
// 인접 행렬이나 인접 리스트에서 간선들을 읽어서 최소 히프에 삽입
// 현재는 예제 그래프의 간선들을 삽입한다.
void insert_all_edges(Heap *h) {
        insert_heap_edge(h, 0, 1, 29);
        insert_heap_edge(h, 1, 2, 16);
        insert_heap_edge(h, 2, 3, 12);
        insert_heap_edge(h, 3, 4, 22);
        insert_heap_edge(h, 4, 5, 27);
        insert_heap_edge(h, 5, 0, 10);
        insert_heap_edge(h, 6, 1, 15);
        insert_heap_edge(h, 6, 3, 18);
        insert_heap_edge(h, 6, 4, 25);
}
void kruskal(int n)
{
int edge_accepted=0;       // 현재까지 선택된 간선의 수
Heap h;   // 최소 히프
int u, v;                  // 정점 u와 정점 v의 집합 번호
element e;                  // 히프 요소
init(&h);                            // 히프 초기화
insert_all_edges(&h);      // 히프에 간선들을 삽입
set_init(n);               // 집합 초기화
while( edge_accepted < (n-1) )      // 간선의 수 < (n-1)
        {
        e = delete_min_heap(&h); // 최소 히프에서 삭제
        u = set_find(e.u);               // 정점 u의 집합 번호
        v = set_find(e.v);               // 정점 v의 집합 번호
        if( uset != vset ){              // 서로 속한 집합이 다르면
```

```
                    printf("(%d,%d) %d \n",e.u, e.v, e.key);
                    edge_accepted++;
                    set_union(u, v); // 두개의 집합을 합친다.
                }
        }
}
// 메인 함수
main()
{
    kruskal(7);
}
```

4. Prim의 MST 알고리즘

Prim의 MST 알고리즘은 시작 정점에서부터 출발하여 신장 트리 집합을 단계적으로 확장해나간다. 시작 단계에서는 시작 정점만이 신장 트리 집합에 포함되고, 신장 트리 집합에 인접한 정점 중에서 최저 간선으로 연결된 정점 선택하여 신장 트리 집합에 추가한다. 이 과정은 신장 트리 집합이 n - 1개의 간선을 가질 때까지 반복한다. 다음의 유사코드는 Prim의 MST 알고리즘을 나타낸다(* 참고).

```
// 최소 비용 신장 트리를 구하는 Prim의 알고리즘
// 입력: 네트워크 G = (V, E), s는 시작 정점
// 출력: 최소 비용 신장 트리를 이루는 정점들의 집합
Prim(G, S)
    for each u∈V do
        dist[u] ← ∞
    dist[s] ← 0
    우선 순위큐 Q에 모든 정점을 삽입(우선순위는 dist[])
    for I ← 0 to n-1 do
        u ← delete_min(Q)
        화면에 u를 출력
        for each v ∈ (u의 인접 정점)
            if(v ∈ Q and weigth [u][v] < dist[v])
                then dist[v] ← weight[u][v]
```

다음 그림은 Prim의 MST 알고리즘을 나타낸다.

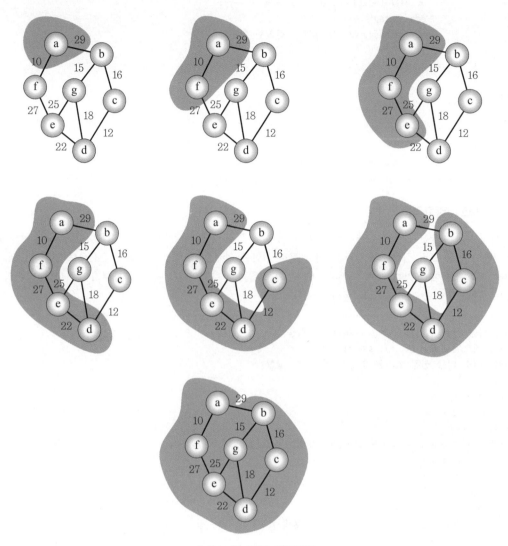

▲ Prim의 MST 알고리즘

다음은 Prim의 MST 프로그램을 나타낸다(* 참고).

```
#include <stdio.h>
#define TRUE 1
#define FALSE 0
#define MAX 7
#define INF 1000L
int weight[MAX][MAX]={
{ 0, 29, INF, INF, INF, 10, INF },
{ 29, 0, 16, INF, INF, INF, 15 },
{ INF, 16, 0, 12, INF, INF, INF },
{ INF, INF, 12, 0, 22, INF, 18 },
{ INF, INF, INF, 22, 0, 27, 25 },
{ 10, INF, INF, INF, 27, 0, INF },
{ INF, 15, INF, 18, 25, INF, 0 }};
```

```
int selected[MAX];
int dist[MAX];
// 최소 dist[v] 값을 갖는 정점을 반환
int get_min_vertex(int n)
{
int v,i;
for (i = 0; i <n; i++)
        if (!selected[i]) { v = i;
                                break;
                 }
for (i = 0; i < n; i++)
        if ( !selected[i] && (dist[i] < dist[v])) v = i;
return (v);
}
void prim(int a, int n)
{int i, u, v;
for(u=0;u<n;u++)
        {dist[u]=INF;
         selected[u] = FALSE;
        }
dist[a]=0;
for(i=0;i<n;i++){
        u = get_min_vertex(n);
        selected[u]=TRUE;
        if( dist[u] == INF ) return;
        printf("%d ", u);
        for( v=0; v<n; v++)
                if( weight[u][v]!= INF)
                        if( !selected[v] && weight[u][v]< dist[v] )
                                dist[v] = weight[u][v];
        }
}

main()
{
  prim(0, MAX_VERTICES);
}
```

───────────────────────────────

주요개념 셀프체크

- ☑ 무방향 vs. 방향
- ☑ 차수, 경로, 사이클
- ☑ 연결그래프, 완전그래프
- ☑ 탐색 – DFS vs. BFS
- ☑ MST – Kruskal vs. Prim

1. 프림(Prim) 알고리즘을 이용하여 최소 비용 신장 트리를 구하고자 한다. 다음 그림의 노드 0에서 출발할 경우 가장 마지막에 선택되는 간선으로 옳은 것은? (단, 간선 옆의 수는 간선의 비용을 나타낸다) 2016년 국가직

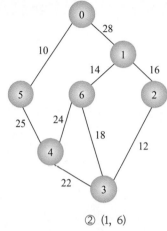

① (1, 2)   ② (1, 6)
③ (4, 5)   ④ (4, 6)

해설

프림(Prim)의 MST 알고리즘은 시작 정점에서부터 출발하여 신장 트리 집합을 단계적으로 확장해나간다. 시작 단계에서는 시작 정점만이 신장 트리 집합에 포함되고, 신장 트리 집합에 인접한 정점 중에서 최저 간선으로 연결된 정점 선택하여 신장 트리 집합에 추가한다. 프림 알고리즘을 이용해서 선택한 간선의 순서는 다음과 같다.

> 10(0, 5) → 25(5, 4) → 22(4, 3) → 12(3, 2) → 16(2, 1) → 14(1, 6)

정답 ②

2. 다음의 인접리스트는 어떤 그래프를 표현한 것이다. 이 그래프를 정점 A에서부터 깊이 우선 탐색(depth first search)할 때, 정점이 방문되는 순서로 옳은 것은? 2016년 지방직

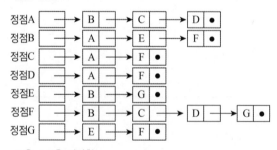

•은 null을 의미함

① A → B → C → D → F → G → E
② A → D → C → B → F → E → G
③ A → B → C → D → E → F → G
④ A → B → E → G → F → C → D

해설

깊이 우선 탐색은 한 방향으로 갈 수 있을 때까지 가다가 더 이상 갈 수 없게 되면 가장 가까운 갈림길로 돌아와서 이곳으로부터 다른 방향으로 다시 탐색을 진행한다(스택 이용). 깊이 우선 탐색으로 정점이 방문되는 순서는 다음과 같다.

- A → B
  처음에 어디로 가도 상관없으나 암묵적으로 알파벳 우선 순위에 기반해서 방문한다고 가정하므로 B를 먼저 방문한다.
- B → E
  B → A로는 한번 방문되었기 때문에 방문하지 않는다. 만약, A → C로 방문한다면 이는 넓이 우선 방식이다. 그리고 B → C로 방문할 수는 없다. 왜냐하면 B와 C는 연결되지 않았기 때문이다. A에 연결된 독립적인 B, C, D가 있다는 것이지, A에 B가 연결되고 B에 C가 연결되었다는 의미가 아니다.
- E → G, G → F, F → C
  나머지도 같은 방식으로 방문한다.
- C → 없음
  더 이상 방문할 노드가 없기 때문에, 가장 최근 노드(F)로 backtracking한다. 이것이 스택(LIFO)이 사용되는 이유이다.
- F → D
  그 다음 순서인 D를 방문하면 모든 노드를 방문하게 된다.

결론적으로 정리한 순서는 다음과 같다.
A → B → E → G → F → C → D

정답 ④

CHAPTER 12 | 해싱(Hashing)

1 개요

1. 정의

대부분의 탐색 방법들은 키 값 비교로써 탐색하고자 하는 항목에 접근한다. 해싱(hashing)은 키 값에 대한 산술적 연산에 의해 테이블의 주소를 계산하여 항목에 접근한다(충돌이 없다면 탐색 시간이 빠름). 해시 테이블(hash table)은 키 값의 연산에 의해 직접 접근이 가능한 구조이다. 해싱은 물건을 정리하는 것과 같다.

2. 해시 함수(hash function)

해시 함수는 다음 그림과 같이 탐색키를 입력받아 해시 주소(hash address)를 생성한다. 이 해시 주소가 배열로 구현된 해시 테이블(hash table)의 인덱스이다.

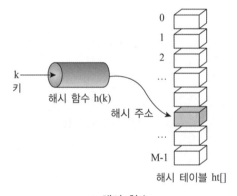

▲ 해시 함수

3. 해시 테이블의 구조

다음 그림은 해시 테이블 ht를 나타낸다. M개의 버켓(bucket)으로 구성된 테이블이고, ht[0], ht[1], ...,ht[M-1]의 원소를 가진다. 하나의 버켓에 s개의 슬롯(slot)이 가능하다. 충돌(collision)은 서로 다른 두 개의 탐색키 k1과 k2에 대하여 h(k1) = h(k2)인 경우이다. 그리고 오버플로우(overflow)는 충돌이 버켓에 할당된 슬롯 수보다 많이 발생하는 것으로, 오버플로우 해결 방법이 반드시 필요하다.

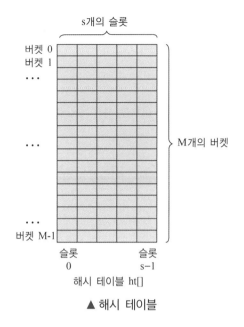

s개의 슬롯

버켓 0
버켓 1
. . .

M개의 버켓

. . .

. . .
버켓 M-1

슬롯 0   슬롯 s-1

해시 테이블 ht[]

▲ 해시 테이블

2 해시함수

1. 개요

좋은 해시 함수의 조건은 충돌이 적어야 한다. 해시함수 값이 해시테이블의 주소 영역 내에서 고르게 분포되어야 한다. 그리고 계산이 빨라야 한다.

2. 제산 함수

제산 함수는 "$h(k) = k \mod M$"를 사용한다. 해시 테이블의 크기 M은 소수(prime number)를 선택한다.

3. 폴딩 함수

폴딩 함수는 다음 그림과 같이 이동 폴딩(shift folding)과 경계 폴딩(boundary folding)이 존재한다.

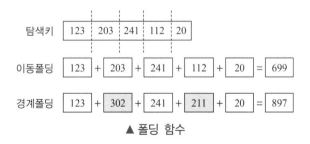

탐색키 123 203 241 112 20

이동폴딩 123 + 203 + 241 + 112 + 20 = 699

경계폴딩 123 + 302 + 241 + 211 + 20 = 897

▲ 폴딩 함수

4. 중간제곱 함수

탐색키를 제곱한 다음, 중간의 몇 비트를 취해서 해시 주소를 생성한다.

5. 비트추출 함수

탐색키를 이진수로 간주하여 임의의 위치의 k개의 비트를 해시 주소로 사용한다.

6. 숫자분석 방법

키 중에서 편중되지 않는 수들을 해시테이블의 크기에 적합하게 조합하여 사용한다.

3 충돌해결책

1. 충돌(collision)

충돌은 서로 다른 탐색 키를 갖는 항목들이 같은 해시 주소를 가지는 현상이다. 충돌이 발생하면 해시 테이블에 항목 저장이 불가능하고, 충돌을 효과적으로 해결하는 방법이 반드시 필요하다. 선형조사법은 충돌이 일어난 항목을 해시 테이블의 다른 위치에 저장한다(개방 주소법, open addressing). 체이닝은 각 버켓에 삽입과 삭제가 용이한 연결 리스트를 할당한다(폐쇄 주소법, close addressing).

2. 선형조사법(linear probing)

충돌이 ht[k]에서 발생했다면, ht[k+1]이 비어 있는지 조사한다. 만약 비어있지 않다면 ht[k+2] 조사하고, 비어있는 공간이 나올 때까지 계속 조사한다. 테이블의 끝에 도달하게 되면 다시 테이블의 처음부터 조사하고, 조사를 시작했던 곳으로 다시 되돌아오게 되면 테이블이 가득 찬 것이다. 조사되는 위치는 h(k), h(k)+1, h(k)+2,…이다. 군집화(clustering)와 결합(Coalescing) 문제가 발생한다.

3. 이차 조사법(quadratic probing)

선형 조사법과 유사하지만, 다음 조사할 위치를 "(h(k) + inc*inc) mod M"식을 사용한다. 조사되는 위치는 h(k), h(k)+1, h(k)+4,…이다. 선형 조사법에서의 문제점인 군집과 결합 문제를 크게 완화가 가능하다.

4. 이중해싱법(double hashing)

재해싱(rehashing)이라고도 하고, 오버플로우가 발생하면 원 해시함수와 다른 별개의 해시 함수(step = C - (k mod C))를 사용한다. 조사되는 위치는 h(k), h(k) + step, h(k) + 2*step, …이다. 예를 들어, 크기가 7인 해시테이블에서 첫 번째 해시 함수가 k mod 7라면, 오버플로우 발생 시의 해시 함수는 step = 5 - (k mod 5)를 사용한다.

5. 체이닝(chaining)

오버플로우 문제를 연결 리스트로 해결하고, 각 버켓에 고정된 슬롯이 할당되어 있지 않다. 각 버켓에 삽입과 삭제가 용이한 연결 리스트를 할당하고, 버켓 내에서는 연결 리스트를 순차 탐색한다. 예를 들어, 크기가 7인 해시테이블에서 h(k)=k mod 7의 해시 함수 사용하고, 충돌이 발생하면 연결 리스트에 추가한다.

요약정리

해시

해시 함수	• 제산 함수: $h(k) = k \bmod M$ • 폴딩 함수: 이동 폴딩과 경계 폴딩 • 중간제곱(제곱 - 중간 몇 비트), 비트추출(임의의 위치 k개), 숫자분석(편중되지 않는 수)
충돌 해결	• 선형 조사법(개방, open addressing): 선형조사법($ht[k+1]$), 이차조사법($h(k) + inc*inc \bmod M$), 재해싱($C - (k \bmod C)$) • 체이닝(폐쇄, close addressing): 연결리스트(별도 메모리)

주요개념 셀프체크

☑ 함수 - 제산, 폴딩, 중간제곱, 비트추출, 숫자분석
☑ 충돌해결 - 선형조사, 이차조사, 이중해싱, 체이닝

핵심 기출

해싱(hashing)에 대한 설명으로 옳지 않은 것은? 2015년 서울시

① 검색 속도가 빠르며 삽입, 삭제의 빈도가 높을 때 유리한 방식이다.
② 해싱기법에는 숫자 분석법(digit analysis), 제산법(division), 제곱법(mid-square), 접지법(folding) 등이 있다.
③ 충돌 시 오버플로(overflow) 해결의 부담이 과중되나, 충돌해결에 필요한 기억공간이 필요하지는 않다.
④ 오버플로(overflow)가 발생했을 때 해결기법으로 개방 주소법(open addressing)과 폐쇄 주소법(close addressing) 이 있다.

해설

기억공간은 개방주소법은 충돌해결에 필요한 기억공간이 필요하지 않지만 폐쇄주소법은 충돌해결에 필요한 기억공간이 필요하다. 즉, 체이닝은 메모리를 추가적으로 할당하는 연결리스트를 사용한다.

선지분석

① 검색 속도: 대부분의 탐색 방법들은 키 값 비교로써 탐색하고자 하는 항목에 접근하는데, 해싱은 키 값에 대한 산술적 연산에 의해 테이블의 주소를 계산하여 항목에 접근하므로 검색 속도가 빠르다.
② 해싱기법: 제산 함수, 폴딩 함수, 중간제곱 함수, 비트추출 함수, 숫자 분석 방법 등이 존재한다.
④ 오버플로 해결기법: 개방주소법(선형조사법, 2차조사법, 재해싱)과 폐쇄주소법(체이닝)이 존재한다.

정답 ③

CHAPTER 13 | AVL

1 개요

1. AVL 트리

Adelson-Velskii와 Landis에 의해 1962년에 제안된 트리이고, 모든 노드의 왼쪽과 오른쪽 서브트리의 높이 차가 1이하인 이진 탐색 트리이다. 트리가 비균형 상태로 되면 스스로 노드들을 재배치하여 균형 상태를 유지하고, 평균, 최선, 최악의 시간적 복잡도가 O(log(n))이다(탐색이 가장 빠름). 균형 인수(balance factor)는 (왼쪽 서브 트리의 높이-오른쪽 서브 트리의 높이)이고, 모든 노드의 균형 인수가 ±1 이하이면 AVL 트리이다. 다음 그림은 AVL 트리를 나타낸다.

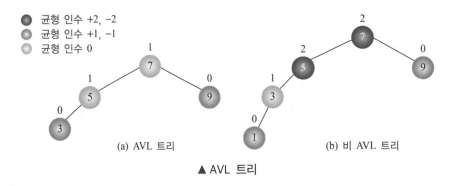

▲ AVL 트리

2. AVL 트리의 연산

탐색 연산은 이진 탐색 트리와 동일하고, 삽입 연산과 삭제 연산 시 균형 상태가 깨질 수 있다. 삽입 연산은 삽입 위치에서 루트까지의 경로에 있는 조상 노드들의 균형 인수에 영향을 준다. 삽입 후에 불균형 상태로 변한 가장 가까운 조상 노드(균형 인수가 ±2가 된 가장 가까운 조상 노드)의 서브 트리들에 대하여 다시 재균형 된다. 삽입 노드부터 균형 인수가 ±2가 된 가장 가까운 조상 노드까지 회전한다. 삭제 연산은 삽입의 역으로 생각하면 된다.

3. AVL 트리의 삽입연산

다음 그림은 AVL 트리의 삽입연산을 나타낸다.

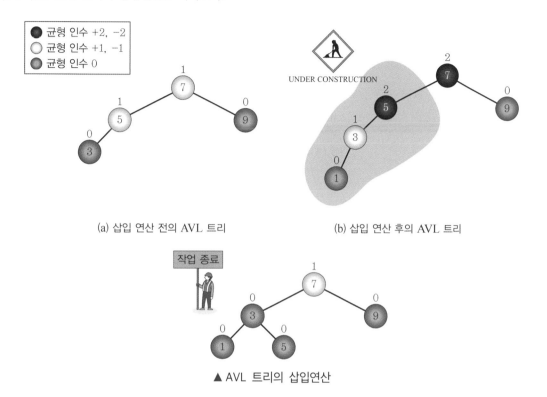

(a) 삽입 연산 전의 AVL 트리   (b) 삽입 연산 후의 AVL 트리

▲ AVL 트리의 삽입연산

AVL 트리의 균형이 깨지는 4가지 경우는 다음과 같다(삽입된 노드 N으로부터 가장 가까우면서 균형 인수가 ±2가 된 조상 노드가 A라면).

- LL 타입: N이 A의 왼쪽 서브 트리의 왼쪽 서브 트리에 삽입
- LR 타입: N이 A의 왼쪽 서브 트리의 오른쪽 서브 트리에 삽입
- RR 타입: N이 A의 오른쪽 서브 트리의 오른쪽 서브 트리에 삽입
- RL 타입: N이 A의 오른쪽 서브 트리의 왼쪽 서브 트리에 삽입

각 타입별 재균형 방법은 다음과 같다.

- LL 회전: A부터 N까지의 경로상 노드의 오른쪽 회전
- LR 회전: A부터 N까지의 경로상 노드의 왼쪽-오른쪽 회전
- RR 회전: A부터 N까지의 경로상 노드의 왼쪽 회전
- RL 회전: A부터 N까지의 경로상 노드의 오른쪽-왼쪽 회전

---

2 회전 방법

1. LL 회전

LL 회전 방법은 다음 그림과 같다(T_2에 주의).

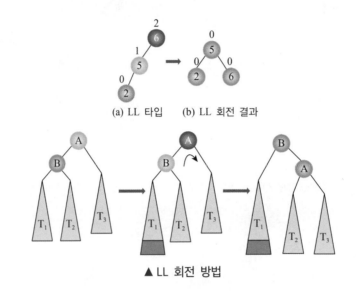

(a) LL 타입   (b) LL 회전 결과

▲ LL 회전 방법

2. RR 회전

RR 회전 방법은 다음 그림과 같다(T_2에 주의).

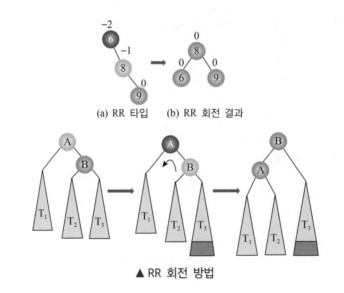

(a) RR 타입   (b) RR 회전 결과

▲ RR 회전 방법

3. RL 회전

RL 회전 방법은 다음 그림과 같다(T_2, T_3에 주의).

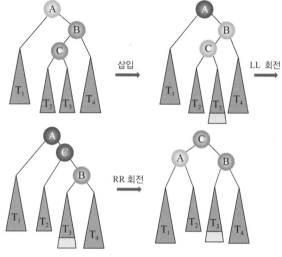

▲ RL 회전 방법

4. LR 회전

LR 회전 방법은 다음 그림과 같다(T_2, T_3에 주의).

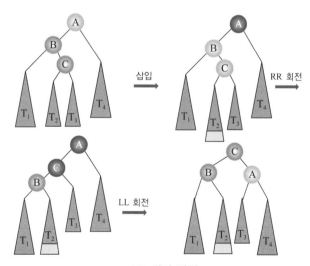

▲ LR 회전 방법

5. AVL 트리 단순회전 알고리즘(* 참고)

AVL 트리 단순회전 알고리즘은 다음과 같다.

```
rotate_LL(A)
        B의 오른쪽 자식을 A의 왼쪽 자식으로 만든다.
        A를 B의 오른쪽 자식 노드로 만든다.
rotate_RR(A)
        B의 왼쪽 자식을 A의 오른쪽 자식으로 만든다.
        A를 B의 왼쪽 자식 노드로 만든다.
rotate_RL(A)
        rotate_LL(B)가 반환하는 노드를 A의 오른쪽 자식으로 만든다.
        rotate_RR(A)
rotate_LR(A)
        rotate_RR(B)가 반환하는 노드를 A의 왼쪽 자식으로 만든다.
        rotate_LL(A)
```

예제 다음 그림은 실제 예제를 나타낸다.

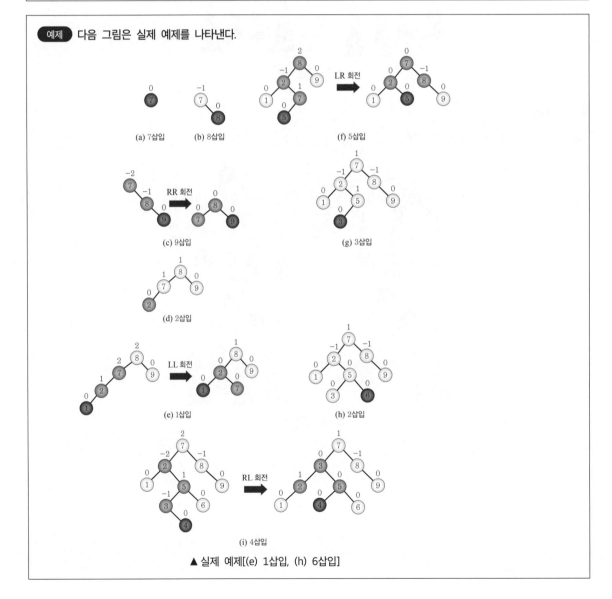

▲ 실제 예제[(e) 1삽입, (h) 6삽입]

주요개념 셀프체크

☑ AVL
☑ 회전 - LL, LR, RR, RL

 핵심 기출

다음과 같은 순서로 키 값들을 입력할 때 완성된 AVL 트리로 옳은 것은?   2018년 지방교행

$$8 \rightarrow 5 \rightarrow 3 \rightarrow 10 \rightarrow 13$$

①
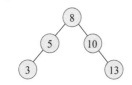

②
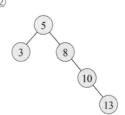

③
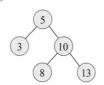

④
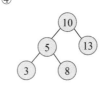

해설

Adelson-Velskii와 Landis에 의해 1962년에 제안된 트리이다. 모든 노드의 왼쪽과 오른쪽 서브트리의 높이 차가 1이하인 이진 탐색 트리이다. 트리가 비균형 상태로 되면 스스로 노드들을 재배치하여 균형 상태 유지한다. 균형 인수(balance factor)는 (왼쪽 서브 트리의 높이 - 오른쪽 서브 트리의 높이)를 의미하고, 모든 노드의 균형 인수가 ±1 이하이면 AVL 트리이다. AVL 트리의 균형이 깨지는 4가지 경우(삽입된 노드 N으로부터 가장 가까우면서 균형 인수가 ±2가 된 조상 노드가 A라면)는 다음과 같다.

• LL 타입: N이 A의 왼쪽 서브 트리의 왼쪽 서브 트리에 삽입
• LR 타입: N이 A의 왼쪽 서브 트리의 오른쪽 서브 트리에 삽입
• RR 타입: N이 A의 오른쪽 서브 트리의 오른쪽 서브 트리에 삽입
• RL 타입: N이 A의 오른쪽 서브 트리의 왼쪽 서브 트리에 삽입

각 타입별 재균형 방법은 다음과 같다.

• LL 회전: A부터 N까지의 경로상 노드의 오른쪽 회전
• LR 회전: A부터 N까지의 경로상 노드의 왼쪽-오른쪽 회전
• RR 회전: A부터 N까지의 경로상 노드의 왼쪽 회전
• RL 회전: A부터 N까지의 경로상 노드의 오른쪽-왼쪽 회전

결론은 2진 탐색 트리처럼 삽입을 하다가 왼쪽 서브 트리와 오른쪽 서브 트리의 높이차가 2가되면 균형을 맞추기 위해서 회전한다. 주어진 조건으로 문제를 풀면 다음과 같다. 8, 5, 3을 추가하게 되면 노드 8에서 균형 인수가 2가 되므로 LL 타입이 되고, LL 회전을 수행한다. 그리고 10, 13을 추가하게 되면 8에서 균형 인수가 -2가 되므로 RR 타입이 되고, RR 회전을 수행한다. 그러면 최종 AVL 트리가 완성된다.

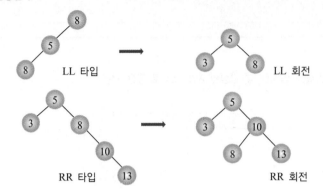

정답 ③

CHAPTER 14 | 그 외

1. 순차 검색

순차 검색 알고리즘(sequential search algorithm), 또는 선형 검색 알고리즘(linear search algorithm)은 리스트에서 특정한 값을 찾는 알고리즘의 하나다. 이것은 리스트에서 찾고자 하는 값을 맨 앞에서부터 끝까지 차례대로 찾아나가는 것이다. 검색할 리스트의 길이가 길면 비효율적이지만, 검색 방법 중 가장 단순하여 구현이 쉽고 정렬되지 않은 리스트에서도 사용할 수 있다는 장점이 있다.

2. 배열 주소

2차원 배열의 선언은 다음과 같다.

- int A[row][col];
- 시작주소 = A[0][0];
- 요소크기 = int = 4 bytes;

행 우선 순위일 때, A[i][j]의 주소는 다음과 같이 계산한다.

$$= 시작주소 + (i*col + j)*요소크기;$$

열 우선 순위일 때, A[i][j]의 주소는 다음과 같이 계산한다.

$$= 시작주소 + (j*row + i)*요소크기;$$

다음 그림은 2차원 배열의 행 우선 순위와 열 우선 순위를 나타낸다.

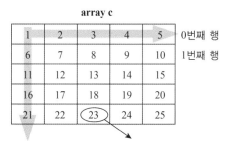

▲ 행 우선과 열 우선 순

3. 레드 - 블랙 트리

다음 그림은 레드 - 블랙 트리를 나타내고, 정의는 다음과 같다.

- RB1: 루트와 모든 외부 노드들은 컬러가 블랙이다.
- RB2: 루트에서 외부 노드로의 경로는 두 개의 연속적인 레드 노드를 가질 수 없다.
- RB3: 루트에서 외부 노드로의 모든 경로들에 있는 블랙 노드의 수는 동일하다.
- RB1': 내부 노드로부터 외부 노드로의 포인터는 블랙이다.
- RB2': 루트에서 외부 노드로의 경로는 두개의 연속적인 레드 포인터를 가질 수 없다.
- RB3': 루트에서 외부 노드로의 모든 경로들에 있는 블랙 포인터의 수는 동일하다.

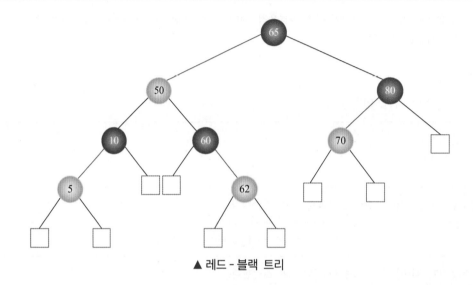

▲ 레드 - 블랙 트리

4. B - 트리

다음 그림은 B - 트리를 나타내고, 차수가 m인 B - 트리는 공백이거나 다음과 같은 성질을 만족한다.

- 루트 노드는 적어도 두 개의 자식 노드를 갖는다.
- 루트 노드와 외부 노드를 제외한 모든 노드는 적어도 m/2(상한) 개의 자식 노드를 갖는다.
- 모든 외부 노드들은 같은 레벨에 있다.

이를 기반으로, m = 3이라면 모든 내부 노드들은 차수가 2 또는 3(2 - 3 트리)이고, m = 4라면 모든 내부 노드들은 차수가 2, 3, 4(2 - 3 - 4 트리)이다.

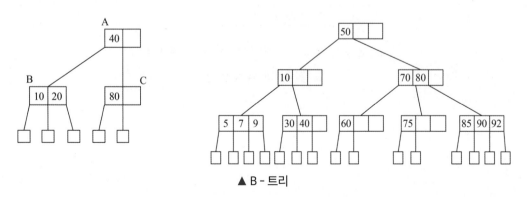

▲ B - 트리

다음 그림은 B-트리에서의 삽입 과정을 나타낸다.

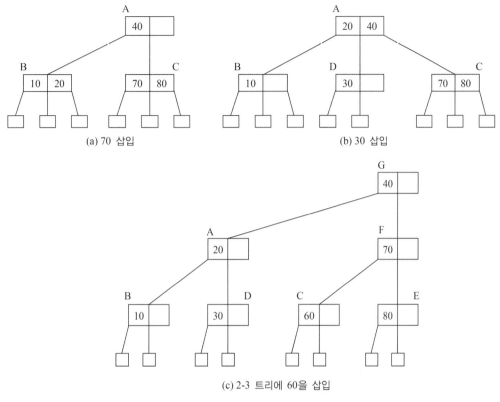

(a) 70 삽입

(b) 30 삽입

(c) 2-3 트리에 60을 삽입

▲ B - 트리에서의 삽입 과정

5. B + - 트리

B+트리는 인덱스(index) 노드와 데이터(data) 노드를 가진다(B - 트리와의 차이점). 인덱스 노드는 B - 트리에서의 내부 노드와 일치하고, 키와 포인터를 저장한다. 그리고 데이터 노드는 B-트리에서의 외부 노드와 일치하고 키와 함께 원소를 저장한다. 데이터 노드는 왼쪽에서 오른쪽 순서대로 서로 링크되어 있고 이중 연결 리스트를 형성한다. 다음 그림은 차수 3인 B+-트리를 나타낸다. 데이터 노드는 회색이고, 인덱스 노드들은 높이 2인 2 - 3 트리를 형성하고 있다. 그리고 데이터 노드 크기와 인덱스 노드 크기는 똑같지 않아도 된다.

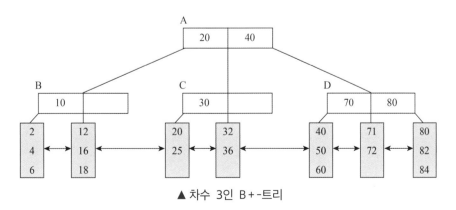

▲ 차수 3인 B+-트리

핵심 기출

배열 int array[10][200]를 행우선순서(row major order)로 저장하는 경우의 원소 array[7][12]의 시작주소는 몇 번지인가? (단, 배열 array의 시작주소는 10840h로, int의 크기는 4바이트로 가정한다. 배열 첨자는 0부터 시작하며 숫자에 붙은 h는 16진수 표기를 의미한다)

① 10804h

② 11E50h

③ 16488h

④ 108BFh

⑤ 10A3Ch

해설

int A[row][col]; // 2차원 배열이 선언되었다고 가정한다.
A[0][0]; // 시작 주소는 A[0][0] 혹은 A이다.
요소크기 = int = 4 bytes; // 요소크기는 int이기 때문에 4바이트이다. 만약, 요소가 int가 아니라 char(1바이트) 혹은 double(8바이트)이면 요소크기에 주의해야 한다.
A[i][j]의 주소 = 시작주소 + (i*col + j)*요소크기; // 행 우선 순서로 저장할 때는 주어진 수식으로 개별 요소의 주소를 계산할 수 있다(행을 중심으로 배열의 요소를 배치하므로 i*col로 계산된다).
A[i][j]의 주소 = 시작주소 + (j*row + i)*요소크기; // 열 우선 순서로 저장할 때는 주어진 수식으로 개별 요소의 주소를 계산할 수 있다(열을 중심으로 배열의 요소를 배치하므로 j*row로 계산된다. 이는 행 우선 순서와 역의 관계를 가진다).

주어진 조건으로 문제를 풀면 다음과 같다.

int array[10][200]; // 주어진 2차원 배열이다.
시작주소 = 10840h // 시작 주소이다.
요소크기 = int = 4바이트 // 요소크기는 int이다.
array[7][12]의 주소 = 10840h + (7*200 + 12)*4 = 11E50h; // 행 우선 순위로 계산한 주소값이다.

TIP 행 우선 순서와 열 우선 순서는 역의 관계를 가지므로 행 우선 순서 하나만 이해하고 외우면 된다.

정답 ②

776 해커스공무원 학원·인강 gosi.Hackers.com

gosi.Hackers.com

PART 7

데이터베이스

1 데이터베이스의 필요성

1. 데이터와 정보

데이터(data)는 현실 세계에서 단순히 관찰하거나 측정해 수집한 사실이나 값(raw data)을 나타내고, 정보(information)는 의사 결정에 유용하게 활용할 수 있도록 데이터를 처리한 결과물(processed information)을 의미한다. 다음 그림은 데이터와 정보를 나타낸다. 예를 들면, 원유와 가공 우유를 들 수 있다. 원유는 데이터이고, 여기에 어떤 처리를 하게 되면 가공 우유인 데이터가 된다.

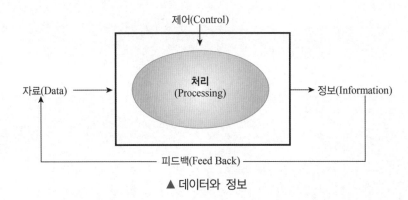

▲ 데이터와 정보

2. 정보 처리(information processing)

다음 그림은 데이터에서 정보를 추출하는 과정 또는 방법을 나타낸다.

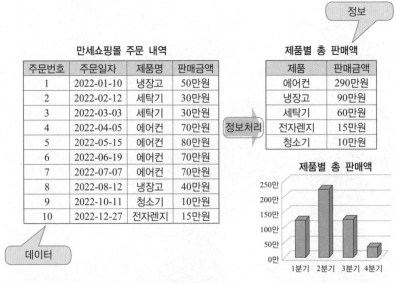

▲ 정보 처리의 예

3. 정보 시스템과 데이터베이스

정보 시스템(information system)은 조직 운영에 필요한 데이터를 수집하여 저장해두었다가 필요할 때 유용한 정보를 만들어 주는 수단이고(정보 처리+데이터베이스), 데이터베이스(database)는 정보 시스템 안에서 데이터를 저장하고 있다가 필요할 때 제공하는 역할을 담당한다. 다음 그림은 정보 시스템의 역할과 구성을 나타낸다.

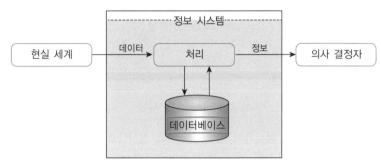

▲ 정보 시스템의 역할과 구성

2 데이터베이스의 정의와 특성

데이터베이스는 특정 조직의 여러 사용자가 공유하여 사용할 수 있도록 통합해서 저장한 운영 데이터의 집합을 의미한다. 다음 그림은 데이터베이스의 정의를 나타낸다.

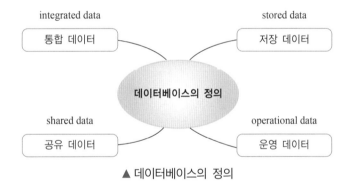

▲ 데이터베이스의 정의

공유 데이터(shared data)는 특정 조직의 여러 사용자가 함께 소유하고 이용할 수 있는 공용 데이터를 의미하고, 통합 데이터(integrated data)는 최소의 중복과 통제 가능한 중복만 허용하는 데이터를 의미한다. 그리고 저장 데이터(stored data)는 컴퓨터가 접근할 수 있는 매체에 저장된 데이터를 의미하고, 운영 데이터(operational data)는 조직의 주요 기능을 수행(운영)하기 위해 지속적으로 꼭 필요한 데이터를 의미한다.

다음 그림은 데이터베이스의 특성을 나타낸다.

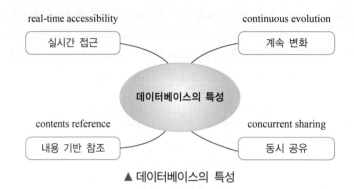

▲ 데이터베이스의 특성

실시간 접근(real-time accessibility)은 사용자의 데이터 요구에 실시간으로 응답하는 것을 의미하고, 계속 변화 (continuous evolution)는 데이터의 계속적인 삽입, 삭제, 수정을 통해 현재의 정확한 데이터를 유지하는 것을 의미한다. 그리고 동시 공유(concurrent sharing)는 서로 다른 데이터의 동시 사용뿐만 아니라 같은 데이터의 동시 사용도 지원하는 것을 의미하고, 내용 기반 참조(contents reference)는 데이터가 저장된 주소나 위치가 아닌 내용으로 참조하는 것을 의미한다(예 재고량이 1,000개 이상인 제품의 이름을 검색하시오). 참고로, 컴퓨터 구조에서 CPU가 주기억장치를 참조하는 것은 주소 기반 참조이다(예 300번지에서 add 250이라는 명령어를 가지고 오시오).

주요개념 셀프체크

☑ 정의: 공유, 통합, 저장, 운영
☑ 특성: 실시간 접근, 계속 변화, 동시 공유, 내용 기반 참조

핵심 기출

데이터베이스의 특성에 대한 설명으로 옳은 것만을 <보기>에서 모두 고르면?   2020년 국회직

<보기>
ㄱ. 실시간 접근성: 데이터의 검색이나 조작을 요구하는 수시적이고 비정형적인 질의에 대하여 즉시 응답할 수 있어야 한다.
ㄴ. 계속적인 변화: 데이터베이스의 상태는 정적이 아니고 동적이므로 현재의 정확한 데이터를 유지해야 한다.
ㄷ. 동시공유: 데이터베이스는 동시에 여러 사용자가 접근할 수 있어야 한다.
ㄹ. 주소에 의한 참조: 데이터베이스 내에 있는 데이터 레코드들은 주소에 의해 참조된다.

① ㄱ, ㄴ   ② ㄴ, ㄷ
③ ㄷ, ㄹ   ④ ㄱ, ㄴ, ㄷ
⑤ ㄴ, ㄷ, ㄹ

해설
ㄱ. 사용자의 데이터 요구에 실시간으로 응답한다.
ㄴ. 데이터의 계속적인 삽입, 삭제, 수정을 통해 현재의 정확한 데이터를 유지한다.
ㄷ. 서로 다른 데이터의 동시 사용뿐만 아니라 같은 데이터의 동시 사용도 지원한다.

선지분석
ㄹ. 주소에 의한 참조가 아닌 내용에 의한 참조를 사용한다.

정답 ④

CHAPTER 02 | 관리 시스템

1 데이터베이스 관리 시스템의 등장 배경

1. 파일 시스템

기존에 사용했던 파일 시스템은 데이터를 파일로 관리하기 위해 파일을 생성·삭제·수정·검색하는 기능을 제공하는 소프트웨어이다. 응용 프로그램마다 필요한 데이터를 별도의 파일로 관리한다. 다음 그림은 파일 시스템에서의 데이터 관리를 나타낸다.

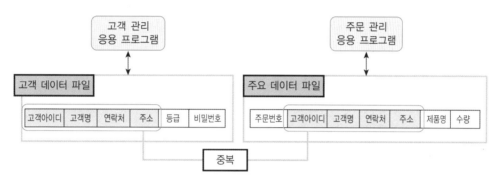

▲ 파일 시스템에서의 데이터 관리

2. 파일 시스템의 문제점

파일 시스템의 단점은 같은 내용의 데이터가 여러 파일에 중복 저장되고, 응용 프로그램이 데이터 파일에 종속적이다. 그리고 데이터 파일에 대한 동시 공유, 보안, 회복 기능이 부족하고(개별 파일), 응용 프로그램 개발이 쉽지 않다(종속).

3. 파일 시스템의 주요 문제점

파일 시스템은 같은 내용의 데이터가 여러 파일에 중복 저장된다(데이터 중복성). 저장 공간의 낭비는 물론 데이터 일관성과 데이터 무결성을 유지하기 어렵다. 다음 그림은 파일 시스템의 데이터 중복성 문제에 대한 일차적 해결 방안을 나타낸다.

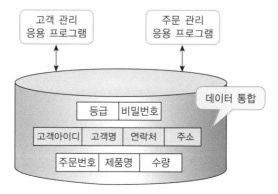

▲ 파일 시스템의 데이터 중복성 문제에 대한 일차적 해결 방안

파일 시스템은 응용 프로그램이 데이터 파일에 종속적이다(데이터 종속성). 사용하는 파일의 구조를 변경하면 응용 프로그램도 함께 변경해야 한다. 다음 그림은 파일 시스템에서의 파일 구조 변경 예를 보여준다.

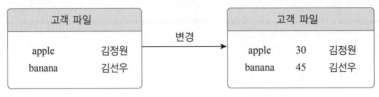

▲ 파일 구조 변경 예

2 데이터베이스 관리 시스템

1. 정의

데이터베이스 관리 시스템(DBMS: DataBase Management System)는 파일 시스템의 문제를 해결하기 위해 제시된 소프트웨어이다. 조직에 필요한 데이터를 데이터베이스에 통합하여 저장하고 관리한다.

2. 데이터베이스 관리 시스템에서의 데이터 관리

다음 그림은 데이터베이스 관리 시스템에서의 데이터 관리를 나타낸다. 그림에서 알 수 있듯이 데이터베이스 관리 시스템이 파일 시스템의 중복과 종속 문제를 해결함을 알 수 있다.

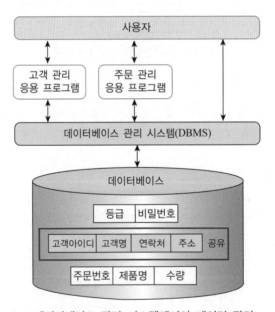

▲ 데이터베이스 관리 시스템에서의 데이터 관리

3. 데이터베이스 관리 시스템의 주요 기능

다음 그림은 데이터베이스 관리 시스템의 주요 기능을 가진다. 해당 기능은 나중에 배우는 SQL과 깊은 연관성을 가진다.

정의 기능	데이터베이스 구조를 정의하거나 수정할 수 있다.	DDL
조작 기능	데이터 삽입 · 삭제 · 수정 · 검색하는 연산을 할 수 있다.	DML
제어 기능	데이터를 항상 정확하게 안전하게 유지할 수 있다.	DCL

▲ 데이터베이스 관리 시스템의 주요 기능

4. 데이터베이스 관리 시스템의 장점과 단점

장점	• 데이터 중복을 통제할 수 있다. • 데이터 독립성이 확보된다. • 데이터를 동시 공유할 수 있다. • 데이터 보완이 향상된다. • 데이터 무결성을 유지할 수 있다. • 표준화할 수 있다. • 장애 발생 시 회복이 가능하다. • 응용 프로그램 개발 비용이 줄어든다.
단점	• 비용이 많이 든다. • 백업과 회복 방법이 복잡하다. • 중앙 집중 관리로 인한 취약점이 존재한다.

5. 데이터베이스 관리 시스템의 특징

데이터베이스 관리 시스템의 특징을 정리하면 다음과 같다.

(1) 중복 제어

동일한 데이터가 여러 위치에 중복 저장되는 현상을 방지한다. 데이터가 중복되면, 저장 공간이 낭비되고 데이터의 일관성이 깨질 수 있다.

(2) 접근 통제

데이터베이스 관리 시스템은 사용자마다 다양한 권한을 부여할 수 있으며, 권한에 따라 데이터에 대한 접근을 제어할 수 있다.

(3) 인터페이스 제공

데이터베이스 관리 시스템은 사용자에게 SQL 및 CLI, GUI 등 다양한 인터페이스를 제공한다.

(4) 관계 표현

서로 다른 데이터간의 다양한 관계를 표현할 수 있는 기능을 제공한다(관계형 데이터베이스).

(5) 샤딩/파티셔닝

구조 최적화를 위해 작은 단위로 쪼개는 기능을 제공한다. 파티셔닝은 수평과 수직 분할을 의미하고, 이중 샤딩은 수평 분할을 의미한다.

(6) 무결성 제약 조건

무결성에 관한 제약 조건을 정의/검사하는 기능을 제공한다. 데이터베이스는 반드시 무결성 제약조건을 통과한 데이터만을 저장하고 있어야 한다(4가지가 존재하고 이에 대해서는 나중에 자세하게 배운다).

(7) 백업/회복

장애에 대비하여 백업 및 회복 기능을 제공한다.

3 데이터베이스 관리 시스템의 발전 과정

1. 1세대 - 네트워크 데이터베이스 관리 시스템, 계층 데이터베이스 관리 시스템

네트워크 데이터베이스 관리 시스템은 데이터베이스를 그래프(graph) 형태로 구성하고, 일례로 IDS(Integrated Data Store) 등을 들 수 있다. 계층 데이터베이스 관리 시스템은 데이터베이스를 트리(tree) 형태로 구성하고, 일례로 IMS(Information Management System) 등을 들 수 있다. 아래의 그림은 1세대 데이터베이스 관리 시스템 구조의 예를 나타낸다.

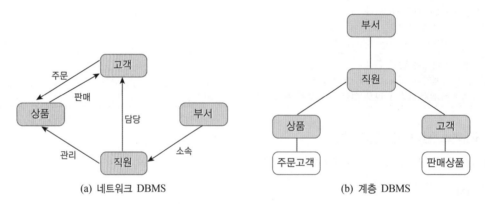

(a) 네트워크 DBMS   (b) 계층 DBMS

▲ 1세대 데이터베이스 관리 시스템 구조의 예

2. 2세대 - 관계 데이터베이스 관리 시스템

관계 데이터베이스 관리 시스템은 데이터베이스를 테이블(table) 형태로 구성하고, 일례로 오라클(Oracle), MS SQL 서버, 액세스(Access), 인포믹스(Informix), MySQL 등을 들 수 있다. 다음 그림은 관계 데이터베이스 관리 시스템의 테이블 예(고객 테이블)를 나타낸다.

아이디	비밀번호	이름	연락처	주소	적립금
apple	1234	김정원	02-111-1111	서울시 마포구	1000
banana	9876	김선우	02-222-2222	경기도 부천시	500

3. 3세대 - 객체지향 데이터베이스 관리 시스템, 객체관계 데이터베이스 관리 시스템

객체지향 데이터베이스 관리 시스템은 객체(object)를 이용해 데이터베이스를 구성하고, 일례로 오투(O2), 온투스(ONTOS), 젬스톤(GemStone) 등을 들 수 있다. 객체관계 데이터베이스 관리 시스템은 객체 데이터베이스 관리 시스템과 관계 데이터베이스 관리 시스템을 결합한 것이다.

4. NoSQL

NoSQL은 Big Data 등에서 사용하는 비관계형 데이터베이스이다. 다음 그림은 SQL과 NoSQL을 차이를 나타낸다. SQL은 테이블 간에 서로 관계를 가지는 구조이고, NoSQL은 테이블 개념이 아닌 문서 개념으로 서로 관계를 가지지 않는 개념이다.

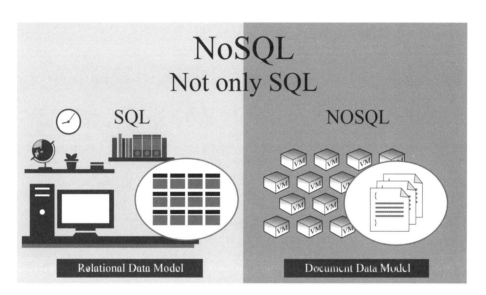

▲ SQL와 NoSQL의 비교

 **주요개념 셀프체크**

- ☑ 파일 시스템 vs. DBMS
- ☑ DDL, DML, DCL
- ☑ 특징: 중복 제어, 무결성 제약 조건

데이터베이스 관리 시스템(database management system)을 구축함으로써 생기는 이점만을 모두 고른 것은?

2016년 국가직

> ㄱ. 응용 소프트웨어가 데이터베이스에 관한 세부 사항에 자세히 관련할 필요가 없어져서 응용 소프트웨어 설계가 단순화 될 수 있다.
> ㄴ. 데이터베이스에 대한 접근 제어가 용이해진다.
> ㄷ. 데이터 독립성을 제거할 수 있다.
> ㄹ. 응용 소프트웨어가 데이터베이스를 직접 조작하게 된다.

① ㄱ, ㄴ   ② ㄱ, ㄷ

③ ㄴ, ㄹ   ④ ㄷ, ㄹ

해설

ㄱ. 단순화: 응용 소프트웨어와 데이터베이스 사이에 데이터베이스 관리 시스템이 있기 때문에 응용 소프트웨어가 데이터베이스에 관한 세부 사항을 알 필요가 없다.

ㄴ. 접근 제어: 응용 소프트웨어가 데이터베이스 관리 시스템을 통해 데이터베이스에 접근하기 때문에 접근 제어가 용이하다.

선지분석

ㄷ. 독립성: 데이터베이스 관리 시스템이 있기 때문에 응용 소프트웨어에 데이터가 종속적이지 않다. 즉, 데이터 독립성이 확보된다.

ㄹ. 직접 조작: 데이터베이스 관리 시스템으로 인해 응용 소프트웨어가 데이터베이스를 직접 조작할 수 없다.

TIP 데이터베이스 관리 시스템에서의 데이터 관리를 그림으로 표현하면 다음과 같다.

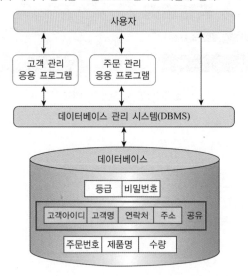

정답 ①

CHAPTER 03 | 시스템

1 데이터베이스 시스템(DBS; DataBase System)

DBS는 데이터베이스에 데이터를 저장하고, 이를 관리하여 조직에 필요한 정보를 생성해주는 시스템이다. 즉, DBS는 SQL(나중에 자세하게 배움), DBMS, DB의 결합이다. 다음 그림은 DBS의 구성을 나타낸다.

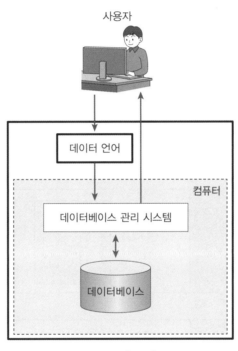

▲ DBS의 구성

2 데이터베이스의 구조

1. 스키마와 인스턴스

스키마(schema)는 데이터베이스에 저장되는 데이터 구조와 제약조건을 정의한 것이고(도메인), 인스턴스(instance)는 스키마에 따라 데이터베이스에 실제로 저장된 값이다. 아래 그림은 스키마의 예를 나타낸다.

고객

고객번호 INT	이름 CHAR(10)	나이 INT	주소 CHAR(20)

▲ 스키마의 예

2. 3단계 데이터베이스 구조

3단계 데이터베이스 구조는 미국 표준화 기관인 ANSI/SPARC에서 제안하였다. 데이터베이스를 쉽게 이해하고 이용할 수 있도록 하나의 데이터베이스를 관점에 따라 세 단계로 나눈 것이다. 다음과 같이 나뉜다.

(1) 외부 단계(external level)

개별 사용자 관점이다.

(2) 개념 단계(conceptual level)

조직 전체의 관점이다.

(3) 내부 단계(internal level)

물리적인 저장 장치의 관점이다.

각 단계별로 다른 추상화(abstraction)를 제공하고, 내부 단계에서 외부 단계로 갈수록 추상화 레벨이 높아진다. 다음 그림은 3단계 데이터베이스 구조의 개념을 나타낸다.

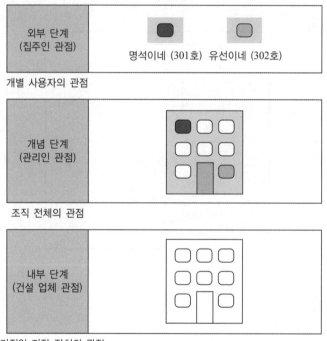

▲ 3단계 데이터베이스 구조의 개념

3단계 데이터베이스 구조 중 외부 단계는 데이터베이스를 개별 사용자 관점에서 이해하고 표현하는 단계이다. 데이터베이스 하나에 외부 스키마가 여러 개 존재할 수 있다. 외부 스키마(external schema)는 외부 단계에서 사용자에게 필요한 데이터베이스를 정의한 것이다. 각 사용자가 생각하는 데이터베이스의 모습, 즉 논리적 구조로 사용자마다 다르고, 서브 스키마(sub schema)라고도 한다.

3단계 데이터베이스 구조 중 개념 단계는 데이터베이스를 조직 전체의 관점에서 이해하고 표현하는 단계이다. 데이터베이스 하나에 개념 스키마가 하나만 존재한다. 개념 스키마(conceptual schema)는 개념 단계에서 데이터베이스 전체의 논리적 구조를 정의한 것이고, 조직 전체의 관점에서 생각하는 데이터베이스의 모습이다. 전체 데이터베이스에 어떤 데이터가 저장되는지, 데이터들 간에는 어떤 관계가 존재하고 어떤 제약조건이 존재하는지에 대한 정의뿐만 아니라, 데이터에 대한 보안 정책이나 접근 권한에 대한 정의도 포함한다.

3단계 데이터베이스 구조 중 내부 단계는 데이터베이스를 저장 장치의 관점에서 이해하고 표현하는 단계이다. 데이터베이스 하나에 내부 스키마가 하나만 존재한다. 내부 스키마(internal schema)는 전체 데이터베이스가 저장 장치에 실제로 저장되는 방법을 정의한 것이고, 레코드 구조, 필드 크기, 레코드 접근 경로 등 물리적 저장 구조를 정의한다.

다음의 그림은 3단계 데이터베이스 구조의 예를 나타낸다.

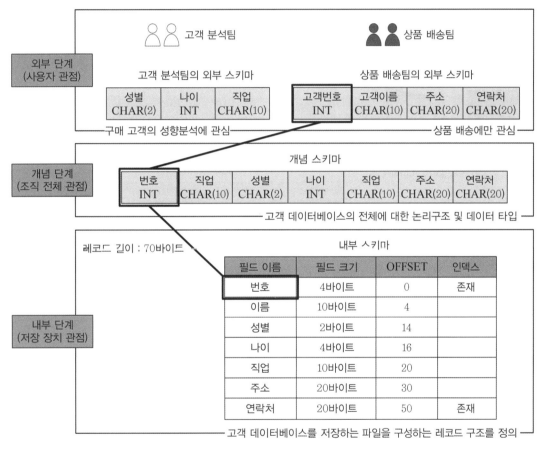

▲ 3단계 데이터베이스 구조의 예

3. 3단계 데이터베이스 구조의 사상 또는 매핑(mapping)

스키마 사이의 대응 관계는 외부/개념 사상과 개념/내부 사상이 존재한다. 외부/개념 사상은 외부 스키마와 개념 스키마의 대응 관계를 나타내고, 응용 인터페이스(application interface)라고도 한다. 개념/내부 사상은 개념 스키마와 내부 스키마의 대응 관계를 나타내고, 저장 인터페이스(storage interface)라고도 한다.

미리 정의된 사상 정보를 이용하여 사용자가 원하는 데이터에 접근한다. 데이터베이스를 3단계 구조로 나누고 단계별로 스키마를 유지하며 스키마 사이의 대응 관계를 정의하는 궁극적인 목적은 데이터 독립성의 실현하기 위한 것이다.

데이터 독립성(data independency)은 하위 스키마를 변경하더라도 상위 스키마가 영향을 받지 않는 특성이다. 논리적 데이터 독립성은 개념 스키마가 변경되어도 외부 스키마는 영향을 받지 않고, 개념 스키마가 변경되면 관련된 외부/개념 사상만 정확하게 수정해주면 된다.

다음 그림은 논리적 데이터 독립성을 나타낸다. "개념 스키마"에서 "연락처" 데이터 이름이 "전화번호"로 변경된 경우 상품배송 팀의 외부 스키마에 있는 연락처가 이후부터는 개념 스키마의 전화번호와 대응관계에 있다고 외부/개념 사상만 수정해주면 된다. 상품배송 팀의 외부 스키마에 있는 연락처 데이터 이름을 변경할 필요가 없다.

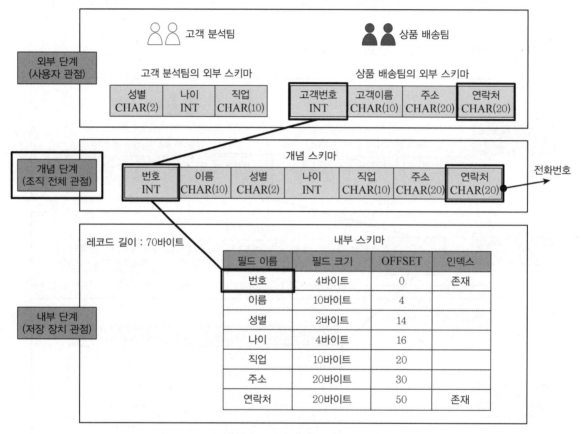

▲ 논리적 데이터 독립성의 예

물리적 데이터 독립성은 내부 스키마가 변경되어도 개념 스키마는 영향을 받지 않고, 내부 스키마가 변경되면 관련된 개념/내부 사상만 정확하게 수정해주면 된다.

다음의 그림은 물리적 데이터 독립성의 예를 나타낸다. 내부 스키마에서 "주소" 필드와 "연락처" 필드가 바뀌어 저장 되는 경우 두 필드와 관련된 내부/개념 사상 정보만 수정 해주면 된다. 그러면 개념 스키마에는 변경할 내용이 없고, 외부 스키마도 변경할 필요가 없다. 내부 스키마에 새로운 인덱스가 추가 되거나 기존 인덱스가 삭제되는 경우에도 개념 스키마는 영향을 받지 않는다.

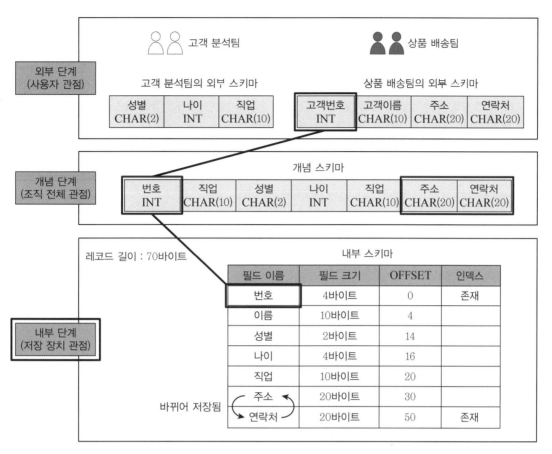

▲ 물리적 데이터 독립성의 예

다음 그림은 3단계 데이터베이스 구조에서 스키마 간의 사상을 나타낸다.

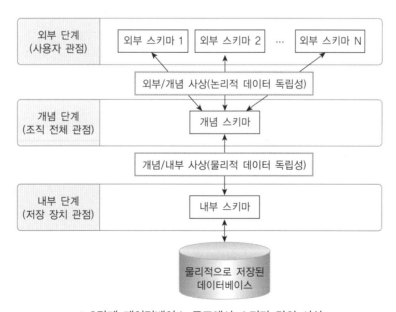

▲ 3단계 데이터베이스 구조에서 스키마 간의 사상

4. 데이터 사전(data dictionary)

데이터 사전은 시스템 카탈로그(system catalog)라고도 한다. 데이터베이스에 저장되는 데이터에 관한 정보, 즉 메타 데이터를 유지하는 시스템 데이터베이스이다. 여기서, 메타 데이터(meta data)는 데이터에 대한 데이터를 나타내고, 구조화된 정보를 분석, 분류하고 부가적 정보를 추가하기 위해 그 데이터 뒤에 함께 따라가는 정보를 의미한다. 데이터 사전은 스키마, 사상 정보, 다양한 제약조건 등을 저장하고, 데이터베이스 관리 시스템이 스스로 생성하고 유지한다. 그리고 일반 사용자도 접근이 가능하지만 저장된 내용을 검색만 할 수 있다.

데이터 디렉토리(data directory)는 데이터 사전에 있는 데이터에 실제로 접근하는 데 필요한 위치 정보를 저장하는 시스템 데이터베이스이고, 일반 사용자의 접근은 허용되지 않는다. 사용자 데이터베이스(user database)는 사용자가 실제로 이용하는 데이터가 저장되어 있는 일반 데이터베이스이다.

3 데이터베이스 사용자

1. 데이터베이스 사용자

데이터베이스 사용자는 데이터베이스를 이용하기 위해 접근하는 모든 사람을 의미한다. 이용 목적에 따라 데이터베이스 관리자, 최종 사용자, 응용 프로그래머로 구분한다. 다음 그림은 데이터베이스 사용자를 나타낸다.

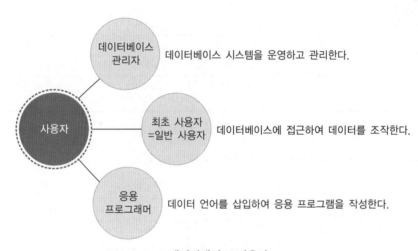

▲ 데이터베이스 사용자

2. 데이터베이스 관리자(DBA; DataBase Administrator)

DBA는 데이터베이스 시스템을 운영하고 관리하는 사람이다. 주로 데이터 정의어(DDL)와 데이터 제어어(DCL)를 사용한다. 여기서, DDL과 DCL은 나중에 자세하게 배운다.

DBA의 주요 업무는 다음과 같다.

(1) 데이터베이스 구성 요소 선정

사용자의 요구사항을 분석하여 DB를 구성할 데이터를 결정한다.

(2) 데이터베이스 스키마 정의

DB 스키마를 설계하고, 데이터 정의어를 이용해 설계한 스키마를 DB 관리 시스템에 적용한다.

(3) 물리적 저장 구조와 접근 방법 결정

레코드 구조 설계, 저장순서, 빠른 접근을 위한 인덱스를 만들 기준 등도 결정한다.

(4) 무결성 유지를 위한 제약조건 정의

결함이 없는 데이터만 저장할 수 있도록 필요한 규칙을 정의하고, 규칙에 따라 데이터 정확성과 유효성을 유지한다.

(5) 보안 및 접근 권한 정책 결정

허가되지 않는 사용자 불법접근 방지, 허가된 사용자에게 적절한 권한부여, 그리고 보안관련 정책을 결정한다.

(6) 백업 및 회복 기법 정의

시스템 장애에 대비하여 DB를 백업하고, 손상된 데이터베이스를 일관된 상태로 복구하는 방법을 결정한다.

(7) 시스템 데이터베이스 관리

데이터 사전 같은 시스템 데이터베이스를 관리한다.

(8) 시스템 성능 감시 및 성능 분석

시스템 병목현상 등이 발생하지 않는지 확인하고, 시스템 자원의 활용도 분석 등을 통해 시스템 성능을 감시한다.

(9) 데이터베이스 재구성

사용자의 요구 사항이 발생하면 요구 사항에 맞게 데이터베이스 재구성하고 시스템 성능 향상을 위해 시스템 교체 시 DB를 재구성한다.

3. 최종 사용자(end user)

최종 사용자는 데이터베이스에 접근하여 데이터를 조작(삽입 · 삭제 · 수정 · 검색)하는 사람이다. 주로 데이터 조작어(DML)를 사용한다. 여기서, DML에 대해서는 나중에 자세하게 다룬다.

최종 사용자는 캐주얼 사용자와 초보 사용자로 구분한다. 캐주얼 사용자는 DB에 대한 지식이 있으며, 주로 데이터 조작어를 이용해 원하는 DB에 대한 처리 및 DB 관리 시스템에 직접 접근하여 사용한다. 초보 사용자는 DB를 초보 수준으로 이용할 수 있어 데이터 조작어보다는 메뉴나 GUI 형태의 응용 프로그램을 통해 DB를 사용한다.

4. 응용 프로그래머(application programmer)

응용 프로그래머는 데이터 언어를 삽입하여 응용 프로그램을 작성하는 사람이다. 주로 데이터 조작어(DML)를 사용한다.

4 데이터 언어

1. 데이터 언어(Data Language)

데이터 언어는 사용자와 데이터베이스 관리 시스템(DBMS) 간의 통신 수단을 제공한다. 사용 목적에 따라 데이터 정의어, 데이터 조작어, 데이터 제어어로 구분한다. 다음 그림은 데이터 언어의 종류와 용도를 나타낸다.

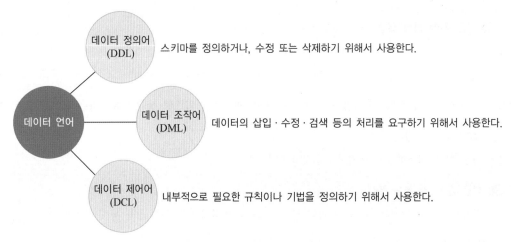

▲ 데이터 언어의 종류와 용도

2. 데이터 정의어(DDL; Data Definition Language)

DDL은 스키마를 정의하거나, 수정 또는 삭제하기 위해 사용한다. 종류에 대해서는 나중에 자세하게 배운다.

3. 데이터 조작어(DML; Data Manipulation Language)

DML은 데이터의 삽입 · 삭제 · 수정 · 검색 등의 처리를 요구하기 위해 사용한다. 절차적 데이터 조작어와 비절차적 데이터 조작어로 구분한다. 절차적 데이터 조작어(procedural DML)는 사용자가 어떤(what) 데이터를 원하고, 그 데이터를 얻기 위해 어떻게(how) 처리해야 하는지도 설명하는 것이고, 비절차적 데이터 조작어(nonprocedural DML)는 사용자가 어떤(what) 데이터를 원하는지만 설명하는 것이다. 이는 선언적 언어(declarative language)라고도 한다.

다음 그림은 절차적 데이터 조작어와 비절차적 데이터 조작어의 예를 보여준다.

사오는 방법까지 구체적으로 알려주는 두부 심부름 상황: 절차적 조작어

단순히 두부를 사오라고만 지시하는 두부 심부름 상황: 비절차적 조작어

▲ 절차적 데이터 조작어와 비절차적 데이터 조작어의 예

4. 데이터 제어어(DCL; Data Control Language)

DCL은 내부적으로 필요한 규칙이나 기법을 정의하기 위해 사용한다. DCL의 사용 목적은 다음과 같다.

(1) 무결성

정확하고 유효한 데이터만 유지한다.

(2) 보안

허가받지 않은 사용자의 데이터 접근을 차단하고, 허가된 사용자에게 권한을 부여한다.

(3) 회복

장애가 발생해도 데이터 일관성을 유지한다(복구).

(4) 동시성 제어

동시 공유를 지원한다.

5 데이터베이스 관리 시스템의 구성

1. 데이터베이스 관리 시스템(DBMS)

데이터베이스 관리 시스템은 데이터베이스 관리와 사용자의 데이터 처리 요구를 수행한다. 데이터베이스 관리 시스템의 주요 구성 요소는 질의 처리기와 저장 데이터 관리자가 있다. 질의 처리기(query processor)는 사용자의 데이터 처리 요구를 해석하여 처리하고, DDL 컴파일러, DML 프리 컴파일러, DML 컴파일러, 런타임 데이터베이스 처리기, 트랜잭션 관리자 등을 포함한다. 저장 데이터 관리자(stored data manager)는 디스크에 저장된 사용자 데이터베이스와 데이터 사전을 관리하고, 실제로 접근하는 역할을 담당한다. 다음 그림은 데이터베이스 관리 시스템의 구성을 나타낸다.

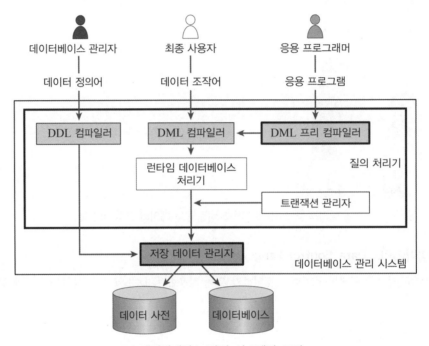

▲ 데이터베이스 관리 시스템의 구성

2. 질의 처리기(Query Processor)

DDL 컴파일러는 데이터 정의어로 작성된 스키마의 정의를 해석하고, 새로운 데이터베이스를 구축한다. 그리고 스키마의 정의를 데이터 사전에 저장하고, 데이터 정의로 작성된 기존 스키마의 삭제나 수정 요청 처리, 변경된 내용을 데이터 사전에 적용한다.

DML 프리 컴파일러는 응용 프로그램에 삽입된 데이터 조작어(API)를 추출하여 DML 컴파일러에 전달한다. DML 컴파일러는 데이터 조작어로 작성된 데이터 처리(삽입, 삭제, 수정, 검색) 요구를 분석하여 런타임 데이터베이스 처리기가 이해할 수 있도록 해석한다.

런타임 데이터베이스 처리기는 저장 데이터 관리자를 통해 데이터베이스에 접근하여, DML 컴파일러로부터 데이터 처리 요구를 데이터베이스에서 실제로 실행한다. 트랜잭션 관리자 등은 사용자의 접근 권한이 유효한지 검사하고, 데이터 무결성을 유지하기 위한 제약조건 위반 여부를 확인한다. 그리고 회복이나 병행 수행과 관련된 작업도 담당한다.

주요개념 셀프체크

☑ 외부/개념/내부 단계
☑ 논리적 데이터 vs. 물리적 데이터 독립성
☑ DDL, DML, DCL

 핵심 기출

다음 데이터베이스에 관한 설명 중 옳은 것은?   2015년 서울시

① 개념스키마는 개체 간의 관계와 제약 조건을 정의한다.
② 데이터베이스는 응용프로그램의 네트워크 종속성을 해결한다.
③ 데이터의 논리적 구조가 변경되어도 응용프로그램은 변경되지 않는 속성을 물리적 데이터 독립성이라고 한다.
④ 외부스키마는 물리적 저장장치와 밀접한 계층이다.

해설

개념스키마는 전체 데이터베이스에 어떤 데이터가 저장되는지, 데이터들 간에는 어떤 관계가 존재하고 어떤 제약조건이 존재하는지에 대한 정의뿐만 아니라, 데이터에 대한 보안 정책이나 접근 권한에 대한 정의도 포함된다.

선지분석

② 종속성: 응용프로그램의 데이터 종속성을 해결한다.
③ 물리적 데이터 독립성: 해당 설명은 논리적 데이터 독립성이고, 물리적 데이터 독립성은 내부 스키마(물리적 구조)가 변경되어도 개념 스키마(논리적 구조)는 영향을 받지 않는다.
④ 외부스키마: 해당 설명은 내부스키마이고, 외부스키마는 각 사용자가 생각하는 데이터베이스의 모습, 즉 논리적 구조로 사용자마다 다르다.

정답 ①

CHAPTER 04 | 데이터 모델

1 데이터 모델링과 데이터 모델의 개념

1. 현실 세계와 컴퓨터 세계

다음 그림은 데이터 모델을 설명하기 위한 현실 세계와 컴퓨터 세계를 나타낸다. 현실 세계에서 필요한 데이터만 선별하여 컴퓨터에 저장됨을 유의한다.

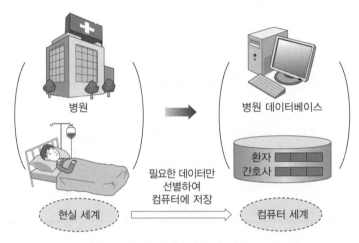

▲ 현실 세계와 컴퓨터 세계

2. 데이터 모델링(data modeling)

데이터 모델링은 현실 세계에 존재하는 데이터를 컴퓨터 세계의 데이터베이스로 옮기는 변환 과정이다. 또한 데이터베이스 설계의 핵심 과정이다. 다음 그림은 코끼리의 데이터 모델링의 예를 나타낸다.

■ 개념 세계: 코끼리를 연상시킬 수 있는 주요 데이터를 찾는 단계
■ 논리세계: 컴퓨터 세계에 저장하는 구조를 결정해서 표현하는 단계

▲ 코끼리의 데이터 모델링 예

3. 2단계 데이터 모델링

데이터 모델링은 2단계가 존재한다. 개념적 데이터 모델링(conceptual modeling)은 현실 세계의 중요 데이터를 추출(추상화)하여 개념 세계로 옮기는 작업이고, 논리적 데이터 모델링(logical modeling)는 개념 세계의 데이터를 데이터베이스에 저장하는 구조로 표현하는 작업이다. 다음 그림은 코끼리의 2단계 데이터 모델링 예를 나타낸다.

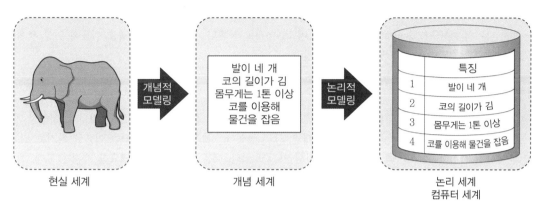

▲ 코끼리의 2단계 데이터 모델링 예

4. 데이터 모델(data model)

데이터 모델은 데이터 모델링의 결과물을 표현하는 도구이다. 개념적 데이터 모델은 사람의 머리로 이해할 수 있도록 현실 세계를 개념적으로 모델링하여 데이터베이스의 개념적 구조로 표현하는 도구이고, 예로 개체-관계 모델(Entity-Relationship model)이 존재한다. 논리적 데이터 모델은 개념적 구조를 논리적으로 모델링하여 데이터베이스의 논리적 구조로 표현하는 도구이고, 예로 관계 데이터 모델(Relational Data Model)이 존재한다.

5. 데이터 모델의 구성

다음 그림은 데이터 모델의 구성을 나타낸다. 데이터 모델은 연산, 데이터 구조, 제약조건으로 구성된다.

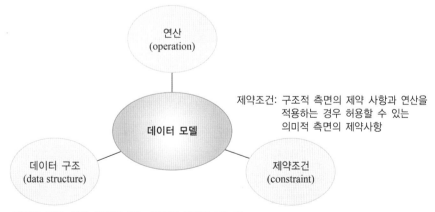

▲ 데이터 모델의 구성

2 개체 - 관계 모델 - 개념적 데이터 모델

1. 개체 - 관계 모델(E - R model; Entity - Relationship model)

개체 - 관계 모델은 피터 첸(Peter Chen)이 제안한 개념적 데이터 모델이다. 개체와 개체 간의 관계를 이용해 현실 세계를 개념적 구조로 표현한다. 핵심 요소는 개체, 속성, 관계 등이 존재한다.

개체 - 관계 다이어그램(E-R diagram)는 E-R 다이어그램이라고 부른다. 개체 - 관계 모델을 이용해 현실 세계를 개념적으로 모델링한 결과물을 그림으로 표현한 것이다.

2. 개체(entity)

개체란 현실 세계에서 조직을 운영하는 데 꼭 필요한 사람이나 사물과 같이 구별되는 모든 것이다. 저장할 가치가 있는 중요 데이터를 가지고 있는 사람이나 사물, 개념, 사건 등이다. 다른 개체와 구별되는 이름을 가지고 있고, 각 개체민의 고유한 특성이나 상태, 즉 속성을 하니 이상 가지고 있다. 예를 들어, 서점에 필요한 개체는 고객, 책 등이고, 학교에 필요한 개체는 학과, 과목 등이다. 그리고 개체는 파일 구조의 레코드(record)와 대응된다.

개체는 다음 그림과 같이 E-R 다이어그램에서 사각형으로 표현하고 사각형 안에 이름을 표기한다.

고객

▲ 개체의 E-R 다이어그램 표현(예 고객 개체)

개체 타입(entity type)은 개체를 고유의 이름과 속성들로 정의한 것이고, 파일 구조의 레코드 타입(record type)에 대응된다.

개체 인스턴스(entity instance)는 개체를 구성하고 있는 속성이 실제 값을 가짐으로써 실체화된 개체이다. 개체 어커런스(entity occurrence)라고도 하고, 파일 구조의 레코드 인스턴스(record instance)에 대응된다.

개체 집합(entity set)은 특정 개체 타입에 대한 개체 인스턴스들을 모아놓은 것이다. 다음 그림은 개체 타입과 개체 인스턴스의 예를 나타낸다.

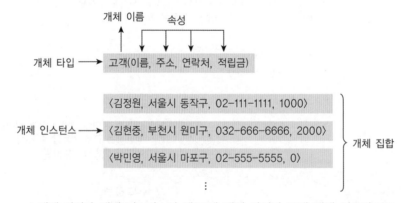

▲ 개체 타입과 개체 인스턴스의 예(고객 개체 타입과 고객 개체 인스턴스)

3. 속성(attribute)

속성은 개체나 관계가 가지고 있는 고유의 특성이다. 의미 있는 데이터의 가장 작은 논리적 단위로서 원자성(더 이상 쪼갤 수 없음)을 가진다. 파일 구조의 필드(field)와 대응되고, 다음 그림과 같이 E-R 다이어그램에서 타원으로 표현하고 다원 안에 이름을 표기한다.

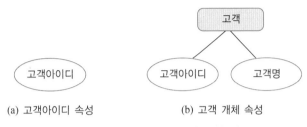

(a) 고객아이디 속성   (b) 고객 개체 속성

▲ 속성의 E-R 다이어그램 표현 예

다음 그림은 속성의 분류를 나타낸다.

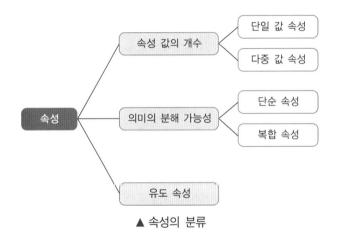

▲ 속성의 분류

위의 그림 중에 단일 값 속성(single-valued attribute)은 값을 하나만 가질 수 있는 속성이다. 예를 들어, 고객 개체의 이름, 적립금 속성 등과 같은 속성이 이에 해당한다. 다중값 속성(multi-valued attribute)은 값을 여러 개 가질 수 있는 속성이다. 예를 들어, 고객 개체의 연락처 속성, 책 개체의 저자 속성 등과 같은 속성이 이에 해당한다. 다중값 속성은 다음 그림과 같이 E-R 다이어그램에서 이중 타원으로 표현한다.

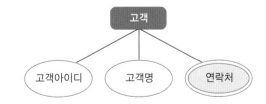

▲ 다중값 속성의 E-R 다이어그램 표현(예 연락처 속성)

단순 속성(simple attribute)은 의미를 더는 분해할 수 없는 속성이다. 예를 들어, 고객 개체의 적립금 속성, 책 개체의 이름, ISBN, 가격 속성 같은 속성 등이 이에 해당한다. 복합 속성(composite attribute)은 의미를 분해할 수 있는 속성이다. 예를 들어, 고객 개체의 주소 속성은 도, 시, 동, 우편번호 등으로 의미를 세분화할 수 있고, 고객 개체의 생년월일 속성은 연, 월, 일로 의미를 세분화할 수 있다. 다음 그림은 복합 속성의 E-R 다이어그램 표현 예를 나타낸다.

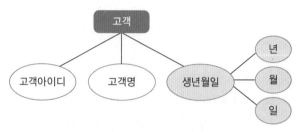

▲ 복합 속성의 E-R 다이어그램 표현(예 생년월일 속성)

유도 속성(derived attribute)은 기존의 다른 속성의 값에서 유도되어 결정되는 속성이고, 값이 별도로 저장되지 않는다. 예를 들어, 책 개체의 가격과 할인율 속성으로 계산되는 판매가격 속성, 고객 개체의 출생연도 속성으로 계산되는 나이 속성 등과 같은 속성이 이에 해당한다. 유도 속성은 다음 그림과 같이 E-R 다이어그램에서 점선 타원으로 표현한다.

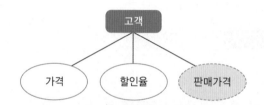

▲ 유도 속성의 E-R 다이어그램 표현(예 판매가격 속성)

널 속성(null attribute)은 널 값이 허용되는 속성을 의미한다. 여기서, 널(null) 값이란 아직 결정되지 않거나 모르는 값 또는 존재하지 않는 값을 나타낸다. 공백이나 0과는 의미가 다름에 유의한다. 예를 들어, 등급 속성이 널 값이라는 것은 등급이 아직 결정되지 않았음을 의미한다.

키 속성(key attribute)은 각 개체 인스턴스를 식별하는 데 사용되는 속성이고, 모든 개체 인스턴스의 키 속성 값이 다르다. 둘 이상의 속성들로 구성되기도 한다. 예를 들어, 고객 개체의 고객아이디 속성이 키 속성에 해당한다. 키 속성은 다음 그림과 같이 E-R 다이어그램에서 밑줄로 표현한다.

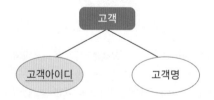

▲ 키 속성의 E-R 다이어그램 표현(예 고객아이디 속성)

4. 관계(relationship)

관계는 개체와 개체가 맺고 있는 의미 있는 연관성이고, 개체 집합들 사이의 대응 관계, 즉 매핑(mapping)을 의미한다(속성을 가짐). 예를 들어, 고객 개체와 책 개체 간의 구매 관계는 "고객은 책을 구매한다"는 관계를 표현한다. 관계는 다음 그림과 같이 E-R 다이어그램에서 마름모로 표현한다.

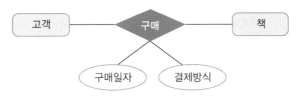

▲ 관계의 E-R 다이어그램 표현(예 구매 관계)

관계의 유형은 관계에 참여하는 개체 타입의 수를 기준으로 다음과 같이 나눌 수 있다.

- N항 관계: 개체 타입 N 개가 맺는 관계
- 이항 관계: 개체 타입 두 개가 맺는 관계
- 삼항 관계: 개체 타입 세 개가 맺는 관계
- 순환 관계: 개체 타입 하나가 자기 자신과 맺는 관계

관계의 유형은 매핑 카디널리티 기준으로 다음과 같이 나눌 수 있다.

- 일대일(1:1) 관계
- 일대다(1:n) 관계
- 다대다(n:m) 관계

여기서, 매핑 카디널리티(mapping cardinality)는 관계를 맺는 두 개체 집합에서, 가 개체 인스턴스가 연관성을 맺고 있는 상대 개체 집합의 인스턴스 개수를 의미한다.

일대일(1:1) 관계는 개체 A의 각 개체 인스턴스가 개체 B의 개체 인스턴스 하나와 관계를 맺을 수 있고, 개체 B의 각 개체 인스턴스도 개체 A의 개체 인스턴스 하나와 관계를 맺을 수 있다. 다음 그림은 일대일 관계의 예를 나타낸다.

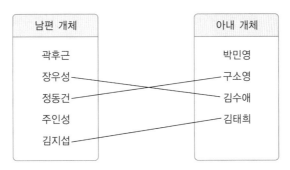

▲ 일대일 관계의 예(남편과 아내 개체의 혼인 관계)

일대다(1:n) 관계는 개체 A의 각 개체 인스턴스가 개체 B의 개체 인스턴스 여러 개와 관계를 맺을 수 있지만, 개체 B의 각 개체 인스턴스는 개체 A의 개체 인스턴스 하나와 관계를 맺을 수 있다. 다음 그림은 일대다 관계의 예를 나타낸다.

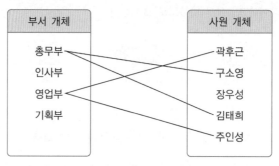

▲ 일대다 관계의 예(부서와 사원 개체의 소속 관계)

다대다(n:m) 관계는 개체 A의 각 개체 인스턴스가 개체 B의 개체 인스턴스 여러 개와 관계를 맺을 수 있고, 개체 B의 각 개체 인스턴스도 개체 A의 개체 인스턴스 여러 개와 관계를 맺을 수 있다. 다음 그림은 다대다 관계의 예를 나타낸다.

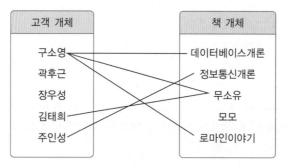

▲ 다대다 관계의 예(고객과 책 개체의 구매 관계)

관계의 참여 특성에는 필수적 참여와 선택적 참여가 있다. 필수적 참여(전체 참여)는 모든 개체 인스턴스가 관계에 반드시 참여해야 하는 것을 의미한다. 예를 들어, 고객 개체가 책 개체와의 구매 관계에 필수적으로 참여한다(모든 고객은 책을 반드시 구매해야 함). 필수적 참여는 다음 그림과 같이 E-R 다이어그램에서 이중선으로 표현한다.

▲ 필수적 참여 관계의 E-R 다이어그램 표현(예 고객 개체의 필수적 참여 관계)

선택적 참여(부분 참여)는 개체 인스턴스 중 일부만 관계에 참여해도 되는 것을 의미한다. 예를 들어, 책 개체가 고객 개체와의 구매 관계에 선택적으로 참여한다(고객이 구매하지 않은 책이 존재할 수 있음).

관계의 종속성은 약한 개체와 오너 개체를 나타낸다. 약한 개체(weak entity)는 다른 개체의 존재 여부에 의존적인 개체를 의미하고, 오너 개체(owner entity)는 다른 개체의 존새 여부를 결정하는 개체이다. 오너 개체와 약한 개체는 일반적으로 일대다의 관계를 가지고, 약한 개체는 오너 개체와의 관계에 필수적으로 참여하는 특징이 있다. 약한 개체는 오너 개체의 키를 포함하여 키를 구성하는 특징이 있다(종속성에 기인함, 이는 나중에 자세히 정리). E-R 다이어그램에서 약한 개체는 이중 사각형으로 표현하고 약한 개체가 오너 개체와 맺는 관계는 이중 마름모로 표현한다. 예를 들어, 다음 그림과 같이 직원 개체와 부양가족 개체 사이의 부양 관계를 생각해볼 수 있다. 이때, 직원 개체는 오너 개체, 부양가족 개체는 약한 개체이다(필수적 참여).

▲ 관계 종속성의 E-R 다이어그램 표현(예 약한 개체인 부양가족 개체)

5. 개체 - 관계 다이어그램

개체 - 관계 다이어그램을 정리하면 다음과 같다.

- 사각형: 개체를 표현한다.
- 마름모: 관계를 표현한다.
- 타원: 속성을 표현한다.
- 링크(연결선): 각 요소를 연결한다.
- 레이블: 일대일, 일대다, 다대다 관계를 표기한다.

다음 그림은 개체 - 관계 다이어그램의 예를 나타낸다.

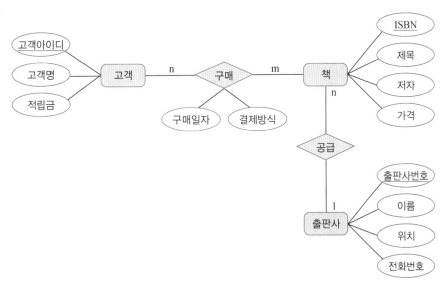

▲ 개체 - 관계 다이어그램(예 고객, 책, 출판사 개체로 구성)

3 논리적 데이터 모델

1. 논리적 데이터 모델의 개념과 특성

논리적 데이터 모델은 E-R 다이어그램으로 표현된 개념적 구조를 데이터베이스에 저장할 형태로 표현한 논리적 구조이다. 데이터베이스의 논리적 구조는 데이터베이스 스키마(schema)를 의미한다. 이는 사용자가 생각하는 데이터베이스의 모습 또는 구조이다. 종류에는 관계 데이터 모델, 계층 데이터 모델, 네트워크 데이터 모델 등이 있다.

2. 관계 데이터 모델(relational data model)

관계 데이터 모델은 일반적으로 많이 사용되는 논리적 데이터 모델이다. 데이터베이스의 논리적 구조가 2차원 테이블(table) 형태이다(이후에 자세히 설명).

3. 계층 데이터 모델(hierarchical data model)

계층 데이터 모델은 데이터베이스의 논리적 구조가 트리(tree) 형태이다. 루트 역할을 하는 개체가 존재하고 사이클이 존재하지 않고, 개체 간에 상하 관계가 성립한다. 부모 개체와 자식 개체의 관계를 가지며, 부모와 자식 개체는 일대다(1:n) 관계만 허용된다.

두 개체 사이에 하나의 관계만 정의할 수 있고, 다대다(n:m) 관계를 직접 표현할 수 없다(트리 구조의 특성에 기인함). 개념적 구조를 모델링하기 어려워 구조가 복잡해질 수 있고(트리 구조의 특성에 기인함), 데이터의 삽입·삭제·수정·검색이 쉽지 않다(트리 구조의 특성에 기인함). 아래의 그림은 계층 데이터 모델의 예를 나타낸다.

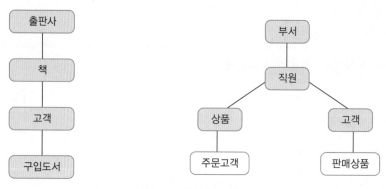

▲ 계층 데이터 모델의 예

4. 네트워크 데이터 모델(network data model)

네트워크 데이터 모델은 데이터베이스의 논리적 구조가 네트워크, 즉 그래프(graph) 형태이다. 개체 간에는 일대다 (1:n) 관계만 허용되고, 오너(owner)와 멤버(member)의 관계를 가진다. 두 개체 사이에 여러 관계를 정의할 수 있어 이름으로 구별하고, 다대다(n:m) 관계를 직접 표현할 수 없다(그래프 구조의 특성에 기인함). 구조가 복잡하고 데이터의 삽입·삭제·수정·검색이 쉽지 않다(그래프 구조의 특성에 기인함). 다음 그림은 네트워크 데이터 모델의 예이다.

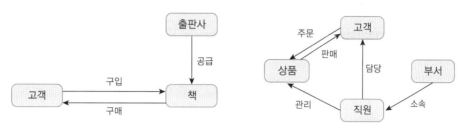

▲ 네트워크 데이터 모델의 예

📖 핵심 기출

다음 그림은 스마트폰 수리와 관련된 E - R 다이어그램의 일부이다. 이에 대한 설명으로 옳지 않은 것은? 2021년 지방직

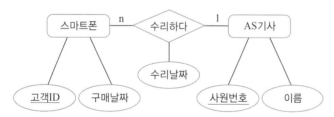

① '수리하다' 관계는 속성을 가지고 있다.
③ '스마트폰'은 다중값 속성을 가지고 있다.

② 'AS기사'와 '스마트폰'은 일대다 관계이다.
④ '사원번호'는 키 속성이다.

해설
다중값 속성은 이중 타원으로 표현되는데 속성 중에 이중 타원이 존재하지 않는다.

선지분석
① 수리날짜라는 속성을 가진다.
② n, 1이 존재하므로 일대다 관계이다.
④ 밑줄이 있으므로 키 속성이다.

정답 ③

관계 데이터 모델

1 개요

1. 관계 데이터 모델의 기본 개념

관계 데이터 모델은 개념적 구조를 논리적 구조로 표현하는 논리적 데이터 모델이다. 하나의 개체에 대한 데이터를 하나의 릴레이션(relation)에 저장한다. 다음 그림은 릴레이션의 예를 나타낸다.

열(속성, 애트리뷰트)

고객아이디	고객이름	나이	등급	직업	적립금
CHAR(20)	CHAR(20)	INT	CHAR(10)	CHAR(10)	INT
apple	김현준	20	gold	학생	1000
banana	김정원	25	vip	간호사	2500
carrot	곽후근	28	gold	교사	4500
orange	정지영	22	silver	학생	0

→ 도메인

행(투플)

▲ 릴레이션의 예(고객 릴레이션)

2. 관계 데이터 모델의 기본 용어

릴레이션(relation)은 하나의 개체에 관한 데이터를 2차원 테이블의 구조로 저장한 것이고, 파일 관리 시스템 관점에서 파일(file)에 대응된다. 속성(attribute)은 릴레이션의 열, 애트리뷰트이고, 파일 관리 시스템 관점에서 필드(field)에 대응된다. 투플(tuple)은 릴레이션의 행이고, 파일 관리 시스템 관점에서 레코드(record)에 대응된다.

도메인(domain)은 하나의 속성이 가질 수 있는 모든 값의 집합(제약 조건)이고, 속성 값을 입력 및 수정할 때 적합성의 판단 기준이 된다. 일반적으로 속성의 특성을 고려한 데이터 타입으로 정의된다. 널(null)은 속성 값을 아직 모르거나 해당되는 값이 없음을 표현하고, 차수(degree)는 하나의 릴레이션에서 속성의 전체 개수이다. 그리고 카디널리티(cardicality)는 하나의 릴레이션에서 투플의 전체 개수이다. 위의 릴레이션(고객 릴레이션)의 경우 차수는 6이고, 카디널리티는 4이다.

3. 릴레이션의 구성

릴레이션 스키마(relation schema)는 릴레이션의 논리적 구조이고, 릴레이션의 이름과 릴레이션에 포함된 모든 속성 이름으로 정의된다. 예를 들어, 고객(고객아이디, 고객이름, 나이, 등급, 직업, 적립금) 등을 들 수 있다. 릴레이션 내포(relation intension)라고도 하고, 정적인 특징이 있다. 릴레이션 인스턴스(relation instance)는 어느 한 시점에 릴레이션에 존재하는 투플들의 집합이고, 릴레이션 외연(relation extension)이라고도 한다. 그리고 동적인 특징이 있다.

다음 그림은 릴레이션 구성의 예를 나타낸다.

고객아이디	고객이름	나이	등급	직업	적립금
apple	김현준	20	gold	학생	1000
banana	김정원	25	vip	간호사	2500
carrot	곽후근	28	gold	교사	4500
orange	정지영	22	silver	학생	0

▲ 릴레이션 구성의 예(고객 릴레이션)

4. 데이터베이스의 구성

데이터베이스 스키마(database schema)는 데이터베이스의 전체 구조이고, 데이터베이스를 구성하는 릴레이션 스키마의 모음이다. 데이터베이스 인스턴스(database instance)는 데이터베이스를 구성하는 릴레이션 인스턴스의 모음이다. 다음 그림은 데이터베이스 구성의 예를 나타낸다.

▲ 데이터베이스 구성의 예(쇼핑몰 데이터베이스)

5. 릴레이션의 특성

릴레이션의 특성을 정리하면 다음과 같다.

(1) 투플의 유일성

하나의 릴레이션에는 동일한 투플이 존재할 수 없다.

(2) 투플의 무순서

하나의 릴레이션에서 투플 사이의 순서는 무의미하다.

(3) 속성의 무순서

하나의 릴레이션에서 속성 사이의 순서는 무의미하다.

(4) 속성의 원자성

속성 값으로 원자 값만 사용할 수 있다.

다음 그림은 다중값 속성을 포함하는 릴레이션의 예를 나타낸다. 릴레이션의 특성 중 원자성이 만족되지 않음을 알 수 있다.

고객아이디	고객이름	나이	등급	직업	적립금
apple	김현준	20	gold	학생	1000
banana	김정원	25	vip	간호사	2500
carrot	곽후근	28	gold	교사	4500
orange	정지영	22	silver	회사원, 학생	0

▲ 다중값 속성을 포함하는 릴레이션의 예(고객 릴레이션)

6. 키(key)

(1) 정의

키는 릴레이션에서 투플들을 유일하게 구별하는 속성 또는 속성들의 집합이다. 다음 그림은 키의 종류를 나타낸다.

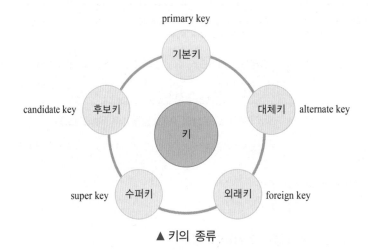

▲ 키의 종류

(2) 특성

키는 유일성과 최소성을 만족해야 한다. 유일성(uniqueness)은 하나의 릴레이션에서 모든 투플은 서로 다른 키 값을 가져야 하는 것을 의미하고, 최소성(minimality)은 꼭 필요한 최소한의 속성들로만 키를 구성해야 함을 의미한다. 즉, 유일성을 만족하기 위해 키가 최소의 속성으로만 구성되어야 한다는 성질이다.

(3) 종류

키의 종류에는 슈퍼키, 후보키, 기본키, 대체키, 외래키가 존재한다. 슈퍼키(super key)는 유일성을 만족하는 속성 또는 속성들의 집합이다. 예를 들어, 고객 릴레이션의 슈퍼키는 고객아이디, (고객아이디, 고객이름), (고객이름, 주소) 등이다. 후보키(candidate key)는 유일성과 최소성을 만족하는 속성 또는 속성들의 집합이다. 예를 들어, 고객 릴레이션의 후보키는 고객아이디, (고객이름, 주소) 등이다.

기본키(primary key)는 후보키 중에서 기본적으로 사용하기 위해 선택한 키이다. 예를 들어, 고객 릴레이션의 기본키는 고객아이디이다. 대체키(alternate key)는 기본키로 선택되지 못한 후보키이다. 예를 들어, 고객 릴레이션의 대체키는 (고객이름, 주소)이다. 다음 그림은 주소 속성이 추가된 릴레이션의 예를 나타낸다. 그림에서 기본키는 고객아이디임을 알 수 있다.

기본키

고객아이디	고객이름	나이	등급	직업	적립금	주소
apple	김현준	20	gold	학생	1000	서울시 구로구 고척동 11-1
banana	김정원	25	vip	간호사	2500	부천시 원미구 상동 2-5
carrot	곽후근	28	gold	교사	4500	서울시 영등포구 대림동 10-2
orange	정지영	22	silver	학생	0	서울시 마포구 상수동 54-1

▲ 주소 속성이 추가된 릴레이션의 예(고객 릴레이션)

다음 그림은 키의 관계를 나타낸다. 최소성이 만족한다는 것은 유일성을 포함하고 있음에 유의한다.

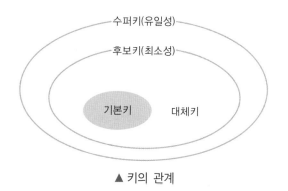

▲ 키의 관계

외래키(foreign key)는 다른 릴레이션의 기본키를 참조하는 속성 또는 속성들의 집합이다. 외래키는 릴레이션들 간의 관계를 표현하는데 참조하는 릴레이션은 외래키를 가진 릴레이션이고, 참조되는 릴레이션은 외래키가 참조하는 기본키를 가진 릴레이션이다. 다음 그림은 고객 릴레이션과 주문 릴레이션의 스키마를 나타낸다. 그림에서 알 수 있듯이, 주문 릴레이션은 주문고객이라는 외래키를 가지고, 주문고객은 고객 릴레이션의 기본키인 고객아이디를 참조한다.

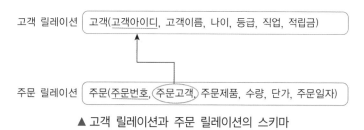

▲ 고객 릴레이션과 주문 릴레이션의 스키마

다음 그림은 외래키의 예를 나타낸다. 외래키 속성과 그것이 참조하는 기본키 속성의 이름은 달라도 되지만 도메인은 같아야 됨에 유의한다.

고객 릴레이션

고객 릴레이션
기본키

고객아이디	고객이름	나이	등급	직업	적립금
apple	김현준	20	gold	학생	1000
banana	김정원	25	vip	간호사	2500
carrot	곽후근	28	gold	교사	4500
orange	정지영	22	silver	학생	0

주문 릴레이션

주문 릴레이션
기본키

주문번호	주문고객	주문제품	수량	단가	주문일자
1001	apple	진짜우동	10	2000	2022-01-01
1002	banana	맛있는파이	5	500	2022-01-01
1003	carrot	그대로만두	11	4500	2022-01-01

주문 릴레이션
외래키

▲ 외래키의 예(고객 릴레이션과 주문 릴레이션)

다음 그림은 학생 상담 데이터베이스 스키마를 나타낸다. 하나의 릴레이션에는 외래키가 여러 개 존재할 수도 있고 외래키를 기본키로 사용할 수도 있음에 유의한다.

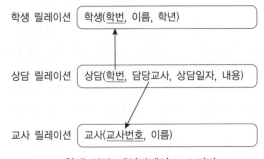

학생 릴레이션   학생(학번, 이름, 학년)

상담 릴레이션   상담(학번, 담당교사, 상담일자, 내용)

교사 릴레이션   교사(교사번호, 이름)

▲ 학생 상담 데이터베이스 스키마

다음 그림은 기본키와 외래키의 관계가 함께 정의된 고객 릴레이션을 나타낸다. 같은 릴레이션의 기본키를 참조하는 외래키도 정의할 수 있고, 외래키 속성은 널 값을 가질 수 있음에 유의한다.

고객 릴레이션
기본키

고객아이디	고객이름	나이	등급	직업	적립금	추천고객
apple	김현준	20	gold	학생	1000	orange
banana	김정원	25	vip	간호사	2500	orange
carrot	곽후근	28	gold	교사	4500	apple
orange	정지영	22	silver	학생	0	NULL

고객 릴레이션
외래키

▲ 기본키와 외래키의 관계가 함께 정의된 고객 릴레이션

(4) 키의 특성과 종류

특성	• 유일성: 한 릴레이션에서 모든 투플은 서로 다른 키 값을 가져야 함 • 최소성: 꼭 필요한 최소한의 속성들로만 키를 구성
종류	• 슈퍼키: 유일성을 만족하는 속성 또는 속성들의 집합 • 후보키: 유일성과 최소성을 만족하는 속성 또는 속성들의 집합 • 기본키: 후보키 중에서 기본적으로 사용하기 위해 선택한 키 • 대체키: 기본키로 선택되지 못한 후보키 • 외래키: 다른 릴레이션의 기본키를 참조하는 속성 또는 속성들의 집합

2 관계 데이터 모델의 제약

1. 무결성 제약조건(integrity constraint)

무결성 제약조건은 데이터의 무결성을 보장하고 일관된 상태로 유지하기 위한 규칙이다. 여기서, 무결성이란 데이터를 결함이 없는 상태, 즉 정확하고 유효하게 유지하는 것을 의미한다. 다음 그림은 관계 데이터 모델의 무결성 제약조건을 나타낸다.

▲ 관계 데이터 모델의 무결성 제약조건

2. 개체 무결성 제약조건(entity integrity constraint)

개체 무결성 제약조건은 기본키를 구성하는 모든 속성은 널 값을 가질 수 없는 규칙(NULL)이다. 다음 그림은 개체 무결성 제약조건을 위반한 릴레이션의 예를 나타낸다. 해당 조건을 만족하지 않으면 중복이 발생하게 된다.

고객아이디	고객이름	나이	등급	직업	적립금
apple	김현준	20	gold	학생	1000
NULL	김정원	25	vip	간호사	2500
carrot	곽후근	28	gold	교사	4500
NULL	정지영	22	silver	학생	0

▲ 개체 무결성 제약조건을 위반한 릴레이션의 예(고객 릴레이션)

3. 참조 무결성 제약조건(referential integrity constraint)

참조 무결성 제약조건은 외래키는 참조할 수 없는 값을 가질 수 없는 규칙(cherry)이다. 다음 그림은 참조 무결성 제약조건을 위반한 릴레이션의 예를 나타낸다. 해당 조건이 만족하지 않으면 두 개의 릴레이션을 합칠 수 없다(조인).

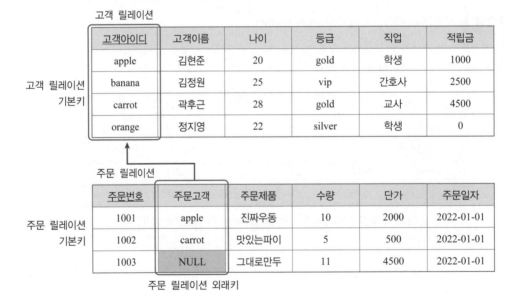

▲ 참조 무결성 제약조건을 위반한 릴레이션의 예(주문 릴레이션)

다음 그림은 외래키가 널 값인 릴레이션의 예를 나타낸다. 외래키 속성이 널 값을 가진다고 해서 참조 무결성 제약조건을 위반한 것이 아님에 유의한다.

고객 릴레이션

고객아이디	고객이름	나이	등급	직업	적립금
apple	김현준	20	gold	학생	1000
banana	김정원	25	vip	간호사	2500
carrot	곽후근	28	gold	교사	4500
orange	정지영	22	silver	학생	0

고객 릴레이션 기본키

주문 릴레이션

주문번호	주문고객	주문제품	수량	단가	주문일자
1001	apple	진짜우동	10	2000	2022-01-01
1002	carrot	맛있는파이	5	500	2022-01-01
1003	NULL	그대로만두	11	4500	2022-01-01

주문 릴레이션 기본키

주문 릴레이션 외래키

▲ 외래키가 널 값인 릴레이션의 예

4. 도메인 무결성 제약조건(domain integrity constraint)

도메인 무결성 제약조건은 다른 릴레이션과 관계없이 속성 자체에만 적용되는 제약조건이다. 모든 속성은 특정한 도메인으로 정의되므로 해당 속성은 도메인에 존재하는 값만 가질 수 있다. 튜플을 삽입하거나 갱신하는 경우 튜플 안의 모든 속성은 각각의 도메인 집합 안에 존재하는 값을 취해야 하는 것이 도메인 무결성 제약 조건이다.

5. 사용자 정의 무결성 제약조건(user define integrity constraint)

사용자가 다른 무결성 범주에 포함되지 않는 특정 업무 규칙을 정의하여 사용하는 것이다. 모든 범주의 무결성 제약 조건은 사용자 정의 무결성 제약 조건을 지원한다.

🔖 주요개념 셀프체크

- ☑ 릴레이션: 속성, 투플, 도메인, 차수, 카디널리티
- ☑ 수퍼키, 후보키, 기본키, 대체키, 외래키
- ☑ 개체, 참조, 도메인, 사용자 정의 무결성 제약조건

📑 핵심 기출

1. 다음 데이터베이스 스키마에 대한 설명으로 옳지 않은 것은? (단, 밑줄이 있는 속성은 그 릴레이션의 기본키를, 화살표는 외래키 관계를 의미한다)

2015년 지방직

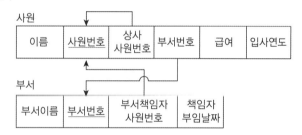

① 외래키는 동일한 릴레이션을 참조할 수 있다.
② 사원 릴레이션의 부서번호는 부서 릴레이션의 부서번호 값 중 하나 혹은 널이어야 한다는 제약조건은 참조 무결성을 의미한다.
③ 신입사원을 사원 릴레이션에 추가할 때 그 사원의 사원번호는 반드시 기존 사원의 사원 번호와 같지 않아야 한다는 제약조건은 제1정규형의 원자성과 관계있다.
④ 부서 릴레이션의 책임자 부임날짜는 반드시 그 부서 책임자의 입사연도 이후이어야 한다는 제약 조건을 위해 트리거(trigger)와 주장(assertion)을 사용할 수 있다.

해설
해당 설명은 개체 무결성 제약조건(릴레이션에서 기본키를 구성하는 속성은 널 값이나 중복값을 가질 수 없다)이고, 제1정규형의 원자성은 릴레이션의 모든 속성이 더는 분해되지 않는 원자 값만 가져야 함을 의미한다.

선지분석
① 외래키: 다른 릴레이션 혹은 동일한 릴레이션을 참조할 수 있다.
② 참조무결성: 외래키는 참조할 수 없는 값을 가질 수 없는 규칙이다. NULL은 가질 수 있지만 참조하지 않은 값을 가질 수는 없다.
④ 트리거와 주장: 트리거는 명시된 조건을 검토하여 그에 맞는 절차를 수행하게 되는 사용자 정의문이고, 주장은 조건이 만족되지 않을 경우 변경 연산문의 수행을 거부하는 것이다.

정답 ③

2. 속성 A, B, C로 정의된 릴레이션의 인스턴스가 아래와 같을 때, 후보키의 조건을 충족하는 것은? 2016년 지방직

A	B	C
1	12	7
20	12	7
1	12	3
1	1	4
1	2	6

① (A)
② (A, C)
③ (B, C)
④ (A, B, C)

해설

후보키는 유일성(하나의 릴레이션에서 모든 투플은 서로 다른 키 값을 가져야 한다)과 최소성(꼭 필요한 최소한의 속성들로만 키를 구성한다)을 만족해야 한다.

- A, B, C - 각각 중복이 존재한다(유일성을 만족하지 않는다).
- (A, B) - 1행과 3행이 같다(유일성을 만족하지 않는다).
- (B, C) - 1행과 2행이 같다(유일성을 만족하지 않는다).
- (A, C) - 유일성과 최소성을 만족한다(후보키이다).
- (A, B, C) - 유일성을 만족하나 최소성을 만족하지 않는다. 왜냐하면 (A, C)가 존재하기 때문이다. 만약, (A, C)가 없다면 (A, B, C)가 후보키이다.

정답 ②

CHAPTER 06 | 관계 대수

1 관계 데이터 연산의 개념

1. 데이터 모델

다음 그림은 데이터 모델의 구성을 나타낸다. 데이터 모델은 데이터 구조, 연산, 제약조건으로 구성된다.

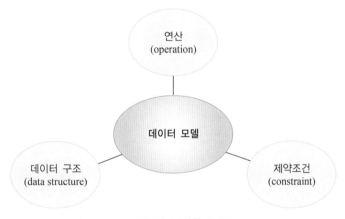

▲ 데이터 모델의 구성

2. 관계 데이터 연산(relational data operation)

관계 데이터 연산은 관계 데이터 모델의 연산으로 원하는 데이터를 얻기 위해 릴레이션에 필요한 처리 요구를 수행하는 것이다. 관계 대수와 관계 해석이 있다(관계 해석이 시험 문제 나온 적은 없음). 다음 그림은 관계 데이터 연산의 종류를 나타낸다.

▲ 관계 데이터 연산의 종류

3. 관계 대수와 관계 해석의 역할

관계 대수와 관계 해석의 역할은 데이터 언어의 유용성을 검증하는 기준이다(SQL). 관계 대수나 관계 해석으로 기술할 수 있는 모든 질의(query, 데이터에 대한 처리 요구)를 기술할 수 있는 데이터 언어를 관계적으로 완전(relationally complete)하다고 판단한다.

2 관계 대수

관계 대수는 원하는 결과를 얻기 위해 릴레이션의 처리 과정을 순서대로 기술하는 언어이고, 절차 언어(procedural language)이다. 관계 대수는 릴레이션을 처리하는 연산자들의 모임이고, 대표 연산자는 8개이다. 일반 집합 연산자와 순수 관계 연산자로 분류된다. 폐쇄 특성(closure property)이 존재하는데, 이는 피연산자도 릴레이션이고 연산의 결과도 릴레이션임을 의미한다.

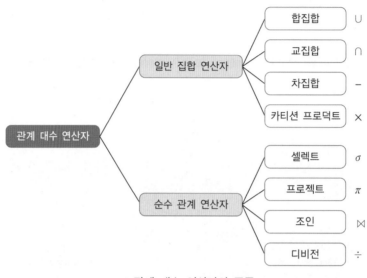

▲ 관계 대수 연산자의 종류

3 일반 집합 연산자(set operation)

1. 일반 집합 연산자

일반 집합 연산자는 릴레이션이 투플의 집합이라는 개념을 이용하는 연산자이다. 아래의 표는 일반 집합 연산자의 종류를 나타낸다.

연산자	기호	표현	의미
합집합	∪	R∪S	릴레이션 R과 S의 합집합을 반환
교집합	∩	R∩S	릴레이션 R과 S의 교집합을 반환
차집합	-	R - S	릴레이션 R과 S의 차집합을 반환
카티션 프로덕트	×	R × S	릴레이션 R의 각 투플과 릴레이션 S의 각 투플을 모두 연결하여 만들어진 새로운 투플을 반환

다음의 그림은 일반 집합 연산자의 기능을 나타낸다.

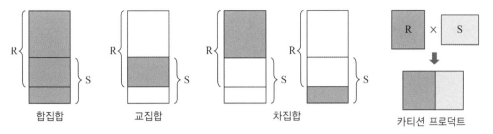

▲ 일반 집합 연산자의 기능

일반 집합 연산자는 피연산자가 두 개 필요하다. 두 개의 릴레이션을 대상으로 연산을 수행한다. 합집합, 교집합, 차집합은 피연산자인 두 릴레이션이 합병이 가능해야 한다. 합병 가능(union-compatible) 조건은 두 릴레이션의 차수가 같아야 하고, 두 릴레이션에서 서로 대응되는 속성의 도메인이 같아야 한다. 다음 그림은 합병이 불가능한 예와 합병이 가능한 예를 나타낸다.

고객 릴레이션

고객번호	고객이름	나이
INT	CHAR(20)	INT
100	김정원	20
200	김선우	35
300	이철수	24

직원 릴레이션

직원번호	직원이름	직위
INT	CHAR(10)	CHAR(20)
10	김용욱	부장
20	채광주	과장
30	장경숙	대리

▲ 합병이 불가능한 예

고객 릴레이션

고객번호	고객이름	나이
INT	CHAR(20)	INT
100	김정원	20
200	김선우	35
300	이철수	24

직원 릴레이션

직원번호	직원이름	직위
INT	CHAR(20)	INT
10	김용욱	40
20	채광주	32
30	장경숙	28

▲ 합병이 가능한 예

2. 합집합(union)

합집합은 합병 가능한 두 릴레이션 R과 S의 합집합을 나타낸다(R∪S). 릴레이션 R에 속하거나 릴레이션 S에 속하는 모든 투플로 결과 릴레이션을 구성한다. 결과 릴레이션의 특성에서 차수는 릴레이션 R과 S의 차수와 같고, 카디널리티는 릴레이션 R과 S의 카디널리티를 더한 것과 같거나 적어진다. 그리고 교환적 특징이 있고(R∪S = S∪R, 질의 최적화에 사용됨), 결합적 특징이 있다[(R∪S)∪T = R∪(S∪T), 질의 최적화에 사용됨].

다음 그림은 합집합 연산의 예를 나타낸다.

R

번호	이름
100	김정원
200	김선우
300	이철수

S

번호	이름
100	김정원
101	채광주
102	장경숙

합집합 연산

R∪S

번호	이름
100	김정원
200	김선우
300	이철수
101	채광주
102	장경숙

▲ 합집합 연산의 예

3. 교집합(intersection)

교집합은 합병 가능한 두 릴레이션 R과 S의 교집합을 나타낸다(R∩S). 릴레이션 R과 릴레이션 S에 속하는 모든 투플로 결과 릴레이션을 구성한다. 결과 릴레이션의 특성에서 차수는 릴레이션 R과 S의 차수와 같고, 카디널리티는 릴레이션 R과 S의 어떤 카디널리티보다 크지 않다. 그리고 교환적 특징이 있고(R∩S = S∩R), 결합적 특징이 있다[(R∩S)∩T = R∩(S∩T)]. 다음 그림은 교집합 연산의 예를 나타낸다.

R

번호	이름
100	김정원
200	김선우
300	이철수

S

번호	이름
100	김정원
101	채광주
102	장경숙

교집합 연산

R∩S

번호	이름
100	김정원

▲ 교집합 연산의 예

4. 차집합(difference)

차집합은 합병 가능한 두 릴레이션 R과 S의 차집합을 나타낸다(R - S). 릴레이션 R에는 존재하고 릴레이션 S에는 존재하지 않는 투플로 결과 릴레이션을 구성한다. 결과 릴레이션의 특성에서 차수는 릴레이션 R과 S의 차수와 같다. R - S의 카디널리티는 릴레이션 R의 카디널리티와 같거나 적고, S - R의 카디널리티는 릴레이션 S의 카디널리티와 같거나 적다. 교환적, 결합적 특징이 없다.

다음 그림은 차집합 연산의 예를 나타낸다.

R

번호	이름
100	김정원
200	김선우
300	이철수

S

번호	이름
100	김성원
101	채광주
102	장경숙

차집합 연산

R − S

번호	이름
200	김선우
300	이철수

S − R

번호	이름
101	채광주
102	장경숙

▲ 차집합 연산의 예

5. 카티션 프로덕트(cartesian product)

카티션 프로덕트는 두 릴레이션 R과 S의 카티션 프로덕트를 나타낸다(R × S). 릴레이션 R에 속한 각 투플과 릴레이션 S에 속한 각 투플을 모두 연결하여 만들어진 새로운 투플로 결과 릴레이션을 구성한다. 결과 릴레이션의 특성에서 차수는 릴레이션 R과 S의 차수를 더한 것과 같고, 카디널리티는 릴레이션 R과 S의 카디널리티를 곱한 것과 같다. 그리고 교환적 특징이 있고(R×S = S × R), 결합적 특징이 있다[(R × S) × T = R × (S × T)]. 다음 그림은 카디션 프로덕트 연산의 예를 나타낸다.

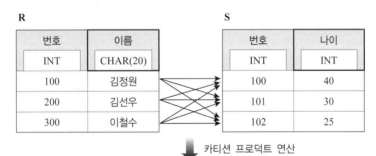

R

번호	이름
INT	CHAR(20)
100	김정원
200	김선우
300	이철수

S

번호	나이
INT	INT
100	40
101	30
102	25

카티션 프로덕트 연산

S × R

R.번호	R.이름	S.번호	S.나이
INT	CHAR(20)	INT	INT
100	김정원	100	40
100	김정원	101	30
100	김정원	102	25
200	김선우	100	40
200	김선우	101	30
200	김선우	102	25
300	이철수	100	40
300	이철수	101	30
300	이철수	102	25

▲ 카디션 프로덕트 연산의 예

4 순수 관계 연산자(relational operation)

1. 순수 관계 연산자

순수 관계 연산자는 릴레이션의 구조와 특성을 이용하는 연산자이다. 아래의 표는 순수 관계 연산자의 종류를 나타낸다.

연산자	기호	표현	의미
셀렉트	σ	$\sigma_{조건}(R)$	릴레이션 R에서 조건을 만족하는 투플들을 반환
프로젝트	π	$\pi_{속성리스트}(R)$	릴레이션 R에서 주어진 속성들의 값으로만 구성된 투플들을 반환
조인	$\bowtie$	$R \bowtie S$	공통 속성을 이용해 릴레이션 R과 S의 투플들을 연결하여 만들어진 새로운 투플들을 반환
디비전	$\div$	$R \div S$	릴레이션 S의 모든 투플과 관련이 있는 릴레이션 R의 투플들을 반환

다음의 그림은 순수 관계 연산자의 기능을 나타낸다.

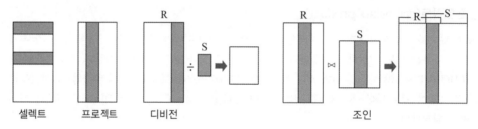

▲ 순수 관계 연산자의 기능

2. 셀렉트(select)

셀렉트는 릴레이션에서 조건을 만족하는 투플만 선택하여 결과 릴레이션을 구성한다. 하나의 릴레이션을 대상으로 연산을 수행하고 수학적 표현법은 $\sigma_{조건식}$(릴레이션)이다(데이터 언어적 표현법은 릴레이션 where 조건식). 여기서, 조건식은 비교식, 프레디킷(predicate)이라고 하고, 속성과 상수의 비교나 속성들 간의 비교로 표현한다. 비교 연산자(>, ≥, <, ≤, =, ≠)와 논리 연산자(∧, ∨, ﹏)를 이용해 작성한다. 다음 그림은 셀렉트 연산을 적용할 릴레이션의 예를 나타낸다.

고객아이디	고객이름	나이	등급	직업	적립금
apple	김현준	20	gold	학생	1000
banana	김정원	25	vip	간호사	2500
carrot	곽후근	28	gold	교사	4500
orange	정지영	22	silver	학생	0

▲ 셀렉트 연산을 적용할 릴레이션의 예(고객 릴레이션)

예제 1 고객 릴레이션에서 등급이 gold인 튜플을 검색하시오.

다음 그림은 해당 예제의 결과를 나타낸다.

$\sigma_{등급='gold'}(고객)$ 또는   고객 where 등급 = 'gold'

결과 릴레이션

고객아이디	고객이름	나이	등급	직업	적립금
apple	김현준	20	gold	학생	1000
carrot	곽후근	28	gold	교사	4500

▲ 고객 릴레이션에서 등급이 gold인 튜플을 검색(예제)

다음 그림은 셀렉트 연산의 수행 과정을 나타낸다. 결과 릴레이션은 연산 대상 릴레이션의 수평적 부분 집합임에 유의한다.

고객아이디	고객이름	나이	등급	직업	적립금
apple	김현준	20	gold	학생	1000
banana	김정원	25	vip	간호사	2500
carrot	곽후근	28	gold	교사	4500
orange	정지영	22	silver	생	0

 등급 = 'gold'

⬇ 셀렉트 연산

고객아이디	고객이름	나이	등급	직업	적립금
apple	김현준	20	gold	학생	1000
carrot	곽후근	28	gold	교사	4500

▲ 셀렉트 연산의 수행 과정: 고객 릴레이션

예제 2 고객 릴레이션에서 등급이 gold이고, 적립금이 2000 이상인 튜플을 검색하시오.

다음 그림은 해당 예제의 결과를 나타낸다.

$\sigma_{등급='gold' \wedge 적립금 \geq 2000}(고객)$ 또는   고객 where 등급 = 'gold' and 적립금 ≥ 2000

결과 릴레이션

고객아이디	고객이름	나이	등급	직업	적립금
carrot	곽후근	28	gold	교사	4500

▲ 고객 릴레이션에서 등급이 gold이고, 적립금이 2000 이상인 튜플을 검색(예제)

셀렉트는 다음 그림과 같이 교환적 특징이 있다. 교환적 특징은 나중에 설명할 질의 최적화와 연관된다.

$$\sigma_{조건식1}(\sigma_{조건식2}(릴레이션)) = \sigma_{조건식2}(\sigma_{조건식1}(릴레이션)) = \sigma_{조건식1 \wedge 조건식2}(릴레이션)$$

$$\sigma_{적립금 \geq 2000}(\sigma_{등급='gold'}(고객)) = \sigma_{등급='gold'}(\sigma_{적립금 \geq 2000}(고객)) = \sigma_{등급='gold' \wedge 적립금 \geq 2000}(고객)$$

▲ 셀렉트의 교환적 특징

3. 프로젝트(project)

프로젝트는 릴레이션에서 선택한 속성의 값으로 결과 릴레이션을 구성한다. 하나의 릴레이션을 대상으로 연산을 수행하고, 수학적 표현법은 $\pi_{속성리스트}$(릴레이션)이다[데이터 언어적 표현법은 릴레이션(속성리스트)]. 다음 그림은 프로젝트 연산에 적용할 릴레이션 예를 나타낸다.

고객아이디	고객이름	나이	등급	직업	적립금
apple	김현준	20	gold	학생	1000
banana	김정원	25	vip	간호사	2500
carrot	곽후근	28	gold	교사	4500
orange	정지영	22	silver	학생	0

▲ 프로젝트 연산에 적용할 릴레이션 예(고객 릴레이션)

예제 1 　고객 릴레이션에서 고객이름, 등급, 적립금을 검색하시오.

다음 그림은 해당 예제의 결과를 나타낸다.

$$\pi_{고객이름,\ 등급,\ 적립금}(고객) \quad 또는 \quad 고객[고객이름,\ 등급,\ 적립금]$$

결과 릴레이션

고객이름	등급	적립금
김정원	gold	1000
김선우	vip	2500
이철수	gold	4500
김용욱	silver	0

▲ 고객 릴레이션에서 고객이름, 등급, 적립금을 검색(예제)

다음 그림은 프로젝트 연산의 수행 과정의 예를 나타낸다. 결과 릴레이션은 연산 대상 릴레이션의 수직적 부분집합임에 유의한다.

▲ 프로젝트 연산의 수행 과정의 예

예제 2 고객 릴레이션에서 등급을 검색하시오.

다음 그림은 해당 예제의 결과를 나타낸다.

$$\pi_{등급}(고객) \quad 또는 \quad 고객[등급]$$

결과 릴레이션

등급
gold
vip
silver

▲ 고객 릴레이션에서 등급을 검색(예제)

4. 조인(join)

조인 속성을 이용해 두 릴레이션을 조합하여 결과 릴레이션을 구성한다. 조인 속성의 값이 같은 투플만 연결하여 생성된 투플을 결과 릴레이션에 포함한다. 여기서, 조인 속성이란 두 릴레이션이 공통으로 가지고 있는 속성을 의미한다. 표현법은 릴레이션1 ⋈ 릴레이션2이다. 자연 조인(natural join)이라고도 하고, 표현법은 릴레이션1 ⋈$_N$ 릴레이션2이다. 다음 그림은 조인 연산을 적용할 릴레이션 예들의 관계를 나타낸다. 그림에서 조인 속성은 고객 릴레이션의 고객아이디와 주문 릴레이션의 주문고객이다.

고객 릴레이션

고객아이디	고객이름	나이	등급
apple	김현준	20	gold
banana	김정원	25	vip
carrot	곽후근	28	gold
orange	정지영	22	silver

주문 릴레이션

주문번호	주문고객	주문제품	수량
1001	apple	진짜우동	10
1002	carrot	맛있는파이	5
1003	banana	그대로만두	11

주문 릴레이션 외래키

▲ 조인 연산을 적용할 릴레이션 예들의 관계

다음 그림은 조인 연산의 수행 과정 예를 나타낸다. 그림에서 알 수 있듯이 orange는 조인 속성이 없음을 알 수 있다.

고객 릴레이션

고객아이디	고객이름	나이	등급
apple	김현준	20	gold
banana	김정원	25	vip
carrot	곽후근	28	gold
orange	정지영	22	silver

주문 릴레이션

주문번호	주문고객	주문제품	수량
1001	apple	진짜우동	10
1002	carrot	맛있는파이	5
1003	banana	그대로만두	11

⬇ 조인 연산

고객 ⋈ 주문

고객아이디	고객이름	나이	등급	주문번호	주문제품	수량
apple	김현준	20	gold	1001	진짜우동	10
banana	김정원	25	vip	1003	그대로만두	11
carrot	곽후근	28	gold	1002	맛있는파이	5

▲ 조인 연산의 수행 과정 예(고객과 주문 릴레이션)

다음 그림은 두 개의 속성으로 이루어진 조인 속성을 이용하는 조인 연산의 예를 나타낸다.

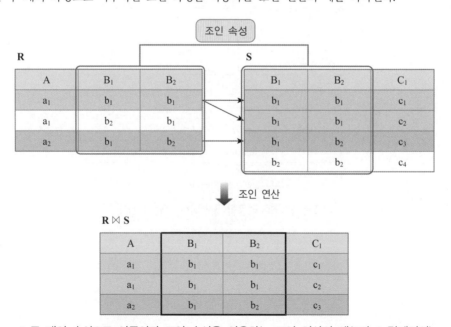

▲ 두 개의 속성으로 이루어진 조인 속성을 이용하는 조인 연산의 예(R과 S 릴레이션)

5. 세타 조인(theta join, θ - join)

세타 조인은 자연 조인에 비해 더 일반화된 조인이다. 주어진 조인 조건을 만족하는 두 릴레이션의 모든 투플을 연결하여 생성된 새로운 투플로 결과 릴레이션을 구성한다. 결과 릴레이션의 차수는 두 릴레이션의 차수를 더한 것과 같다. 표현법은 릴레이션1 $\bowtie_{A\theta B}$ 릴레이션2이다. 여기서, θ는 비교 연산자(>, ≥, <, ≤, =, ≠)를 의미한다. 동일 조인 (equi-join)은 θ 연산자가 "="인 세타 조인을 의미한다.

다음 그림은 동일 조인 연산의 예를 나타낸다. 그림에서 알 수 있듯이 모든 투플을 연결함에 유의한다.

고객 릴레이션

고객아이디	고객이름	나이	등급
apple	김현준	20	gold
banana	김정원	25	vip
carrot	곽후근	28	gold
orange	정지영	22	silver

주문 릴레이션

주문번호	주문고객	주문제품	수량
1001	apple	진짜우동	10
1002	carrot	맛있는파이	5
1003	banana	그대로만두	11

동일 조인 연산

고객 $\bowtie_{\text{고객아이디=주문고객}}$ 주문

고객아이디	고객이름	나이	등급	주문번호	주문고객	주문제품	수량
apple	김현준	20	gold	1001	apple	진짜우동	10
banana	김정원	25	vip	1003	banana	그대로만두	11
carrot	곽후근	28	gold	1002	carrot	맛있는파이	5

▲ 동일 조인 연산의 예(고객과 주문 릴레이션)

6. 디비전(division)

디비전은 릴레이션2의 모든 투플과 관련이 있는 릴레이션1의 투플로 결과 릴레이션을 구성한다. 단, 릴레이션1이 릴레이션2의 모든 속성을 포함하고 있어야 연산이 가능하고, 표현법은 릴레이션1 ÷ 릴레이션2이다. 다음 그림은 디비전을 나타낸다.

$$12 \div 2 = (6 \times \boxed{2}) \div \boxed{2} = 6$$

▲ 디비전

다음 그림은 첫 번째 디비전 연산의 예를 나타낸다.

고객 릴레이션

고객아이디	고객이름	나이	등급	직업	적립금
apple	김현준	20	gold	학생	1000
NULL	김정원	25	vip	간호사	2500
carrot	곽후근	28	gold	교사	4500
NULL	정지영	22	silver	학생	0

우수등급 릴레이션

등급
gold

디비전 연산

고객 ÷ 우수등급

고객아이디	고객이름	나이	직업	적립금
apple	김현준	20	학생	1000
carrot	곽후근	28	교사	4500

▲ 디비전 연산의 예(고객과 우수등급 릴레이션)

다음 그림은 두 번째 디비전 연산의 예를 나타낸다.

주문내역 릴레이션

주문고객	제품이름	제조업체
apple	진짜우동	만세식품
carrot	맛있는파이	마포과자
banana	그대로만두	만세식품
apple	그대로만두	만세식품
carrot	그대로만두	만세식품

제품1 릴레이션

제품이름
진짜우동
그대로만두

제품2 릴레이션

제품이름	제조업체
그대로만두	만세식품

디비전 연산

주문내역 ÷ 제품1

주문고객	제조업체
apple	만세식품

주문내역 ÷ 제품2

주문고객
banana
apple
carrot

▲ 디비전 연산의 예(주문내역, 제품1, 제품2 릴레이션)

7. 관계 대수를 이용한 질의 표현 예

다음 그림은 질의 표현에 사용할 예제 릴레이션들을 나타낸다.

고객 릴레이션

고객아이디	고객이름	나이	등급
apple	김현준	20	gold
banana	김정원	25	vip
carrot	곽후근	28	gold
orange	정지영	22	silver

주문 릴레이션

주문번호	주문고객	주문제품	수량
1001	apple	진짜우동	10
1002	carrot	맛있는파이	5
1003	banana	그대로만두	11

주문 릴레이션 외래키

▲ 질의 표현에 사용할 예제 릴레이션들

예제 1 등급이 gold인 고객의 이름과 나이를 검색하시오.

다음 그림은 해당 예제의 결과를 나타낸다.

$$\pi_{\text{고객이름, 나이}}(\sigma_{\text{등급='gold'}}(\text{고객}))$$

결과 릴레이션

고객이름	나이
김현준	20
곽후근	28

▲ 등급이 gold인 고객의 이름과 나이를 검색(예제)

예제 2 고객이름이 곽후근인 고객의 등급과, 곽후근 고객이 주문한 주문제품, 수량을 검색하시오.

다음 그림은 해당 예제의 결과를 나타낸다.

$$\pi_{\text{등급, 주문제품, 수량}}(\sigma_{\text{고객이름='곽후근'}}(\text{고객} \bowtie \text{주문}))$$

결과 릴레이션

등급	주문제품	수량
gold	맛있는파이	5

▲ 고객이름이 곽후근인 고객의 등급과, 곽후근 고객이 주문한 주문제품, 수량을 검색(예제)

예제 3 주문수량이 10개 미만인 주문 내역을 삭제하시오.

다음 그림은 해당 예제의 결과를 나타낸다.

$$주문 - (\sigma_{주문수량<10}(주문))$$

결과 릴레이션

주문번호	주문고객	주문제품	수량
1001	apple	진짜우동	10
1003	banana	그대로만두	11

▲ 주문수량이 10개 미만인 주문 내역을 삭제(예제)

8. 세미 조인(semi-join)과 외부 조인(outer-join)

세미 조인은 조인 속성으로 프로젝트 연산을 수행한 릴레이션을 이용하는 조인이다. 표현법은 릴레이션1 ⋉ 릴레이션2이다. 릴레이션2를 조인 속성으로 프로젝트 연산한 후 릴레이션1에 자연 조인하여 결과 릴레이션을 구성한다. 불필요한 속성을 미리 제거하여 조인 연산 비용을 줄이는 장점이 있다. 교환적 특징이 없다($R \ltimes S \neq S \ltimes R$).

외부 조인은 자연 조인 연산에서 제외되는 모든 투플을 결과 릴레이션에 포함시키는 조인이다. 표현법은 릴레이션1 ⋈⁺ 릴레이션2이다.

다음 그림은 세미 조인과 외부 조인 연산을 적용할 릴레이션의 예를 나타낸다.

고객 릴레이션

고객아이디	고객이름	나이
apple	김현준	20
banana	김정원	25
carrot	곽후근	28
orange	정지영	22

주문 릴레이션

주문번호	주문고객	주문제품
1001	apple	진짜우동
1002	carrot	맛있는파이
1003	banana	그대로만두

조인 속성

▲ 세미 조인과 외부 조인 연산을 적용할 릴레이션의 예

다음 그림은 고객과 주문 릴레이션의 자연 조인 연산을 나타낸다.

고객 릴레이션

고객아이디	고객이름	나이
apple	김현준	20
banana	김정원	25
carrot	곽후근	28
orange	정지영	22

주문 릴레이션

주문번호	주문고객	주문제품
1001	apple	진짜우동
1002	carrot	맛있는파이
1003	banana	그대로만두

자연 조인 연산

고객 ⋈ 주문

고객아이디	고객이름	나이	주문번호	주문제품
apple	김현준	20	1001	진짜우동
banana	김정원	25	1003	그대로만두
carrot	곽후근	28	1002	맛있는파이

▲ 고객과 주문 릴레이션의 자연 조인 연산

다음 그림은 고객과 주문 릴레이션의 세미 조인 연산을 나타낸다.

고객 릴레이션

고객아이디	고객이름	나이
apple	김현준	20
banana	김정원	25
carrot	곽후근	28
orange	정지영	22

주문 릴레이션

주문번호	주문고객	주문제품
1001	apple	진짜우동
1002	carrot	맛있는파이
1003	banana	그대로만두

$\pi_{주문고객}(주문)$

주문번호
apple
banana
carrot

자연 조인 연산

고객 ⋈ 주문

고객아이디	고객이름	나이
apple	김현준	20
banana	김정원	25
carrot	곽후근	28

▲ 고객과 주문 릴레이션의 세미 조인 연산

다음 그림은 고객과 주문 릴레이션의 외부 조인 연산을 나타낸다.

고객 릴레이션

고객아이디	고객이름	나이
apple	김현준	20
banana	김정원	25
carrot	곽후근	28
orange	정지영	22

주문 릴레이션

주문번호	주문고객	주문제품
1001	apple	진짜우동
1002	carrot	맛있는파이
1003	banana	그대로만두

외부 조인 연산

고객 ⋈⁺ 주문

고객아이디	고객이름	나이	주문번호	주문제품
apple	김현준	20	1001	진짜우동
banana	김정원	25	1003	그대로만두
carrot	곽후근	28	1002	맛있는파이
orange	정지영	22	NULL	NULL

▲ 고객과 주문 릴레이션의 외부 조인 연산

5 관계 해석(relational calculus)(* 참고)

관계 해석은 처리를 원하는 데이터가 무엇인지만 기술하는 언어이고, 비절차 언어(nonprocedural language)이다. 수학의 프레디킷 해석(predicate calculus)에 기반을 두고 있다. 프레디킷 해석은 수학적 관계 해석의 한 방법이다 (집합과 명제 수학의 기호적 표현을 SQL에서 사용).

관계 해석의 분류는 분류 투플 관계 해석과 도메인 관계 해석이 있다. 투플 관계 해석(tuple relational calculus)은 원하는 릴레이션을 튜플 해석식으로 정의하는 표기법이고, 도메인 관계 해석(domain relational calculus)은 원하는 릴레이션을 도메인 해석식으로 정의하는 표기법이다. 시험에 출제되지 않았으므로 더 이상의 설명은 생략한다.

주요개념 셀프체크

☑ 합집합, 교집합, 차집합, 카티션 프로덕트
☑ 셀렉트, 프로젝트, 조인, 디비전

핵심 기출

다음 릴레이션 A, B, C에 대한 관계 대수의 연산 결과로 옳지 않은 것은? (단, 속성명이 동일하면 같은 도메인이다)

2017년 지방교행

A

Name	Dept
강감찬	국어
안중근	영어
윤동주	과학
이순신	영어

B

Name	Dept
강감찬	국어
안창호	과학
윤동주	과학
이순신	영어

C

Name
강감찬
이순신

① A∪B

Name	Dept
강감찬	국어
안중근	영어
윤동주	과학
이순신	영어
안창호	과학

② A∩B

Name	Dept
강감찬	국어
윤동주	과학
이순신	영어

③ A - B

Name	Dept
안중근	영어

④ A ÷ C

Dept
국어
영어

해설

디비전을 나타낸다. 릴레이션 C의 모든 투플(강감찬, 이순신)과 관련이 있는 릴레이션 A의 투플로 결과 릴레이션을 구성한다. 이 때, Dept의 내용은 같아야 한다. 예를 들어, 국어나 영어로 동일하면 결과에 국어 혹은 영어로 릴레이션이 구성되는데 현재 주어진 조건은 서로 틀리므로 결과 릴레이션이 존재하지 않는다.

선지분석

① 합집합을 나타낸다. 릴레이션 A에 속하거나 릴레이션 B에 속하는 모든 투플로 결과 릴레이션을 구성한다.
② 교집합을 나타낸다. 릴레이션 A와 릴레이션 B에 속하는 모든 투플로 결과 릴레이션을 구성한다.
③ 차집합을 나타낸다. 릴레이션 A에 존재하고 릴레이션 B에 존재하지 않는 투플로 결과 릴레이션을 구성한다.

정답 ④

CHAPTER 07 | SQL

1 개요

1. 정의

SQL(Structured Query Language)은 관계 데이터베이스를 위한 표준 질의어이고, 비절차적 데이터 언어이다. SQL은 SEQUEL(Structured English QUEry Language)에서 유래하였다. 여기서, SEQUEL은 연구용 관계 데이터베이스 관리 시스템인 SYSTEM R을 위한 언어이다. 미국 표준 연구소인 ANSI와 국제 표준화 기구인 ISO에서 표준화 작업을 진행하였다. 1999년 SQL-99(SQL3)까지 표준화 작업이 완료된 후 계속 수정 및 보완되고 있다. SQL 사용 방식은 대화식과 삽입식을 이용한다. 대화식 SQL은 직접 데이터베이스 관리 시스템에 접근해 질의를 작성하여 실행하는 것이고, 삽입식 SQL은 프로그래밍 언어로 작성된 응용 프로그램에 삽입하는 것이다.

2. SQL의 분류

다음 그림은 SQL의 분류를 나타낸다.

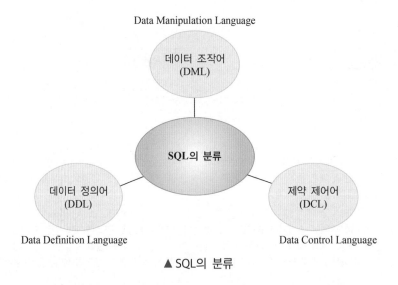

▲ SQL의 분류

데이터 정의어(DDL)는 테이블을 생성하고 변경·제거하는 기능을 제공한다(예 CREATE). 데이터 조작어(DML)는 테이블에 새 데이터를 삽입하거나, 테이블에 저장된 데이터를 수정·삭제·검색하는 기능을 제공한다(예 SELECT). 데이터 제어어(DCL)는 보안을 위해 데이터에 대한 접근 및 사용 권한을 사용자별로 부여하거나 취소하는 기능을 제공한다(예 GRANT).

3. 질의에 사용할 판매 데이터베이스

다음 그림은 질의에 사용할 고객, 제품, 주문 릴레이션을 나타낸다.

고객 릴레이션

고객아이디	고객이름	나이	등급	직업	적립금
apple	김정원	20	gold	학생	1000
banana	김선우	25	vip	간호사	2500
carrot	이철수	28	gold	교사	4500
orange	김용욱	22	silver	학생	0
melon	성원용	35	gold	회사원	5000
peach	오형준	NULL	silver	의사	300
pear	채광주	31	silver	회사원	500

▲ 질의에 사용할 고객 릴레이션

제품 릴레이션

제품번호	제품명	재고량	단가	제조업체
p01	그냥만두	5000	4500	대한식품
p02	매운쫄면	2500	5500	민국푸드
p03	쿵떡파이	3600	2600	만세제과
p04	맛난초콜렛	1250	2500	만세제과
p05	얼큰라면	2200	1200	대한식품
p06	통통우동	1000	1550	민국푸드
p07	달콤비스켓	1650	1500	만세제과

▲ 질의에 사용할 제품 릴레이션

주문 릴레이션

주문번호	주문고객	주문제품	수량	배송지	주문일자
o01	apple	p03	10	서울시 마포구	2022 − 01 − 01
o02	melon	p01	5	인천시 계양구	2022 − 01 − 10
o03	banana	p06	45	경기도 부천시	2022 − 01 − 11
o04	carrot	p02	8	부산시 금정구	2022 − 02 − 01
o05	melon	p06	36	경기도 용인시	2022 − 02 − 20
o06	banana	p01	19	충청북도 보은군	2022 − 03 − 02
o07	apple	p03	22	서울시 영등포구	2022 − 03 − 15
o08	pear	p02	50	강원도 춘천시	2022 − 04 − 10
o09	banana	p04	15	전라남도 목포시	2022 − 04 − 11
o10	carrot	p03	20	경기도 안양시	2022 − 05 − 22

▲ 질의에 사용할 주문 릴레이션

2 SQL를 이용한 데이터 정의

1. SQL의 데이터 정의 기능(DDL)

DDL은 테이블을 생성, 변경, 제거한다. 다음 그림은 SQL의 데이터 정의 기능을 나타낸다.

▲ SQL의 데이터 정의 기능

2. 테이블 생성 - CREATE TABLE 문

다음 그림은 CREATE TABLE 문을 나타낸다. [ ]의 내용은 생략이 가능하고, SQL 질의문은 세미콜론(;)으로 문장의 끝을 표시한다. 그리고 SQL 질의문은 대소문자를 구분하지 않는다.

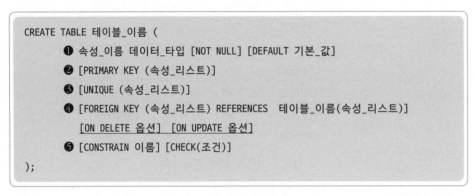

```
CREATE TABLE 테이블_이름 (
    ❶ 속성_이름 데이터_타입 [NOT NULL] [DEFAULT 기본_값]
    ❷ [PRIMARY KEY (속성_리스트)]
    ❸ [UNIQUE (속성_리스트)]
    ❹ [FOREIGN KEY (속성_리스트) REFERENCES  테이블_이름(속성_리스트)]
       [ON DELETE 옵션]  [ON UPDATE 옵션]
    ❺ [CONSTRAIN 이름] [CHECK(조건)]
);
```

▲ CREATE TABLE 문

위 그림에서 각각의 번호는 다음의 의미를 가진다.

❶ 테이블을 구성하는 각 속성의 이름, 데이터 타입, 기본 제약 사항 정의
❷ 기본키 정의
❸ 대체키 정의
❹ 외래키 정의
❺ 데이터 무결성을 위한 제약조건 정의

속성의 정의는 테이블을 구성하는 각 속성의 데이터 타입을 선택한 다음 널 값 허용 여부와 기본 값 필요 여부를 결정한다. NOT NULL은 속성이 널 값을 허용하지 않음을 의미하는 키워드이고, 예를 들어 고객아이디 VARCHAR(20) NOT NULL과 같이 사용한다. DEFAULT는 속성의 기본 값을 지정하는 키워드이고, 예를 들어 적립금 INT DEFAULT 0, 담당자 VARCHAR(10) DEFAULT '방경아'와 같이 사용한다. 문자열이나 날짜 데이터는 작은 따옴표로 묶어서 표현한다(작은 따옴표로 묶여진 문자열은 대소문자를 구분함).

다음의 표는 속성의 데이터 타입을 나타낸다.

데이터 타입	의미
INT 또는 INTERGER	정수
SMALLINT	INT보다 작은 정수
CHAR(n) 또는 CHARACTER(n)	길이 n인 고정 길이의 문자열
VARCHAR(n) 또는 CHARACTER VARYING(n)	최대 길이가 n인 가변 길이의 문자열
NUMERIC(p, s) 또는 DECIMAL(p, s)	고정 소수점 실수 (p는 소수점을 제외한 전체 숫자의 길이고, s는 소수점 이하 숫자의 길이)
FLOAT(n)	길이가 n인 부동 소수점 실수
REAL	부동 소수점 실수
DATETIME 또는 DATE	년, 월, 일로 표현되는 날짜
TIME	시, 분, 초로 표현되는 시간

키의 정의 중 PRIMARY KEY는 기본키를 지정하는 키워드이다. 예를 들어, PRIMARY KEY(고객아이디), PRIMARY KEY(주문고객, 주문제품)와 같이 사용한다. UNIQUE는 대체키를 지정하는 키워드이다. 대체키로 지정되는 속성의 값은 유일성을 가지며 기본키와 달리 널 값이 허용된다(최소성도 가지고, 대체키가 기본키가 되면 널 값이 허용되지 않음). 예를 들어, UNIQUE(고객이름)와 같이 사용된다.

키의 정의 중 FOREIGN KEY는 외래키를 지정하는 키워드이고, 외래키가 어떤 테이블의 무슨 속성을 참조하는지 REFERENCES 키워드 다음에 제시한다. 참조 무결성 제약조건 유지를 위해 참조되는 테이블에서 투플 삭제 시 처리 방법을 지정하는 옵션은 다음과 같다.

- ON DELETE NO ACTION: 투플을 삭제하지 못하게 한다.
- ON DELETE CASCADE: 관련 투플을 함께 삭제한다.
- ON DELETE SET NULL: 관련 투플의 외래키 값을 NULL로 변경한다.
- ON DELETE SET DEFAULT: 관련 투플의 외래키 값을 미리 지정한 기본 값으로 변경한다.

다음 그림은 외래키를 통해 관계를 맺고 있는 두 개의 테이블을 나타낸다. 참조 무결성 제약조건 유지를 위한 투플 삭제의 예로서 부서 테이블 투플을 삭제할 때 다음과 같은 옵션이 가능하다.

- ON DELETE NO ACTION: 부서 테이블의 투플을 삭제하지 못하게 한다.
- ON DELETE CASCADE: 사원 테이블에서 홍보부에 근무하는 김정원 사원 투플도 함께 삭제한다.
- ON DELETE SET NULL: 사원 테이블에서 김정원 사원의 소속부서 속성 값을 NULL로 변경한다.
- ON DELETE SET DEFAULT: 사원 테이블에서 김정원 사원의 소속부서 속성 값을 기본 값으로 변경한다.

부서 테이블

부서번호	고객이름
1	인사부
2	연구부
3	홍보부

사원 테이블   외래키

사원번호	사원이름	소속부서
1001	김정원	3
1002	김용욱	1
1003	이철수	2

▲ 외래키를 통해 관계를 맺고 있는 두 개의 테이블

참조 무결성 제약조건 유지를 위해 참조되는 테이블에서 투플 변경 시 처리 방법을 지정하는 옵션은 다음과 같다.

- ON UPDATE NO ACTION: 투플을 변경하지 못하게 한다.
- ON UPDATE CASCADE: 관련 투플에서 외래키 값을 함께 변경한다.
- ON UPDATE SET NULL: 관련 투플의 외래키 값을 NULL로 변경한다.
- ON UPDATE SET DEFAULT: 관련 투플의 외래키 값을 미리 지정한 기본 값으로 변경한다.

예를 들면, FOREIGN KEY(소속부서) REFERENCES 부서(부서번호), FOREIGN KEY(소속부서) REFERENCES 부서(부서번호) ON DELETE CASCADE ON UPDATE CASCADE와 같이 사용할 수 있다.

데이터 무결성 제약조건의 정의는 CHECK를 사용하여 테이블에 정확하고 유효한 데이터를 유지하기 위해 특정 속성에 대한 제약조건을 지정한다. CONSTRAINT 키워드와 함께 고유의 이름을 부여할 수도 있다. 예를 들어, CHECK(재고량 >= 0 AND 재고량 <= 10000)(모든 제품의 재고량은 항상 0개 이상, 10,000개 이하로 유지되어야 한다)와 같이 사용한다. 아니면 CONSTRAINT CHK_CPY CHECK(제조업체 = '만세제과')(모든 제품의 제조업체로 만세제과만 허용된다는 제약조건에 CHK_CPY이라는 고유의 이름을 부여)와 같이 사용한다.

예제 1 고객 테이블은 고객아이디, 고객이름, 나이, 등급, 직업, 적립금 속성으로 구성되고, 고객아이디 속성이 기본키다. 고객이름과 등급 속성은 값을 반드시 입력해야 하고, 적립금 속성은 값을 입력하지 않으면 0이 기본으로 입력되도록 고객 테이블을 생성해보자.
다음 그림은 해당 결과를 보여준다.

```
CREATE TABLE 고객 (
        고객아이디
        고객이름    VARCHAR(20)   NOT NULL,
        나이        VARCHAR(10)   NOT NULL,
        등급        INT,
        직업        VARCHAR(10)   NOT NULL,
        적립금      INT DEFAULT 0,
        PRIMARY KEY(고객아이디)
```

▲ CREATE TABLE 예제 1

기본키로 지정한 속성은 굳이 NOT NULL을 표기하지 않아도 자동으로 NOT NULL 특성을 갖지만, 기본키로 사용할 속성은 널 값을 가질 수 없다는 제약조건을 더 명확히 표현하기 위해 NOT NULL을 표기한다.

예제 2 제품 테이블은 제품번호, 제품명, 재고량, 단가, 제조업체 속성으로 구성되고, 제품번호 속성이 기본키다. 재고량이 항상 0개 이상 10,000개 이하를 유지하도록 제품 테이블을 생성해보자.
다음 그림은 해당 결과를 보여준다.

```
CREATE TABLE 제품 (
        제품번호    CHAR(3)  NOT NULL,
        제품명      VARCHAR(20),
        재고량      INT,
        단가        INT,
        제조업체    VARCHAR(20),
        PRIMARY KEY(제품번호),
        CHECK (재고량 >= 0 AND 재고량 <= 10000)
```

▲ CREATE TABLE 예제 2

예제 3 주문 테이블은 주문번호, 주문고객, 주문제품, 수량, 배송지, 주문일자 속성으로 구성되고, 주문번호 속성이 기본
키다. 주문고객 속성이 고객 테이블의 고객아이디 속성을 참조하는 외래키이고, 주문제품 속성이 제품 테이블의
제품번호 속성을 참조하는 외래키가 되도록 주문 테이블을 생성해보자.
다음 그림은 해당 결과를 보여준다.

```
CREATE TABLE 주문 (
        주문번호    CHAR(3)  NOT NULL,
        주문고객    VARCHAR(20),
        주문제품    CHAR(3),
        수량        INT,
        배송지      VARCHAR(30),
        주문일자    DATETIME,
        PRIMARY KEY(제품번호),
        FOREIGN KEY(주문고객) REFERENCES 고객(고객아이디)
        FOREIGN KEY(주문제품) REFERENCES 제품(제품번호)
);
```

▲ CREATE TABLE 예제 3

오라클에서는 주문일자 속성의 데이터 타입을 <u>DATE</u>로 지정한다.

3. 테이블 변경 - ALTER TABLE 문

ALTER TABLE에서 새로운 속성 추가는 다음과 같다.

```
ALTER TABLE 테이블_이름
    ADD 속성_이름 네이터_타입 [NOT NULL] [DEFAULT 기본_값];
```

예제 1 고객 테이블에 가입날짜 속성을 추가해보자.
결과: ALTER TABLE 고객 ADD 가입날짜 DATETIME;
ALTER TABLE에서 기존 속성 삭제는 다음과 같다. 여기서, CASCADE는 삭제할 속성과 관련된 제약조건이
나 참조하는 다른 속성을 함께 삭제하고, RESTRICT는 삭제할 속성과 관련된 제약조건이나 참조하는 다른 속
성이 존재하면 삭제를 거부한다.

```
ALTER TABLE 테이블_이름 DROP 속성_이름 CASCADE ¦ RESTRICT;
```

예제 2 고객 테이블의 등급 속성을 삭제하면서 관련된 제약조건이나 등급 속성을 참조하는 다른 속성도 함께 삭제해보자.
결과: ALTER TABLE 고객 DROP 등급 CASCADE;
ALTER TABLE에서 새로운 제약조건의 추가는 다음과 같다.

```
ALTER TABLE 테이블_이름 ADD CONSTRAINT 제약조건_이름 제약조건_내용;
```

예제 3 고객 테이블에 20세 이상의 고객만 가입할 수 있다는 데이터 무결성 제약조건을 추가해보자.
결과: ALTER TABLE 고객 ADD CONSTRATINT CHK_AGE CHECK(나이 >=20);
ALTER TABLE에서 기존 제약조건의 삭제는 다음과 같다.

```
ALTER TABLE 테이블_이름 DROP CONSTRAINT 제약조건_이름;
```

예제 4 고객 테이블에 20세 이상의 고객만 가입할 수 있다는 데이터 무결성 제약조건을 삭제해보자.
결과: ALTER TABLE 고객 DROP CONSTRATINT CHK_AGE;

4. 테이블 제거 - DROP TABLE 문

테이블 제거는 다음과 같다. CASCADE는 제거할 테이블을 참조하는 다른 테이블도 함께 제거하고, RESTRICT는 제거할 테이블을 참조하는 다른 테이블이 존재하면 제거를 거부한다.

```
DROP TABLE 테이블_이름 CASCADE | RESTRICT;
```

예제 고객 테이블을 삭제하되, 고객 테이블을 참조하는 다른 테이블이 존재하면 삭제가 수행되지 않도록 해보자.
결과: DROP TABLE 고객 RESTRICT;

3 SQL을 이용한 데이터 조작

1. 개요

SQL의 데이터 조작 기능(DML)은 데이터 검색, 새로운 데이터 삽입, 데이터 수정, 데이터 삭제 등을 의미한다. 다음 그림은 SQL의 데이터 조작 기능을 나타낸다.

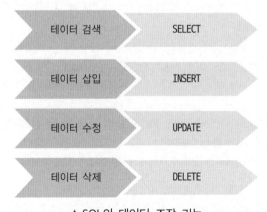

▲ SQL의 데이터 조작 기능

다음의 표는 질의 예제에서 사용할 고객 릴레이션을 나타낸다.

고객아이디	고객이름	나이	등급	직업	적립금
apple	김정원	20	gold	학생	1000
banana	김선우	25	vip	간호사	2500
carrot	이철수	28	gold	교사	4500
orange	김용욱	22	silver	학생	0
melon	성원용	35	gold	회사원	5000
peach	오형준	NULL	silver	의사	300
pear	채광주	31	silver	회사원	500

다음의 표는 질의 예제에서 사용할 제품 릴레이션을 나타낸다.

제품번호	제품명	재고량	단가	제조업체
p01	그냥만두	5000	4500	대한식품
p02	매운쫄면	2500	5500	민국푸드
p03	쿵떡파이	3600	2600	만세제과
p04	맛난초콜렛	1250	2500	만세제과
p05	얼큰라면	2200	1200	대한식품
p06	통통우동	1000	1550	민국푸드
p07	달콤비스켓	1650	1500	만세제과

다음의 표는 질의 예제에서 사용할 주문 릴레이션을 나타낸다.

주문번호	주문고객	주문제품	수량	주소	주문일자
o01	apple	p03	10	서울시 마포구	2022 - 01 - 01
o02	melon	p01	5	인천시 계양구	2022 - 01 - 10
o03	banana	p06	45	경기도 부천시	2022 - 01 - 11
o04	carrot	p02	8	부산시 금정구	2022 - 02 - 01
o05	melon	p06	36	경기도 용인시	2022 - 02 - 20
o06	banana	p01	19	충청북도 보은군	2022 - 03 - 02
o07	apple	p03	22	서울시 영등포구	2022 - 03 - 15
o08	pear	p02	50	강원도 춘천시	2022 - 04 - 10
o09	banana	p04	15	전라남도 목포시	2022 - 04 - 11
o10	carrot	p03	50	경기도 안양시	2022 - 05 - 22

2. 데이터 검색 - SELECT 문

기본 검색은 다음과 같이 SELECT 키워드와 함께 검색하고 싶은 속성의 이름을 나열하고, FROM 키워드와 함께 검색하고 싶은 속성이 있는 테이블의 이름을 나열한다. 검색 결과는 테이블 형태로 반환된다. 여기서, ALL은 결과 테이블이 투플의 중복을 허용하도록 지정하는 것으로 생략 가능하고, DISTINCT는 결과 테이블이 투플의 중복을 허용하지 않도록 지정한다.

```
SELECT [ ALL ¦ DISTINCT] 속성_리스트
FROM    테이블_리스트;
```

예제 1 고객 테이블에서 고객아이디, 고객이름, 등급 속성을 검색해보자.
결과:

SELECT 고객아이디, 고객이름, 등급   결과 테이블
FROM   고객;

	고객아이디	고객이름	등급
1	apple	김정원	gold
2	banana	김선우	vip
3	carrot	이철수	gold
4	melon	성원용	gold
5	orange	김용욱	silver
6	peach	오형준	silver
7	pear	채광주	silver

예제 2 고객 테이블에 존재하는 모든 속성을 검색해보자(참고로, 널 값은 MS SQL 서버에서는 NULL로 오라클에서는 공백(빈칸)으로 출력됨에 유의한다).
결과:

SELECT 고객아이디, 고객이름, 나이, 등급, 직업, 적립금
FROM   고객;

결과 테이블

	고객아이디	고객이름	나이	등급	직업	적립금
1	apple	김정원	20	gold	학생	1000
2	banana	김선우	25	vip	간호사	2500
3	carrot	이철수	28	gold	교사	4500
4	melon	성원용	35	gold	회사원	5000
5	orange	김용욱	22	silver	학생	0
6	peach	오형준	NULL	silver	의사	300
7	pear	채광주	31	silver	회사원	500

예제 3 고객 테이블에 존재하는 모든 속성을 검색해보자(참고로, 모든 속성을 검색할 때는 모든 속성의 이름을 나열하지 않고 * 사용 가능함에 유의한다).
결과:

SELECT *
FROM   고객;

결과 테이블

	고객아이디	고객이름	나이	등급	직업	적립금
1	apple	김정원	20	gold	학생	1000
2	banana	김선우	25	vip	간호사	2500
3	carrot	이철수	28	gold	교사	4500
4	melon	성원용	35	gold	회사원	5000
5	orange	김용욱	22	silver	학생	0
6	peach	오형준	NULL	silver	의사	300
7	pear	채광주	31	silver	회사원	500

예제 4 제품 테이블에서 제조업체를 검색해보자(참고로, 어떤 옵션도 주어지지 않으면 중복이 허용된다. 결과 테이블에서 제조업체가 중복됨에 유의한다).

결과:

```
SELECT  제조업체
FROM    제품;
```

결과 테이블

	제조업체
1	대한식품
2	민국푸드
3	만세제과
4	만세제과
5	대한식품
6	민국푸드
7	만세제과

예제 5 제품 테이블에서 제조업체를 검색하되, ALL키워드를 사용해보자(참고로, 결과 테이블에서 제조업체가 중복됨에 유의한다).

결과:

```
SELECT  ALL 제조업체
FROM    제품;
```

결과 테이블

	제조업체
1	대한식품
2	민국푸드
3	만세제과
4	만세제과
5	대한식품
6	민국푸드
7	만세제과

예제 6 제품 테이블에서 제조업체 속성을 중복 없이 검색해보자(참고로, 결과 테이블에서 제조업체가 한 번씩만 나타남에 유의한다).

결과:

```
SELECT  DISTINCT 제조업체
FROM    제품;
```

결과 테이블

	제조업체
1	대한식품
2	민국푸드
3	만세제과

기본 검색에서 AS 키워드를 이용해 결과 테이블에서 속성의 이름을 바꾸어 출력이 가능하다. 새로운 이름에 공백이 포함되어 있으면 작은 따옴표나 큰 따옴표로 묶어주어야 한다. MS SQL 서버에서는 작은 따옴표, 오라클에서는 큰 따옴표를 사용한다. AS 키워드는 생략 가능하다.

예제 7 제품 테이블에서 제품명과 단가를 검색하되, 단가를 가격이라는 새 이름으로 출력해보자.

결과:

```
SELECT   제품명, 단가 AS 가격
FROM     제품;
```

결과 테이블

	제품명	가격
1	그냥만두	4500
2	매운쫄면	5500
3	쿵떡파이	2600
4	맛난초콜렛	2500
5	얼큰라면	1200
6	통통우동	1550
7	달콤비스켓	1500

산술식을 이용한 검색은 SELECT 키워드와 함께 산술식을 제시한다. 여기서, 산술식은 속성의 이름과 +, -, *, / 등의 산술 연산자와 상수로 구성된다. 속성의 값이 실제로 변경되는 것은 아니고 결과 테이블에서만 계산된 결과 값이 출력된다.

예제 8 제품 테이블에서 제품명과 단가 속성을 검색하되, 단가에 500원을 더해 조정단가라는 새 이름으로 출력해보자.

결과:

```
SELECT   제품명, 단가 + 500 AS 조정단가
FROM     제품;
```

결과 테이블

	제품명	조정단가
1	그냥만두	5000
2	매운쫄면	6000
3	쿵떡파이	3100
4	맛난초콜렛	3000
5	얼큰라면	1700
6	통통우동	2050
7	달콤비스켓	2000

조건 검색은 다음과 같이 조건을 만족하는 데이터만 검색한다. WHERE 키워드와 함께 비교 연산자와 논리 연산자를 이용한 검색 조건을 제시하고, 숫자뿐만 아니라 문자나 날짜 값을 비교하는 것도 가능하다. 예를 들어, 'A' < 'C' 또는 '2022-12-01' < '2022-12-02' 등이 가능하다. 조건에서 문자나 날짜 값은 작은따옴표로 묶어서 표현한다.

```
SELECT  [ALL ¦ DISTINCT ] 속성_리스트
FROM    테이블_리스트
[ WHERE 조건 ];
```

아래의 표는 조건 검색에 사용되는 비교 연산자와 논리 연산자를 나타낸다.

연산자	의미
=	같다.
<>	다르다.
<	작다.
>	크다.
<=	작거나 같다.
>=	크거나 같다.
AND	모든 조건을 만족해야 검색한다.
OR	여러 조건 중 한 가지만 만족해도 검색한다.
NOT	조건을 만족하지 않는 것만 검색한다.

예제 9 제품 테이블에서 만세제과가 제조한 제품의 제품명, 재고량, 단가를 검색해보자.

결과:

```
SELECT   제품명, 재고량, 단가
FROM     제품
WHERE    제조업체 = '만세제과';
```

결과 테이블

	제품명	재고량	단가
1	쿵떡파이	3600	2600
2	맛난초콜렛	1250	2500
3	달콤비스켓	1650	1500

예제 10 주문 테이블에서 apple 고객이 15개 이상 주문한 주문제품, 수량, 주문일자를 검색해보자.

결과:

```
SELECT   주문제품, 수량, 주문일자
FROM     주문
WHERE    주문고객 = 'apple' AND 수량 >= 15;
```

결과 테이블

	주문제품	수량	주문일자
1	p03	22	2022-03-15

예제 11 주문 테이블에서 apple 고객이 주문했거나 15개 이상 주문된 제품의 주문제품, 수량, 주문일자, 주문고객을 검색해보자.

결과:

```
SELECT    주문제품, 수량, 주문일자, 주문고객
FROM      주문
WHERE     주문고객 = 'apple'  OR  수량 >= 15;
```

결과 테이블

	주문제품	수량	주문일자	주문고객
1	p03	10	2022-01-01	apple
2	p06	45	2022-01-11	banana
3	p06	36	2022-02-20	melon
4	p01	19	2022-03-02	banana
5	p03	22	2022-03-15	apple
6	p02	50	2022-04-10	pear
7	p04	15	2022-04-11	banana
8	p03	20	2022-05-22	carrot

예제 12 제품 테이블에서 단가가 2000원 이상이면서 3000원 이하인 제품의 제품명, 단가, 제조업체를 검색해보자.

결과:

```
SELECT    제품명, 단가, 제조업체
FROM      제품
WHERE     단가 >= 2000  AND  단가 <= 3000;
```

결과 테이블

	제품명	단가	제조업체
1	쿵떡파이	2600	만세제과
2	맛난초콜렛	2500	만세제과

LIKE 키워드를 이용해 부분적으로 일치하는 데이터를 검색한다. 문자열을 이용하는 조건에만 LIKE 키워드 사용이 가능하다. 다음의 표는 LIKE 키워드와 함께 사용할 수 있는 기호를 나타낸다.

기호	설명
%	0개 이상의 문자(문자의 내용과 개수는 상관 없음)
_	한 개의 문자(문자의 내용은 상관 없음)

다음의 표는 LIKE 키워드의 사용 예를 나타낸다.

사용 예	설명
LIKE '데이터%'	데이터로 시작하는 문자열(데이터로 시작하기만 하면 길이는 상관 없음)
LIKE '%데이터'	데이터로 끝나는 문자열(데이터로 끝나기만 하면 길이는 상관 없음)
LIKE '%데이터%'	데이터가 포함된 문자열
LIKE '데이터__'	데이터로 시작하는 6자 길이의 문자열
LIKE '_한%'	세 번째 글자가 '한'인 문자열

예제 13 고객 테이블에서 성이 김 씨인 고객의 고객이름, 나이, 등급, 적립금을 검색해보자.

결과:

```
SELECT    고객이름, 나이, 등급, 적립금
FROM      고객
WHERE     고객이름 LIKE '김%';
```

결과 테이블

	고객이름	나이	등급	적립금
1	김선우	25	vip	2500
2	김용욱	22	silver	0

예제 14 고객 테이블에서 고객아이디가 5자인 고객의 고객아이디, 고객이름, 등급을 검색해보자.

결과:

```
SELECT    고객아이디, 고객이름, 등급
FROM      고객
WHERE     고객아이디 LIKE '_____';
```

결과 테이블

	고객아이디	고객이름	등급
1	apple	김정원	gold
2	melon	성원용	gold
3	peach	오형준	silver

NULL을 이용한 검색에서는 IS NULL 키워드를 이용해 검색 조건에서 특정 속성의 값이 널 값인지를 비교하고, IS NOT NULL 키워드를 이용하면 특정 속성의 값이 널 값이 아닌지를 비교한다. 검색 조건에서 널 값은 다른 값과 크기를 비교하면 결과가 모두 거짓이 된다.

예제 15 고객 테이블에서 나이가 아직 입력되지 않은 고객의 고객이름을 검색해보자.

결과:

```
SELECT    고객이름
FROM      고객
WHERE     나이 IS NULL;
```

결과 테이블

	고객이름
1	오형준

예제 16 고객 테이블에서 나이가 이미 입력된 고객의 고객이름을 검색해보자.

결과:

```
SELECT    고객이름
FROM      고객
WHERE     나이 IS NOT NULL;
```

결과 테이블

	고객이름
1	김정원
2	김선우
3	이철수
4	성원용
5	김용욱
6	채광주

정렬 검색에서 다음과 같이 ORDER BY 키워드를 이용해 결과 테이블 내용을 사용자가 원하는 순서로 출력하고, ORDER BY 키워드와 함께 정렬 기준이 되는 속성과 정렬 방식을 지정한다. 오름차순(기본, 생략 가능)은 ASC를 사용하고, 내림차순은 DESC를 사용한다. 널 값은 내림차순에서는 맨 마지막에 출력되고 오름차순에서는 맨 먼저 출력되고, 여러 기준에 따라 정렬하려면 정렬 기준이 되는 속성을 차례대로 제시한다.

```
SELECT   [ALL ¦ DISTINCT] 속성_리스트
FROM     테이블_리스트
[ WHERE 조건 ];
[ ORDER BY 속성_리스트 [ ASC ¦ DESC ] ];
```

예제 17 고객 테이블에서 고객이름, 등급, 나이를 검색하되, 나이를 기준으로 내림차순 정렬해보자.

결과:

```
SELECT    고객이름, 등급, 나이
FROM      고객
ORDER BY  나이  DESC;
```

결과 테이블

	고객이름	등급	나이
1	성원용	gold	35
2	채광주	silver	31
3	이철수	gold	28
4	김선우	vip	25
5	김용욱	silver	22
6	김정원	gold	20
7	오형준	silver	NULL

예제 18 주문 테이블에서 수량이 10개 이상인 주문의 주문고객, 주문제품, 수량, 주문일자를 검색해보자. 단, 주문제품을 기준으로 오름차순 정렬하고, 동일 제품은 수량을 기준으로 내림차순 정렬해보자.
결과:

```
SELECT    주문고객, 주문제품, 수량, 주문일자
FROM      주문
WHERE     수량 >= 10
ORDER BY  주문제품 ASC, 수량 DESC;
```

결과 테이블

	주문고객	주문제품	수량	주문일자
1	banana	p01	19	2022-03-02
2	pear	p02	50	2022-04-10
3	apple	p03	22	2022-03-15
4	carrot	p03	20	2022-05-22
5	apple	p03	10	2022-01-01
6	banana	p04	15	2022-04-11
7	banana	p06	45	2022-01-11
8	melon	p06	36	2022-02-20

집계 함수를 이용한 검색에서 특정 속성 값을 통계적으로 계산한 결과를 검색하기 위해 집계 함수를 이용한다. 집계 함수(aggregate function)는 열 함수(column function)라고도 하고, 개수, 합계, 평균, 최댓값, 최솟값의 계산 기능을 제공한다. 집계 함수 사용 시 주의 사항은 집계 함수는 널인 속성 값은 제외하고 계산하고, 집계 함수는 WHERE 절에서는 사용할 수 없고 SELECT 절이나 HAVING 절에서만 사용 가능하다. 다음의 표는 집계 함수를 나타낸다.

함수	의미	사용가능한 속성의 타입
COUNT	속성 값의 개수	모든 데이터
MAX	속성 값의 최댓값	
MIN	속성 값의 최솟값	
SUM	속성 값의 합계	숫자 데이터
AVG	속성 값의 평균	

예제 19 제품 테이블에서 모든 제품의 단가 평균을 검색해보자.
결과:

```
SELECT    AVG(단가)
FROM      제품;
```

결과 테이블

	(열 이름 없음)
1	2764

다음은 예제 19를 계산하는 과정을 나타낸다.

제품번호	제품명	재고량	단가	제조업체
p01	그냥만두	5000	4500	대한식품
p02	매운쫄면	2500	5500	민국푸드
p03	쿵떡파이	3600	2600	만세제과
p04	맛난초콜렛	1250	2500	만세제과
p05	얼큰라면	2200	1200	대한식품
p06	통통우동	1000	1550	민국푸드
p07	달콤비스켓	1650	1500	만세제과

AVG(단가)

2764

▲ 예제 19를 계산하는 과정

예제 20 만세제과에서 제조한 제품의 재고량 합계를 제품 테이블에서 검색해보자.

결과:

```
SELECT    SUM(재고량) AS '재고량 합계'
FROM      제품
WHERE     제조업체 = '만세제과';
```

결과 테이블

	재고량 합계
1	6500

예제 21 고객 테이블에 고객이 몇 명 등록되어 있는지 검색해보자.

결과:

① 고객아이디 속성을 이용해 계산하는 경우

```
SELECT    COUNT(고객아이디) AS 고객수
FROM      고객;
```

결과 테이블

	고객수
1	7

② 나이 속성을 이용해 계산하는 경우

```
SELECT    COUNT(나이) AS 고객수
FROM      고객;
```

결과 테이블

	고객수
1	6

③ *를 이용해 계산하는 경우

```
SELECT    COUNT(*) AS 고객수
FROM      고객;
```

결과 테이블

	고객수
1	7

▲ 예제 21을 계산하는 과정(고객아이디, 나이)

다음은 예제 21을 계산하는 과정(고객아이디, 나이)이다. 계산 과정에서 널인 속성 값은 제외하고 개수가 계산됨에 유의한다.

고객아이디	고객이름	나이	등급	직업	적립금
apple	김정원	20	gold	학생	1000
banana	김선우	25	vip	간호사	2500
carrot	이철수	28	gold	교사	4500
orange	김용욱	22	silver	학생	0
melon	성원용	35	gold	회사원	5000
pear	채광주	31	silver	회사원	500
peach	오형준	NULL	silver	의사	300

COUNT (고객아이디) → 7

COUNT (나이) → 6

다음은 예제 21을 계산하는 과정(*)을 나타낸다. 정확한 개수를 계산하기 위해서는 보통 기본키 속성이나 *를 주로 이용한다.

고객아이디	고객이름	나이	등급	직업	적립금
apple	김정원	20	gold	학생	1000
banana	김선우	25	vip	간호사	2500
carrot	이철수	28	gold	교사	4500
orange	김용욱	22	silver	학생	0
melon	성원용	35	gold	회사원	5000
pear	채광주	31	silver	회사원	500
peach	오형준	NULL	silver	의사	300

▲ 예제 21을 계산하는 과정(*)

예제 22 제품 테이블에서 제조업체의 수를 검색해보자. DISTINCT 키워드를 이용해 중복을 없애고 서로 다른 제조업체의 개수만 계산함에 유의한다.
결과:

```
SELECT    COUNT(DISTINCT 제조업체) AS '제조업체 수'
FROM      제품;
```

결과 테이블

	제조업체 수
1	3

그룹별 검색에서는 다음과 같이 GROUP BY 키워드를 이용해 특정 속성의 값이 같은 투플을 모아 그룹을 만들고, 그룹별로 검색한다. GROUP BY 키워드와 함께 그룹을 나누는 기준이 되는 속성을 지정하고, HAVING 키워드를 함께 이용해 그룹에 대한 조건을 작성한다. 그룹을 나누는 기준이 되는 속성을 SELECT 절에도 작성하는 것이 좋다.

```
SELECT  [ALL ¦ DISTINCT ] 속성_리스트
FROM    테이블_리스트
[ WHERE 조건 ];
[ GROUP BY 속성_리스트 [ HAVING 조건 ] ];
[ GROUP BY 속성_리스트 [ ASC ¦ DESC ] ];
```

예제 23 주문 테이블에서 주문제품별 수량의 합계를 검색해보자.

결과:

SELECT   주문제품, SUM(수량) AS 총주문수량
FROM   주문
GROUP BY 주문제품;

결과 테이블

	주문제품	총주문수량
1	p01	24
2	p02	58
3	p03	52
4	p04	15
5	p06	81

다음은 예제 23을 계산하는 과정을 나타낸다. 동일 제품을 주문한 투플을 모아 그룹으로 만들고, 그룹별로 수량의 합계를 계산함에 유의한다.

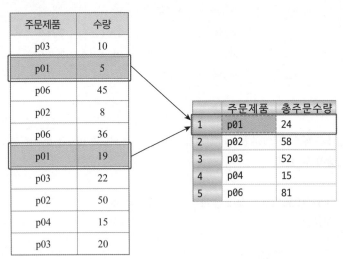

▲ 예제 23을 계산하는 과정

예제 24 제품 테이블에서 제조업체별로 제조한 제품의 개수와 제품 중 가장 비싼 단가를 검색하되, 제품의 개수는 제품수라는 이름으로 출력하고 가장 비싼 단가는 최고가라는 이름으로 출력해보자.

결과:

```
SELECT    제조업체, COUNT(*) AS 제품수, MAX(단가) AS 최고가
FROM      제품
GROUP BY  제조업체;
```

결과 테이블

	제조업체	제품수	최고가
1	대한식품	2	4500
2	민국푸드	2	5500
3	만세제과	3	2600

예제 25 제품 테이블에서 제품을 3개 이상 제조한 제조업체별로 제품의 개수와, 제품 중 가장 비싼 단가를 검색해보자. 집계 함수를 이용한 조건은 WHERE 절에는 작성할 수 없고 HAVING 절에서 작성함에 유의한다.

결과:

```
SELECT    제조업체, COUNT(*) AS 제품수, MAX(단가) AS 최고가
FROM      제품
GROUP BY  제조업체 HAVING COUNT(*)>=3;
```

결과 테이블

	제조업체	제품수	최고가
1	만세제과	3	2600

예제 26 고객 테이블에서 적립금 평균이 1000원 이상인 등급에 대해 등급별 고객 수와 적립금 평균을 검색해보자.

결과:

```
SELECT    등급, COUNT(*) AS 고객수, AVG(적립금) AS 평균적립금
FROM      고객
GROUP BY  등급 HAVING AVG(적립금) >= 1000;
```

결과 테이블

	등급	고객수	평균적립금
1	gold	3	3500
2	vip	1	2500

예제 27 주문 테이블에서 각 주문고객이 주문한 제품의 총주문수량을 주문제품별로 검색해보자. 집계 함수나 GROUP BY 절에 명시된 속성 외의 속성은 SELECT 절에 작성 불가함에 유의한다.

결과:

```
SELECT    주문제품, 주문고객, SUM(수량) AS 총주문수량
FROM      주문
GROUP BY  주문제품, 주문고객;
```

결과 테이블

	주문제품	주문고객	총주문수량
1	p03	apple	32
2	p01	banana	19
3	p04	banana	15
4	p06	banana	45	← 하나의 그룹
5	p02	carrot	8
6	p03	carrot	20
7	p01	melon	5
8	p06	melon	36
9	p02	pear	50

3. 데이터 삽입 - INSERT 문

데이터 직접 삽입은 다음과 같이 INTO 키워드와 함께 투플을 삽입할 테이블의 이름과 속성의 이름을 나열하고, 속성 리스트를 생략하면 테이블을 정의할 때 지정한 속성의 순서대로 값이 삽입된다. VALUES 키워드와 함께 삽입할 속성 값들을 나열하고, INTO 절의 속성 이름과 VALUES 절의 속성 값은 순서대로 일대일 대응되어야 한다.

```
INSERT
INTO    테이블_이름[(속성_리스트)]
VALUES (속성값_리스트);
```

예제 1 판매 데이터베이스의 고객 테이블에 고객아이디가 strawberry, 고객이름이 최유경, 나이가 30세, 등급이 vip, 직업이 공무원, 적립금이 100원인 새로운 고객의 정보를 삽입해보자. 그런 다음 고객 테이블에 있는 모든 내용을 검색하여 삽입된 새로운 투플을 확인해보자.

결과:

```
INSERT
INTO    고객(고객아이디, 고객이름, 나이, 등급, 직업, 적립금)
VALUES ('strawberry', '최유경', 30, 'vip', '공무원', 100);


SELECT * FROM 고객;
```

결과 테이블

	고객아이디	고객이름	나이	등급	직업	적립금
1	apple	김정원	20	gold	학생	1000
2	banana	김선우	25	vip	간호사	2500
3	carrot	이철수	28	gold	교사	4500
4	melon	성원용	35	gold	회사원	5000
5	orange	김용욱	22	silver	학생	0
6	peach	오형준	NULL	silver	의사	300
7	pear	채광주	31	silver	회사원	500
8	strawberry	최유경	30	vip	공무원	100

고객아이디, 고객이름, 나이, 등급, 직업, 적립금
‘strawberry’ ‘최유경’ ‘30’ ‘vip’ ‘공무원’ ‘100’

다음은 예제 1 결과 SQL의 다른 표현을 나타낸다. 속성 리스트를 생략하면 테이블을 정의할 때 지정한 속성의 순서대로 값이 삽입됨에 유의한다.

```
        INSERT
        INTO        고객(고객아이디, 고객이름, 나이, 등급, 직업, 적립금)
        VALUES      ('strawberry', '최유경', 30 'vip', '공무원', '100');


        INSERT
        INTO        고객
        VALUES      ('strawberry', '최유경', 30 'vip', '공무원', '100');
```

예제 2 판매 데이터베이스의 고객 테이블에 고객아이디가 tomato, 고객이름이 정은심, 나이가 36세, 등급이 gold, 적립금은 4000원, 직업은 아직 모르는 새로운 고객의 정보를 삽입해보자. 그런 다음 고객 테이블에 있는 모든 내용을 검색하여 삽입된 정은심 고객의 직업 널 값인지 확인해보자. 직업 속성에 널 값이 삽입되었음에 유의한다.
결과:

결과 테이블

	고객아이디	고객이름	나이	등급	직업	적립금
1	apple	김정원	20	gold	학생	1000
2	banana	김선우	25	vip	간호사	2500
3	carrot	이철수	28	gold	교사	4500
4	melon	성원용	35	gold	회사원	5000
5	orange	김용욱	22	silver	학생	0
6	peach	오형준	NULL	silver	의사	300
7	pear	채광주	31	silver	회사원	500
8	strawberry	최유경	30	vip	공무원	100
9	tomato	정은심	36	gold	NULL	4000

```
INSERT
INTO    고객(고객아이디, 고객이름, 나이, 등급, 적립금)
VALUES  ('tomato', '정은심', 36, 'gold', 4000);


SELECT * FROM 고객;
```

다음은 예제 2 결과 SQL의 다른 표현을 나타낸다. 속성 리스트를 생략하면 테이블을 정의할 때 지정한 속성의 순서대로 값이 삽입되고 값이 없는 것은 NULL을 할당해야 함에 유의한다.

```
        INSERT
        INTO        고객(고객아이디, 고객이름, 나이, 등급, 적립금)
        VALUES      ('tomato', '정은심', 36 'gold', '4000');


        INSERT
        INTO        고객
        VALUES      ('tomato', '정은심', 36 'gold', NULL '4000');
```

부속 질의문을 이용한 데이터 삽입에서는 다음과 같이 SELECT 문을 이용해 다른 테이블에서 검색한 데이터를 삽입한다.

```
INSERT
INTO    테이블_이름[(속성_리스트)]
SELECT 문;
```

만세제과에서 제조한 제품의 제품명, 재고량, 단가를 제품 테이블에서 검색하여 만세제품 테이블에 삽입하자.

결과:

예 INSERT
  INTO 만세제품(제품명, 재고량, 단가)
  SELECT 제품명, 재고량, 단가
  FROM 제품
  WHERE 제조업체 = '만세제과';

4. 데이터 수정 - UPDATE 문

다음과 같이 테이블에 저장된 투플에서 특정 속성의 값을 수정한다. SET 키워드 다음에 속성 값을 어떻게 수정할 것인지를 지정하고, WHERE 절에 제시된 조건을 만족하는 투플에 대해서만 속성 값을 수정한다. WHERE 절을 생략하면 테이블에 존재하는 모든 투플을 대상으로 수정한다.

```
UPDATE   테이블_이름
SET      속성_이름1 = 값1, 속성_이름2 = 값2, . . .
[WHERE 조건];
```

예제 1 제품 테이블에서 제품번호가 p03인 제품의 제품명을 통큰파이로 수정해보자. 그런 다음 제품 테이블의 모든 내용을 검색하여 수정 내용을 확인해보자.

결과:

UPDATE 제품
SET 제품명 = '통큰파이'
WHERE 제품번호 = 'p03';

SELECT * FROM 제품;

결과 테이블

	제품번호	제품명	재고량	단가	제조업체
1	p01	그냥만두	5000	4500	대한식품
2	p02	매운쫄면	2500	5500	민국푸드
3	p03	통큰파이	3600	2600	만세제과
4	p04	맛난초콜렛	1250	2500	만세제과
5	p05	얼큰라면	2200	1200	대한식품
6	p06	통통우동	1000	1550	민국푸드
7	p07	달콤비스켓	1650	1500	만세제과

예제 2 제품 테이블에 있는 모든 제품의 단가를 10% 인상해보자. 그런 다음 제품 테이블의 모든 내용을 검색하여 인상 내용을 확인해보자.

결과:

```
UPDATE   제품
SET      단가 = 단가 * 1.1;

SELECT  * FROM 제품;
```

결과 테이블

	제품번호	제품명	재고량	단가	제조업체
1	p01	그냥만두	5000	4950	대한식품
2	p02	매운쭐면	2500	6050	민국푸드
3	p03	통큰파이	3600	2860	만세제과
4	p04	맛난초콜렛	1250	2750	만세제과
5	p05	얼큰라면	2200	1320	대한식품
6	p06	통통우동	1000	1705	민국푸드
7	p07	달콤비스켓	1650	1650	만세제과

예제 3 판매 데이터베이스에서 김정원 고객이 주문한 제품의 주문수량을 5개로 수정해보자. 그런 다음 주문 테이블의 모든 내용을 검색하여 수정 내용을 확인해보자. 김정원 고객의 ID를 모르기 때문에 부속 질의문을 이용했음에 유의한다.

결과:

```
UPDATE   주문
SET      수량 = 5
WHERE    주문고객 IN (SELET  고객아이디
                     FROM   고객
                     WHERE  고객이름 = '김정원');

SELECT   * FROM 주문;
```

결과 테이블

	주문번호	주문고객	주문제품	수량	배송지	주문일자
1	001	apple	p03	5	서울시 마포구	2022-01-01
2	002	melon	p01	5	인천시 계양구	2022-01-10
3	003	banana	p06	45	경기도 부천시	2022-01-11
4	004	carrot	p02	8	부산시 금정구	2022-02-01
5	005	melon	p06	36	경기도 용인시	2022-02-20
6	006	banana	p01	19	충청북도 보은군	2022-03-02
7	007	apple	p03	5	서울시 영등포구	2022-03-15
8	008	pear	p02	50	강원도 춘천시	2022-04-10
9	009	banana	p04	15	전라남도 목포시	2022-04-11
10	010	carrot	p03	20	경기도 안양시	2022-05-22

5. 데이터 삭제 - DELETE 문

다음과 같이 테이블에 저장된 데이터를 삭제한다. WHERE 절에 제시한 조건을 만족하는 투플만 삭제하고, WHERE 절을 생략하면 테이블에 존재하는 모든 투플을 삭제해 빈 테이블이 된다.

```
UPDATE
FROM      테이블_이름
[WHERE 조건];
```

예제 1 주문 테이블에서 주문일자가 2022년 5월 22일인 주문내역을 삭제해보자. 그런 다음 주문 테이블의 모든 내용을 검색하여 삭제 여부를 확인해보자.

결과:

```
DELETE
FROM    주문
WHERE   주문일자 = '2022-05-22';

SELECT * FROM 주문;
```

결과 테이블

	주문번호	주문고객	주문제품	수량	배송지	주문일자
1	001	apple	p03	5	서울시 마포구	2022-01-01
2	002	melon	p01	5	인천시 계양구	2022-01-10
3	003	banana	p06	45	경기도 부천시	2022-01-11
4	004	carrot	p02	8	부산시 금정구	2022-02-01
5	005	melon	p06	36	경기도 용인시	2022-02-20
6	006	banana	p01	19	충청북도 보은군	2022-03-02
7	007	apple	p03	5	서울시 영등포구	2022-03-15
8	008	pear	p02	50	강원도 춘천시	2022-04-10
9	009	banana	p04	15	전라남도 목포시	2022-04-11

예제 2 판매 데이터베이스의 주문 테이블에 존재하는 모든 투플을 삭제해보자. 그런 다음 주문 테이블의 모든 내용을 검색하여 삭제 여부를 확인해보자. 빈 테이블이 남으므로, drop table(테이블 자체를 없앰)과는 다르다.

결과:

```
DELETE
FROM    주문;

SELECT * FROM 주문;
```

결과 테이블

주문번호	주문고객	주문제품	수량	배송지	주문일자

예제 3 판매 데이터베이스에서 김정원 고객이 주문한 내역을 주문 테이블에서 삭제해보자. 그런 다음 주문 테이블의 모든 내용을 검색하여 삭제 여부를 확인해보자. 김정원 고객의 ID를 모르기 때문에 부속 절의문으로 select를 사용했음에 유의한다.

결과:

```
DELETE
FROM    주문
WHERE   주문고객 IN (SELECT 고객아이디
                   FROM   고객
                   WHERE  고객이름 = '김정원';


SELECT * FROM 주문;
```

결과 테이블

	주문번호	주문고객	주문제품	수량	배송지	주문일자
1	002	melon	p01	5	인천시 계양구	2022-01-10
2	003	banana	p06	45	경기도 부천시	2022-01-11
3	004	carrot	p02	8	부산시 금정구	2022-02-01
4	005	melon	p06	36	경기도 용인시	2022-02-20
5	006	banana	p01	19	충청북도 보은군	2022-03-02
6	008	pear	p02	50	강원도 춘천시	2022-04-10
7	009	banana	p04	15	전라남도 목포시	2022-04-11

4 뷰(View)

1. 정의

뷰는 다른 테이블을 기반으로 만들어진 가상 테이블이다. 데이터를 실제로 저장하지 않고 논리적으로만 존재하는 테이블이지만 일반 테이블과 동일한 방법으로 사용한다(논리적인 테이블). 다른 뷰를 기반으로 새로운 뷰를 만드는 것도 가능하다. 뷰를 통해 기본 테이블의 내용을 쉽게 검색할 수는 있지만 기본 테이블의 내용을 변화시키는 작업은 제한적으로 이루어진다. 여기서, 기본 테이블은 뷰를 만드는 데 기반이 되는 물리적인 테이블을 의미한다.

뷰는 기본 테이블을 들여다 볼 수 있는 창의 역할을 담당하므로 보안 관점에서 장점을 가진다. 즉, 뷰를 통해 볼 수 있는 것을 제한한다.

2. 뷰 생성 - CREATE VIEW 문

뷰 생성은 다음과 같이 CREATE VIEW 키워드와 함께 생성할 뷰의 이름과 뷰를 구성하는 속성의 이름을 나열한다. 속성 리스트를 생략하면 SELECT 절에 나열된 속성의 이름을 그대로 사용한다. AS 키워드와 함께 기본 테이블에 대한 SELECT 문을 작성한다. SELECT 문은 생성하려는 뷰의 정의를 표현하며 ORDER BY는 사용이 불가하다. WITH CHECK OPTION을 사용하여 뷰에 삽입이나 수정 연산을 할 때 SELECT 문에서 제시한 뷰의 정의 조건을 위반하면 수행되지 않도록 하는 제약조건을 지정한다.

```
CREATE VIEW 뷰_이름[(속성_리스트)]
AS SELECT 문
[WITH CHECK OPTION];
```

예제 1 고객 테이블에서 등급이 vip인 고객의 고객아이디, 고객이름, 나이로 구성된 뷰를 우수고객이라는 이름으로 생성
해보자. 그런 다음 우수고객 뷰의 모든 내용을 검색해보자.

뷰가 생성된 후에 우수고객 뷰에 vip 등급이 아닌 고객 데이터를 삽입하거나 뷰의 정의 조건을 위반하는 수정
및 삭제 연산을 시도하면 실행을 거부한다(WITH CHECK OPTION 때문). 여기서, 물리적인 테이블은 고객
테이블이고, 논리적인 테이블은 우수고객 테이블이다.

결과:

```
CREATE  VIEW  우수고객(고객아이디, 고객이름, 나이)
AS  SELECT  고객아이디, 고객이름, 나이
    FROM    고객
    WHERE   등급 = 'vip'
WITH CHECK OPTION;
```

```
SELECT  *  FROM 우수고객;
```

결과 테이블

	고객아이디	고객이름	나이
1	banana	김선우	25

다음은 예제 1 결과 SQL의 다른 표현을 나타낸다. 속성 리스트를 생략하면 SELECT 절에 나열된 속성의 이름
을 그대로 사용함에 유의한다.

```
        CREATE  VIEW  우수고객(고객아이디, 고객이름, 나이)
        AS  SELECT  고객아이디, 고객이름, 나이
            FROM    고객
            WHERE   등급 = 'vip'
        WITH CHECK OPTION;


        CREATE VIEW 우수고객;
        AS  SELECT  고객아이디, 고객이름, 나이
            FROM    고객
            WHERE   등급 = 'vip'
        WITH CHECK OPTION;
```

예제 2 제품 테이블에서 제조업체별 제품수로 구성된 뷰를 업체별제품수라는 이름으로 생성해보자. 그런 다음 업체별제
품수 뷰의 모든 내용을 검색해보자.

제품수 속성은 기본 테이블인 제품 테이블에 원래 있던 속성이 아니라 집계 함수를 통해 새로 계산된 것이므
로 속성의 이름을 명확히 제시해야 한다(각 업체가 여러 개의 제품을 생산).

결과:

```
CREATE  VIEW  업체별제품수(제조업체, 제품수)
  AS  SELECT      제조업체, COUNT(*)
    FROM        제품
    GROUP BY    제조업체
WITH CHECK OPTION;
```

```
SELECT  * FROM 업체별제품수;
```

결과 테이블

	제조업체	제품수
1	대한식품	2
2	민국푸드	2
3	만세제과	3

3. 뷰 활용 - SELECT 문

뷰는 일반 테이블과 같은 방법으로 원하는 데이터를 검색할 수 있다. 뷰에 대한 SELECT 문이 내부적으로는 기본 테이블에 대한 SELECT 문으로 변환되어 수행된다. 검색 연산은 모든 뷰에 수행 가능하다.

> **예제** 우수고객 뷰에서 나이가 25세 이상인 고객에 대한 모든 내용을 검색해보자.
> 결과:
> ```
> SELECT  *  FROM  우수고객  WHERE  나이 >= 25;
> ```
>
> 결과 테이블
>
> | | 고객아이디 | 고객이름 | 나이 |
> |---|---|---|---|
> | 1 | banana | 김선우 | 25 |

4. 뷰 활용 - INSERT, UPDATE, DELETE 문

뷰에 대한 삽입 · 수정 · 삭제 연산은 실제로 기본 테이블에 수행되므로 결과적으로 기본 테이블이 변경된다. 뷰에 대한 삽입 · 수정 · 삭제 연산은 제한적으로 수행된다. 변경 가능한 뷰와 변경 불가능한 뷰가 존재한다. 변경 불가능한 뷰의 특징은 다음과 같다(원본인가가 중요).

- 기본 테이블의 기본키를 구성하는 속성이 포함되어 있지 않은 뷰
- 기본 테이블에 있던 내용이 아닌 집계 함수로 새로 계산된 내용을 포함하는 뷰
- DISTINCT 키워드를 포함하여 정의한 뷰
- GROUP BY 절을 포함하여 정의한 뷰
- 여러 개의 테이블을 조인하여 정의한 뷰는 변경이 불가능한 경우가 많음

> **예제 1** 다음의 제품1 뷰는 변경 가능한 뷰인가?
> ```
> CREATE VIEW 제품1
> AS SELECT  제품번호, 재고량, 제조업체
>     FROM   제품
> WITH CHECK OPTION;
>
> SELECT  *  FROM  제품 1;
> ```
>
> | | 제품번호 | 재고량 | 제품명 |
> |---|---|---|---|
> | 1 | p01 | 5000 | 대한식품 |
> | 2 | p02 | 2500 | 민국푸드 |
> | 3 | p03 | 3600 | 만세제과 |
> | 4 | p04 | 1250 | 만세제과 |
> | 5 | p05 | 2200 | 대한식품 |
> | 6 | p06 | 1000 | 민국푸드 |
> | 7 | p07 | 1650 | 만세제과 |

예제 2 제품번호가 p08, 재고량이 1000, 제조업체가 신선식품인 새로운 제품의 정보를 제품1 뷰에 삽입해보자. 그런 다음 제품1 뷰에 있는 모든 내용을 검색해보자.

결과:

INSERT INTO 제품1 VALUES ('p08', 1000, '신선식품');

SELECT * FROM 제품 1;

결과 테이블

	제품번호	재고량	제조업체
1	p01	5000	대한식품
2	p02	2500	민국푸드
3	p03	3600	만세제과
4	p04	1250	만세제과
5	p05	2200	대한식품
6	p06	1000	민국푸드
7	p07	1650	만세제과
8	p08	1000	신석식품

제품1 뷰에 대한 삽입 연산은 실제로 기본 테이블인 제품 테이블에 수행된다. 즉, 새로운 제품의 정보는 제품 테이블에 삽입된다.

SELECT * FROM 제품;

결과 테이블

	제품번호	제품명	재고량	단가	제조업체
1	p01	그냥만두	5000	4500	대한식품
2	p02	매운쫄면	2500	5500	민국푸드
3	p03	통큰파이	3600	2600	만세제과
4	p04	맛난초콜렛	1250	2500	만세제과
5	p05	얼큰라면	2200	1200	대한식품
6	p06	통통우동	1000	1550	민국푸드
7	p07	달콤비스켓	1650	1500	만세제과
8	p08	NULL	1000	NULL	신선식품

예제 3 다음의 제품2 뷰는 변경 가능한 뷰인가?

CREATE VIEW 제품2
AS SELECT 제품명, 재고량, 제조업체
    FROM 제품
WITH CHECK OPTION;

SELECT * FROM 제품 2;

	제품명	재고량	제조업체
1	그냥만두	5000	대한식품
2	매운쫄면	2500	민국푸드
3	통큰파이	3600	만세제과
4	맛난초콜렛	1250	만세제과
5	얼큰라면	2200	대한식품
6	통통우동	1000	민국푸드
7	달콤비스켓	1650	만세제과

예제 4 제품2 뷰에 대한 삽입 연산

결과: 오류

INSERT INTO 제품2 VALUES ('시원냉면', 1000, '신선식품');

제품2 뷰에 대한 삽입 연산은 실패한다(오류 발생). 제품2 뷰는 제품 테이블의 기본키인 제품번호 속성을 포함하고 있지 않기 때문에 제품2 뷰를 통해 새로운 투플을 삽입하려고 하면 제품번호 속성이 널 값이 되어 삽입 연산에 실패하게 된다.

5. 뷰의 장점

질의문을 좀 더 쉽게 작성할 수 있다. GROUP BY, 집계 함수, 조인 등을 이용해 뷰를 미리 만들어 놓으면, 복잡한 SQL 문을 작성하지 않아도 SELECT 절과 FROM 절만으로도 원하는 데이터의 검색이 가능하다. 데이터의 보안 유지에 도움이 된다. 자신에게 제공된 뷰를 통해서만 데이터에 접근하도록 권한 설정이 가능하다. 데이터를 좀 더 편리하게 관리할 수 있다. 그리고 제공된 뷰와 관련이 없는 다른 내용에 대해 사용자가 신경 쓸 필요가 없다.

6. 뷰 삭제 - DROP VIEW 문

다음과 같이 뷰를 삭제해도 기본 테이블은 영향을 받지 않는다. RESTRICT는 삭제할 뷰와 관련된 다른 뷰가 존재하면 삭제를 수행하지 않도록 지정하고, CASCADE는 삭제할 뷰와 관련된 다른 뷰를 모두 함께 삭제하도록 지정한다.

```
DROP  VIEW  뷰_이름  CASCADE | RESTRICT;
```

예제 우수고객 뷰를 삭제하되, 우수고객 뷰를 이용하는 다른 뷰가 존재하면 삭제가 수행되지 않도록 해보자.

결과:

DROP VIEW 우수고객 RESTRICT;

5 삽입 SQL

1. 삽입 SQL의 개념과 특징

삽입 SQL(ESQL; Embedded SQL)은 프로그래밍 언어로 작성된 응용 프로그램 안에 삽입하여 사용하는 SQL 문이다. 주요 특징은 프로그램 안에서 일반 명령문이 위치할 수 있는 곳이면 어디든 삽입 가능하고, 일반 명령문과 구별하기 위해 삽입 SQL 문 앞에 EXEC SQL을 붙인다. 그리고 프로그램에 선언된 일반 변수를 삽입 SQL 문에서 사용할 때는 이름 앞에 콜론(:)을 붙여서 구분한다. 커서(cursor, 반복)는 수행 결과로 반환된 여러 행을 한 번에 하나씩 가리키는 포인터이고, 결과로 여러 개의 행을 반환하는 SELECT 문을 프로그램에서 사용할 때 필요하다.

삽입 SQL 문에서 사용할 변수 선언 방법은 BEGIN DECLARE SECTION과 END DECLARE SECTION 사이에 선언한다. 커서가 필요 없는 삽입 SQL은 CREATE TABLE 문, INSERT 문, DELETE 문, UPDATE 문이고, 결과로 행 하나만 반환하는 SELECT 문이다(반복 없음).

2. 커서가 필요 없는 삽입 SQL

다음 그림은 입력된 제품번호에 해당되는 제품명과 단가를 검색하는 프로그램을 나타낸다.

```
int main( ) {

❶    EXEC  SQL BEGIN  DECLARE   SECTION;
          char   p_no[4],   p_name[21];
          int    price;
     EXEC  SQL END DECLARE SECTION

❷    printf("제품번호를 입력하세요 : ");
     scanf("%s", p_no);

❸    EXEC  SQL SELECT  제품명, 단가 INTO : p_name,  :price
               FROM    제품
               WHERE   제품번호 = :p_no;

❹    printf("\n 제품명 = %s ", p_name);
     printf("\n 단가 = %d ", p_price);

     return 0;
}
```

▲ 입력된 제품번호에 해당되는 제품명과 단가를 검색하는 프로그램

위의 그림의 번호와 매칭해서 설명하면 다음과 같다.

❶ 삽입 SQL 문에서 사용할 변수를 선언한다. 테이블 내에 대응되는 속성과 같은 타입으로 변수의 데이터 타입을 선언한다. 문자열의 끝을 표시하는 널 문자('\0')을 포함할 수 있도록 변수 선언 시 대응되는 속성의 문자열 길이 보다 한 개 더 길게 선언한다.
❷ 검색하고자 하는 제품의 제품번호를 사용자로부터 입력받는 부분이다.
❸ 제품 테이블에서 사용자가 입력한 제품번호에 해당하는 제품명과 단가를 검색하여 대응되는 각각의 변수에 저장하는 삽입 SQL 문이다.
❹ 변수는 INTO 키워드 다음에 차례대로 나열한다. 검색된 제품명과 단가를 화면에 출력한다.

3. 커서가 필요한 삽입 SQL

커서를 선언하는 삽입 SQL 문(DECLARE)은 다음과 같다.

```
EXEC SQL DECLARE 커서_이름 CURSOR FOR SELECT 문;
```

예 EXEC SQL DECLARE product_cursor CURSOR FRO
        SELECT 제품명, 단가 FROM 제품;

커서에 연결된 SELECT 문을 실행하는 삽입 SQL 문(OPEN)은 다음과 같다.

```
EXEC SQL OPEN 커서_이름;
```

예 EXEC SQL OPEN product_cursor;

커서를 이동시키는 삽입 SQL 문(FETCH)은 다음과 같다. 커서를 이동하여 처리할 다음 행을 가리키도록 하고 커서가 가리키는 행으로부터 속성 값을 가져와 변수에 저장시킨다. 결과 테이블에는 여러 행이 존재하므로 FETCH 문은 여러 번 수행해야 한다[제품 테이블(제품명, 단가)를 :p_name, :price에 저장]. for, while 문과 같은 반복문과 함께 사용한다.

```
EXEC SQL FETCH 커서_이름 INTO 변수_리스트;
```

예 EXEC SQL FETCH product_cursor INTO :p_name, :price;

커서의 사용을 종료하는 삽입 SQL 문(CLOSE)은 다음과 같다.

```
EXEC SQL CLOSE 커서_이름;
```

예 EXEC SQL CLOSE product_cursor;

요약정리

SQL

SQL	명령어	기본형
DDL	CREATE	CREATE TABLE 테이블_이름 (속성_이름 데이터_타입 [NOT NULL] [DEFAULT 기본_값] [PRIMARY KEY (속성_리스트)] [UNIQUE (속성_리스트)] [FOREIGN KEY (속성_리스트) REFERENCES 테이블_이름(속성_리스트)] [ON DELETE 옵션] [ON UPDATE 옵션] [CONSTRAINT 이름] [CHECK(조건)]);
	ALTER	ALTER TABLE 테이블_이름 ADD 속성_이름 데이터_타입 [NOT NULL] [DEFAULT 기본_값] ALTER TABLE 테이블_이름 DROP 속성_이름 CASCADE | RESTRICT; ALTER TABLE 테이블_이름 ADD CONSTRAINT 제약조건_이름 제약조건_내용; ALTER TABLE 테이블_이름 DROP CONSTRAINT 제약조건_이름;
	DROP	DROP TABLE 테이블_이름 CASCADE | RESTRICT;
DML	SELECT	SELECT [ALL | DISTINCT] 속성_리스트 FROM 테이블_리스트 [WHERE 조건] [GROUP BY 속성_리스트 [HAVING 조건]] [ORDER BY 속성_리스트 [ASC | DESC]];
	INSERT	INSERT INTO 테이블_이름[(속성_리스트)] VALUES (속성값_리스트);
	UPDATE	UPDATE 테이블_이름 SET 속성_이름1 = 값1, 속성_이름2 = 값2, ... [WHERE 조건];
	DELETE	DELETE FROM 테이블_이름 [WHERE 조건];
DCL	GRANT	GRANT 권한 ON 객체 TO 사용자 [WiTH GRANT OPTION];
	DENY	DENY 권한 ON 객체 TO 사용자;
	REVOKE	REVOKE 권한 ON 객체 FROM 사용자 CASCADE | RESTRICT;

주요개념 셀프체크

☑ CREATE, ALTER, DROP TABLE
☑ SELECT, INSERT, UPDATE, DELETE
☑ CREATE VIEW, SELECT/INSERT/UPDATE/DELETE, DROP VIEW

1. 다음 중 유효한 SQL 문장이 아닌 것은?   2016년 서울시

① SELECT * FROM Lawyers WHERE firmName LIKE '% and %';

② SELECT firmLoc, COUNT(*) FROM Firms WHERE employees < 100;

③ SELECT COUNT(*) FROM Firms WHERE employees < 100;

④ SELECT firmLoc, SUM(employees) FROM Firms GROUP BY firmLoc WHERE SUM(employees) < 100;

해설

그룹에 대한 조건을 작성할 때는 WHERE가 아니라 HAVING을 사용해야 한다.

선지분석

① LIKE: LIKE 키워드는 %(0개 이상의 문자)와 _(한 개의 문자)와 같이 사용할 수 있다.

② COUNT(*): COUNT(속성)은 속성 값의 개수인데, 속성을 *로 지정하면 모든 속성 즉, NULL 값의 유무에 상관없이 대상 테이블에서 모든 행(튜플)의 수를 계산한다.

③ COUNT(*): COUNT(속성)은 속성 값의 개수인데, 속성을 *로 지정하면 모든 속성 즉, NULL 값의 유무에 상관없이 대상 테이블에서 모든 행(튜플)의 수를 계산한다.

정답 ④

2. 다음 SQL 명령문들의 실행 후 상황에 대한 설명으로 옳은 것은?   2016년 국회직

```
CREATE TABLE UWORDS (ID INTEGER PRIMARY KEY, UWORD CHAR(5), FREQ INTEGER);
INSERT INTO UWORDS VALUES (500, 'THIS' , 500);
INSERT INTO UWORDS VALUES (510, 'IS' , 600);
INSERT INTO UWORDS VALUES (520, 'TEST' , 700);
SELECT UWORD FROM UWORDS WHERE ID > 500;
DELETE FROM UWORDS WHERE FREQ < 600;
COMMIT;
```

① UWORDS 테이블의 레코드(record)의 개수는 3개이다.

② 3개의 레코드가 출력된다.

③ 출력 결과에서 700이란 숫자는 보이지 않는다.

④ UWORDS 테이블의 컬럼(column)의 개수는 2개이다.

⑤ UWORDS 테이블에 TEST라는 단어는 저장되어 있지 않다.

해설

FREQ는 출력하지 않으므로 700이란 숫자는 보이지 않는다.

각 명령어의 실행 결과는 다음과 같다.

- INSERT: 3개의 레코드 삽입한다(컬럼 수가 3개이다).
- SELECT: ID가 500보다 큰 2개의 레코드 중 UWORD 출력한다(ID와 FREQ는 출력되지 않는다).
- DELETE: FREQ가 600보다 작은 1개의 레코드 삭제한다(남은 레코드 2개이다).

선지분석

① 레코드 개수는 2개이다.

② 2개의 레코드가 출력된다.

④ 컬럼 수는 3개이다.

⑤ THIS라는 단어가 저장되어 있지 않다.

정답 ③

1 데이터베이스 설계 단계

1. 데이터베이스 설계

데이터베이스 설계는 사용자의 다양한 요구 사항을 고려하여 데이터베이스를 생성하는 과정이다. 관계 데이터베이스의 대표적인 설계 방법은 E-R 모델과 변환 규칙을 이용한 설계와 정규화를 이용한 설계가 존재한다.

2. E-R 모델과 릴레이션 변환 규칙을 이용한 설계의 과정

다음 그림은 데이터베이스 설계의 과정을 나타낸다. 설계 과정 중에 오류가 발견되어 변경이 필요하면 이전 단계로 되돌아가 설계 내용을 변경이 가능함에 유의한다.

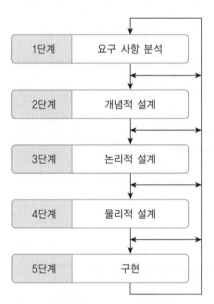

▲ 데이터베이스 설계의 과정

다음 그림은 데이터베이스 설계 과정의 각 단계별 주요 작업과 결과물을 나타낸다. 단계 중 핵심은 요구 사항 분석, 개념적 설계, 논리적 설계임에 유의한다.

▲ 데이터베이스 설계 과정의 각 단계별 주요 작업과 결과물

2 설계 1 단계

1. 요구 사항 분석

요구 사항 분석의 목적은 사용자의 요구 사항을 수집하고 분석하여 개발할 데이터베이스의 용도를 파악하고, 업무에 필요한 데이터가 무엇인지, 그 데이터에 어떤 처리가 필요한지 등을 고려한다. 결과물은 요구 사항 명세서이고, 주요 작업은 다음과 같다.

> • 데이터베이스를 실제로 사용할 주요 사용자의 범위를 결정한다.
> • 사용자가 조직에서 수행하는 업무를 분석한다.
> • 면담, 설문 조사, 업무 관련 문서 분석 등의 방법을 이용해 요구 사항을 수집한다.
> • 수집된 요구 사항에 대한 분석 결과를 요구 사항 명세서로 작성한다.

2. 요구 사항 분석 예

인터넷으로 회원들에게 상품을 판매하는 만세마트의 데이터베이스를 개발한다고 가정하자. 다음은 만세마트의 데이터베이스를 위한 요구 사항 명세서를 나타낸다.

> • 만세마트에 회원으로 가입하려면 회원아이디, 비밀번호, 이름, 나이, 직업을 입력해야 한다.
> • 가입한 회원에게는 등급과 적립금이 부여된다.
> • 회원은 회원아이디로 식별한다.
> • 상품에 대한 상품번호, 상품명, 재고량, 단가 정보를 유지해야 한다.
> • 상품은 상품번호로 식별된다.
> • 회원은 여러 상품을 주문할 수 있고, 하나의 상품을 여러 회원이 주문할 수 있다.
> • 회원이 상품을 주문하면 주문에 대한 주문번호, 주문수량, 배송지, 주문일자 정보를 유지해야 한다.
> • 각 상품은 한 제조업체가 공급하고, 제조업체 하나는 여러 상품을 공급할 수 있다.

- 제조업체가 상품을 공급하면 공급일자와 공급량 정보를 유지해야 한다.
- 제조업체에 대한 제조업체명, 전화번호, 위치, 담당자 정보를 유지해야 한다.
- 제조업체는 제조업체명으로 식별한다.
- 회원은 게시글을 여러 개 작성할 수 있고, 게시글 하나는 한 명의 회원만 작성할 수 있다.
- 게시글에 대한 글번호, 글제목, 글내용, 작성일자 정보를 유지해야 한다.
- 게시글은 글번호로 식별한다.

3 설계 2 단계

1. 개념적 설계

개념적 설계의 목적은 DBMS에 독립적인 개념적 스키마의 설계이고, 요구 사항 분석 결과물을 개념적 데이터 모델을 이용해 개념적 구조로 표현한다(개념적 모델링). 일반적으로 E-R 모델을 많이 이용한다. 결과물은 개념적 스키마(E-R 다이어그램)이고, 주요 작업은 요구 사항 분석 결과를 기반으로 중요한 개체를 추출하고 개체 간의 관계를 결정하여 E-R 다이어그램으로 표현한다.

다음 그림은 개념적 모델링 과정을 나타내고, 작업 과정은 다음과 같다.

- 1단계: 개체 추출, 각 개체의 주요 속성과 키 속성 선별
- 2단계: 개체 간의 관계 결정
- 3단계: E-R 다이어그램으로 표현

개체와 속성 추출   관계 추출   E-R 다이어그램 작성

▲ 개념적 모델링 과정

2. 1단계 - 개체와 속성 추출

개체는 저장할 만한 가치가 있는 중요 데이터를 가진 사람이나 사물 등을 의미한다. 예를 들어, 병원 데이터베이스 개발에 필요한 개체는 병원 운영에 필요한 사람(환자, 의사, 간호사 등)과 병원 운영에 필요한 사물(병실, 수술실, 의료 장비 등)이다. 개체 추출 방법은 요구 사항 문장에서 업무와 관련이 깊은 의미 있는 명사를 찾는 것이다. 업무와 관련이 적은 일반적이고 광범위한 의미의 명사는 제외하고, 의미가 같은 명사가 여러 개일 경우는 대표 명사 하나만 선택한다. 그리고 찾아낸 명사를 개체와 속성으로 분류한다.

다음 그림은 요구 사항 명세서에서 개체와 속성을 추출하는 과정을 나타낸다. "만세마트"는 일반적이고 광범위한 의미의 명사이므로 제외하고, "회원아이디", "비밀번호", "이름", "나이", "직업", "등급", "적립금"은 회원(개체)의 속성으로 분류한다. 그리고 "회원아이디"는 키 속성으로 분류한다.

- 만세마트에 회원으로 가입하려면 회원아이디, 비밀번호, 이름, 나이, 직업을 입력해야 한다.
- 가입한 회원에게는 등급과 적립금이 부여된다.
- 회원은 회원아이디로 식별한다.

3. 2단계 - 관계 추출

관계는 개체 간의 의미 있는 연관성을 의미하고, 관계 추출 방법은 요구 사항 문장에서 개체 간의 연관성을 의미 있게 표현한 동사를 찾는 것이다. 의미가 같은 동사가 여러 개일 경우는 대표 동사 하나만 선택하고, 찾아낸 관계에 대해 매핑 카디널리티와 참여 특성을 결정한다. 매핑 가디널리티는 일대일(1:1), 일대다(1:n), 나내나(n:m)가 존재하고, 참여 특성은 필수적 참여와 선택적 참여가 존재한다.

다음 그림은 요구 사항 명세서에서 관계를 추출하는 과정을 나타낸다. 관계는 주문으로서, "회원" 개체와 "상품" 개체가 맺는 관계이고, 다대다(n:m) 관계를 가진다. "회원" 개체는 관계에 선택적으로 참여하고 "상품" 개체는 관계에 선택적으로 참여한다. "주문" 관계의 속성은 주문번호, 주문수량, 배송지, 주문일자이다.

• 회원은 여러 상품을 주문할 수 있고, 하나의 상품을 여러 회원이 주문할 수 있다.
• 회원이 상품을 주문하면 주문에 대한 주문번호, 주문수량, 배송지, 주문일자 정보를 유지해야 한다.
---

4. 3단계 - E-R 다이어그램 작성

다음 그림은 요구 사항 명세서를 개념적 스키마로 작성한 결과이다.

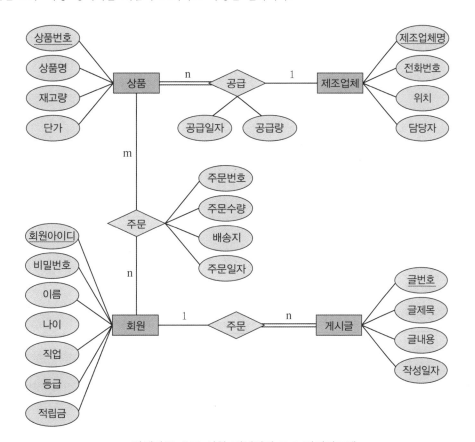

▲ 만세마트 요구 사항 명세서의 E-R 다이어그램

4 설계 3 단계

1. 논리적 설계

논리적 설계의 목적은 DBMS에 적합한 논리적 스키마의 설계이다. 개념적 스키마를 논리적 데이터 모델을 이용해 논리적 구조로 표현한다(논리적 모델링, 데이터 모델링). 일반적으로 관계 데이터 모델을 많이 이용한다. 결과물은 논리적 스키마(릴레이션 스키마, 데이터베이스 스키마)이고, 주요 작업은 개념적 설계 단계의 결과물인 E-R 다이어그램을 릴레이션 스키마로 변환하고, 릴레이션 스키마 변환 후 속성의 데이터 타입, 길이, 널 값 허용 여부, 기본 값, 제약조건 등을 세부적으로 결정하고 결과를 문서화시킨다.

E-R 다이어그램을 릴레이션 스키마로 변환하는 규칙은 다음과 같다. 변환 규칙을 순서대로 적용하되, 해당되지 않는 규칙은 제외한다.

- 규칙 1: 모든 개체는 릴레이션으로 변환한다.
- 규칙 2: 다대다(n:m) 관계는 릴레이션으로 변환한다.
- 규칙 3: 일대다(1:n) 관계는 외래키로 표현한다.
- 규칙 4: 일대일(1:1) 관계는 외래키로 표현한다.
- 규칙 5: 다중값 속성은 릴레이션으로 변환한다.

2. 논리적 설계 규칙 1 - 모든 개체는 릴레이션으로 변환한다(* 참고).

E-R 다이어그램의 각 개체를 다음과 같이 하나의 릴레이션으로 변환한다.

- 개체의 이름은 릴레이션 이름으로 변환한다.
- 개체의 속성은 릴레이션의 속성으로 변환한다.
- 개체의 키 속성은 릴레이션의 기본키로 변환한다.
- 개체의 속성이 복합 속성인 경우에는 복합 속성을 구성하고 있는 단순 속성만 릴레이션의 속성으로 변환한다.

다음 그림은 개체를 릴레이션으로 변환하는 규칙을 적용한 예를 나타낸다.

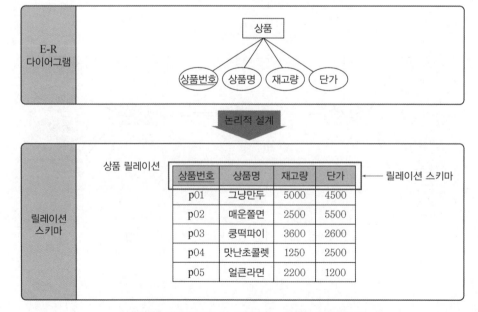

▲ 개체를 릴레이션으로 변환하는 규칙을 적용한 예

3. 규칙 2 - 다대다 관계는 릴레이션으로 변환한다(* 참고).

E-R 다이어그램의 다대다 관계를 다음과 같이 하나의 릴레이션으로 변환한다.

- 관계의 이름은 릴레이션 이름으로 변환하다.
- 관계의 속성은 릴레이션의 속성으로 변환한다.
- 관계에 참여하는 개체를 규칙 1에 따라 릴레이션으로 변환한 후 이 릴레이션의 기본키를 관계 릴레이션에 포함시켜 외래키로 지정하고 외래키들을 조합하여 관계 릴레이션의 기본키로 지정한다.

다음 그림은 다대다 관계를 릴레이션으로 변환하는 규칙을 적용한 예를 나타낸다.

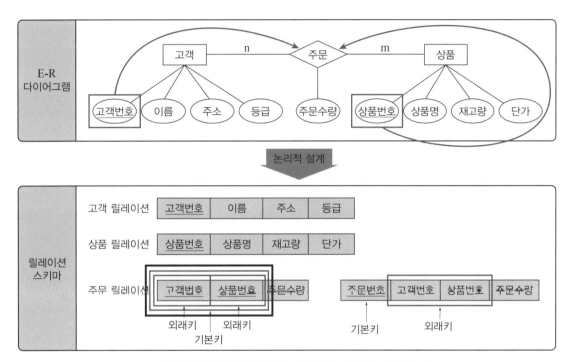

▲ 다대다 관계를 릴레이션으로 변환하는 규칙을 적용한 예

4. 규칙 3 - 일대다 관계는 외래키로 표현한다(* 참고).

E-R 다이어그램의 일대다 관계는 다음과 같이 외래키로만 표현한다.

- 규칙 3 - 1: 일반적인 일대다 관계는 외래키로 표현한다.
- 규칙 3 - 2: 약한 개체가 참여하는 일대다 관계는 외래키를 포함해서 기본키로 지정한다.

일반적인 일대다 관계는 외래키로 표현한다(규칙 3 - 1). 일대다(1:n) 관계에서 1측 개체 릴레이션의 기본키를 n측 개체 릴레이션에 포함시켜 외래키로 지정하고, 관계의 속성들도 n측 개체 릴레이션에 포함시킨다.

다음 그림은 일반적인 개체가 참여하는 일대다 관계를 외래키로 표현하는 규칙을 적용한 예이다.

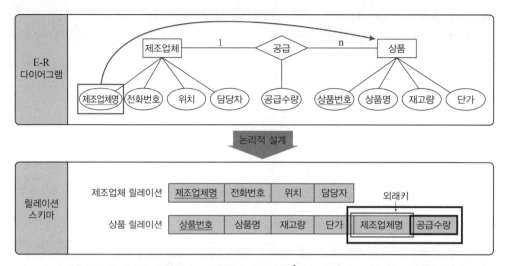

▲ 일반적인 개체가 참여하는 일대다 관계를 외래키로 표현하는 규칙을 적용한 예

약한 개체가 참여하는 일대다 관계는 외래키를 포함해서 기본키를 지정한다(규칙 3 - 2). 일대다(1:n) 관계에서 1측 개체 릴레이션의 기본키를 n측 개체 릴레이션에 포함시켜 외래키로 지정하고, 관계의 속성들도 n측 개체 릴레이션에 포함시킨다. n측 개체 릴레이션은 외래키를 포함하여 기본키를 지정한다. 그리고 약한 개체는 오너 개체에 따라 존재 여부가 결정되므로, 오너 개체의 기본키를 이용해 식별해야 한다. 다음 그림은 약한 개체가 참여하는 일대다 관계를 외래키로 표현하는 규칙을 적용한 예를 나타낸다.

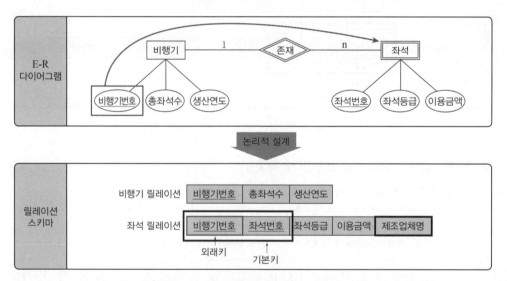

▲ 약한 개체가 참여하는 일대다 관계를 외래키로 표현하는 규칙을 적용한 예

5. 규칙 4 - 일대일 관계는 외래키로 표현한다(* 참고).

E-R 다이어그램의 일대일 관계는 다음과 같이 외래키로만 표현한다.

- 규칙 4 - 1: 일반적인 일대일 관계는 외래키를 서로 주고 받는다.
- 규칙 4 - 2: 일대일 관계에 필수적으로 참여하는 개체의 릴레이션만 외래키를 받는다.
- 규칙 4 - 3: 모든 개체가 일대일 관계에 필수적으로 참여하면 릴레이션을 하나로 합친다.

일반적인 일대일 관계는 외래키를 서로 주고 받는다(규칙 4 - 1). 관계에 참여하는 개체 릴레이션들이 서로의 기본키를 주고 받아 외래키로 지정하고, 관계의 속성들도 모든 개체 릴레이션에 포함시킨다. 불필요한 데이터 중복이 발생할 수 있다. 다음 그림은 일반적인 일대일 관계를 외래키로 표현하는 규칙을 적용한 예이다.

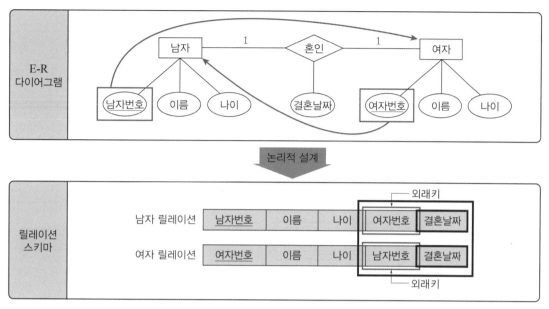

▲ 일반적인 일대일 관계를 외래키로 표현하는 규칙을 적용한 예

필수적으로 참여하는 개체 릴레이션만 외래키를 받는다(규칙 4 - 2). 관계에 필수적으로 참여하는 개체 릴레이션에만 외래키를 포함시키고, 관계의 속성들은 관계에 필수적으로 참여하는 개체 릴레이션에 포함시킨다. 다음 그림은 일대일 관계에 필수적으로 참여하는 개체의 릴레이션이 외래키를 가지는 예를 나타낸다.

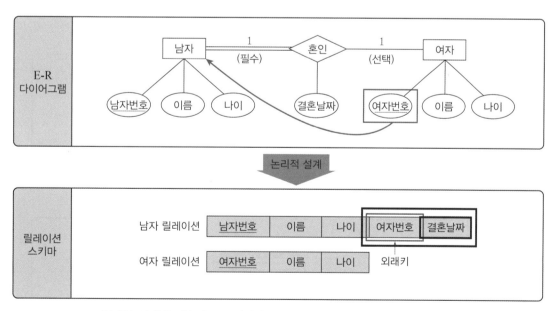

▲ 일대일 관계에 필수적으로 참여하는 개체의 릴레이션이 외래키를 가지는 예

모든 개체가 필수적으로 참여하면 릴레이션을 하나로 합친다(규칙 4 - 3). 관계에 참여하는 개체 릴레이션들을 하나의 릴레이션으로 합쳐서 표현하고, 관계의 이름을 릴레이션 이름으로 사용하고 관계에 참여하는 두 개체의 속성들을 관계 릴레이션에 모두 포함시킨다. 두 개체 릴레이션의 키 속성을 조합하여 관계 릴레이션의 기본키로 지정한다. 다음 그림은 일대일 관계에 모든 개체가 필수적으로 참여하면 릴레이션을 통합하는 예를 나타낸다.

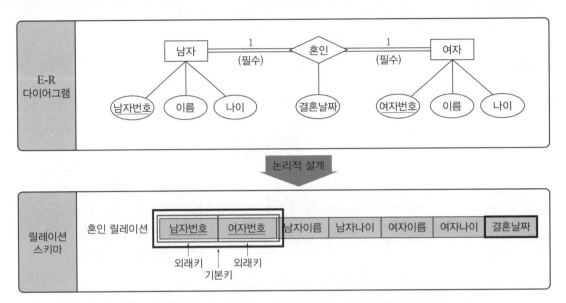

▲ 일대일 관계에 모든 개체가 필수적으로 참여하면 릴레이션을 통합하는 예

6. 규칙 5 - 다중값 속성은 릴레이션으로 변환한다(* 참고).

E-R 다이어그램의 다중값 속성은 독립적인 릴레이션으로 변환한다. 다중값 속성과 함께 그 속성을 가지고 있던 개체 릴레이션의 기본키를 외래키로 가져와 새로운 릴레이션에 포함시킨다. 그리고 새로운 릴레이션의 기본키는 다중값 속성과 외래키를 조합하여 지정한다. 다음 그림은 다중값 속성을 릴레이션으로 변환하는 규칙을 적용한 예이다.

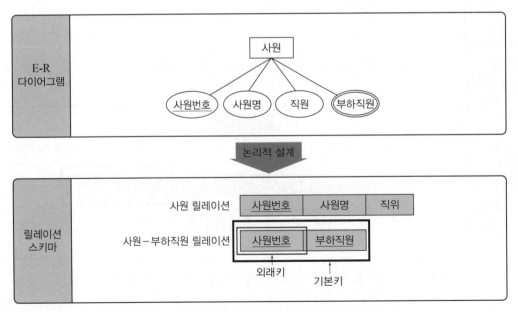

▲ 다중값 속성을 릴레이션으로 변환하는 규칙을 적용한 예

7. 테이블 명세서 작성

테이블 명세서는 릴레이션 스키마에 대한 설계 정보를 기술한 문서이다. 릴레이션 스키마 변환 후 속성의 데이터 타입, 길이, 널 값 허용 여부, 기본 값, 제약조건 등을 세부적으로 결정하고 결과를 문서화시킨다. 다음 그림은 테이블 명세서의 예를 니디낸디(MS SQL 시비라고 가정).

테이블 이름			회원			
속성이름	데이터 타입	널 허용 여부	기본값	기본키	외래키	제약조건
회원 아이디	VARCHAR(20)	N		PK		
비밀번호	VARCHAR(20)	N				
이름	VARCHAR(10)	N				
나이	INT	Y				0 이상
직업	VARCHAR(20)	Y				
등급	VARCHAR(10)	N	silver			silver, gold, vip만 허용
적립금	INT	N	0			

▲ 테이블 명세서의 예

5 기타

1. 설계 4 단계 - 물리적 설계

하드웨어나 운영체제의 특성을 고려하여 필요한 인덱스 구조나 내부 저장 구조 등에 대한 물리적 구조를 설계한다.

2. 설계 5 단계 - 구현

SQL로 작성한 넝넝문을 DBMS에서 실행하여 데이터베이스를 실제로 생성한다.

3. 스키마 변환 원칙

관계형 데이터 모델에서 개체와 관계를 논리적 데이터 모델로 표현한 릴레이션은 현실 세계를 정확히 표현하기 위해 개체의 특성을 나타내는 속성들 중에서 어떤 속성들을 릴레이션에 포함시킬 것인지를 결정해야 하는 중요한 논리적 데이터베이스 설계인 관계스키마 설계를 해야한다(개념적 스키마를 논리적 스키마로 변환). 관계스키마 설계는 속성, 개체, 관계, 제약조건, 스키마 변환로 구성되고, 스키마 변환 원칙은 정보의 무손실, 데이터 중복의 최소화, 분리의 원칙이다.

논리적 설계

규칙	대상	변환	상세	방향
1	모든 개체	릴레이션	복합 속성을 구성하고 있는 단순 속성만 릴레이션의 속성으로 변환	없음
2	n:m 관계	릴레이션	외래키들을 조합하여 관계 릴레이션의 기본키로 지정	n, m -> 관계
3	1:n 관계	외래키	일반적인 일대다 관계는 외래키로 표현	1 -> n, 관계 -> n
			약한 개체가 참여하는 일대다 관계는 외래키를 포함해서 기본키로 지정	1 -> n, 관계 -> n
4	1:1 관계	외래키	일반적인 일대일 관계는 외래키를 서로 주고 받음	1 <-> 1, 관계 -> 1
			일대일 관계에 필수적으로 참여하는 개체의 릴레이션만 외래키를 받음	1 -> 1(필수), 관계 -> 1(필수)
			모든 개체가 일대일 관계에 필수적으로 참여하면 릴레이션을 하나로 합침	1 -> 관계
5	다중값 속성	릴레이션	기본키를 외래키로 가져와 새로운 릴레이션에 포함(기본키는 다중값 속성과 조합)	없음

주요개념 셀프체크

☑ 요구사항, 개념, 논리, 물리, 구현
☑ 개념적 - 개체와 속성, 관계, E-R 다이어그램
☑ 논리적 - 모든개체(릴레이션), 다대다(릴레이션), 일대다(외래키), 일대일(외래키), 다중값(릴레이션)

핵심 기출

데이터베이스 설계 단계에서 목표 DBMS에 맞는 스키마 설계와 트랜잭션 인터페이스 설계에 대한 것은 어떤 단계에서 이루어지는가?

2014년 서울시

① 요구 조건 분석 단계
② 개념적 설계 단계
③ 논리적 설계 단계
④ 물리적 설계 단계
⑤ 구현 단계

해설

논리적 설계는 DBMS에 적합한 논리적 구조를 설계한다. 결과물은 논리적 스키마(릴레이션 스키마)이다. 릴레이션 스키마 변환 후 속성의 데이터 타입, 길이, 널 값 허용 여부, 기본 값, 제약조건 등을 세부적으로 결정하고 결과를 문서화(테이블 명세서)시킨다.

선지분석

① 요구 조건(사항) 분석: 데이터베이스의 용도를 파악한다. 결과물은 요구 사항 명세서이다.
② 개념적 설계: DBMS에 독립적인 개념적 구조를 설계한다. 결과물은 개념적 스키마(E-R 다이어그램)이다.
④ 물리적 설계: DBMS로 구현 가능한 물리적 구조를 설계한다. 결과물은 물리적 스키마이다.
⑤ 구현 단계: SQL 문을 작성한 후 이를 DBMS에서 실행하여 데이터베이스를 생성한다.

정답 ③

CHAPTER 09 | 정규화

1 정규화의 개념과 이상 현상

1. 개요

이상(anomaly) 현상은 불필요한 데이터 중복으로 인해 릴레이션에 대한 데이터 삽입·수정·삭제 연산을 수행할 때 발생할 수 있는 부작용이고, 정규화는 이상 현상을 제거하면서 데이터베이스를 올바르게 설계해 나가는 과정이다.

2. 이상 현상의 종류

다음 그림은 이상 현상의 종류를 나타낸다.

삽입 이상	새 데이터를 삽입하기 위해 불필요한 데이터도 함께 삽입해야 하는 문제
갱신 이상	중복 투플 중 일부만 변경하여 데이터가 불일치하게 되는 모순의 문제
삭제 이상	투플을 삭제하면 꼭 필요한 데이터까지 함께 삭제되는 데이터 손실의 문제

▲ 이상 현상의 종류

다음 그림은 이상 현상 설명을 위한 이벤트참여 릴레이션을 나타낸다.

고객아이디	이벤트 번호	당첨여부	고객이름	등급
apple	E001	Y	김정원	gold
apple	E005	N	김정원	gold
apple	E010	Y	김정원	gold
banana	E002	N	김선우	vip
banana	E005	Y	김선우	vip
carrot	E003	Y	이철수	gold
carrot	E007	Y	이철수	gold
orange	E004	N	김용욱	silver

▲ 이벤트참여 릴레이션

3. 삽입 이상(insertion anomaly)

삽입 이상은 릴레이션에 새 데이터를 삽입하려면 불필요한 데이터도 함께 삽입해야 하는 문제이다. 이벤트참여 릴레이션은 삽입 이상이 발생한다. 아직 이벤트에 참여하지 않은 아이디가 "melon"이고, 이름이 "성원용", 등급이 "gold"인 신규 고객의 데이터는 이벤트참여 릴레이션에 삽입할 수 없다. 삽입하려면 실제로 참여하지 않은 임시 이벤트번호를 삽입해야 한다. 다음 그림은 이벤트참여 릴레이션의 삽입 이상을 나타낸다.

고객아이디	이벤트번호	당첨여부	고객이름	등급
apple	E001	Y	김정원	gold
apple	E005	N	김정원	gold
apple	E010	Y	김정원	gold
banana	E002	N	김선우	vip
banana	E005	Y	김선우	vip
carrot	E003	Y	이철수	gold
carrot	E007	Y	이철수	gold
orange	E004	N	김용욱	silver
melon	NULL	NULL	성원용	gold	← 삽입 불가!

▲ 이벤트참여 릴레이션의 삽입 이상

4. 갱신 이상(update anomaly)

갱신 이상은 릴레이션의 중복된 투플들 중 일부만 수정하여 데이터가 불일치하게 되는 모순이 발생하는 문제이다. 이벤트참여 릴레이션은 갱신 이상이 발생한다. 아이디가 "apple"인 고객의 등급이 "gold"에서 "vip"로 변경되었는데, 일부 투플에 대해서만 등급이 수정된다면 "apple" 고객이 서로 다른 등급을 가지는 모순이 발생한다. 다음 그림은 이벤트참여 릴레이션의 갱신 이상을 나타낸다.

고객아이디	이벤트번호	당첨여부	고객이름	등급
apple	E001	Y	김정원	vip
apple	E005	N	김정원	vip	← 데이터 불일치 발생!
apple	E010	Y	김정원	gold
banana	E002	N	김선우	vip
banana	E005	Y	김선우	vip
carrot	E003	Y	이철수	gold
carrot	E007	Y	이철수	gold
orange	E004	N	김용욱	silver

▲ 이벤트참여 릴레이션의 갱신 이상

5. 삭제 이상(deletion anomaly)

삭제 이상은 릴레이션에서 투플을 삭제하면 꼭 필요한 데이터까지 손실되는 연쇄 삭제 현상이 발생하는 문제이다. 이벤트참여 릴레이션은 삭제 이상이 발생한다. 아이디가 "orange"인 고객이 이벤트 참여를 취소해 관련 투플을 삭제하게 되면 이벤트 참여와 관련이 없는 고객아이디, 고객이름, 등급 데이터까지 손실된다. 다음 그림은 이벤트참여 릴레이션의 삭제 이상을 나타낸다.

고객아이디	이벤트번호	당첨여부	고객이름	등급
apple	E001	Y	김정원	gold
apple	E005	N	김정원	gold
apple	E010	Y	김정원	gold
banana	E002	N	김선우	vip
banana	E005	Y	김선우	vip
carrot	E003	Y	이철수	gold
carrot	E007	Y	이철수	gold
~~orange~~	~~E004~~	~~N~~	~~김용욱~~	~~silver~~	← 삽입 불가!

▲ 이벤트참여 릴레이션의 삭제 이상

6. 정규화

정규화는 이상 현상이 발생하지 않도록, 릴레이션을 관련 있는 속성들로만 구성하기 위해 릴레이션을 분해(decomposition)하는 과정이다. 함수적 종속성을 판단하여 정규화를 수행한다.

함수적 종속성(FD; Functional Dependency)은 속성들 간의 관련성이다 함수 종속성을 이용하여, 릴레이션을 연관성이 있는 속성들로만 구성되도록 분해하여 이상 현상이 발생하지 않는 바람직한 릴레이션으로 만들어 나가는 과정이다.

2 함수 종속

1. 개요

"X가 Y를 함수적으로 결정한다."는 것은 릴레이션 내의 모든 투플을 대상으로 하나의 X 값에 대한 Y 값이 항상 하나임을 의미한다. X와 Y는 하나의 릴레이션을 구성하는 속성들의 부분 집합이고, "Y가 X에 함수적으로 종속되어 있다."와 같은 의미이다. X → Y로 표현한다(X는 결정자, Y는 종속자). 다음 그림은 함수 종속성의 표현을 나타낸다.

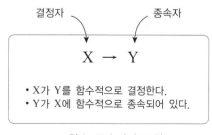

결정자   종속자

$$X \rightarrow Y$$

- X가 Y를 함수적으로 결정한다.
- Y가 X에 함수적으로 종속되어 있다.

▲ 함수 종속성의 표현

2. 함수 종속 관계 판단 예 - 1

다음 그림은 함수 종속 관계 설명을 위한 고객 릴레이션을 나타낸다. 각 고객아이디 속성 값에 대응되는 고객이름 속성과 등급 속성 값이 단 하나임에 유의한다.

고객아이디	고객이름	등급
apple	김정원	gold
banana	김선우	vip
carrot	이철수	gold
orange	김용욱	silver

다음 그림은 고객 릴레이션에 존재하는 함수 종속 관계를 나타낸다.

▲ 고객 릴레이션에 존재하는 함수 종속 관계

다음 그림은 고객 릴레이션의 함수 종속 다이어그램을 나타낸다. 함수 종속 다이어그램은 함수 종속 관계를 도식화하여 표현한 것이다.

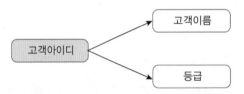

▲ 고객 릴레이션의 함수 종속 다이어그램

3. 함수 종속 관계 판단 시 유의 사항

속성 자체의 특성과 의미를 기반으로 함수 종속성을 판단해야 한다. 속성 값은 계속 변할 수 있으므로 현재 릴레이션에 포함된 속성 값만으로 판단하면 안된다. 일반적으로 기본키와 후보키는 릴레이션의 다른 모든 속성들을 함수적으로 결정한다(결정자). 기본키나 후보키가 아니어도 다른 속성 값을 유일하게 결정하는 속성은 함수 종속 관계에서 결정자가 될 수 있다.

4. 함수 종속 관계 판단 예 - 2

다음 그림은 함수 종속 관계 설명을 위한 이벤트참여 릴레이션을 나타낸다.

고객아이디	이벤트번호	당첨여부	고객이름
apple	E001	Y	김정원
apple	E005	N	김정원
apple	E010	Y	김정원
banana	E002	N	김선우
banana	E005	Y	김선우
carrot	E003	Y	이철수
carrot	E007	Y	이철수
orange	E004	N	김용욱

▲ 함수 종속 관계 설명을 위한 이벤트참여 릴레이션

다음 그림은 이벤트참여 릴레이션에 존재하는 함수 종속 관계를 나타낸다. 고객이름은 {고객아이디, 이벤트번호}의 일부분인 고객아이디에 종속되어 있다. 즉, 고객이름은 {고객아이디, 이벤트번호}에 부분 함수 종속됨에 유의한다.

> 고객아이디 → 고객이름
> {고객아이디, 이벤트번호} → 당첨여부
> {고객아이디, 이벤트번호} → 고객이름

▲ 이벤트참여 릴레이션에 존재하는 함수 종속 관계

다음 그림은 이벤트참여 릴레이션의 함수 종속 다이어그램을 나타낸다.

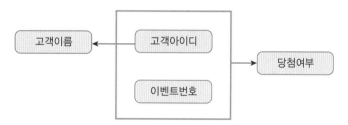

▲ 이벤트참여 릴레이션의 함수 종속 다이어그램

5. 함수 종속

완전 함수 종속(FFD; Full Functional Dependency)은 릴레이션에서 속성 집합 Y가 속성 집합 X에 함수적으로 종속되어 있지만, 속성 집합 X의 전체가 아닌 일부분에는 종속되지 않음을 의미한다. 일반적으로 함수 종속은 완전 함수 종속을 의미한다. 예를 들어, 당첨여부는 {고객아이디, 이벤트번호}에 완전 함수 종속된다.

부분 함수 종속(PFD; Partial Functional Dependency)은 릴레이션에서 속성 집합 Y가 속성 집합 X의 전체가 아닌 일부분에도 함수적으로 종속됨을 의미한다. 예를 들어, 고객이름은 {고객아이디, 이벤트번호}에 부분 함수 종속된다. 결정자와 종속자가 같거나, 결정자가 종속자를 포함하는 것처럼 당연한 함수 종속 관계는 고려하지 않는다. 다음 그림은 고려할 필요가 없는 함수 종속 관계를 나타낸다.

고객아이디 → 고객아이디
{고객아이디, 이벤트번호} → 이벤트번호

▲ 고려할 필요가 없는 함수 종속 관계

3 기본 정규형과 정규화 과정

1. 정규화(normalization)

함수 종속성을 이용해 릴레이션을 연관성이 있는 속성들로만 구성되도록 분해해서 이상 현상이 발생하지 않는 바람직한 릴레이션으로 만들어 가는 과정이다. 정규화를 통해 릴레이션은 무손실 분해(nonloss decomposition)되어야 한다. 릴레이션은 의미적으로 동등한 릴레이션들로 분해되어야 하고, 분해로 인한 정보의 손실이 발생하지 않아야 한다. 분해된 릴레이션들을 자연 조인(join)하면 분해 전의 릴레이션으로 복원 가능해야 한다.

2. 정규형(NF; Normal Form)

정규형은 릴레이션이 정규화된 정도이다. 각 정규형마다 제약조건이 존재하고, 정규형의 차수가 높아질수록 요구되는 제약조건이 많아지고 엄격해진다. 릴레이션의 특성을 고려하여 적합한 정규형을 선택한다. 다음 그림은 정규형의 종류를 나타낸다.

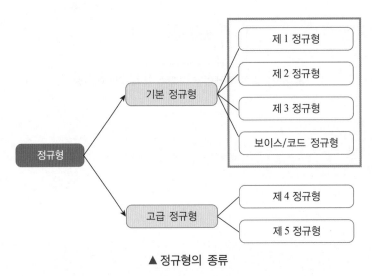

▲ 정규형의 종류

다음 그림은 정규형들의 관계를 나타낸다.

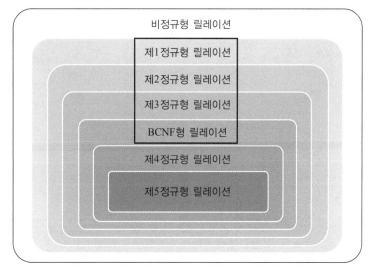

▲ 정규형들의 관계

3. 제 1 정규형(1NF; First Normal Form)

릴레이션의 모든 속성이 더는 분해되지 않는 원자 값(atomic value)만 가지면 제 1 정규형을 만족한다. 제 1 정규형을 만족해야 관계 데이터베이스의 릴레이션이 될 자격이 있다. 다음의 그림은 제 1 정규형을 나타낸다.

> **제 1 정규형(1NF)**
>
> 릴레이션에 속한 모든 속성의 도메인이 원자 값(atomic value)으로만 구성되어 있으면 제 1 정규형에 속한다.

▲ 제 1 정규형

다음 그림은 다중값 속성을 포함하는 이벤트참여 릴레이션을 나타낸다. 해당 릴레이션은 제 1 정규형을 만족하지 않는 릴레이션임에 유의한다.

고객아이디	이벤트 번호	당첨여부	등급	할인율
apple	E001, E005, E010	Y, N, Y	gold	10%
banana	E002, E005	N, Y	vip	20%
carrot	E003, E007	Y, Y	gold	10%
orange	E004	N	silver	5%

▲ 다중값 속성을 포함하는 이벤트참여 릴레이션

4. 제 2 정규형(2NF; Second Normal Form)

릴레이션이 제 1 정규형에 속하고, 기본키가 아닌 모든 속성이 기본키에 완전 함수 종속되면 제 2 정규형을 만족한다. 다음 그림은 제 2 정규형을 나타낸다.

> **제 2 정규형(2NF)**
>
> 릴레이션이 제 1 정규형에 속하고, 기본키가 아닌 모든 속성이 기본키에 완전 함수 종속되면 제 2 정규형에 속한다.

▲ 제 2 정규형

다음 그림은 제 1 정규형에 속하는 이벤트참여 릴레이션을 나타낸다. 제 1 정규형을 만족하지만 제 2 정규형은 만족하지 않는 릴레이션이다. 기본키에 완전 함수 종속되지 않은 등급과 할인율 속성 때문이다. 등급과 할인율은 고객아이디에 부분 함수 종속하고, 이벤트 번호와는 무관함에 유의한다.

고객아이디	이벤트 번호	당첨여부	등급	할인율
apple	E001	Y	gold	10%
apple	E005	N	gold	10%
apple	E010	Y	gold	10%
banana	E002	N	vip	20%
banana	E005	Y	vip	20%
carrot	E003	Y	gold	10%
carrot	E007	Y	gold	10%
orange	E004	N	silver	5%

▲ 제 1 정규형에 속하는 이벤트참여 릴레이션

다음 그림은 제 2 정규형을 만족하도록 분해된 두 개의 릴레이션을 나타낸다. 고객 릴레이션과 이벤트참여 릴레이션은 모두 제 2 정규형에 속함에 유의한다.

분해 전의 이벤트참여 릴레이션

고객아이디	이벤트번호	당첨여부	등급	할인율
apple	E001	Y	gold	10%
apple	E005	N	gold	10%
apple	E010	Y	gold	10%
banana	E002	N	vip	20%
banana	E005	Y	vip	20%
carrot	E003	Y	gold	10%
carrot	E007	Y	gold	10%
orange	E004	N	silver	5%

부분 함수 종속율 제거하려고 분해

고객 릴레이션

고객아이디	등급	할인율
apple	gold	10%
banana	vip	20%
carrot	gold	10%
orange	silver	5%

이벤트참여 릴레이션

고객아이디	이벤트번호	당첨여부
apple	E001	Y
apple	E005	N
apple	E010	Y
banana	E002	N
banana	E005	Y
carrot	E003	Y
carrot	E007	Y
orange	E004	N

▲ 제 2 정규형을 만족하도록 분해된 두 개의 릴레이션

5. 제 3 정규형(3NF; Third Normal Form)

릴레이션이 제 2 정규형에 속하고, 기본키가 아닌 모든 속성이 기본키에 이행적 함수 종속되지 않으면 제 3 정규형을 만족한다. 다음 그림은 제 3 정규형을 나타낸다.

> **제 3 정규형(3NF)**
>
> 릴레이션이 제 2 정규형에 속하고, 기본키가 아닌 모든 속성이 기본키에 이행적 함수 종속이 되지 않으면 제 3 정규형에 속한다.

▲ 제 3 정규형

릴레이션을 구성하는 세 개의 속성 집합 X, Y, Z에 대해 함수 종속 관계 X → Y와 Y → Z가 존재하면 논리적으로 X → Z가 성립되는데, 이것을 "Z가 X에 이행적으로 함수 종속되었다(transitive FD)"고 한다. 다음 그림은 이행적 함수 종속을 나타낸다.

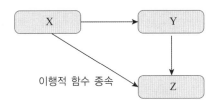

▲ 이행적 함수 종속

다음 그림은 제 2 정규형에 속하는 고객 릴레이션을 나타낸다. 제 2 정규형을 만족하지만 제 3 정규형은 만족하지 않는 릴레이션이다. 고객아이디가 등급을 통해 할인율을 결정하는 이행적 함수 종속 관계가 존재하기 때문이다.

고객아이디	등급	할인율
apple	gold	10%
banana	vip	20%
carrot	gold	10%
orange	silver	5%

▲ 제 2 정규형에 속하는 고객 릴레이션

다음 그림은 제 3 정규형을 만족하도록 분해된 두 개의 릴레이션을 나타낸다. 고객 릴레이션과 고객등급 릴레이션은
모두 제 3 정규형에 속함에 유의한다.

분해 전의 고객 릴레이션

고객아이디	등급	할인율
apple	gold	10%
banana	vip	20%
carrot	gold	10%
orange	silver	5%

이행적 함수 종속율 제거하려고 분해

고객 릴레이션

고객아이디	등급
apple	gold
banana	vip
carrot	gold
orange	silver

고객등급 릴레이션

등급	할인율
gold	10%
vip	20%
silver	5%

▲ 제 3 정규형을 만족하도록 분해된 두 개의 릴레이션

6. 보이스/코드 정규형(BCNF: Boyce/Codd Normal Form)

하나의 릴레이션에 여러 개의 후보키가 존재하는 경우, 제 3 정규형까지 모두 만족해도 이상 현상이 발생할 수 있다.
강한 제 3 정규형(strong 3NF)은 후보키를 여러 개 가지고 있는 릴레이션에 발생할 수 있는 이상 현상을 해결하기
위해 제 3 정규형보다 좀 더 엄격한 제약조건을 제시한다(모든 결정자가 후보키). 보이스/코드 정규형에 속하는 모
든 릴레이션은 제 3 정규형에 속하지만, 제 3 정규형에 속하는 모든 릴레이션이 보이스/코드 정규형에 속하는 것은
아니다. 다음 그림은 보이스/코드 정규형을 나타낸다.

> **보이스/코드(BCNF)**
>
> 릴레이션이 함수 종속 관계에서 모든 결정자가 후보키이면 보이스/코드 정규형에 속한다.

▲ 보이스/코드 정규형

다음 그림은 보이스/코드 정규형 설명을 위한 강좌신청 릴레이션을 나타낸다. 제 3 정규형을 만족하지만 보이스/코
드 정규형은 만족하지 않는 릴레이션이다. 함수 종속 관계에서 모든 결정자가 후보키({고객아이디, 인터넷강좌}, {고
객아이디, 담당강사번호})가 아니기 때문이다. 담당강사번호가 결정자인데 후보키(최소성, 유일성)가 아니다.

고객아이디	인터넷 강좌	담당강사번호
apple	영어회화	P001
banana	기초토익	P002
carrot	영어회화	P001
carrot	기초토익	P004
orange	영어회화	P003
orange	기초토익	P004

▲ 보이스/코드 정규형 설명을 위한 강좌신청 릴레이션

다음 그림은 강좌신청 릴레이션의 함수 종속 다이어그램을 나타낸다.

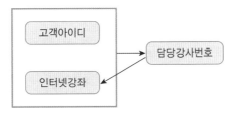

▲ 강좌신청 릴레이션의 함수 종속 다이어그램

다음 그림은 BCNF를 만족하도록 분해된 두 개의 릴레이션을 나타낸다. 고객담당강사 릴레이션과 강좌담당 릴레이션은 모두 BCNF에 속함에 유의한다.

강좌신청 릴레이션

고객아이디	인터넷강좌	담당강사번호
apple	영어회화	P001
banana	기초토익	P002
carrot	영어회화	P001
carrot	기초토익	P004
orange	영어회화	P003
orange	기초토익	P004

후보키가 아닌 결정자를
제거하려고 분해

고객담당강사 릴레이션

고객아이디	담당강사번호
apple	P001
banana	P002
carrot	P001
carrot	P004
orange	P003
orange	P004

강좌담당 릴레이션

담당강사번호	인터넷강좌
P001	영어회화
P002	기초토익
P003	영어회화
P004	기초토익

▲ BCNF를 만족하도록 분해된 두 개의 릴레이션

7. 기타

릴레이션이 보이스/코드 정규형을 만족하면서, 함수 종속이 아닌 다치 종속(MVD; MultiValued Dependency)를 제거하면 제 4 정규형에 속한다. 릴레이션이 제 4 정규형을 만족하면서, 후보키를 통하지 않는 조인 종속(JD; Join Dependency)을 제거하면 제 5 정규형에 속한다.

모든 릴레이션이 제 5 정규형에 속해야만 바람직한 것은 아니다. 일반적으로 제 3 정규형이나 보이스/코드 정규형에 속하도록 릴레이션을 분해하여 데이터 중복을 줄이고 이상 현상을 해결하는 경우가 많다.

다음 그림은 정규화 과정을 정리한 것이다.

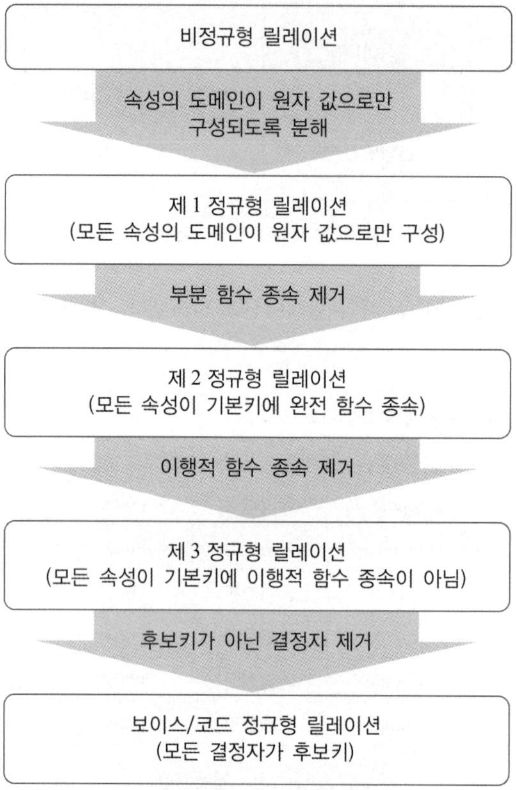

| 비정규형 릴레이션 |

속성의 도메인이 원자 값으로만
구성되도록 분해

| 제1 정규형 릴레이션
(모든 속성의 도메인이 원자 값으로만 구성) |

부분 함수 종속 제거

| 제2 정규형 릴레이션
(모든 속성이 기본키에 완전 함수 종속) |

이행적 함수 종속 제거

| 제3 정규형 릴레이션
(모든 속성이 기본키에 이행적 함수 종속이 아님) |

후보키가 아닌 결정자 제거

| 보이스/코드 정규형 릴레이션
(모든 결정자가 후보키) |

▲ 정규화 과정

📋 요약정리

정규화(원완이결다조)

정규화(normalization)	특징
1	모든 속성의 도메인이 원자 값으로만 구성
2	모든 속성이 기본키에 완전 함수 종속
3	모든 속성이 기본키에 이행적 함수 종속이 아님
BCNF	모든 결정자가 후보키
4	함수 종속이 아닌 다치 종속(MultiValued Dependency)을 제거
5	후보키를 통하지 않는 조인 종속(Join Dependency)을 제거

🖐 주요개념 셀프체크

☑ 이상현상
☑ 함수적 종속성
☑ 정규화 - 원완이결다조

핵심 기출

1. 스키마 R(A, B, C, D)와 함수적 종속{A → B, A → C}을 가질 때 다음 중 BCNF 정규형은?

① S(A, B, C, D)
② S(A, B)와 T(A, C, D)
③ S(A, C)와 T(A, B, D)
④ S(A, B, C)와 T(A, D)

해설

S(A, B, C)와 T(A, D)는 현재 A가 결정자(후보키)이다. D가 결정자이면 후보키가 된다.

선지분석

①②③ S(A, B, C, D), S(A, B)와 T(A, C, D), S(A, C)와 T(A, B, D): 현재 A가 결정자(후보키)이다. D가 결정자인데 후보키가 아닐 확률(유일성이 깨짐)이 존재한다.

TIP 릴레이션의 함수 종속 관계에서 모든 결정자(X가 Y를 함수적으로 결정할 때 X를 결정자, Y를 종속자라고 함)가 후보키(유일성과 최소성을 만족)이면 보이스/코드 정규형(BCNF)에 속한다.

정답 ④

2. 다음은 속성(attribute) A, B, C, D와 4개의 투플(tuple)로 구성되고 두 개의 함수 종속 AB → C, A → D 를 만족하는 릴레이션을 나타낸다. ㉠과 ㉡에 들어갈 수 있는 속성값이 옳게 짝지어진 것은? (단, A 속성의 도메인은 {a1, a2, a3, a4}이고, D 속성의 도메인은 {d1, d2, d3, d4, d5}이다)

A	B	C	D
a1	b1	c1	d1
a1	b2	c2	㉠
㉡	b1	c1	d3
a4	b1	c4	d4

	㉠	㉡
①	d1	a1
②	d1	a2 또는 a3
③	d5	a2 또는 a4
④	d4	a4

해설

A → D 종속을 만족해야 하고, 1번 튜플에서 A, D가 a1, d1로 결정되었으므로 ㉠도 d1이 되어야 한다. ㉡이 a2 또는 a3라면 어떤 종속 조건에도 해당이 되지 않기 때문에 릴레이션의 튜플로 사용할 수 있다.

선지분석

① A → D 종속을 만족해야 하고, 1번 튜플에서 A, D가 a1, d1로 결정되었으므로 ㉠도 d1이 되어야 한다. ㉡이 a1이라면 1번 튜플과 3번 튜플의 AB → C 종속 조건을 만족하는데, 대신 A → D라는 종속에 어긋나게 된다.
③ A → D 종속 조건에 의해, ㉠은 d5가 될 수 없다. ㉡이 a2는 될 수 있지만, ㉡이 a4라면 3번 튜플과 4번 튜플의 AB 값이 같은데 C값은 다르므로, AB → C 종속과 A → D라는 종속에 어긋나게 된다.
④ A → D 종속 조건에 의해, ㉠은 d4가 될 수 없다. ㉡이 a4라면 3번 튜플과 4번 튜플의 AB값이 같은데 C 값은 다르므로, AB → C 종속과 A → D라는 종속에 어긋나게 된다.

정답 ②

1 트랜잭션

1. 개념

하나의 작업을 수행하기 위해 필요한 데이터베이스 연산들을 모아놓은 것이고, 작업 수행에 필요한 SQL 문들의 모임이다. 특히, 데이터베이스를 변경하는 INSERT, DELETE, UPDATE 문의 실행을 관리하고, 논리적인 작업의 단위이다. 장애 발생 시 복구 작업이나 병행 제어 작업을 위한 중요한 단위로 사용되고, 데이터베이스의 무결성과 일관성을 보장하기 위해 작업 수행에 필요한 연산들을 하나의 트랜잭션으로 제대로 정의하고 관리해야 한다.

다음 그림은 계좌이체 트랜잭션을 나타낸다. 처리 순서는 중요하지 않지만 두 개의 UPDATE 문이 모두 정상적으로 실행되어야 함에 유의한다.

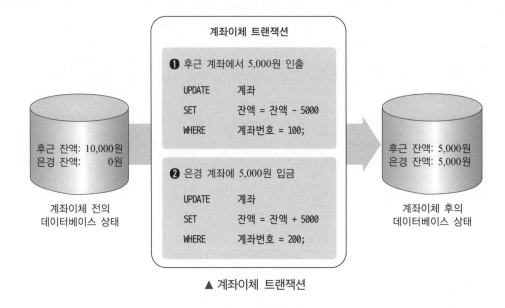

▲ 계좌이체 트랜잭션

다음 그림은 상품주문 트랜잭션을 나타낸다. INSERT문과 UPDATE문이 모두 정상적으로 실행되어야 상품주문 트랜잭션이 성공적으로 수행됨에 유의한다.

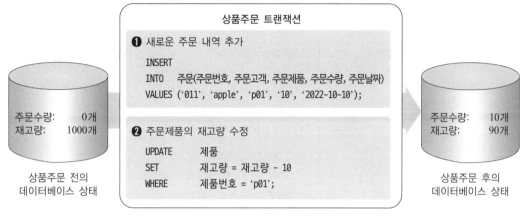

▲ 상품주문 트랜잭션

다음 그림은 트랜잭션의 특성을 나타낸다.

▲ 트랜잭션의 특성

2. 원자성(atomicity)

트랜잭션의 연산들이 모두 정상적으로 실행되거나 하나도 실행되지 않아야 하는 all-or-nothing 방식을 의미한다. 만약 트랜잭션 수행 도중 장애가 발생하면 지금까지 실행한 연산들 모두 처리를 취소하고 데이터베이스를 트랜잭션 작업 전 상태로 되돌려야 한다. 원자성 보장을 위해 장애 발생 시 회복 기능이 필요하다. 다음 그림은 트랜잭션의 수행 성공 예를 나타낸다.

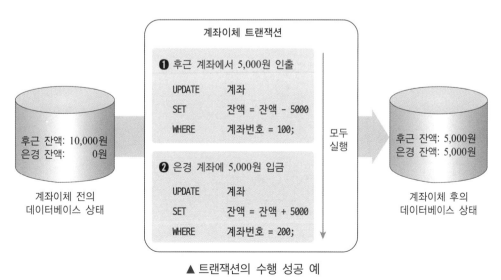

▲ 트랜잭션의 수행 성공 예

다음 그림은 트랜잭션의 수행 실패 예를 나타낸다.

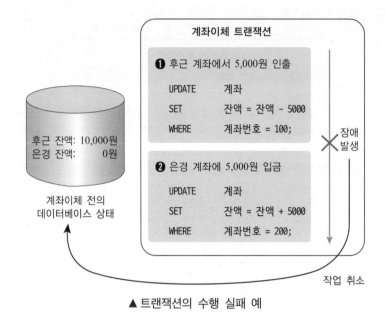

▲ 트랜잭션의 수행 실패 예

3. 일관성(consistency)

트랜잭션이 성공적으로 수행된 후에도 데이터베이스가 일관성 있는 상태를 유지해야 함을 의미한다. 다음 그림은 트랜잭션의 일관성을 만족하는 예를 나타낸다.

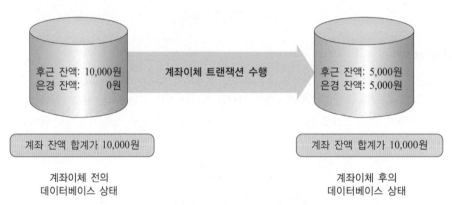

▲ 트랜잭션의 일관성을 만족하는 예

다음 그림은 트랜잭션의 일관성을 만족하지 않는 예를 나타낸다.

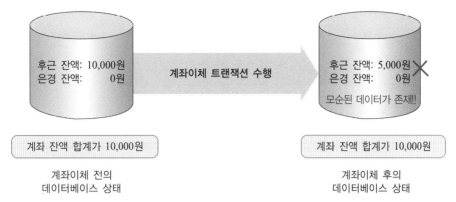

▲ 트랜잭션의 일관성을 만족하지 않는 예

4. 격리성(isolation)

수행 중인 트랜잭션이 완료될 때까지 다른 트랜잭션들이 중간 연산 결과에 접근할 수 없음을 의미한다. 여러 트랜잭션이 동시에 수행되더라도 마치 순서대로 하나씩 수행되는 것처럼 정확하고 일관된 결과를 얻을 수 있도록 제어하는 기능이 필요하다(병행 제어). 다음 그림은 트랜잭션의 격리성이 만족되지 않는 예를 나타낸다.

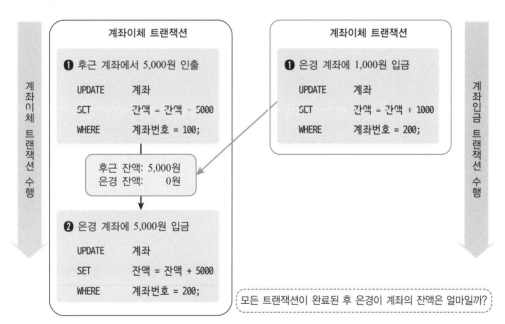

▲ 트랜잭션의 격리성이 만족되지 않는 예

다음 그림은 트랜잭션의 격리성이 만족되는 예를 나타낸다.

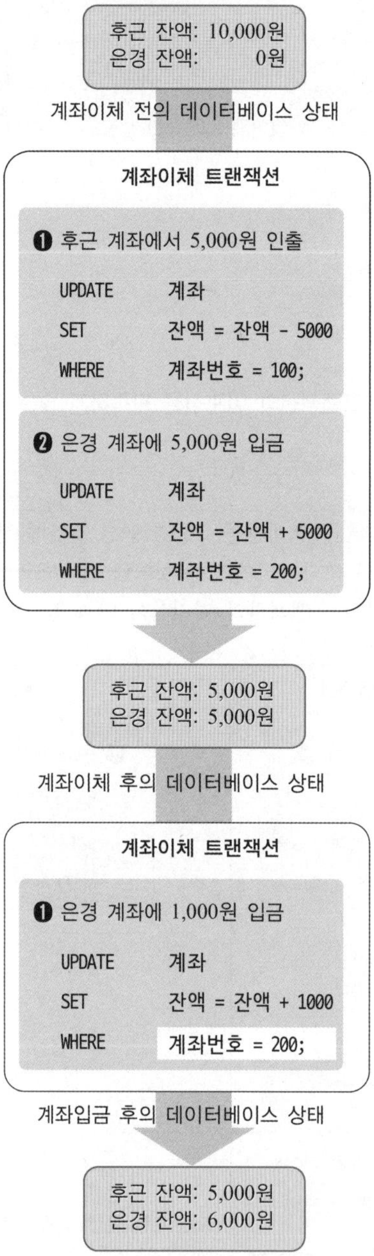

```
┌─────────────────────────┐
│ 후근 잔액: 10,000원       │
│ 은경 잔액:       0원      │
└─────────────────────────┘
```

계좌이체 전의 데이터베이스 상태

```
┌───────────────────────────────────────┐
│           계좌이체 트랜잭션               │
│                                         │
│  ❶ 후근 계좌에서 5,000원 인출            │
│                                         │
│     UPDATE      계좌                     │
│     SET         잔액 = 잔액 - 5000       │
│     WHERE       계좌번호 = 100;          │
│                                         │
│  ❷ 은경 계좌에 5,000원 입금              │
│                                         │
│     UPDATE      계좌                     │
│     SET         잔액 = 잔액 + 5000       │
│     WHERE       계좌번호 = 200;          │
└───────────────────────────────────────┘
```

```
┌─────────────────────────┐
│ 후근 잔액: 5,000원        │
│ 은경 잔액: 5,000원        │
└─────────────────────────┘
```

계좌이체 후의 데이터베이스 상태

```
┌───────────────────────────────────────┐
│           계좌이체 트랜잭션               │
│                                         │
│  ❶ 은경 계좌에 1,000원 입금              │
│                                         │
│     UPDATE      계좌                     │
│     SET         잔액 = 잔액 + 1000       │
│     WHERE       계좌번호 = 200;          │
└───────────────────────────────────────┘
```

계좌입금 후의 데이터베이스 상태

```
┌─────────────────────────┐
│ 후근 잔액: 5,000원        │
│ 은경 잔액: 6,000원        │
└─────────────────────────┘
```

▲ 트랜잭션의 격리성이 만족되는 예

5. 지속성(durability)

트랜잭션이 성공적으로 완료된 후 데이터베이스에 반영한 수행 결과는 영구적이어야 함을 의미한다. 지속성의 보장을 위해서는 장애 발생 시 회복 기능이 필요하다.

다음 그림은 트랜잭션의 4가지 특성을 보장하기 위해 필요한 기능이다.

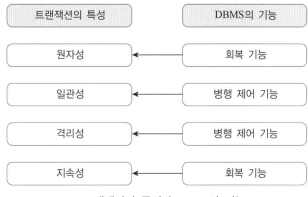

▲ 트랜잭션의 특성과 DBMS의 기능

6. 주요 연산

다음 그림은 트랜잭션의 연산을 나타낸다.

▲ 트랜잭션의 연산

commit 연산은 트랜잭션의 수행이 성공적으로 완료되었음을 선언하는 연산이고, commit 연산이 실행되면 트랜잭션의 수행 결과가 데이터베이스에 반영되고 일관된 상태를 지속적으로 유지하게 된다. 다음 그림은 commit 연산을 실행한 예를 나타낸다.

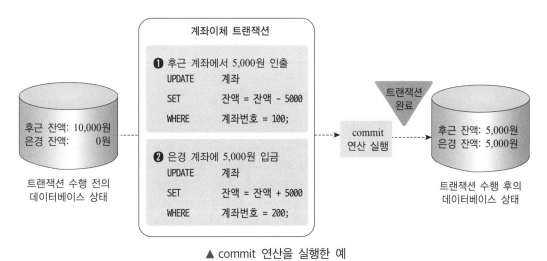

▲ commit 연산을 실행한 예

rollback 연산은 트랜잭션의 수행이 실패했음을 선언하는 연산이고, rollback 연산이 실행되면 지금까지 트랜잭션이 실행한 연산의 결과가 취소되고 데이터베이스가 트랜잭션 수행 전의 일관된 상태로 되돌아간다. 다음 그림은 rollback 연산을 수행한 예이다.

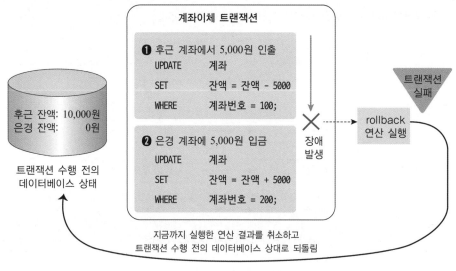

▲ rollback 연산을 수행한 예

7. 트랜잭션의 상태

다음 그림은 트랜잭션의 상태를 나타낸다.

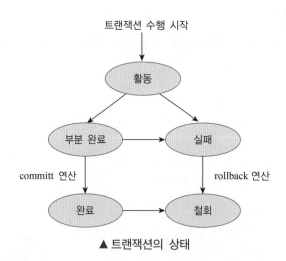

▲ 트랜잭션의 상태

활동(active) 상태는 트랜잭션이 수행을 시작하여 현재 수행 중인 상태이고, 부분 완료(partially committed) 상태는 트랜잭션의 마지막 연산이 실행을 끝낸 직후의 상태이다. 완료(committed) 상태는 트랜잭션이 성공적으로 완료되어 commit 연산을 실행한 상태이고, 트랜잭션이 수행한 최종 결과를 데이터베이스에 반영하고 데이터베이스가 새로운 일관된 상태가 되면서 트랜잭션이 종료된다. 그리고 실패(failed) 상태는 장애가 발생하여 트랜잭션의 수행이 중단된 상태이고, 철회(aborted) 상태는 트랜잭션의 수행 실패로 rollback 연산을 실행한 상태이다. 지금까지 실행한 트랜잭션의 연산을 모두 취소하고 트랜잭션이 수행되기 전의 데이터베이스 상태로 되돌리면서 트랜잭션이 종료되고, 철회 상태로 종료된 트랜잭션은 상황에 따라 다시 수행되거나 폐기된다.

투명성

투명성은 DDBMS(Distributed)에서 트랜잭션의 무결성과 일관성을 의미하고, 투명성을 보장하기 위해 복잡한 메커니즘을 사용한다.

2 장애와 회복

1. 장애(failure)(* 참고)

장애는 시스템이 제대로 동작하지 않는 상태이고, 다음의 표는 장애의 유형을 나타낸다.

연산자		설명
트랜잭션 장애	의미	트랜잭션 수행 중 오류가 발생하여 정상적으로 수행을 계속할 수 없는 상태
	원인	트랜잭션의 논리적 오류, 잘못된 데이터 입력, 시스템 자원의 과다 사용 요구, 처리 대상 데이터의 부재 등
시스템 장애	의미	하드웨어 결함으로 정상적으로 수행을 계속할 수 없는 상태
	원인	하드웨어 이상으로 메인 메모리에 저장된 정보가 손실되거나 교착 상태가 발생한 경우 등
미디어 장애	의미	디스크 장치의 결함으로 디스크에 저장된 데이터 베이스의 일부 혹은 전체가 손상된 상태
	원인	디스크 헤드의 손상이나 고장 등

다음의 표는 데이터베이스를 저장하는 저장 장치의 종류를 나타낸다.

저장장치		설명
휘발성(volatile) 저장 장치(소멸성)	의미	장애가 발생하면 저장된 데이터가 손실됨
	예	메인 메모리 등
비휘발성(nonvolatile) 저장 장치(비소멸성)	의미	장애가 발생해도 저장된 데이터가 손실되지 않음 단, 디스크 헤더 손상같은 저장 장치 자체에 이상이 발생하면 데이터가 손실될 수 있음
	예	디스크, 자기 테이프, CD/DVD 등
안정(stable) 저장 장치	의미	비휘발성 저장 장치를 이용해 여러 개 복사본을 만드는 방법으로, 어떤 장애가 발생해도 데이터가 손실되지 않고 데이터를 영구적으로 저장할 수 있음
	원인	디스크 헤드의 손상이나 고장 등

2. 이동 연산

트랜잭션의 수행을 위해 필요한 데이터 이동 연산은 다음 그림과 같다.

- 디스크와 메인 메모리 간의 데이터 이동 연산: input / output
- 메인 메모리와 프로그램 변수 간의 데이터 이동 연산: read / write

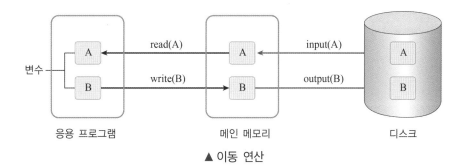

▲ 이동 연산

일반적으로 데이터베이스는 비휘발성 저장 장치인 디스크에 상주한다. 트랜잭션이 데이터베이스의 데이터를 처리하기 위해서는 데이터를 디스크에서 메인 메모리로 가져와 처리한 다음 그 결과를 디스크로 보내는 작업이 필요하다 (컴퓨터 구조와 관련을 가짐에 유의). 다음 그림은 디스크와 메인 메모리 간의 데이터 이동 연산을 나타낸다.

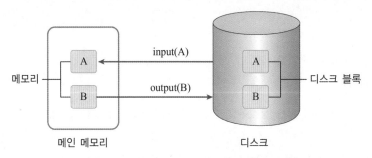

▲ 디스크와 메인 메모리 간의 데이터 이동 연산

디스크와 메인 메모리 간의 데이터 이동 연산은 input 연산과 output 연산을 사용한다. 그리고 블록(block) 단위로 수행된다. 디스크 블록은 디스크에 있는 블록이고, 버퍼 블록은 메인 메모리에 있는 블록이다. 다음 그림은 input 연산과 output 연산을 나타낸다.

input(X)	디스크 블록에 저장되어 있는 데이터 X를 메인 메모리 버퍼 블록으로 이동시키는 연산
output(X)	메인 메모리 버퍼 블록에 있는 데이터 X를 디스크 블록으로 이동시키는 연산

▲ input 연산과 output 연산

메인 메모리와 변수 간의 데이터 이동 연산은 read 연산과 write 연산을 사용한다. 응용 프로그램에서 트랜잭션의 수행을 지시하면 메인 메모리 버퍼 블록에 있는 데이터를 프로그램의 변수로 가져오고 데이터를 처리한 결과를 저장하고 있는 변수 값을 메인 메모리 버퍼 블록으로 옮기는 작업이 필요하다. 다음 그림은 메인 메모리와 변수 간의 데이터 이동 연산을 나타낸다.

read(X)	메인 메모리 버퍼 블록에 저장되어 있는 데이터 X를 프로그램의 변수로 읽어오는 연산
write(X)	프로그램의 변수 값을 메인 메모리 버퍼 블록에 있는 데이터 X에 기록하는 연산

▲ 메인 메모리와 변수 간의 데이터 이동 연산

다음 그림은 트랜잭션을 데이터 이동 연산을 포함한 프로그램으로 표현한 예를 나타낸다.

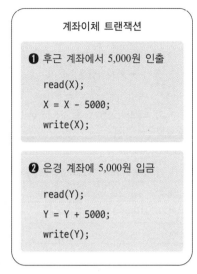

계좌이체 트랜잭션

❶ 후근 계좌에서 5,000원 인출

```
read(X);
X = X - 5000;
write(X);
```

❷ 은경 계좌에 5,000원 입금

```
read(Y);
Y = Y + 5000;
write(Y);
```

▲ 데이터 이동 연산을 포함한 계좌이체 트랜잭션 표현의 예

3. 회복(recovery)

회복은 장애가 발생했을 때 데이터베이스를 장애가 발생하기 전의 일관된 상태로 복구시키는 것이고, 트랜잭션의 특성을 보장하고, 데이터베이스를 일관된 상태로 유지하기 위해 필수적인 기능이다. 회복 관리자(recovery manager)가 담당하고, 장애 발생을 탐지하고 장애가 탐지되면 데이터베이스를 복구하는 기능을 제공한다.

다음 그림은 회복을 위해 데이터베이스 복사본을 만드는 방법을 나타낸다. 데이터베이스 핵심 원리는 데이터 중복임에 유의한다.

덤프 (dump)	데이터베이스 전체를 다른 저장 장치에 주기적으로 복사하는 방법
로그 (log)	데이터베이스에서 변경 연산이 실행될 때마다 데이터를 변경하기 이전 값과 변경한 이후의 값을 별도의 파일에 기록하는 방법

▲ 회복을 위해 복사본을 만드는 방법

다음 그림은 로그를 이용한 회복 연산을 나타낸다.

redo (재실행)	가장 최근에 저장한 데이터베이스 복사본을 가져온 후 로그를 이용해 복사본이 만들어진 이후에 실행된 모든 변경 연산을 재실행하여 장애가 발생하기 직전의 데이터베이스 상태로 복구(전반적으로 손상된 경우에 주로 사용)
undo (취소)	로그를 이용해 지금까지 시행된 모든 변경 연산을 취소하여 데이터베이스를 원래의 상태로 복구(변경 중이었거나 이미 변경된 내용만 신뢰성을 잃은 경우에 주로 사용)

▲ 로그를 이용한 회복 연산

4. 로그 파일

로그 파일은 데이터를 변경하기 이전의 값과 변경한 이후의 값을 기록한 파일이다. 레코드 단위로 트랜잭션 수행과 함께 기록된다. 다음의 표는 로그 레코드의 종류를 나타낸다.

로그 레코드		설명
$<T_i, start>$	의미	트랜잭션 T_i가 수행을 시작했음을 기록
	예	$<T_i, start>$
$<T_i, X, old\_value, new\_value>$	의미	트랜잭션 T_i가 데이터 X를 이전 값(old_value)에서 새로운 값(new_value)으로 변경하는 연산을 실행했음을 기록
	예	$<T_i, X, 10000, 5000>$
$<T_i, commit>$	의미	트랜잭션 T_i가 성공적으로 완료되었음을 기록
	예	$<T_i, commit>$
$<T_i, abort>$	의미	트랜잭션 T_i가 철회되었음을 기록
	예	$<T_i, abort>$

다음의 그림은 계좌이체 트랜잭션이 수행되면서 기록된 로그의 예를 나타낸다.

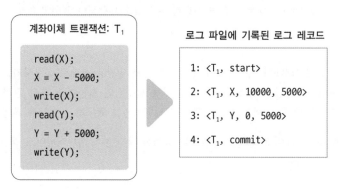

▲ 로그 기록의 예

5. 회복 기법

다음 그림은 데이터베이스 회복 기법의 분류를 나타낸다.

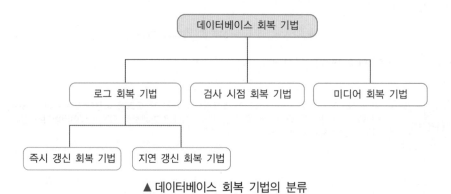

▲ 데이터베이스 회복 기법의 분류

6. 즉시 갱신(immediate update) 회복 기법

트랜잭션 수행 중에 데이터 변경 연산의 결과를 데이터베이스에 즉시 반영하고, 장애 발생에 대비하기 위해 데이터 변경에 관한 내용을 로그 파일에 기록한다. 데이터 변경 연산이 실행되면 로그 파일에 로그 레코드를 먼저 기록한 다음 데이터베이스에 변경 연산을 반영하고, 장애 발생 시점에 따라 redo나 undo 연산을 실행해 데이터베이스를 복구한다. 다음 그림은 계좌이체 트랜잭션 수행 중 로그 작성 및 데이터베이스 반영 순서를 나타낸다.

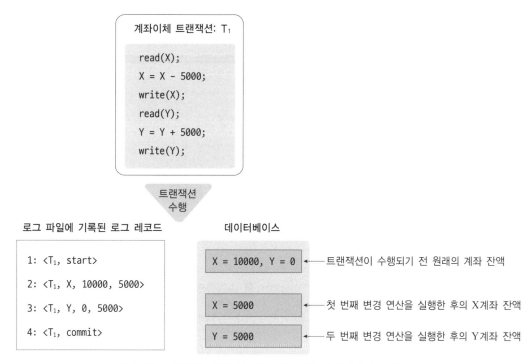

▲ 계좌이체 트랜잭션 수행 중 로그 작성 및 데이터베이스 반영 순서

다음의 그림은 즉시 갱신 회복 기법의 데이터베이스 회복 전략을 나타낸다.

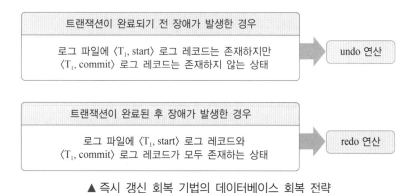

▲ 즉시 갱신 회복 기법의 데이터베이스 회복 전략

즉시 갱신 회복 기법의 적용 예는 다음과 같다. 다음 그림은 순차적으로 수행되는 두 트랜잭션의 예를 나타낸다.

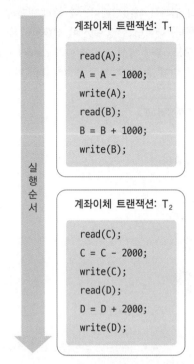

▲ 순차적으로 수행되는 두 트랜잭션의 예

다음 그림은 순차적으로 수행되는 두 트랜잭션의 로그 파일 내용과 데이터베이스 반영 결과를 나타낸다. 그림에서 첫 번째 장애 발생 시 undo(T_1)이 수행되고, 두 번째 장애 발생 시 undo(T_2), redo(T_1)이 수행됨에 유의한다.

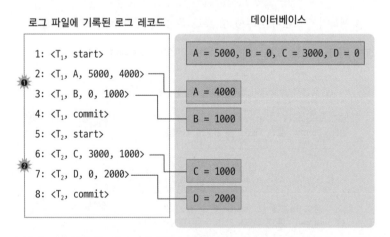

▲ 순차적으로 수행되는 두 트랜잭션의 로그 파일 내용과 데이터베이스 반영 결과

7. 지연 갱신(deferred update) 회복 기법

트랜잭션 수행 중에 데이터 변경 연산의 결과를 로그에만 기록해두고, 트랜잭션이 부분 완료된 후에 로그에 기록된 내용을 이용해 데이터베이스에 한 번에 반영된다. 트랜잭션 수행 중에 장애가 발생하면 로그에 기록된 내용을 버리기만 하면 데이터베이스가 원래 상태를 그대로 유지하게 된다. undo 연산은 필요 없고 redo 연산만 사용된다. 로그 레코드에는 변경 이후 값만 기록하면 된다(<T_1, X, new_value> 형식). 다음 그림은 지연 갱신 회복 기법의 데이터베이스 회복 전략을 나타낸다.

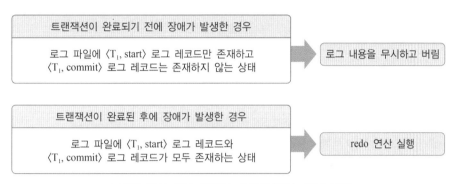

▲ 지연 갱신 회복 기법의 데이터베이스 회복 전략

다음 그림은 지연 갱신 회복 기법 적용 예를 나타낸다. 첫 번째 장애 발생 시 로그 기록을 무시하고 별다른 조치를 하지 않고, 두 번째 장애 발생 시 redo(T_1)을 수행함에 유의한다.

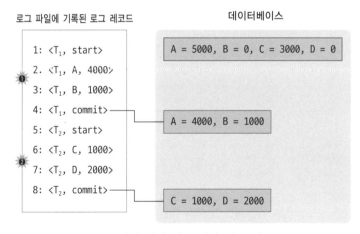

▲ 지연 갱신 회복 기법 적용 예

8. 검사 시점 회복 기법

로그 기록을 이용하되, 일정 시간 간격으로 검사 시점(checkpoint)을 만든다. 검사 시점이 되면 모든 로그 레코드를 로그 파일에 기록하고 데이터 변경 내용을 데이터베이스에 반영한 후 검사 시점을 표시하는 <checkpoint L> 로그 레코드를 로그 파일에 기록한다. <checkpoint L>에서 L은 현재 실행되고 있는 트랜잭션의 리스트이고, 장애 발생 시 가장 최근 검사 시점 이후의 트랜잭션에만 회복 작업을 수행한다. 가장 최근의 <checkpoint L> 로그 레코드 이후 기록에 대해서만 회복 작업을 수행하고, 회복 작업은 즉시 갱신 회복 기법이나 지연 갱신 회복 기법을 이용해 수행한다. 로그 전체를 대상으로 회복 기법을 적용할 때 발생할 수 있는 비효율성의 문제를 해결하고, 검사 시점으로 작업 범위가 정해지므로 불필요한 회복 작업이 없어 시간이 단축된다.

9. 미디어 회복 기법(* 참고)

디스크에 발생할 수 있는 장애에 대비한 회복 기법이고, 덤프(복사본)를 이용한다. 전체 데이터베이스의 내용을 일정 주기마다 다른 안전한 저장 장치에 복사하고, 디스크 장애가 발생하면 가장 최근에 복사해둔 덤프를 이용해 장애 발생 이전의 데이터베이스 상태로 복구하고 필요에 따라 redo 연산을 수행한다.

 주요개념 셀프체크

- ☑ 트랜잭션 - 원일격지
- ☑ 즉시 갱신 - redo, undo
- ☑ 지연 갱신 - redo
- ☑ 검사 시점 - checkpoint

📑 **핵심 기출**

다음 <보기> 중 트랜잭션의 ACID 특성에 해당되는 것을 나열한 것으로 옳은 것은? 2019년 국회직

<보기>
ㄱ. 하나의 트랜잭션은 부분적으로 반영될 수 있다.
ㄴ. 완료된 트랜잭션의 결과는 시스템의 장애 등이 발생해도 손실되지 않는다.
ㄷ. 트랜잭션 실행이 완료되면 언제나 일관성 있는 데이터베이스 상태로 유지되어야 한다.
ㄹ. 트랜잭션이 갱신 중인 데이터에 다른 트랜잭션이 접근할 수 있다.

① ㄱ, ㄴ
② ㄱ, ㄷ
③ ㄴ, ㄷ
④ ㄴ, ㄹ
⑤ ㄷ, ㄹ

해설
ㄴ. ACID의 지속성에 해당한다.
ㄷ. ACID의 일관성에 해당한다.

선지분석
ㄱ. ACID의 원자성에 위배된다. 하나의 트랜잭션은 all or nothing이다. 즉, 부분적으로 반영될 수 없다.
ㄹ. ACID의 고립성에 위배된다. 트랜잭션이 갱신 중인 데이터에 다른 트랜잭션이 접근할 수 없다.

정답 ③

CHAPTER 11 | 병행 제어

1 개요

1. 병행 수행(concurrency)

병행 수행은 여러 사용자가 데이터베이스를 동시 공유할 수 있도록 여러 개의 트랜잭션을 동시에 수행하는 것을 의미하고, 여러 트랜잭션들이 차례로 번갈아 수행되는 인터리빙(interleaving) 방식으로 진행된다.

2. 병행 제어(concurrency control) 또는 동시성 제어

병행 제어는 병행 수행 시 같은 데이터에 접근하여 연산을 실행해도 문제가 발생하지 않고 정확한 수행 결과를 얻을 수 있도록 트랜잭션의 수행을 제어하는 것을 의미한다.

2 병행 수행 시 발생할 수 있는 문제점

1. 갱신 분실(lost update)

갱신 분실은 하나의 트랜잭션이 수행한 데이터 변경 연산의 결과를 다른 트랜잭션이 덮어써 변경 연산이 무효화되는 것이다. 여러 트랜잭션이 동시에 수행되더라도 갱신 분실 문제가 발생하지 않고 마치 트랜잭션들을 순차적으로 수행한 것과 같은 결과 값을 얻을 수 있어야 한다. 다음 그림은 갱신 분실의 예를 나타낸다. 트랜잭션 T1에 대해 갱신 분실이 발생한다. 즉, T_1의 변경 연산 결과가 데이터베이스에 반영되지 않고, X가 갱신이 안 된 상태에서 T_2에서 사용한다.

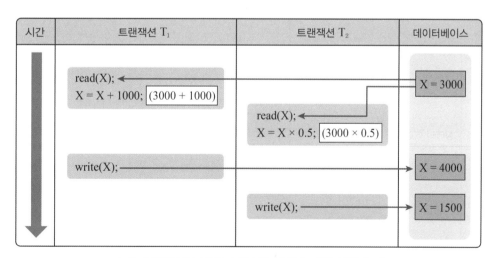

▲ 두 트랜잭션의 병행 수행으로 발생한 갱신 분실의 예

다음 그림은 트랜잭션을 순차적으로 수행함으로써 갱신 분실 문제가 발생하지 않는 경우를 나타낸다.

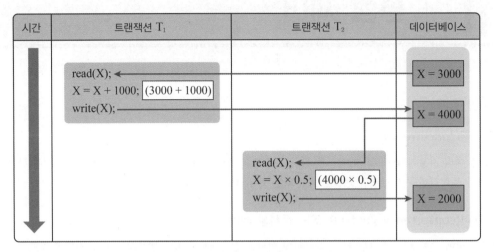

▲ 트랜잭션 T_1을 수행한 후 트랜잭션 T_2를 수행한 결과

2. 모순성(inconsistency)

모순성은 하나의 트랜잭션이 여러 개 데이터 변경 연산을 실행할 때 일관성 없는 상태의 데이터베이스에서 데이터를 가져와 연산함으로써 모순된 결과가 발생하는 것이다. 여러 트랜잭션이 동시에 수행되더라도 모순성 문제가 발생하지 않고 마치 트랜잭션들을 순차적으로 수행한 것과 같은 결과 값을 얻을 수 있어야 한다. 다음 그림은 모순성의 예를 나타낸다. 트랜잭션 T_1이 데이터 X와 Y를 서로 다른 상태의 데이터베이스에서 가져와 연산을 실행하는 모순이 발생한다.

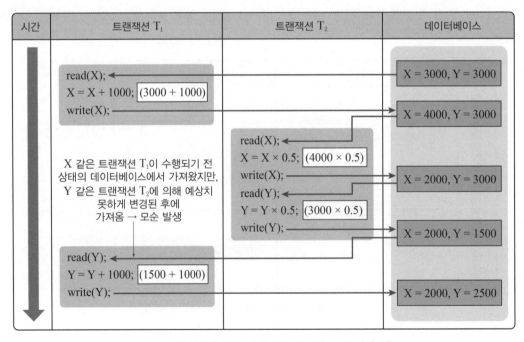

▲ 두 트랜잭션의 병행 수행으로 발생한 모순성의 예

다음 그림은 트랜잭션을 순차적으로 수행함으로써 모순성 문제가 발생하지 않는 경우를 나타낸다.

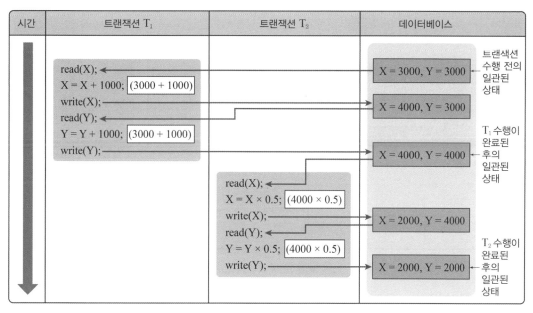

▲ 트랜잭션 T_1을 수행한 후 트랜잭션 T_2를 수행한 결과

3. 연쇄 복귀(cascading rollback)

연쇄 복귀는 트랜잭션이 완료되기 전 장애가 발생하여 rollback 연산을 수행하게 되면 장애 발생 전에 이 트랜잭션이 변경한 데이터를 가져가서 변경 연산을 실행한 다른 트랜잭션에도 rollback 연산을 연쇄적으로 실행해야 한다는 것이다. 여러 트랜잭션이 동시에 수행되더라도 연쇄 복귀 문제가 발생하지 않고 마치 트랜잭션들을 순차적으로 수행한 것과 같은 결과 값을 얻을 수 있어야 한다. 다음 그림은 연쇄 복귀의 예를 나타낸다. 트랜잭션 T_1이 변경한 데이터 X를 가져가 연산을 수행한 트랜잭션 T_2도 rollback 연산이 연쇄적으로 실행되어야 하지만 이미 완료된 상태라 rollback 연산을 실행할 수 없는 문제가 발생한다.

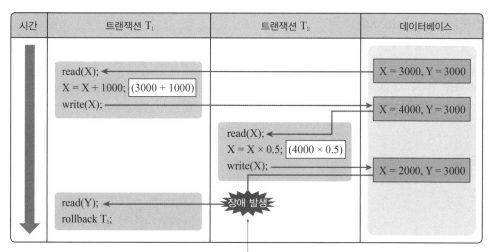

트랜잭션 T_1이 rollback되면 트랜잭션 T_2도 rollback되어야 하는데
T_2가 이미 완료된 트랜잭션이라 rollback을 할 수 없음

▲ 두 트랜잭션의 병행 수행으로 발생한 연쇄 복귀

다음 그림은 트랜잭션을 순차적으로 수행함으로써 연쇄 복귀 문제가 발생하지 않는 경우를 나타낸다.

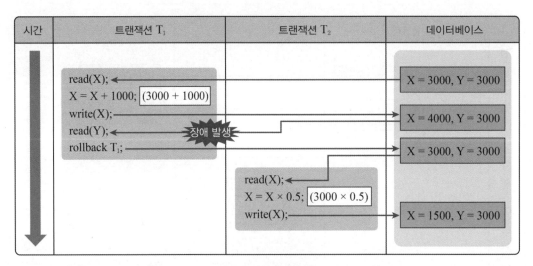

▲ 트랜잭션 T_1을 수행한 후 트랜잭션 T_2를 수행한 결과

3 트랜잭션 스케줄

1. 개요

트랜잭션 스케줄은 트랜잭션에 포함되어 있는 연산들을 수행하는 순서를 나타낸다. 다음의 표는 트랜잭션 스케줄의 유형을 나타낸다.

트랜잭션 스케줄	의미
직렬 스케줄	인터리빙 방식을 이용하지 않고 각 트랜잭션별로 연산들을 순차적으로 실행시키는 것
비직렬 스케줄	인터리빙 방식을 이용하여 트랜잭션들을 병행해서 수행시키는 것
직렬 가능 스케줄	직렬 스케줄과 같이 정확한 결과를 생성하는 비직렬 스케줄

2. 직렬 스케줄(serial schedule)

직렬 스케줄은 인터리빙 방식을 이용하지 않고 각 트랜잭션별로 연산들을 순차적으로 실행시키는 것이다. 직렬 스케줄에 따라 트랜잭션을 수행하면 다른 트랜잭션의 방해를 받지 않고 독립적으로 수행되므로 항상 모순이 없는 정확한 결과를 얻게 된다. 다양한 직렬 스케줄이 만들어질 수 있고, 직렬 스케줄마다 데이터베이스에 반영되는 최종 결과가 다를 수 있지만 직렬 스케줄의 결과는 모두 정확하다. 각 트랜잭션을 독립적으로 수행하기 때문에 병행 수행으로 볼 수 없다.

다음 그림은 트랜잭션 T_1, T_2를 대상으로 하는 첫 번째 직렬 스케줄의 예를 나타낸다.

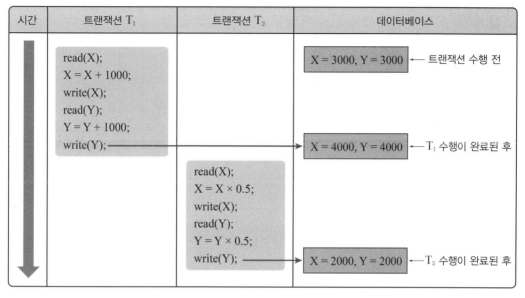

▲ 트랜잭션 T_1을 수행한 후에 트랜잭션 T_2를 수행하는 직렬 스케줄의 예

다음 그림은 트랜잭션 T_1, T_2를 대상으로 하는 두 번째 직렬 스케줄의 예를 나타낸다.

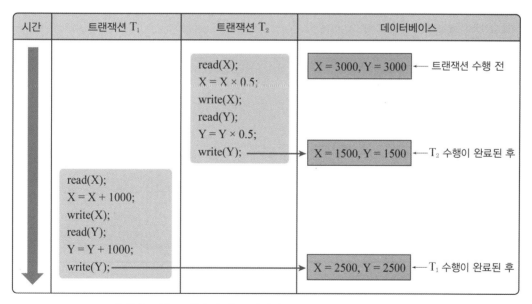

▲ 트랜잭션 T_2를 수행한 후에 트랜잭션 T_1을 수행하는 직렬 스케줄의 예

3. 비직렬 스케줄(nonserial schedule)

비직렬 스케줄은 인터리빙 방식을 이용하여 트랜잭션을 병행 수행하는 것이다. 트랜잭션이 번갈아 연산을 실행하기 때문에 하나의 트랜잭션이 완료되기 전에 다른 트랜잭션의 연산이 실행될 수 있다. 비직렬 스케줄에 따라 병행 수행하면 갱신 분실, 모순성, 연쇄 복귀 등의 문제가 발생할 수 있어 결과의 정확성을 보장할 수 없다. 다양한 비직렬 스케줄이 만들어질 수 있고 그 중에는 잘못된 결과를 생성하는 것도 있다. 다음 그림은 트랜잭션 T_1, T_2를 대상으로 하는 첫 번째 비직렬 스케줄의 예를 나타낸다. 병행 수행에 성공하여 정확한 트랜잭션 수행 결과를 생성됨을 알 수 있다.

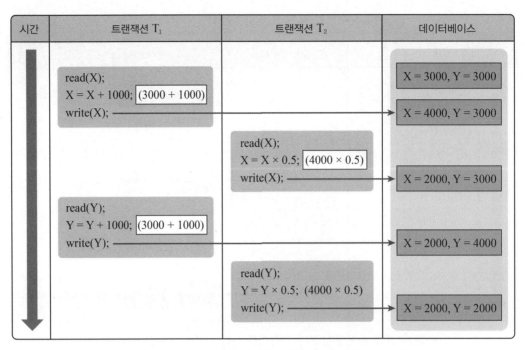

▲ 트랜잭션 T_1와 T_2에 대한 비직렬 스케줄의 예(정확한 결과 생성)

다음 그림은 트랜잭션 T_1, T_2를 대상으로 하는 두 번째 비직렬 스케줄의 예를 나타낸다. 병행 수행에 실패하여 잘못된 트랜잭션 수행 결과를 생성됨을 알 수 있다.

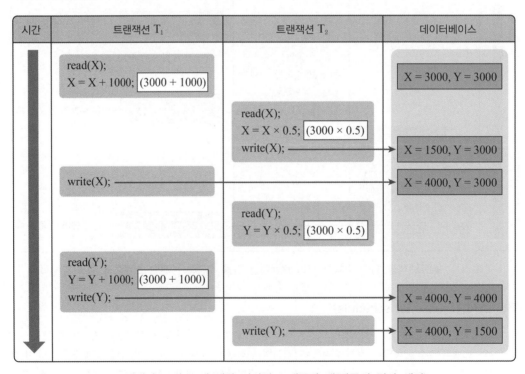

▲ 트랜잭션 T_1와 T_2에 대한 비직렬 스케줄의 예(잘못된 결과 생성)

4. 직렬 가능 스케줄(serializable schedule)

직렬 가능 스케줄은 직렬 스케줄에 따라 수행한 것과 같이 정확한 결과를 생성하는 비직렬 스케줄이고, 비직렬 스케줄 중에서 수행 결과가 동일한 직렬 스케줄이 있는 것이다. 직렬 가능 스케줄은 인터리빙 방식으로 병행 수행하면서도 정확한 결과를 얻을 수 있고, 직렬 가능 스케줄인지를 판단하는 것은 간단한 작업이 아니므로 직렬 가능성을 보장하는 병행 제어 기법을 사용하는 것이 일반적이다. 다음 그림은 트랜잭션 T_1, T_2를 대상으로 하는 비직렬 스케줄이면서 정확한 수행 결과를 생성하기 때문에 직렬 가능 스케줄임을 나타내는 예이다.

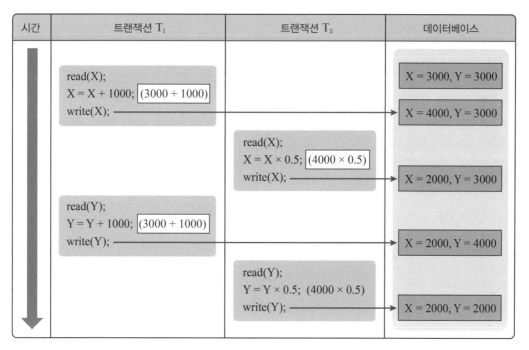

▲ 트랜잭션 T_1와 T_2에 대한 비직렬 스케줄의 예(정확한 결과 생성)

4 병행 제어 기법

1. 개요

병행 제어 기법은 병행 수행하면서도 직렬 가능성을 보장하기 위한 기법이다. 병행 제어 방법은 모든 트랜잭션이 준수하면 직렬 가능성이 보장되는 규약을 정의하고, 트랜잭션들이 이 규약을 따르도록 한다. 대표적인 병행 제어 기법에는 로킹(Locking) 기법이 존재한다.

2. 로킹(locking) 기법

로킹 기법은 한 트랜잭션이 먼저 접근한 데이터에 대한 연산을 끝낼 때까지는 다른 트랜잭션이 그 데이터에 접근하지 못하도록 상호 배제(mutual exclusion)한다. 로킹 기법의 방법은 병행 수행되는 트랜잭션들이 같은 데이터에 동시에 접근하지 못하도록 다음과 같은 lock과 unlock 연산을 이용해 제어한다.

(1) lock

트랜잭션이 데이터에 대한 독점권을 요청하는 연산

(2) unlock

트랜잭션이 데이터에 대한 독점권을 반환하는 연산

기본 로킹 규약은 트랜잭션은 데이터에 접근하기 위해 먼저 lock 연산을 실행해 독점권을 획득한다. read 또는 write 연산을 실행하기 전 lock 연산을 실행한다. 다른 트랜잭션에 의해 이미 lock 연산이 실행된 데이터에 대해 다시 lock 연산을 실행시킬 수 없다. 독점권을 획득한 데이터에 대한 모든 연산의 수행이 끝나면 트랜잭션은 unlock 연산을 실행해서 독점권을 반납한다.

로킹 단위는 lock 연산을 실행하는 대상 데이터의 크기이고, 전체 데이터베이스부터 릴레이션, 투플, 속성까지도 가능하다. 로킹 단위가 커질수록 병행성은 낮아지지만 제어가 쉽고, 로킹 단위가 작아질수록 제어가 어렵지만 병행성은 높아진다.

3. 기본 로킹 규약의 효율성을 높이기 위한 방법

트랜잭션들이 같은 데이터에 대해 동시에 read 연산을 실행하는 것을 허용한다. lock 연산을 다음의 표와 같이 두 가지 종류로 구분하여 사용한다.

연산	설명
공용(shared) lock	트랜잭션이 데이터에 대해 공용 lock 연산을 실행하면, 해당 데이터에 read 연산을 실행할 수도 있지만 write 연산은 실행할 수 없다. 그리고 해당 데이터에 다른 트랜잭션도 공용 lock 연산을 동시에 실행할 수 있다(데이터에 대한 사용권을 여러 트랜잭션이 함께 가질 수 있음).
전용(exclusive) lock	트랜잭션이 데이터에 대해 전용 lock 연산을 실행하면, 해당 데이터에 read 연산과 write 연산을 모두 실행할 수 있다. 그러나 해당 데이터에 다른 트랜잭션은 공용이든 전용이든 어떤 lock 연산도 실행할 수 없다(전용 lock 연산을 실행한 트랜잭션만 해당 데이터에 대한 독점권을 가질 수 있음).

다음의 표는 lock 연산의 양립성을 나타낸다. 서로 다른 트랜잭션이 같은 데이터에 공용 lock 연산을 동시에 실행시킬 수 있고, 다른 트랜잭션이 전용 lock 연산을 실행한 데이터는 공용 lock, 전용 lock을 모두 실행 불가이다.

연산	공용 lock	전용 lock
공용 lock	가능	불가능
전용 lock	불가능	불가능

다음 그림은 기본 로킹 규약으로 직렬 가능성이 보장되지 않는 스케줄 예를 나타낸다. 트랜잭션 T_1이 데이터 X에 너무 빨리 unlock 연산을 실행하여 트랜잭션 T_2가 일관성 없는 데이터(Y)에 접근했기 때문이고, 해결책은 2단계 로킹 규약을 사용한다.

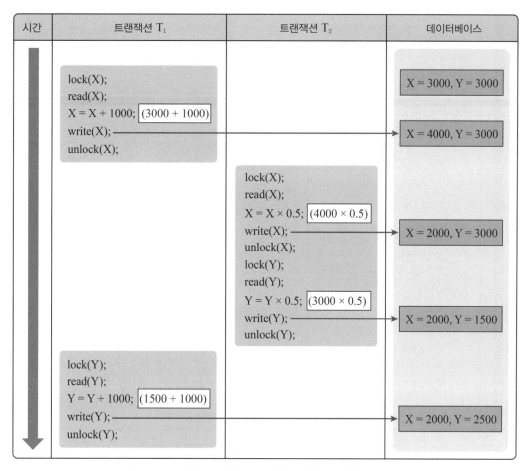

▲ 기본 로킹 규약으로 직렬 가능성이 보장되지 않는 스케줄 예

4. 2단계 로킹 규약(2PLP: 2 Phase Locking Protocol)

2단계 로킹 규약은 기본 로킹 규약의 문제를 해결하고 트랜잭션의 직렬 가능성을 보장하기 위해 lock과 unlock 연산의 수행 시점에 대한 새로운 규약을 추가한 것이다. 2단계 로킹 규약 방법은 트랜잭션이 lock과 unlock 연산을 확장 단계와 축소 단계로 나누어 수행한다. 트랜잭션이 처음 수행되면 확장 단계로 들어가 lock 연산만 실행 가능하고, unlock 연산을 실행하면 축소 단계로 들어가 unlock 연산만 실행 가능하다. 트랜잭션은 첫 번째 unlock 연산 실행 전에 필요한 모든 lock 연산을 실행해야 한다. 다음 그림은 2단계 로킹 규약을 나타낸다.

확장 단계	트랜잭션이 lock 연산만 실행할 수 있고, unlock 연산은 실행할 수 없는 단계
축소 단계	트랜잭션이 unlock 연산만 실행할 수 있고, lock 연산은 실행할 수 없는 단계

▲ 2단계 로킹 규약

다음 그림은 2단계 로킹 규약을 준수하여 직렬 가능성이 보장된 스케줄 예를 나타낸다.

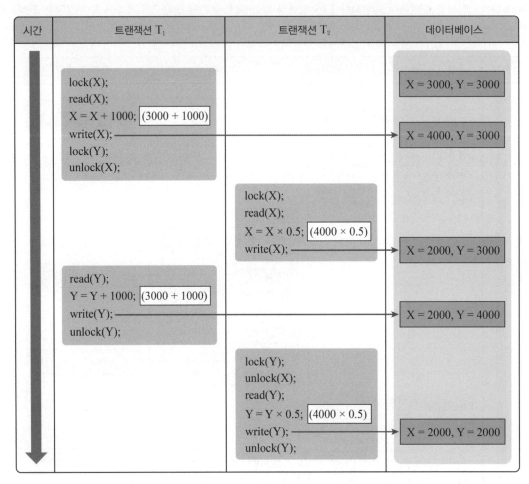

▲ 2단계 로킹 규약으로 직렬 가능성이 보장된 스케줄

5 기타

1. 교착 상태(deadlock)

교착 상태는 트랜잭션들이 상대가 독점하고 있는 데이터에 unlock 연산이 실행되기를 서로 기다리면서 트랜잭션의 수행을 중단하고 있는 상태이다. 처음부터 교착 상태가 발생하지 않도록 예방하거나, 발생 시 빨리 탐지하여 필요한 조치를 취해야 한다.

2. 기아현상(starvation)

이 현상은 어떤 하나의 트랜잭션이 무한정 수행되지 않는 반면 시스템에 있는 다른 트랜잭션들은 정상적으로 수행될 때 발생한다. 기아현상 방지법은 공평한 대기 방식(fair waiting scheme)을 사용하는 것이다. 즉, 선입선처리(first-come first-serve) 큐를 사용한다.

3. 다중 버전 동시성 제어 기법

다중 버전 병행 제어 기법은 트랜잭션이 한 데이터 아이템을 접근하려 할 때, 그 트랜잭션의 타임스탬프와 접근하려는 데이터 아이템의 여러 버전의 타임스탬프를 비교하여, 현재 실행하고 있는 스케줄의 직렬가능성이 보장되는 적절한 비전을 선택하여 접근하도록 하는 기법이다. 즉, 하나의 데이터 아이템에 대해 여러 버전의 값을 유지한다.

다중 버전 병행 제어 기법은 판독(read) 요청을 거절하지도, 대기하지도 않고, 기록(write)보다 판독(read) 연산이 주류를 이루는 데이터베이스 시스템에 큰 이점을 가진다. 데이터 아이템을 판독(read)할 때마다 중복되는 디스크에 접근하고, 트랜잭션간의 충돌문제는 대기가 아니라 복귀처리 함으로 연쇄 복귀초래 발생 가능성이 존재한다.

다중 버전 병행 기법 제어 방법은 다음과 같다.

> - 트랜잭션 T_1은 A구좌 값을 100에서 50으로 바꿀 때 롤백 세그먼트에는 A구좌 튜플의 잔액 어트리뷰트 값을 100에서 50으로 바꾸었다고 기록한다.
> - 이후 T_2 트랜잭션에서 시점 2에서의 A구좌 튜플의 버전을 필요로 할 때는, 현재의 A구좌 잔액 100과 롤백 세그먼트에 기록된 50으로 바뀐 정보를 합해 잔액 100을 갖는 A구좌 튜플의 버전을 만들고 T_2에서는 그 버전을 이용하게 된다(직렬가능성을 보장하는 적절한 버전을 선택).

4. 로크 전환(conversion of locks)

항목 X에 보유하고 있는 로크를 하나의 로크 상태로부터 다른 로크 상태로 전환하는 것이다. 로크 상승(lock upgrade)은 트랜잭션 T가 read_lock(X) 연산을 수행하고 나서 나중에 write_lock(X) 연산을 수행하고, 로크 하강(lock downgrade)은 그 반대이다.

🔑 요약정리

병행 제어

로킹(locking) 기법	• Lock: 트랜잭션이 데이터에 대한 독점권을 요청 • Unlock: 트랜잭션이 데이터에 대한 독점권을 반환
기본 로킹 규약	• 트랜잭션은 데이터에 접근하기 위해 lock 연산 실행 • 다른 트랜잭션은 lock 연산을 실행할 수 없음 • 모든 연산의 수행이 끝나면 unlock을 실행 • Shared lock: read는 가능하지만, write는 불가능 • Exclusive lock: read와 write 모두 가능
2단계 로킹 규약	• 확장 단계: lock 연산만 실행 가능 • 축소 단계: unlock 연산만 실행 가능

🔑 주요개념 셀프체크

☑ locking - lock, unlock
☑ shared lock vs. exclusive lock
☑ 2 phase locking - 확장, 축소

데이터베이스의 동시성 제어에 대한 설명으로 옳지 않은 것은? (단, T1, T2, T3는 트랜잭션이고, A는 데이터 항목이다)

2018년 국가직

① 다중 버전 동시성 제어 기법은 한 데이터 항목이 변경될 때 그 항목의 이전 값을 보존한다.
② T1이 A에 배타 로크를 요청할 때, 현재 T2가 A에 대한 공유 로크를 보유하고 있고 T3가 A에 공유 로크를 동시에 요청한다면, 트랜잭션 기아 회피 기법이 없는 경우 A에 대한 로크를 T3가 T1보다 먼저 보유한다.
③ 로크 전환이 가능한 상태에서 T1이 A에 대한 배타 로크를 요청 할 때, 현재 T1이 A에 대한 공유 로크를 보유하고 있는 유일한 트랜잭션인 경우 T1은 A에 대한 로크를 배타 로크로 상승할 수 있다.
④ 2단계 로킹 프로토콜에서 각 트랜잭션이 정상적으로 커밋될 때까지 자신이 가진 모든 배타적 로크들을 해제하지 않는다면 모든 교착 상태를 방지할 수 있다.

해설

교착 상태란 트랜잭션들이 상대가 독점하고 있는 데이터에 unlock(해제) 연산이 실행되기를 서로 기다리면서 트랜잭션의 수행을 중단하고 있는 상태이다. 그러므로 정상적으로 커밋될 때까지 자신이 가진 모든 배타적 로크들을 해제하지 않으면 교착 상태가 오히려 증가한다.

선지분석

① 다중 버전 동시성 제어 기법은 트랜잭션이 한 데이터 아이템을 접근하려 할 때, 그 트랜잭션의 타임스탬프와 접근하려는 데이터 아이템의 여러 버전의 타임스탬프를 비교하여, 현재 실행하고 있는 스케줄의 직렬가능성이 보장되는 적절한 버전을 선택하여 접근하도록 하는 기법이다. 그러므로 한 데이터 항목이 변경될 때 그 항목의 이전 값을 보존하여 다중 버전을 만든다.
② 기본 로크(lock, 로킹, locking) 규약에 따라 공유 로크(T2)에 대해서는 공유 로크(T3)만 요청할 수 있다. 만약, 트랜잭션 기아(트랜잭션이 수행되지 못하고 계속 무한정 기다림) 회피 기법이 존재하면 선입선처리 기법(공평한 처리 방식)에 따라 먼저 요청한 T1이 A에 대한 로크를 보유한다.
③ 로크 전환이란 항목 A가 보유하고 있는 로크를 하나의 로크 상태로부터 다른 로크 상태로 전환하는 것을 의미한다. 로크 상승(공유 로크에서 배타 로크로 전환)과 로크 하강(배타 로크에서 공유 로크로 전환)이 가능하다. 단, 전제 조건은 로크를 보유한 트랜잭션이 하나이어야 한다.

정답 ④

CHAPTER 12 | 상용 데이터베이스 /모바일 데이터베이스

1 상용 데이터베이스

1. MySQL

MySQL은 오픈 소스 관계형 DBMS이고, 와이드니어스(Widenius)가 만들었다. MySQL은 LAMP의 구성 요소이고, LAMP란 Linux, Apache, MySQL, Perl/PHP/Python을 의미한다.

2. mSQL

mSQL 또는 miniSQL은 Minerva(네트워크 모니터링 시스템)에서 사용하기 위해 데이비드 휴즈(David Hughes)에 의해 만들어졌다. mSQL은 최초의 저비용 SQL 기반 DBMS이고, 1990년대에 많이 사용되었다.

3. Oracle

Oracle은 멀티-모델(조직/저장/관리) DBMS이고, 18c(최신 버전)는 서버 직접 설치, 클라우드 설치, 하이브리드 설치 방식을 제공한다.

4. SQL Server

MS에서 만든 관계형 DBMS이고, 다양한 버전이 존재한다.

2 모바일 데이터베이스

1. 개요

스마트폰은 모바일 네트워크를 통해 데이터를 저장하고 공유한다(모바일 데이터베이스가 필요). 많은 앱들이 저장소로부터 정보를 다운받고, 네트워크가 끊긴 상태에서도 이를 처리할 수 있어야 한다. 단순히 연락처와 캘린더를 저장하려는 것이 아니라 네트워크 연결이 끊긴 상황에서도 작업하고 다양한 기기에서 공유하기 위함이다. 이를 위해, 복제(replication)와 합병(merge) 기술을 사용한다.

2. 종류

모바일 데이터베이스의 종류에는 Couchbase Lite, InterBase, Realm, SQL Anywhere, DB2 Everyplace, SQL Server Compact, SQL Server Express, Oracle Database Lite, SQLite, SQLBase, Sparksee 등이 존재한다.

3. SQLite

SQLite는 클라이언트-서버 형태가 아니라 스마트폰 등에 내장된 형태이고, 도메인 무결성을 보장하지 않는다(동적/약한 SQL). SQLite는 웹 브라우저와 같은 응용 소프트웨어에서 사용되는 내장형 데이터베이스로서, 스마트폰에서 주로 사용한다.

핵심 기출

다음 중 모바일 데이터베이스의 특징 또는 종류에 해당하지 않는 것은?   2016년 국회직

① 클라이언트 측 데이터베이스의 복제 및 비동기화 기능
② 저성능 CPU와 제한된 주기억장치를 가진 모바일 기기에 탑재 가능
③ 내장형 데이터베이스
④ SQLite
⑤ DB2 Everyplace

해설

모바일 데이터베이스는 클라이언트(모바일 기기)가 서버측 데이터베이스를 복제하고 이를 동기화하는 기능을 수행한다.

선지분석

② 모바일 기기에 탑재 가능하도록 만든 데이터베이스로서, 서버측 데이터베이스보다 가볍다(Lite).
③ 모바일 기기(스마트폰)에 내장된다.
④⑤ 모바일 데이터베이스의 종류에는 SQL Anywhere, DB2 Everyplace, SQL Server Compact, SQL Server Express, Oracle Database Lite, SQLite, SQLBase 등이 존재한다.

정답 ①

1 SQL의 분류

1. 데이터 정의어(DDL)

DDL은 테이블을 생성하고 변경 및 제거하는 기능을 제공한다. 데이터 구조를 정의하는 질의문이고, 데이터베이스를 처음 생성하고 개발할 때 주로 사용하고 운영 중에는 거의 사용하지 않는다. DDL의 종류는 다음과 같다.

(1) CREATE

데이터베이스 객체(table or view)를 생성한다.

(2) ALTER

데이터베이스 객체를 변경한다.

(3) DROP

데이터베이스 객체를 삭제한다.

(4) RENAME

데이터베이스 객체의 이름을 변경한다.

(5) TRUNCATE

데이터베이스를 객체를 삭제하고 새로 만든다.

2. 데이터 조작어(DML)

DML은 테이블에 새 데이터를 삽입하거나, 테이블에 저장된 데이터를 수정/삭제/검색하는 기능을 제공한다. 데이터베이스의 운영 및 사용과 관련해 가장 많이 사용하는 질의문이다. DML의 종류는 다음과 같다.

(1) SELECT

사용자가 테이블이나 뷰의 내용을 읽고 선택한다.

(2) INSERT

데이터베이스 객체에 데이터를 입력한다.

(3) UPDATE

기존 데이터베이스 객체에 있는 데이터를 수정한다.

(4) DELETE

데이터베이스 객체에 있는 데이터를 삭제한다.

3. 데이터 제어어(DCL)

DCL은 보안을 위해 데이터에 대한 접근 및 사용 권한을 사용자별로 부여하거나 취소하는 기능을 제공한다. DCL의 종류는 다음과 같다.

(1) GRANT

데이터베이스 객체에 권한을 부여한다.

(2) DENY

사용자에게 해당 권한을 금지한다.

(3) REVOKE

이미 부여된 데이터베이스 객체의 권한을 취소한다.

(4) COMMIT

SQL 명령을 데이터베이스에 반영한다(실행한다).

(5) ROLLBACK

SQL 명령을 취소한다.

2 SQL 쿼리 최적화

다음은 13개의 SQL 쿼리 최적화 규칙을 나타낸다. 실제 시험에는 R2, R3, R4, R11이 출제되었음에 유의한다.

- R1: 논리곱으로 연결된 선택 조건 → 일련의 개별적인 선택 조건

$$s_{c1 \text{ AND } c2 \text{ AND } \cdots \text{ } cn}(R) \equiv s_{c1}(s_{c2}(\cdots(s_{cn}(R))\cdots))$$

- R2: 선택연산은 교환적

$$s_{c1}(s_{c2}(R)) \equiv s_{c2}(s_{c1}(R))$$

- R3: 연속적인 프로젝트 연산(P) → 마지막 것만 실행

$$P_1(P_2(\cdots(P_n(R))\cdots)) \equiv P_1(R)$$

- R4: 셀렉트의 조건 c가 프로젝트 애트리뷰트만 포함하고 있다면 이들은 교환적

$$s_c(P(R)) \equiv (P(s_c(R)))$$

- R5: 셀렉트의 조건이 카티션 프로덕트(x)에 관련된 릴레이션 하나에만 국한 → 조인조건

$$s_c(R \times S) \equiv R \bowtie_C S$$
$$s_{c1}(R \bowtie_{c2} S) \equiv R \bowtie_{c1 \wedge c2} S$$

- R6: 셀렉트의 조건이 조인 또는 카티션 프로덕트에 관련된 릴레이션 하나와만 관련이 되어 있을 때

$$\sigma_c(R \bowtie S) \equiv \sigma_c(R) \bowtie S$$
$$\sigma_c(R \times S) \equiv \sigma_c(R) \times S$$

- R7: c_1은 릴레이션 R과 관련되어 있고, c_2는 릴레이션 S와 관련이 되어 있을 때 $c = (c_1 \text{ AND } c_2)$

$$\sigma_c(R \bowtie S) \equiv (\sigma_{c1}(R)) \bowtie (\sigma_{c2}(S))$$
$$\sigma_c(R \times S) \equiv (\sigma_{c1}(R)) \times (\sigma_{c2}(S))$$

- R8: ×, ∪, ∩, ⋈는 교환적

$$R \times S \equiv S \times R$$
$$R \cup S \equiv S \cup R$$
$$R \cap S \equiv S \cap R$$
$$R \bowtie S \equiv S \bowtie R$$

- R9: L_1은 릴레이션 R에 관련되어 있고, L_2는 릴레이션 S에 관련되어 있을 때 L=(L_1,L_2)

$$\Pi_L(R \bowtie S) \equiv (\Pi_{L1}(R)) \bowtie (\Pi_{L2}(S))$$
$$\Pi_L(R \times S) \equiv (\Pi_{L1}(R)) \times (\Pi_{L2}(S))$$

- R10: 집합연산과 관련된 셀렉트의 변환

$$\sigma_c(R \cup S) \equiv \sigma_c(R) \cup \sigma_c(S)$$
$$\sigma_c(R \cap S) \equiv \sigma_c(R) \cap \sigma_c(S)$$
$$\sigma_c(R - S) \equiv \sigma_c(R) - \sigma_c(S)$$

- R11: 합집합과 관련된 프로젝트의 변환

$$\Pi(R \cup S) \equiv (\Pi(R)) \cup (\Pi(S))$$

- R12: $\cup$, $\cap$, $\times$, $\bowtie$는 연합적

$$(R \bowtie S) \bowtie T \equiv R \bowtie (S \bowtie T)$$
$$(R \cup S) \cup T \equiv R \cup (S \cup T)$$
$$(R \cap S) \cap T \equiv R \cap (S \cap T)$$
$$(R \times S) \times T \equiv R \times (S \times T)$$

- R13: OR로 연결된 조건식을 AND로 연결된 논리곱 정형식(conjunctive normal form)으로 변환

C_1 OR (C_2 AND C_3) → (C_1 OR C_2) AND (C_1 OR C_3)

3 Data Mining

데이터 마이닝은 고객관련 정보를 토대로 미래의 구매형태를 예측하거나 변수 간 인과관계를 분석하는 마케팅 기법이고, 데이터 마이닝을 통해 정보를 추출한다. 정보추출의 예는 연관 규칙이고, 하나의 거래나 사건에 포함되어있는 품목들의 상호 연관성을 발견하는 것이다. 연관성은 어떤 item 집합의 존재가 다른 item 집합의 존재를 암시하는 것을 의미한다(A → B: 만일 A가 일어나면 B가 일어남). 함께 구매하는 상품의 조합이나 서비스 패턴 발견할 때 사용하고, 예를 들어 미국 월마트 기저귀와 맥주 판매 등을 들 수 있다. 연관 규칙 분석 방법은 지지도와 신뢰도가 존재한다.

- 지지도(support): 전체 거래 중 X와 Y를 동시에 포함하는 거래가 어느 정도인가이다. 연관 규칙 X → Y는 지지도 S를 갖는다(S = |X∩Y|/N). 여기서, N은 전체 트랜잭션의 개수를 나타낸다.
- 신뢰도(Confidence): X를 포함하는 거래 중에서 Y가 포함된 거래는 어느 정도인가이다. 연관 규칙 X → Y는 신뢰도 C를 갖는다(C = |X∩Y|/|X|).

4 기타

1. 트리거와 주장

트리거(Trigger)는 INSERT, DELETE, UPDATE와 같은 변경 연산이 발생할 때마다 명시된 조건(무결성)을 검토하여 그에 맞는 절차를 수행하게 되는 정의문이다. 다음 그림은 트리거의 개념을 나타낸다.

▲ 트리거의 개념

주장(Assertion)은 조건이 만족되지 않을 경우 변경 연산문의 수행을 거부하는 것이다.

2. 인덱싱

다음의 그림은 인덱싱을 나타낸다. 그림에서 인덱싱이란 fruit를 기준으로 정렬하여 검색 속도를 높이는 것을 의미한다.

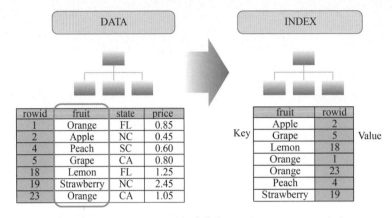

▲ 인덱싱

3. 증분 백업

다음 그림은 전체 백업(매일 전체 백업), 증분 백업(그 전날에서 증가한 만큼 백업), 차분 백업(월요일을 기준으로 늘어난 만큼 백업)을 나타낸다.

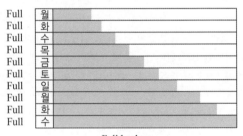

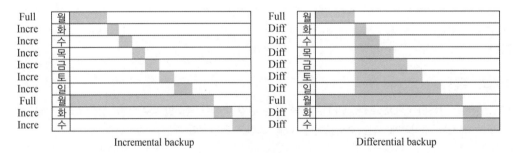

▲ 백업의 종류

4. 권한 관리

권한의 부여는 다음의 명령어를 사용한다.

- 명령어: GRANT 권한 ON 객체 TO 사용자 [WITH GRANT OPTION];
- 예 GRANT SELECT ON 고객 TO Hong;

권한의 취소는 다음의 명령어를 사용한다.

> • 명령어: REVOKE 권한 ON 객체 FROM 사용자 CASCADE | RESTRICT;
> • 예 REVOKE SELECT ON 고객 FROM Hong;

역할의 부여와 취소는 다음의 명령어를 사용한다.

> • 명령어: CREATE ROLE 롤이름;
> • 예 CREATE ROLE role_1;
> • 명령어: GRANT 권한 ON 객체 TO 롤이름;
> • 예 GRANT SELECT, INSERT, DELETE ON 고객 TO role_1;
> • 명령어: GRNAT 롤이름 TO 사용자;
> • 예 GRANT role_1 TO Hong;
> • 명령어: REVOKE 롤이름 FROM 사용자;
> • 예 REVOKE role_1 FROM Hong;
> • 명령어: DROP ROLE 롤이름;
> • 예 DROP ROLE role_1;

5. 데이터 웨어하우스

데이터베이스 시스템에서 의사 결정에 필요한 데이터를 미리 추출하여, 이를 원하는 형태로 변환하고 통합한 읽기 전용의 데이터 저장소이다. 데이터베이스에 저장된 많은 데이터 중에서 의사 결정에 도움이 되는 데이터를 빠르고 정확하게 추출할 수 있는 방법 중 하나이다. 그리고 의사 결정 지원 시스템(DSS; Decision Support System) 구축에 활용 가능하고, 여러 개의 데이터베이스 시스템을 대상으로 할 수도 있다.

데이터 웨어하우스의 특징은 다음과 같다.

(1) 주제 지향적(subject-oriented) 내용

일반 데이터베이스는 업무 처리 중심의 데이터로 구성되지만 데이터 웨어하우스는 의사 결정에 필요한 주제를 중심으로 데이터를 구성

(2) 통합된(integrated) 내용

데이터 웨어하우스는 내부적으로 데이터가 항상 일관된 상태를 유지하도록 여러 데이터베이스에서 추출한 데이터를 통합하여 저장

(3) 비소멸성(nonvolatile)을 가진 내용

일반 데이터베이스의 데이터는 추가, 삭제, 수정 작업이 자주 발생하지만 데이터 웨어하우스는 검색 작업만 수행되는 읽기 전용의 데이터를 유지

(4) 시간에 따라 변하는(time-variant) 내용

일반 데이터베이스는 현재의 데이터만 유지하지만 데이터 웨어하우스는 데이터 간의 시간적 관계나 동향을 분석해 의사 결정에 반영할 수 있도록 현재와 과거 데이터를 함께 유지. 각 시점의 데이터를 의미하는 스냅샷(snapshot)을 주기적으로 유지

핵심 기출

1. 질의 최적화를 위한 질의문의 내부 형태 변화에 대한 규칙으로 가장 옳지 않은 것은? 2018년 서울시

① 실렉트(select) 연산은 교환적이다: $\sigma_{c1}(\sigma_{c2}(R)) \equiv \sigma_{c2}(\sigma_{c1}(R))$
② 연속적인 프로젝트(project) 연산은 첫 번째 것을 실행 하면 된다: $\Pi_1(\Pi_2(...(\Pi_n(R))...)) \equiv \Pi_n(R)$
③ 합집합($\cup$)과 관련된 프로젝트(project) 연산은 다음과 같이 변환된다: $\Pi(R \cup S) \equiv \Pi(R) \cup \Pi(S)$
④ 실렉트의 조건 c가 프로젝트 속성만 포함하고 있다면 교환적이다: $\sigma_c(\Pi(R)) \equiv \Pi(\sigma_c(R))$

해설
연속적인 프로젝트 연산은 마지막 것을 실행한다(R3에 해당된다).

선지분석
① 실렉트 연산은 교환적이다(R2 규칙에 해당된다).
③ 합집합과 관련된 프로젝트 연산은 개별 프로젝트의 합과 같다(R11 규칙에 해당된다).
④ 실렉트의 조건 c가 프로젝트 속성만 포함하고 있다면 교환적이다(R4에 해당된다).

TIP 순수 관계 연산자, 일반 집합 연산자, 그리고 질의 최적화를 위한 질의문의 내부 형태 변화에 대한 규칙을 테이블로 정리하면 다음과 같다.

연산자	기호	표현	의미
셀렉트	σ	σ조건(R)	릴레이션 R에서 조건을 만족하는 투플들을 반환
프로젝트	π	π속성리스트(R)	릴레이션 R에서 주어진 속성들의 값으로만 구성된 투플들을 반환
조인	$\bowtie$	R $\bowtie$ S	공통 속성을 이용해 릴레이션 R과 S의 투플들을 연결하여 만들어진 새로운 투플들을 반환
디비전	$\div$	R $\div$ S	릴레이션 S의 모든 투플과 관련이 있는 릴레이션 R의 투플들을 반환

▲ 순수 관계 연산자의 종류

연산자	기호	표현	의미
합집합	$\cup$	R $\cup$ S	릴레이션 R과 S의 합집합을 반환
교집합	$\cap$	R $\cap$ S	릴레이션 R과 S의 교집합을 반환
차집합	$-$	R $-$ S	릴레이션 R과 S의 차집합을 반환
카티션 프로덕트	$\times$	R $\times$ S	릴레이션 R의 각 투플과 릴레이션 S의 각 투플을 모두 연결하여 만들어진 새로운 투플을 반환

▲ 일반 집합 연산자의 종류

- R1: 논리곱으로 연결된 선택 조건 → 일련의 개별적인 선택 조건
  $S_{c1\ AND\ c2\ AND\ cn}(R) \equiv S_{c1}(S_{c2}(...(S_{cn}(R))...))$
- R2: 선택연산은 교환적
  $S_{c1}(S_{c2}(R)) \equiv S_{c2}(S_{c1}(R))$
- R3: 연속적인 프로젝트 연산() → 마지막 것만 실행
  $P_1(P_2(...(P_n(R))...)) \equiv P_1(R)$
- R4: 셀렉트의 조건 c가 프로젝트 애트리뷰트만 포함하고 있다면 이들은 교환적
  $S_c(P(R)) \equiv P(S_c(R))$
- R5: 셀렉트의 조건이 카티션 프로덕트(x)에 관련된 릴레이션 하나에만 국한 → 조인조건
  $s_c(R \times S) \equiv R \bowtie_c S,\ s_{c1}(R \bowtie_{c2} S) \equiv R \bowtie_{c1 \wedge c2} S$
- R6: 셀렉트의 조건이 조인 또는 카티션 프로덕트에 관련된 릴레이션 하나와만 관련이 되어 있을 때
  $\sigma_c(R \bowtie S) \equiv \sigma_c(R) \bowtie S,\ \sigma_c(R \times S) \equiv \sigma_c(R) \times S$
- R7: c1은 릴레이션 R과 관련되어 있고, c2는 릴레이션 S와 관련이 되어 있을 때, c = c1 AND c2
  $\sigma_c(R \bowtie S) \equiv \sigma_{c1}(R) \bowtie \sigma_{c2}(S),\ \sigma_c(R \times S) \equiv \sigma_{c1}(R) \times \sigma_{c2}(S)$

928 해커스공무원 학원 · 인강 **gosi.Hackers.com**

- R8: ×, ∪, ∩, ⋈는 교환적

  R × S ≡ S × R, R ∪ S ≡ S ∪ R, R ∩ S ≡ S ∩ R, R ⋈ S ≡ S ⋈ R

- R9: L1은 릴레이션 R에 관련되어 있고, L2는 릴레이션 S에 관련되어 있을 때, L=(L1, L2)

  ΠL(R ⋈ S) ≡ ΠL1(R) ⋈ ΠL2(S), ΠL(R × S) ≡ ΠL1(R) × ΠL2(S)

- R10: 집합연산과 관련된 셀렉트의 변환

  óc(R ∪ S) ≡ óc(R) ∪ óc(S), óc(R ∩ S) ≡ óc(R) ∩ óc(S), óc(R - S) ≡ óc(R) - óc(S)

- R11: 합집합과 관련된 프로젝트의 변환

  Π(R ∪ S) ≡ Π(R) ∪ Π(S)

- R12: ∪, ∩, ×, ⋈는 연합적

  (R⋈S)⋈T ≡ R⋈(S⋈T), (R∪S)∪T ≡ R∪(S∪T), (R∩S)∩T ≡ R∩(S∩T), (R×S) ×T ≡ R×(S×T)

- R13: OR로 연결된 조건식을 AND로 연결된 논리곱 정형식(conjunctive normal form)으로 변환

  c1 OR (c2 AND c3) → (c1 OR c2) AND (c1 OR c3)

정답 ②

2. 다음은 마트에서 판매 기록을 저장한 트랜잭션(transaction) 데이터이다. 규칙 "기저귀" → "맥주"의 신뢰도(confidence) 값으로 옳은 것은?

2018년 국회직

식별자	품목
1	맥주, 땅콩, 기저귀
2	맥주, 커피, 기저귀
3	맥주, 기저귀, 계란
4	땅콩, 계란, 우유
5	땅콩, 커피, 기저귀, 우유

① 0.33

② 0.5

③ 0.75

④ 0.8

⑤ 1.00

해설

정보추출은 고객관련 정보를 토대로 미래의 구매형태를 예측하거나 변수 간 인과관계를 분석하는 마케팅 기법이다. 정보추출의 예에는 연관 규칙이 있다. 연관 규칙이란 하나의 거래나 사건에 포함되어있는 품목들의 상호 연관성을 발견하는 것이다. 연관성은 어떤 item 집합의 존재가 다른 item 집합의 존재를 암시하는 것을 의미하여 A → B(만일 A가 일어나면 B가 일어남)와 같이 표시한다. 함께 구매하는 상품의 조합이나 서비스 패턴 발견할 수 있다. 미국 월마트 기저귀와 맥주 판매를 보면 기저귀가 많이 판매되면 맥주도 많이 판매가 되는 패턴을 알 수 있다(아마도 어린 아이들을 키우는 부모들은 육아의 지침을 맥주로 달래는 것이다. 이것은 아이를 양육해보면 바로 알 수 있다^^). 연관 규칙 분석 방법은 지지도(support)와 신뢰도(confidence)가 있다. 지지도는 전체 거래 중 X(기저귀)와 Y(맥주)가 동시에 포함하는 거래가 어느 정도인가를 나타낸다. 여기서 N은 전체 트랜잭션의 개수를 나타내고, 연관 규칙 X → Y는 지지도 S를 갖는다.

$$S = \frac{|X \cap Y|}{N}$$

신뢰도는 X를 포함하는 거래 중에서 Y가 포함된 거래는 어느 정도인가를 나타낸다. 연관 규칙 X → Y는 신뢰도 C를 갖는다.

$$S = \frac{|X \cap Y|}{|X|}$$

위의 수식을 통해 계산하면 지지도는 0.6(=3/5)이 되고, 신뢰도는 0.75(=3/4)가 된다.

정답 ③

PART 8

소프트웨어공학

1 개요

1. 정의

소프트웨어 공학이란 한 개의 소프트웨어 프로젝트(제품 개발)에서 전체적인 프로세스에 대한 내용을 다룬다. 다음 그림은 소프트웨어 공학을 나타낸다. 각각의 프로세스에 대해서는 이후에 자세하게 다룬다.

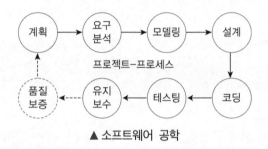

▲ 소프트웨어 공학

2. 소프트웨어 개발 생명주기(SDLC; Software Development Life Cycle)

SDLC는 계획 단계에서 유지보수 단계에 이르기까지 일어나는 일련의 과정을 나타낸다. 다음 그림은 SDLC를 나타낸다.

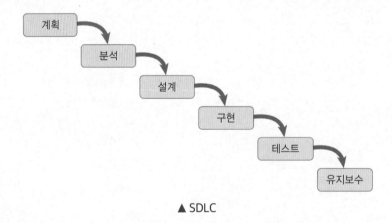

▲ SDLC

3. 프로세스와 방법론

소프트웨어 공학에서 프로세스는 전체적인 과정을 의미하고, 방법론은 개별 과정을 해결하기 위한 방법(단계)을 나타낸다. 다음의 그림은 프로세스와 방법론을 나타낸다. 예를 들어, 요구 분석은 프로세스이고, 방법론은 요구 분석을 해결하기 위한 방법을 의미한다.

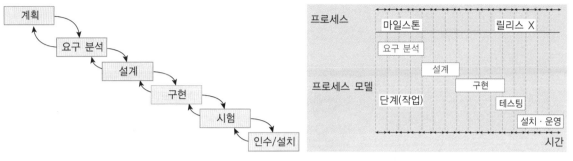

▲ 프로세스와 방법론

2 소프트웨어 개발 과정

1. 프로젝트 관리와 계획

다음 그림은 프로젝트의 관리와 계획을 나타낸다. 그림에서 WBS(Work Breakdown Structure)는 프로젝트를 작업별로 나누는 것(쪼갬)을 의미하고, 위험 분석은 소프트웨어 개발 프로젝트(예 국방 M&S 사업)에서 인력이 중도에 그만두는 경우를 의미한다.

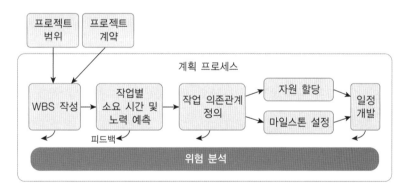

▲ 프로젝트 관리와 계획

2. 요구 분석

다음 그림은 요구 분석을 나타낸다. 그림에서 요구추출은 실제 소프트웨어를 사용하는 사용자의 요구(예 군인들의 요구)를 의미하고, 도메인 분석은 추출된 요구가 정당한지를 평가하는 전문가(예 현직/퇴직 장교, 전공 교수들)를 의미한다. 그리고 모델링은 도메인 분석을 통해 얻은 자료를 개념화(다이어그램)하는 것을 의미한다(즉, 추상화에서 개념화의 단계).

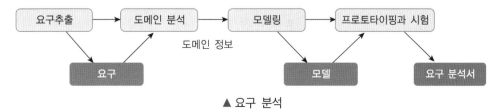

▲ 요구 분석

3. 모델링

다음 그림은 모델링은 나타낸다. 그림에서 모델링은 도메인 지식을 체계화 하는 과정(다이어그램)이고, 하나의 역할 안에 다수의 기능이 존재한다. 비즈니스 규칙은 업무 규정, 예외 사항(예 국방 M&S 사업의 경우 보안을 철저히 해야 한다) 등을 나타낸다. 그리고 기능적 모델링는 사용 사례(use case), 정적 모델링은 클래스 다이어그램, 그리고 동적 모델링은 관계나 흐름을 나타낸다.

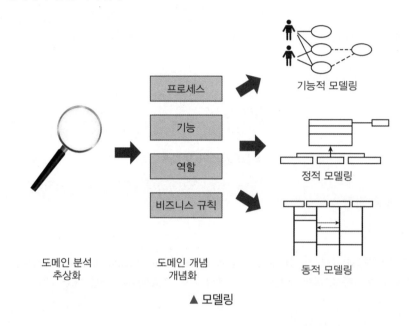

▲ 모델링

4. 아키텍처 설계

다음 그림은 아키텍처 설계를 나타낸다. 그림에서 아키텍처는 시스템 구조(서브시스템의 집합)를 의미하고, 시스템 타입(동작 방식)은 대화형, 이벤트 등을 의미한다. 그리고 아키텍처 스타일(전체 구조)은 계층 구조, 클라이언트-서버 (시스템 분할, 전체 제어 흐름, 오류 처리 방침, 서브시스템 간의 통신 프로토콜 포함) 등을 의미한다.

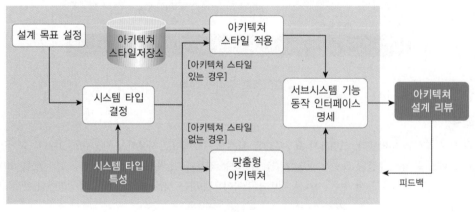

▲ 아키텍처 설계

5. 상세 설계

다음 그림은 상세 설계를 나타낸다. 그림 중 상세 설계는 클래스 설계와 메소드 설계이다.

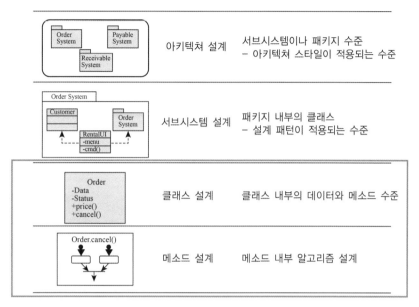

▲ 상세 설계

6. 코딩

다음 그림은 코딩을 나타낸다. 그림 중 코딩 표준은 변수명, 함수명 등은 어떻게 만들 것인지 등을 결정한다.

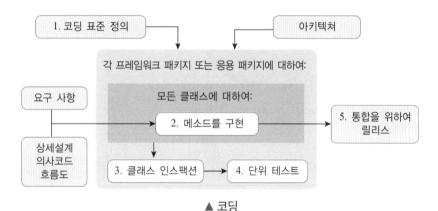

▲ 코딩

7. 테스팅

다음 그림은 테스팅을 나타낸다. 그림에서 테스트 케이스는 입력에 대한 출력 확인하는 것이고, 시스템 테스팅은 기능, 성능 테스트를 수행하는 것이다. 그리고 인수 테스팅은 실제 업무 절차에 따라 테스트하는 것이고, 리그레션 테스팅은 수정 후 다시 테스트하는 것이다.

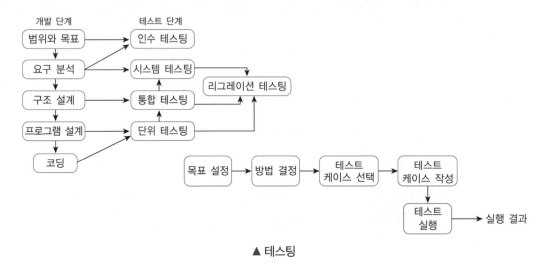

▲ 테스팅

8. 유지보수

다음 그림은 유지보수를 나타낸다. 외국의 경우 유지보수에 많은 비용을 할당하지만, 국내의 경우 많은 비용을 할당하지는 않는다.

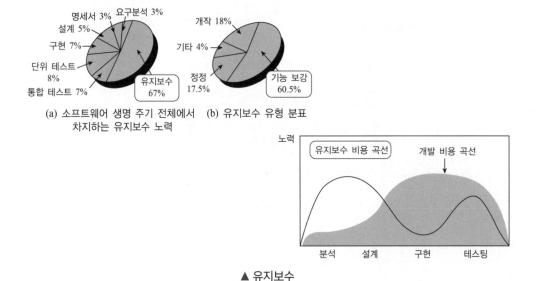

(a) 소프트웨어 생명 주기 전체에서 차지하는 유지보수 노력   (b) 유지보수 유형 분표

▲ 유지보수

9. 품질 보증

다음 그림은 품질 보증을 나타낸다. 국내의 경우 품질 보증에 대한 기준이 정확히 마련되어 있지 않은 실정이다.

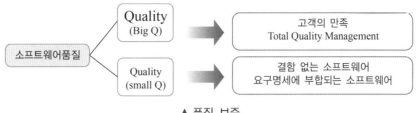

▲ 품질 보증

주요개념 셀프체크

- ✓ 계획
- ✓ 분석
- ✓ 설계
- ✓ 구현
- ✓ 테스트
- ✓ 유지보수

핵심 기출

객체 지향 소프트웨어 개발 모형의 개발 단계로 옳은 것은?   2014년 서울시

ㄱ. 설계	ㄴ. 구현
ㄷ. 계획	ㄹ. 분석
ㅁ. 테스트 및 검증	

① ㄷ - ㄱ - ㄹ - ㄴ - ㅁ   ② ㄷ - ㄴ - ㄹ - ㄱ - ㅁ
③ ㄷ - ㄹ - ㄱ - ㄴ - ㅁ   ④ ㄷ - ㄴ - ㄱ - ㄹ - ㅁ
⑤ ㄷ - ㄱ - ㅁ - ㄴ - ㄹ

해설

소프트웨어 개발 생명주기(SDLC)는 다음과 같다.

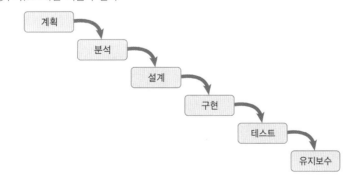

정답 ③

CHAPTER 02 | 프로세스와 방법론

1 프로세스와 방법론

다음의 표는 프로세스와 방법론을 정리한 것이다. 프로세스는 무엇을 하는가에 중점을 두고, 방법론은 어떻게 하는 가에 중점을 둔다. 각 사례를 주의깊게 보기 바란다.

구분	프로세스	방법론
특징	• 단계적인 작업의 틀을 정의한 것 • 무엇을 하는가에 중점(what) • 결과물 표현에 대한 언급 없음 • 각 단계가 다른 방법론으로도 실현 가능	• 프로세스의 구체적인 구현에 이름 • 어떻게 하는가에 중점(how) • 결과물을 어떻게 표현하는지 표시 • 각 단계의 절차, 기술, 가이드라인을 제시
사례	• 폭포수 프로세스 • 나선형 프로세스 • 프로토타이핑 프로세스 • Unified 프로세스(UP) • 애자일 프로세스	• 구조적 분석, 설계 방법론 • 객체지향 방법론 • 컴포넌트 • 애자일 방법론

2 프로세스

1. 폭포수(waterfall) 모델

다음 그림은 폭포수 모델을 나타낸다. 모델의 형태가 폭포수의 형태임에 유의한다.

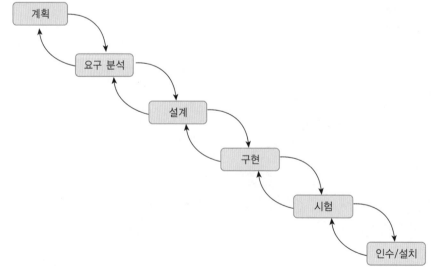

▲ 폭포수 모델

폭포수 모델은 1970년대 소개되었고, 항공 방위 소프트웨어 개발 경험으로 습득되었다. 각 단계가 다음 단계 시작 전에 끝나야 한다. 순서적(각 단계 사이에 중복이나 상호작용이 없음)이고, 각 단계의 결과는 다음 단계가 시작되기 전에 점검된다. 그리고 바로 전 단계로 피드백만이 가능하다. 단순하거나 응용 분야를 잘 알고 있는 경우 적합하고, 한 번의 과정, 비전문가가 사용할 시스템 개발에 적합하다. 또한 결과물 정의가 중요하다(다음 그림).

다음 그림은 폭포수 모델의 단계별 결과물을 나타낸다.

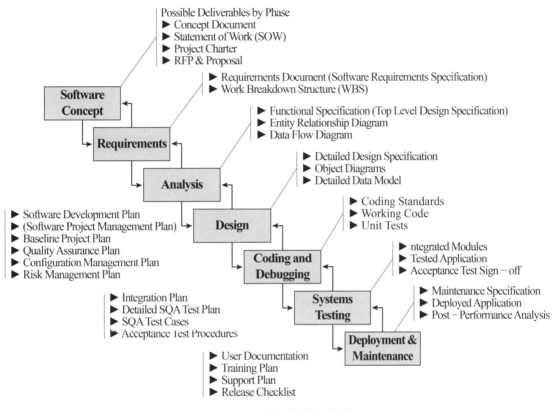

▲ 폭포수 모델의 단계별 결과물

폭포수 모델의 장점은 프로세스가 단순하여 초보자가 쉽게 적용 가능하고, 중간 산출물이 명확, 관리하기 좋다. 그리고 코드 생성 전 충분한 연구와 분석 단계를 거친다. 단점은 처음 단계를 지나치게 강조하면 코딩, 테스트가 지연되고, 각 단계의 전환에 많은 노력이 필요하다. 그리고 프로토타입과 재사용의 기회가 줄어들고(폭포수 형태로 인해 발생), 소용없는 다종의 문서를 생산할 가능성 있다(중복을 의미).

폭포수 모델는 이미 잘 알고 있는 문제나 연구 중심 문제에 적합하고(이와 다른 개념을 결과물 중심 문제라고 함), 변화가 적은 프로젝트에 적합하다.

2. 프로토타이핑(Prototyping, 원형) 모델

다음 그림은 프로토타이핑 모델을 나타낸다. 모델 상에서 프로토타입이 반복적으로 만들어짐에 유의한다.

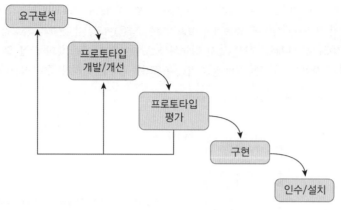

▲ 프로토타이핑 모델

프로토타이핑 모델은 관련 용어로 Rapid Prototyping Model이 있는데, 이는 고객이 소프트웨어의 일반적인 목적은 정의하였으나 세부적인 입력, 처리, 출력 요구사항을 식별하지 못한 경우에 적합하다. 또한 프로토타입 모델 관련 용어로 RAD(Rapid Application Development)는 프로토타이핑(원형) 모델을 기준으로 사용자 요구사항, 분석, 설계, 개발을 신속한 시스템으로 개발한다(원형 모델을 개선).

프로토타이핑 모델은 프로토타입(시범 시스템)을 적용한다. 프로토타입은 사용자의 요구를 더 정확히 추출하고, 알고리즘의 타당성, 운영체제와의 조화, 인터페이스의 시험을 위해 제작한다. 프로토타이핑 도구로 화면 생성기, 비주얼 프로그래밍, 4세대 언어(예 Visual C++) 등을 사용한다. 그리고 프로토타이핑 모델은 공동의 참조 모델로 사용자와 개발자의 의사소통을 도와주는 좋은 매개체이다. 프로토타이핑의 목적은 단순한 요구 추출로서 만들고 버리거나 제작 가능성 타진으로서 개발 단계에서 유지보수가 이루어진다(기능 개선).

프로토타이핑 모델의 장점은 사용자의 의견 반영이 잘 되고, 사용자가 더 관심을 가지고 참여할 수 있고, 개발자는 요구를 더 정확히 도출할 수 있다. 단점은 사용자 의견이 너무 반영되어 오해 및 기대심리를 유발하고 관리가 어렵다(중간 산출물 정의가 난해).

프로토타이핑 모델은 개발 착수 시점에 요구가 불투명할 때, 실험적으로 실현 가능성을 타진해 보고 싶을 때, 혁신적인 기술을 사용해 보고 싶을 때 등에 적용한다.

3. 진화적 모델
다음 그림은 진화적 모델은 나타낸다. 그림에서 제품이 진화적으로 릴리스(배포)됨에 유의한다.

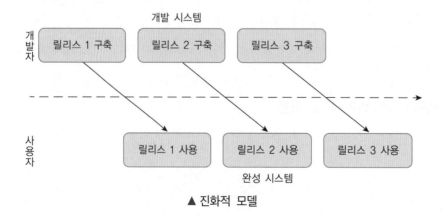

▲ 진화적 모델

진화적 모델은 개발 사이클이 짧은 환경에 유용하다. 진화적 모델을 사용하는 이유는 빠른 시간 안에 시장에 출시하여야 이윤에 직결하기 때문이다. 개발 시간을 줄이는 법은 시스템을 나누어 릴리스(배포)하는 것이다.

릴리스 구성 방법은 점증적 방법과 반복적 방법이 있다. 점증적 방법은 기능별로 릴리스를 나타내고, 반복적 방법은 릴리스 할 때마다 기능의 완성도를 높이는 것이다.

단계적 개발은 기능이 부족하더라도 초기에 사용 교육이 가능하고, 처음 시장에 내놓는 소프트웨어는 시장을 빨리 형성시킬 수 있다. 자주 릴리스 하면 가동 중인 시스템에서 일어나는 예상하지 못했던 문제를 신속하게 꾸준히 고쳐 나갈 수 있고, 개발 팀이 릴리스마다 다른 전문 영역에 초점을 둘 수 있다(Focusing).

4. 나선형(spiral) 모델

다음 그림은 나선형 모델을 나타낸다. 모델에서 각 단계가 나선형으로 이루어져 있음에 유의한다. 그림에서 V&V는 Verification and validation(확인 및 검증)을 의미한다.

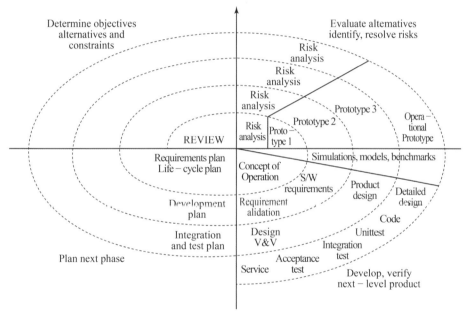

▲ 나선형 모델

나선형 모델은 소프트웨어의 기능을 나누어 점증적으로 개발하여 실패의 위험을 줄이고, 테스트 용이 및 피드백이라는 특징을 가진다. 이를 여러 번의 점증적인 릴리스(incremental releases)라고도 표현한다. 나선형 모델은 Boehm이 제안하였다.

점증적 진화 단계는 다음과 같은 4단계를 가진다.

- 계획 수립(planning): 목표, 기능 선택, 제약 조건의 결정
- 위험 분석(risk analysis): 기능 선택의 우선순위, 위험요소의 분석
- 개발(engineering): 선택된 기능의 개발
- 평가(evaluation): 개발 결과의 평가

나선형(spiral) 모델의 장점은 대규모 시스템 개발에 적합(risk reduction mechanism)하고 반복적인 개발 및 테스트로 강인성이 향상된다. 그리고 한 사이클에 추가 못한 기능은 다음 단계에 추가 가능하다. 단점은 관리나 위험 분석에 대한 소모 비용 증가하고, 새로운 모형으로 검증이 되지 않았다.

나선형 모델은 재정적 또는 기술적으로 위험 부담이 큰 경우(안전)나 요구 사항이나 아키텍처 이해에 어려운 경우에 적용한다.

5. V 모델

다음 그림은 V 모델을 나타낸다. 그림에서 보이듯이 모델의 형태가 V자 형임에 유의한다.

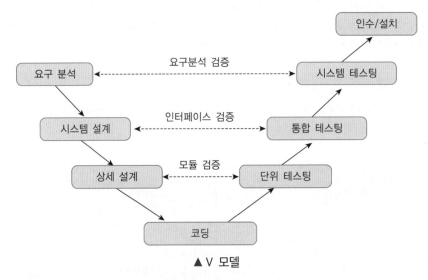

▲ V 모델

V 모델은 폭포수 모형의 변형으로 테스팅으로 감추어진 반복과 재 작업을 드러낸다. 그리고 작업과 결과의 검증에 초점을 둔다. V 모델의 장점은 테스팅을 통해 오류를 줄일 수 있다. 단점은 반복(피드백)이 없어 변경을 다루기가 쉽지 않다. V 모델은 신뢰성이 높이 요구되는 분야에 적용한다.

6. Unified 프로세스

다음 그림은 Unified(통합) 모델을 나타낸다. 그림에서 보이듯이 개발 초기 단계부터 모든 과정을 통합(Unified)해서 진행됨에 유의한다. 그림 중에 형상(구성) 관리는 소프트웨어의 변경사항을 체계적으로 관리하는 것을 의미한다(나중에 자세하게 배움).

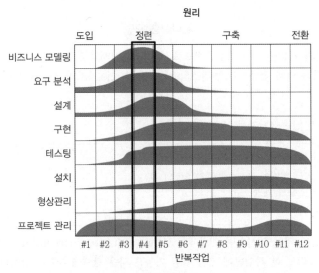

▲ 통합 모델

다음 그림은 위의 그림을 다른 관점에서 나타낸 것이다. 2개의 그림에서 사용된 용어는 같은 의미를 가진 비슷한 용어이므로 같이 기억해두기 바란다.

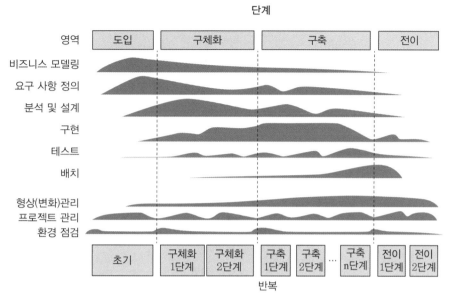

▲ 통합 모델(다른 관점)

통합 모델은 사용 사례(use case) 중심의 프로세스이다. 사용 사례에 대해서는 나중에 자세하게 다룬다. 시스템 개발 초기에 아키텍처(서브 시스템의 집합)와 전체적인 구조를 확정한다. 통합 모델은 아키텍처(서브 시스템의 집합) 중심이고, 반복적이고 점증적(Unified)이다.

7. 애자일 프로세스

애자일 모델은 폭포수 프로세스의 단점을 해결한다. 절차와 도구보다, 개인과 소통을 중요시 한다. 잘 쓴 문서보다는 실행되는 소프트웨어에 더 가치를 둔다. 계약 절충보다는 고객 협력을 더 중요하게 여긴다. 계획을 따라 하는 것보다, 변경에 잘 대응하는 것을 중요하게 여긴다

애자일 모델은 사용 사례 또는 사용자 스토리나 피처 단위를 사용한다. 여기서, 사용자 스토리(User Story)란 실 사용자의 관점에서 작성된 해당 기능의 짧고, 간단한 설명을 의미한다. 또한 애자일 모델은 테스트 중심 개발(Test Driven Development)이다.

다음 그림은 애자일 모델을 나타낸다.

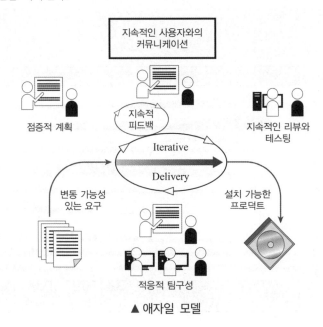

▲ 애자일 모델

3 방법론

1. 개요

방법론은 소프트웨어 프로세스의 각 작업을 어떻게 수행하느냐를 정의(how)하고, 프로세스는 일반적으로 개발할 때 해야 할 작업만을 명시(what)한다(어떤 관계가 있는지 나타내지 않음).

2. 구조적 방법론

구조적 방법론은 분리와 정복(divide and conquer) 원리를 적용한다. 구조적 방법론에서는 자료 흐름도를 구조도로 변경하는 과정이 필요하다. 여기서, 구조도란 모듈 사이의 관계를 나타내는 그래프이다(계리직 기출에서 출제됨). 다음 그림은 구조적 방법론에서 사용하는 구조도를 나타낸다.

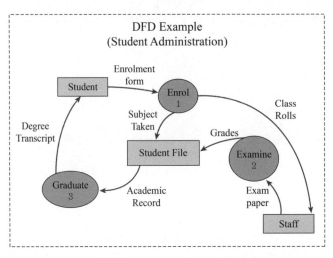

▲ 구조도(DFD; Data Flow Diagram)

3. 객체지향 방법론

객체지향 방법론은 자료(데이터/변수)와 함수(메소드)를 가까운 곳에 정의하여 객체(오브젝트)로 묶어두고, 객체 사이에 메시지를 호출하여 원하는 기능을 담당하게 하는 것이다. 다음 그림은 객체지향 패러다임을 나타낸다.

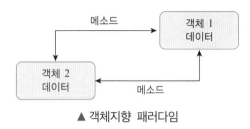

▲ 객체지향 패러다임

4. 애자일 방법론

애자일 방법론은 점증적인 프로세스를 채택한다(한번에 만들지 않고 조금씩 만들어 나감). 짧은 반복 주기를 반복하며 점증적으로 자주 출시한다. 애자일 방법론에는 익스트림 프로그래밍(XP; eXtreme Programming), 스크럼(Scrum), 기능 중심 개발(Feature Driven Development)이 존재한다.

익스트림 프로그래밍(XP)은 소규모 개발 조직이 불확실하고 변경이 많은 요구를 접하는 경우에 사용한다. 개발 문서 보다는 소스코드를, 조직적인 개발의 움직임 보다는 개개인의 책임과 용기에 중점을 두는 경향이 있다. 탐구(exploration), 계획(planning), 반복(iteration), 제품화(productionizing), 유지보수(maintenance), 종료(death)라는 단계를 거친다. 테스트 기반 개발 방법이다(Test-driven development). 반복적으로 프로토타입(prototype)을 고객에 전달함으로써, 고객의 요구사항 변화에 민첩하게 대응한다.

익스트림 프로그래밍는 켄트 백 등이 제안한 소프트웨어 개발 방법이다. 비즈니스 상의 요구가 시시각각 변동이 심한 경우에 적합한 개발 방법이다. 1999년 켄트 백의 저서인 'Extreme Programming Explained-Embrace Change'에서 발표되었다. 애자일 개발 방법 중의 대표적인 하나로 꼽히며, 약칭인 'XP'로 잘 알려져 있다. 10~12개 정도의 구체적인 실천 방법(Practice)을 정의하고 있어, 비교적 적은 규모의 인원의 개발 프로젝트에 적용하기 좋다. 켄트 백은 XP를 이끄는 가치와 원칙에 대해서도 강조했다. XP에서 실천 방법에만 집중하고 가치와 원칙을 무시하면 제대로 XP를 실천하고 있다 하기 힘들 것이다. 원칙은 가치와 실천 방법을 잇는 다리 같은 것이다.

XP의 목적은 '고객이 원하는 양질의 소프트웨어를 빠른 시간안에 전달하는 것'이다. 수시로 발생하는 고객의 요구사항에 대처하고, 고객이 원하는 SW를 고객이 원하는 시간에 인도하는 문제는 고객과 팀원간의 대화를 통해 해결한다. 다른 애자일 방법론과 구분되는 XP만의 특징에는 테스팅이 있다. XP는 프로그래머들이 코딩을 할때에 테스트 코드를 작성하도록 함과 동시에 테스트를 기반으로 프로젝트를 완성시켜 나가도록 한다. 또한 이러한 테스트에 기반을 둔 프로젝트 발전 과정은 애자일 방법론의 기본 개념을 실천하는 데에 큰 도움을 줄 수 있다. 왜냐하면 매번 프로토타입을 고객에 전달함에 있어서 프로토타입 자체로써 버그가 상대적으로 적은 완벽에 가까운 데모를 경험하게 해줄 수 있기 때문이다.

스크럼은 소프트웨어 개발팀이 개발을 연습하고, 능력을 향상시킬 수 있는 프레임워크이다. 개발 주기는 30일 정도로 조절하고, 개발 주기마다 실제 동작할 수 있는 결과를 제공하는 것이다. 다음 그림은 스크럼을 나타낸다. 그림에서 Product Backlog는 개발할 제품에 대한 요구 사항 목록을 나타내고, Sprint는 반복적인 개발 주기(30일)를 나타낸다. 그리고 Sprint Backlog는 각각의 스프린트 목표에 도달하기 위해 필요한 작업 목록을 나타낸다.

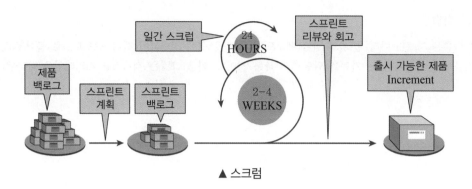

▲ 스크럼

기능 중심 개발은 여섯 단계로 구성한다. 처음 세 단계는 한 번만, 나중 세 단계는 반복되는 과정이다. 단계는 (1) 전체 모델 개발, (2) 기능 리스트 구축, (3) 기능 단위의 계획, (4) 기능 단위의 설계, (5) 구축, (6) 설치로 나뉜다. 기능마다 2주 정도의 반복 개발을 실시하고, UML을 이용한 설계 기법과도 밀접한 관련을 가진다(UML은 나중에 자세하게 배움).

🔑 요약정리

1. 프로세스

프로세스	특징
폭포수(waterfall)	중간 산출물이 명확하고 관리하기 좋다. 프로토타입과 재사용의 기회가 줄어든다. 이미 잘 알고 있는 문제에 적합하다.
프로토타이핑(prototyping)	사용자의 의견 반영이 잘된다. 관리(중간 산출물)가 어렵다. 개발 착수 시점에 요구가 불투명할 때 적용한다.
진화적(evolutional)	점증적/반복적이다. 시장을 빨리 형성시킬 때 적용한다.
나선형(spiral)	대규모 시스템 개발에 적합하다. 관리나 위험 분석에 대한 소모 비용 증가한다. 재정적 또는 기술적으로 위험 부담이 큰 경우에 적합하다.
V	오류를 줄일 수 있다. 반복이 없어 변경을 다루기가 어렵다. 신뢰성이 높이 요구되는 분야에 적합하다.
통합(unified)	시스템 개발 초기에 아키텍처와 전체적인 구조를 확정한다.
애자일(agile)	개인과 소통을 중시한다. 실행되는 소프트웨어에 더 가치를 둔다. 고객 협력과 변경에 잘 대응하는 것이 중요하다. 테스트 중심 개발이다.

2. 방법론

방법론		특징
구조적		분리와 정복 원리 적용(DFD)
객체지향		객체 사이에 메시지를 호출하여 원하는 기능을 담당
애자일	XP	소규모 개발 조직, 변경이 많은 요구, Test-driven, Prototype
	Scrum	개발 주기는 30일 정도로 조절하고 실제 동작할 수 있는 결과를 제공(Product Backlog, Sprint, Sprint Backlog)
	기능 중심 개발	기능 마다 2주 정도의 반복(설계/구축/설치) 개발을 실시(UML)

주요개념 셀프체크

☑ 프로세스 vs. 방법론
☑ 프로세스 – 폭포수, 프로토타이핑, 진화적, 나선형, V, Unified, 애자일
☑ 방법론 – 구조적, 객체지향, 애자일(XP, 스크럼, 기능중심)

핵심 기출

1. 소프트웨어 개발 프로세스 모델 중 하나인 나선형 모델(spiral model)에 대한 설명으로 옳지 않은 것은? 2015년 국가직

① 폭포수(waterfall) 모델과 원형(prototype) 모델의 장점을 결합한 모델이다.
② 점증적으로 개발을 진행하여 소프트웨어 품질을 지속적으로 개선할 수 있다.
③ 위험을 분석하고 최소화하기 위한 단계가 포함되어 있다.
④ 관리가 복잡하여 대규모 시스템의 소프트웨어 개발에는 적합하지 않다.

해설

대규모 시스템의 소프트웨어 개발은 위험 감소 메커니즘(risk reduction mechanism)으로 대규모 시스템 개발에 적합하다.

선지분석

① 폭포수＋원형: 폭포수의 장점은 중간 산출물이 명확하여 관리하기 좋은 것이고, 원형의 장점은 사용자의 요구를 더 정확히 추출할 수 있다는 것이다. 이 둘을 결합한 것이 나선형이다.
② 점증적: 소프트웨어의 기능을 나누어 점증적으로 개발한다. 이로써 실패의 위험을 줄이고 테스트가 용이하게 한다.
③ 위험 분석과 최소화: 4단계의 진화 단계(계획 수립, 위험 분석, 개발, 평가) 중 위험 분석 단계를 가진다.

정답 ④

2. 다음에서 설명하는 소프트웨어 개발 방법론은? 2017년 국가직

> • 애자일 방법론의 하나로 소프트웨어 개발 프로세스가 문서화하는 데 시나치게 많은 시간과 노력이 소모되는 난섬을 보완하기 위해 개발되었다.
> • 의사소통, 단순함, 피드백, 용기, 존중의 5가지 가치에 기초하여 '고객에게 최고의 가치를 가장 빨리' 전달하도록 하는 방법론으로 켄트벡이 고안하였다.

① 통합 프로세스(UP)
② 익스트림 프로그래밍
③ 스크럼
④ 나선형 모델

해설

소규모 개발 조직이 불확실하고 변경이 많은 요구를 접하는 경우에 사용한다. 개발 문서보다는 소스코드를, 조직적인 개발의 움직임 보다는 개개인의 책임과 용기에 중점을 두는 경향이다.

선지분석

① 시스템 개발 초기에 아키텍처(서브 시스템의 집합)와 전체적인 구조를 확정하고, 전체를 통합(Unified)해서 반복적이고 점증적으로 개발한다.
③ 소프트웨어 개발팀이 개발을 연습하고, 능력을 향상시킬 수 있는 프레임워크이다. 개발 주기는 30일 정도로 조절하고, 개발 주기마다 실제 동작할 수 있는 결과를 제공한다.
④ 소프트웨어의 기능을 나누어 점증적으로 개발한다. 점증적으로 개발하게 되면 실패의 위험을 줄이고 테스트 등이 용이하게 된다.

정답 ②

CHAPTER 03 | 개발 비용 산정

1 하향식 산정 기법

1. 전문가 판단 기법

전문가 판단 기법은 경험이 많은 전문가가 개발 비용을 산정하여 신뢰성이 높다. 짧은 시간에 개발비를 산정하거나 입찰에 응해야 하는 경우에 많이 사용한다. 그러나 수학적 계산 방법보다 경험에만 의존할 경우 부정확할 수 있다.

2. 델파이 기법

델파이 기법은 전문가 판단 기법을 보완한다. 다음 그림은 델파이 기법의 비용 산정 방법을 나타낸다.

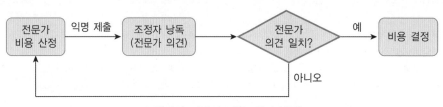

▲ 델파이 기법의 비용 산정 방법

2 상향식 산정 기법

1. 상향식 산정 기법

상향식 산정 기법은 세부 작업 단위별로 비용을 산정한 후 전체 비용을 합산한다. 단점은 수학적 계산 방법보다 경험에만 의존할 경우 부정확할 수 있다. 종류에는 원시 코드 라인 수 기법과 개발 단계별 노력 기법이 존재한다.

원시 코드 라인 수(LOC) 기법은 원시 코드 라인 수의 비관치, 낙관치, 중간치를 측정 후 예측치를 구해 비용을 산정하고, 개발 단계별 노력(effort per task) 기법은 생명주기의 각 단계별로 노력(M/M)을 산정한다.

2. LOC 기법

아래의 그림은 LOC 기법을 나타낸다.

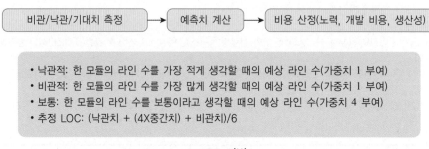

▲ LOC 기법

LOC는 개발하려는 소프트웨어의 총 코드 라인 수를 예측하여 구현 단계에 대한 M/M을 산정한다. 그러나 실제 소프트웨어 개발에서는 코딩뿐 아니라 요구 분석, 설계 등의 단계에서도 인력과 자원이 많이 필요하다. 이러한 필요로 인해 나온 것이 개발 단계별 노력 기법이다.

3. 개발 단계별 노력 기법

개발 단계별 노력 기법은 LOC를 보완한다. M/M을 소프트웨어 개발 생명주기의 각 단계에 적용하여 단계별로 산정한다. 장점은 코딩만 대상으로 산정하는 LOC보다 더 정확하다.

3 기능 점수 산정 방법(수학적 산정)

1. 산정 근거

기능 점수 산정 방법은 기능(입·출력, 데이터베이스 테이블, 인터페이스, 조회 등)의 수를 대상을 한다. 일반적으로 라인 수와 무관하게 기능이 많으면 규모도 크고 복잡도도 높다고 판단한다. 사용자 관점에서 소프트웨어의 기능의 정량화가 가능하고, 이를 통해 개발 비용 산정이 가능하다.

2. 기능 점수(function point)

기능 점수란 소프트웨어 기능의 크기를 측정하는 단위이다. 즉, 소프트웨어의 기능이 얼마나 복잡한가를 상대적인 점수로 표현하는 것이다.

3. 용도

기능 점수 산정 방법의 용도는 개발 시 비용 산정, 유지보수 비용 산정, 개발 시 필요한 자원 산정 등에 사용할 수 있다.

4. 특징

기능 점수 산정 방법의 특징을 정리하면 다음과 같다.

> • 소프트웨어 규모를 측정하는 방법이다.
> • 기능적 요구 사항이 중심이 되는 측정 방법이다.
> • 소프트웨어의 요구 사항 복잡도를 측정한다.
> • 구현 관점이 아닌 사용자 관점의 요구 기능을 정량적으로 산정한다.
> • 측정의 일관성 유지를 위해 개발 기술, 개발 방법, 품질 수준 등은 고려하지 않는다.
> • 소프트웨어 개발에 사용되는 언어와 무관하다.
> • 소프트웨어 개발 생명주기의 전체 단계에서 사용 가능하다.

5. 소프트웨어 기능 분류

소프트웨어의 기능은 다음 그림과 같이 데이터 기능과 트랜잭션 기능으로 나눠진다.

(1) 데이터 기능

① 내부 논리 파일: 사용자가 등록/수정/삭제/조회를 하기 위한 대상이다.
② 외부 연계 파일: 측정 대상 애플리케이션에서는 참조만 하고 다른 애플리케이션에서 유지되는 파일이다.

(2) 트랜잭션 기능

    ① 외부 입력: 데이터베이스에 데이터를 등록하거나, 수정·삭제하는 것이다.

    ② 외부 출력: 계산하는 로직을 거쳐 데이터나 제어 정보를 사용자에게 보여주는 기능이다.

    ③ 외부 조회: 로직이 필요 없고 DB에 존재하는 데이터를 찾아 그대로 표시만 해주는 기능이다.

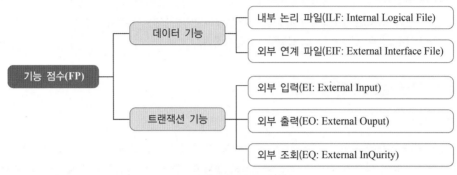

▲ 소프트웨어 기능 분류

6. 기능 점수 산정 방법

기능 점수 산정 방법에는 정규 기능 점수법과 간이 기능 점수법이 있다.

(1) 정규 기능 점수법

다음 그림은 정규 기능 점수법을 나타낸다. 정규 기능 점수법은 설계 단계 이후에 사용하면 유용하다.

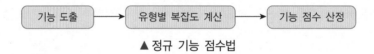

▲ 정규 기능 점수법

(2) 간이 기능 점수법

다음 그림은 간이 기능 점수법을 나타낸다. 간이 기능 점수법은 기획 및 발주 단계에서 사용한다.

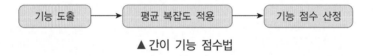

▲ 간이 기능 점수법

(3) 장단점

징점	• 사용자의 요구 사항만으로 기능을 추출하여 측정한다. • 실제 구현 방법과 무관하다. • 객관적인 요구 사항만으로 측정한다. • 개발 방법이나 개발 팀과 무관하다. • 모든 개발 단계에서 사용한다. • 계획 단계뿐 아니라, 분석, 설계, 구현 단계에서도 사용 가능하다.
단점	• 높은 분석 능력이 필요하다. • 요구 사항으로부터 기능을 도출하려면 상당한 분석 능력이 필요하다. • 이 방법을 잘 사용할 수 있는 기능 점수 전문가가 필요하다. • 사용자가 알 수 있는 기능으로 측정하기 때문에 내부 로직 위주의 SW 측정에는 부적합하다. • 개발 규모를 예측하는 데 적합하지만, 실제 개발 공수를 직접 나타내는 것은 아니다.

주요개념 셀프체크

☑ 하향식 - 전문가, 델파이
☑ 상향식 - LOC, 개발 단계별 노력
☑ 수학적 - 기능 점수(데이터 기능, 트랜잭션 기능)

핵심 기출

소프트웨어 규모를 예측하기 위한 기능 점수(function point)를 산정할 때 고려하지 않는 것은?   2019년 국가직

① 원시 코드 라인수(Line Of Code)   ② 외부조회(External inQuiry)
③ 외부입력(External Input)   ④ 내부논리파일(Internal Logical File)

해설

원시 코드 라인 수는 소프트웨어 비용 산정 기법 중 상향식 산정 기법에 해당한다. 원시 코드 라인 수의 비관치, 낙관치, 중간치를 측정 후 예측치를 구해 비용을 산정한다.

선지분석

기능 점수(소프트웨어의 기능이 얼마나 복잡한가를 상대적인 점수로 표현하는 것으로 라인수와 무관하게 기능이 많으면 규모도 크고 복잡도도 높다고 판단한다)는 소프트웨어 비용 산정 기법 중 수학적 산정 기법에 해당한다.
② 외부 조회: 로직이 필요 없고 DB에 존재하는 데이터를 찾아 그대로 표시만 해주는 기능이다.
③ 외부 입력: 데이터베이스에 데이터를 등록하거나, 수정/삭제하는 기능이다.
④ 내부 논리 파일: 사용자가 등록/수정/삭제/조회를 하기 위한 기능 수행의 대상이다.

TIP 이외에도 소프트웨어 비용 산정 기법에 하향식 산정 기법(전문가 판단 기법, 델파이 기법)이 존재한다. 소프트웨어 기능 분류를 그림으로 나타내면 다음과 같다.

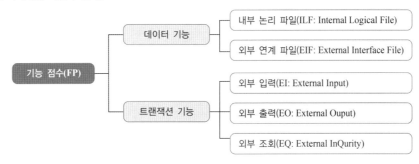

정답 ①

1. PERT/CPM(Critical Path Method)

CPM은 WBS의 작업 순서, 소요 기간 등을 네트워크 형태의 그래프로 표현한 후 어떤 작업이 중요한지, 또 일정에 여유가 있는 작업은 어떤 것인지 찾아내 중점 관리를 해야 하는 작업을 명확히 하는데 사용한다.

프로젝트를 완료할 수 있는 최소 기간은 얼마인지, 완료 기간을 맞추기 위해서는 각 작업을 언제 시작하고 완료해야 하는지, 지연되지 않으려면 어떤 작업에 특히 주의를 기울여야 하는지, 또 전체 프로젝트 완료 기간을 단축하기 위해서는 어떤 작업들을 단축하는 것이 가장 경제적인지 등 관리자의 고민에 답을 주기 위해 필요한 도구이다(계리직에서 출제).

2. CPM

(1) 학사 관리 애플리케이션에 대한 CPM의 예

다음의 표는 CPM 네트워크를 설명하기 위한 활동 목록을 나타낸다.

작업	작업 설명	선행 작업	소요기간(주)
A	개인정보 등록/수정/조회/삭제 프로그램 개발	-	2
B	학적변동자료 등록/수정/조회/삭제 프로그램 개발	A	6
C	휴·복학 및 자퇴 등록/수정/조회/삭제 프로그램 개발	A	4
D	교육과정 등록/수정/조회/삭제 프로그램 개발	B, C	2
E	유사/동일과목 등록/수정/조회/삭제 프로그램 개발	D	4
F	개설강좌 등록/수정/조회/삭제 프로그램 개발	D	3
G	수강과목 등록/수정/조회/삭제 프로그램 개발	E	2
H	시간표 등록/수정/조회/삭제 프로그램 개발	E	4
I	성적 등록/수정/조회/삭제 프로그램 개발	F	2
J	장학생 등록/수정/조회/삭제 프로그램 개발	F	1
K	등록금 등록/수정/조회/삭제 프로그램 개발	G, H	2
L	졸업사정 등록/수정/조회/삭제 프로그램 개발	I, K	2
M	사회봉사 실적 등록/수정/조회/삭제 프로그램 개발	J, L	3

(2) CPM 네트워크를 그린다.

위의 표를 참고해서 다음과 같은 CPM 네트워크를 그린다. 그림을 보면 D 작업은 B, C라는 선행 작업을 필요로 하고, B, C 각각은 A라는 선행 작업을 필요로 한다. 나머지 작업도 이와 같다.

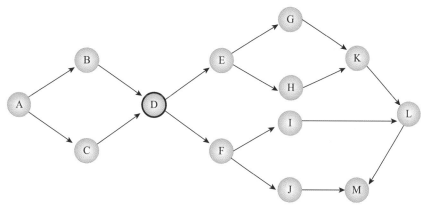

▲ CPM 네트워크

(3) ES값을 구한다.

ES(Earliest Start Time)는 가능한 빨리 시작할 수 있는 시간으로, 선행 작업이 완료되었을 때 해당작업을 시작할 수 있는 가장 빠른 시점이다. ES 값을 구할 때는 맨 앞(작업 A)에서 끝 방향으로 가면서 계산한다. 다음의 표는 작업별 가장 빨리 시작할 수 있는 시간을 나타낸다.

작업	A	B	C	D	E	F	G	H	I	J	K	L	M
작업 시작 시간	0	2	2	8	10	10	14	14	13	13	18	20	22
작업 시간	2	6	4	2	4	3	2	4	2	1	2	2	3

(4) EF값을 구한다.

EF(Earliest Finish Time)는 가장 빠른 시작 시간(ES)으로 시작했을 때의 가장 빠른 완료 시간이다. 즉, 가능한 빨리 끝낼 수 있는 시간으로 'ES+작업 소요 시간'이다. 다음의 표는 작업별 가장 빨리 완료할 수 있는 시간을 나타낸다.

작업	A	B	C	D	E	F	G	H	I	J	K	L	M
EF	2	8	6	10	14	13	16	18	15	14	20	22	25

(5) LS값을 구한다.

LS(Latest Start Time)는 어떤 작업을 늦어도 시작해야 하는 시간, 즉 가장 늦게 시작할 수 있는 시간이다. 이 시간에 시작하지 않으면(이 시간보다 늦게 시작하면) 총 일정이 지연된다. 다음의 표는 작업별 가장 늦게 시작할 수 있는 시간을 나타낸다. C 작업의 경우 작업 시작 시간이 2주에서 4주로 변경되었는데 이유는 D 작업이 8주에 시작하기 때문이다. 즉, C의 작업을 4주로 늦게 해도 D 작업의 시작 시간을 맞출 수 있다.

작업	A	B	C	D	E	F	G	H	I	J	K	L	M
작업 시작 시간	0	2	4	8	10	15	16	14	18	21	18	20	22
작업 시간	2	6	4	2	4	3	2	4	2	1	2	2	3

(6) LF값을 구한다.

LF(Latest Finish Time)는 가장 늦게 시작할 수 있는 시간(LS)에 시작해 작업을 완료한 시간이다. 즉, 작업을 가장 늦게 끝낼 수 있는 시간으로 'LS+작업 소요 시간'이다. 다음의 표는 작업별 가장 늦게 시작했을 때 완료할 수 있는 시간을 나타낸다.

작업	A	B	C	D	E	F	G	H	I	J	K	L	M
작업 시작 시간	0	2	4	8	10	15	16	14	18	21	18	20	22
작업 시간	2	6	4	2	4	3	2	4	2	1	2	2	3
작업 완료 시간	2	8	8	10	14	18	18	18	20	22	20	22	25

(7) ST값을 구한다: LS-ES

ST(Slack Time)은 '느슨한 시간', '여유 있는 시간'을 나타낸다. 다음의 표는 여유 시간(ST)를 나타낸다.

작업	A	B	C	D	E	F	G	H	I	J	K	L	M
작업별 빠른 시작 시간	0	2	2	8	10	10	14	14	13	13	18	20	22
작업별 늦은 시작 시간	0	2	4	8	10	15	16	14	18	21	18	20	22
여유 시간	0	0	2	0	0	5	2	0	5	8	0	0	0

(8) 임계 경로를 구한다.

임계 경로(critical path)는 여유 시간이 없는 경로를 나타낸다. 다음 그림은 CPM 네트워크와 임계 경로(진한 색)를 나타낸다.

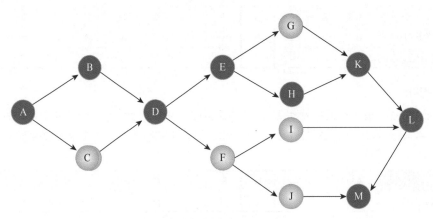

▲ CPM 네트워크와 임계 경로

주요개념 셀프체크

⊘ ES, EF
⊘ LS, LF
⊘ ST, critical path

CHAPTER 05 | Use case diagram

1. 정의

사용 사례는 도메인 분석과 모델링 사이의 관문이다. 도메인 분석의 결과를 액터, 사용사례, 관계들로 구성된 시스템 명세로 매핑하는 작업이다. UML(방법론을 적용할 때의 결과물을 나타내기 위한 도구)의 use case diagram에서 사용한다. 다음 그림은 사용 사례를 나타낸다.

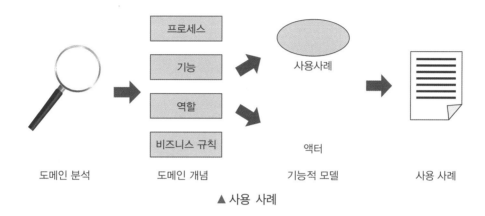

▲ 사용 사례

2. 사용 사례의 소개

사용 사례는 시스템의 사용자에게 서비스를 제공하기 위한 상호작용의 단위이다. 사용자 또는 외부 시스템이나 기타 요소들이 시스템과 상호작용 하는 다이얼로그를 모델링한다. 시스템 설계자/테스트 프로그래머들이 의사 교환하는 데 유용하고, 소프트웨어 개발자와 이해 당사자 간의 계약으로 사용한다. 다음 그림은 소프트웨어 개발 전 과정에 모두 적용하는 사용 사례를 나타낸다.

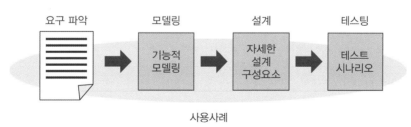

▲ 사용 사례(전 과정에 모두 적용)

사용 사례 구축 시 주의 사항은 다음과 같다.

- 시스템 내부를 모델링 하는 것이 아니다.
- 비기능적 요구를 찾아내는 데 효과적인 방법이 아니다.
- 시스템의 흐름도가 아니다.
- 단계적 분할이 아니다.
- '어떻게'가 아니라 '무엇을' 시스템이 하는가이다.

3. 사용 사례 다이어그램

사용 사례 다이어그램은 시스템의 기능을 나타내기 위하여 사용자의 요구를 추출하고 분석하는데 사용한다. 사용 사례 다이어그램의 구성은 사용 사례(use case, 시스템 기능)와 액터(actor, 시스템과 상호작용 하는 것(사용자, 시스템))가 있다. 다음 그림은 사용 사례 다이어그램을 나타낸다.

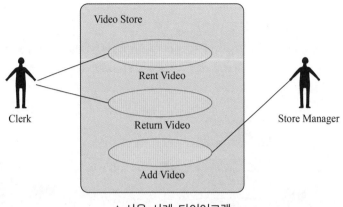

▲ 사용 사례 다이어그램

4. 액터와 사용 사례

액터(actor)는 시스템과 상호작용 하는 외부 엔티티(entity)이고, 구별되는 이름과 설명이 필요하다. 액터가 될 수 있는 것은 사용자가 맡은 일 또는 다른 시스템 등이다.

사용사례(use case)는 액터의 입장에서 본 시스템의 동작(외부동작, 기능)이고, 액터가 볼 수 있는 결과를 내는 이벤트의 집합이다. 그리고 다른 사용 사례를 가동시킬 수 있다.

5. 액터 찾기

액터(actor)를 찾기 위한 질문은 다음과 같다.

- 어떤 사용자 그룹이 작업을 수행하기 위하여 시스템의 지원을 받는가?
- 어떤 사용자 그룹이 시스템의 주요 기능을 사용하는가?
- 어떤 사용자 그룹이 유지 보수와 관리 등의 부수적 기능을 사용하는가?
- 시스템이 다른 외부 하드웨어나 소프트웨어 시스템과 동작하는가?

다음 그림은 사용 사례 다이어그램에서 액터인 Clerk와 Store Manager를 나타낸다.

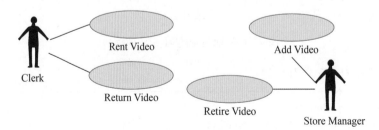

▲ 사용 사례 다이어그램 중 액터

6. 사용 사례 찾기

사용 사례는 여러 개별 시나리오를 묶은 것이다. 사용 사례에는 정상적인 흐름과 오류, 예외 케이스가 존재한다. 시나리오로부터 사용 사례를 형성한다. 다음 그림은 사용 사례와 시나리오의 예를 나타낸다.

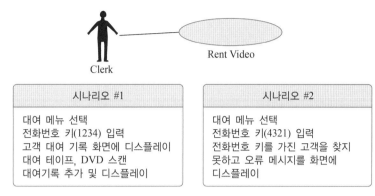

시나리오 #1	시나리오 #2
대여 메뉴 선택 전화번호 키(1234) 입력 고객 대여 기록 화면에 디스플레이 대여 테이프, DVD 스캔 대여기록 추가 및 디스플레이	대여 메뉴 선택 전화번호 키(4321) 입력 전화번호 키를 가진 고객을 찾지 못하고 오류 메시지를 화면에 디스플레이

▲ 사용 사례와 시나리오의 예

7. 시나리오 구성

시나리오는 개발자와 사용자가 함께 작성하고, 현재의 응용 도메인에 대하여 기술한 여러 문서(지침서, 절차 매뉴얼 등)를 이용한다.

시나리오 구성을 위해 필요한 질문은 다음과 같다.

> • 시스템이 어떤 작업을 수행하기를 액터가 원하는가?
> • 액터가 원하는 정보는 무엇인가?
> • 누가 데이터를 생성하는가? 데이터는 조작, 삭제될 수 있는가? 이런 작업이 누구에 의하여 행해지는가?
> • 액터가 시스템에 정보를 알리는데 필요한 것은? 얼마나 자주 또 언제 이런 작업이 일어나는가?
> • 액터가 시스템으로부터 정보를 알아내는데 필요한 이벤트는? 이런 사건의 빈도는?

8. 완성된 사용 사례 예

다음 그림은 완성된 사례의 예를 나타낸다.

사용 사례 이름	RentVideo
참여 액터	User에 의하여 구동됨
시작 조건	스캐너를 이용
사건의 흐름	1. User가 터미널에서 "비디오 대여" 기능을 활성시킨다. 시스템이 고객 ID 입력 양식을 화면에 제시하여 반응한다. 2. 점원인 User가 비디오를 대여하려는 고객에게 전화번호의 끝 네 자리를 물어 입력한다. 3. 입력한 네 자리로 찾은 이름들을 화면에 보여주고 맞는 것을 선택하도록 한다. (예외?) 4. 연체료가 있다면 화면에 출력하고 없으면 스캐너를 이용하여 대여하려는 비디오 ID를 입력한다. 5. 비디오 ID를 이용하여 비디오 정보를 찾아 화면에 출력하고 대여중인 비디오 데이터베이스에 기록한다. 대여할 비디오가 더 있으면 반복한다.
종료 조건	User가 대여료를 받고 테이프를 건네준다.

▲ 완성된 사례의 예

9. 사용 사례 관계 찾기

사용 사례 다이어그램에서는 관계를 이용하여 모형의 복잡도를 줄이고 이해도를 높인다. 관계 종류는 포함과 확장이 있다. 포함(include)은 사용 사례 사이의 중복을 제거하고, 확장(extend)은 정상적인 이벤트와 예외적인 이벤트를 분리한다.

10. 포함 관계

포함 관계는 사용 사례 사이의 중복을 제거한다. 어떤 사용 사례가 다른 사용 사례를 포함하는 관계를 나타내고, 공통된 동작을 떼어 낼 수 있다. 다음 그림은 포함 관계의 예를 나타낸다.

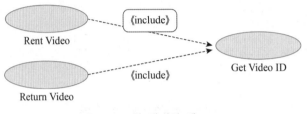

▲ 포함 관계의 예

11. 확장 관계

확장 관계는 사용 사례가 일정한 조건 아래 확장된 동작을 포함한다면 다른 사용 사례를 확장하는 관계에 있다(예외). 다음 그림은 사용자 정보 입력 중 미성년자를 위하여 부모 허락을 받는 사용 사례(사례가 확장되는 경우)의 예를 나타낸다.

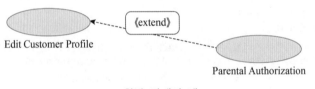

▲ 확장 관계의 예

12. 포함/확장 관계가 적용된 사용 사례 다이어그램

다음 그림은 포함/확장 관계가 적용된 사용 사례 다이어그램을 나타낸다.

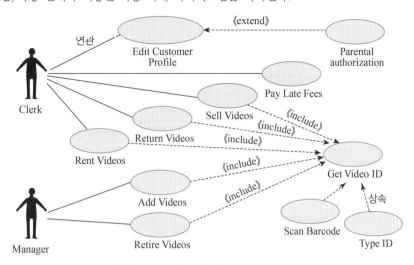

▲ 포함/확장 관계가 적용된 사용 사례 다이어그램

13. 일반화

일반화는 행위자(Actor)와 행위자(Actor), 유스케이스와 유스케이스 사이에서 정의된다. 두 개체가 일반화 관계에 있음을 의미하고, 보다 보편적인 것과 보다 구체적인 것 사이의 관계(is-a 관계)를 나타낸다. 즉, 상속의 특성을 지닌다.

14. 사용 사례 다이어그램

행위자(Actor)와 유스케이스(Use Case)간의 관계를 연관(Association)이라고 한다. 아래의 예에서 행위자는 '인터넷 뱅킹 사용자'이고 '즉시 이체'라는 유스케이스와 연관 관계를 갖고 있다. '즉시 이체'를 수행할 경우, 출금 계좌의 잔고를 확인하고, 이체 한도를 조회하는 기능을 먼저 수행하게 되므로, '잔고 조회' 유스케이스와 '한도 조회' 유스케이스는 '즉시 이체' 유스케이스의 포함 관계 대상이 된다. '즉시 이체' 유스케이스로부터 '추가 이체' 유스케이스를 실행할 수도 있으므로, '즉시 이체'와 '추가 이체'는 확장 관계가 된다. '이체'는 '즉시 이체'의 일반적인 유스케이스 개념이므로 일반화 및 상속 관계를 표현할 수 있다.

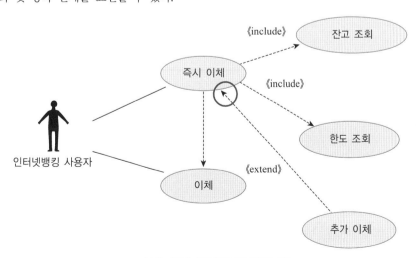

▲ 사용 사례 다이어그램(다른 예)

핵심 기출

'인터넷 서점'에 대한 유스케이스 다이어그램에서 '회원 등록' 유스케이스를 수행하기 위해서는 '실명 확인' 유스케이스가 반드시 선행되어야 한다면 이들의 관계는?   2017년 국가직

① 일반화(generalization) 관계

② 확장(extend) 관계

③ 포함(include) 관계

④ 연관(association) 관계

해설

사용 사례 사이의 중복을 제거한다. 비디오 대여점에서는 비디오를 대여하기 전에 사용자를 확인(중복 이벤트)해야 한다.

선지분석

① 행위자(Actor)와 행위자(Actor), 유스케이스와 유스케이스 사이에서 정의된다. 보다 보편적인 것과 보다 구체적인 것 사이의 관계로 상속의 특성을 지닌다.

② 정상적인 이벤트와 예외적인 이벤트를 분리한다. 비디오 대여점에서 비디오를 대여(정상적인 이벤트)할 때 미성년자만이 부모의 허락(예외적인 이벤트)을 받아야 한다.

④ 행위자(Actor)와 유스케이스(Use Case)간의 관계를 연관(Association)이라고 한다.

정답 ③

CHAPTER 06 | 설계 원칙

1. 설계의 원리

다음 그림은 소프트웨어 설계의 원리를 나타낸다. 각각의 설계 원리는 이후에 설명된다.

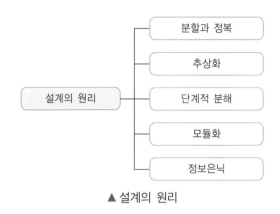

▲ 설계의 원리

2. 분할과 정복의 원리

분할과 정복(divide and conquer)은 큰 문제를 소 단위로 나누고 소 단위의 작업을 하나씩 처리하여 전체 일을 끝내는 방법이다. 예를 들어, 대학의 종합정보시스템은 학사 관리, 회계 관리, 인사 관리 등으로 나눈다. 그리고 학사관리는 수강 관리, 수업 관리, 성적 관리 등으로 나눈다.

분할과 정복에서 분할은 다음과 같은 형태들이 있다.

> • 분산 시스템은 클라이언트와 서버로 분할
> • 시스템은 여러 서브시스템으로 분할
> • 서브시스템은 하나 이상의 패키지로 분할
> • 패키지는 여러 클래스로 분할
> • 클래스는 여러 메서드로 분할

3. 추상화의 원리

추상화(abstraction)란 주어진 문제(건물 도면)에서 현재의 관심사에 초점을 맞추기 위해, 특정한 목적과 관련된 필수 정보만 추출하여 강조하고(전기 배선도, 상하수도 배관도 등) 관련이 없는 세부 사항을 생략함으로써 본질적인 문제에 집중할 수 있도록 하는 작업(의사코드)이다.

다음 그림은 추상화 표현의 예를 나타낸다.

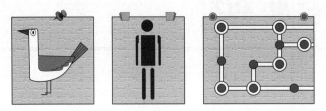

▲ 추상화 표현의 예

다음 그림은 도형의 추상화를 나타낸다.

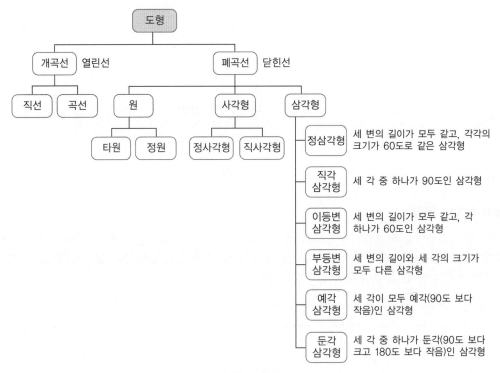

▲ 도형의 추상화

다음 그림은 객체지향 설계에서의 추상화를 나타낸다.

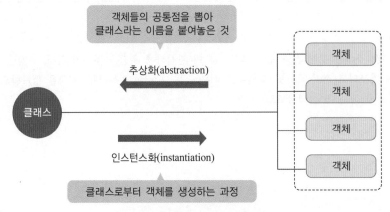

▲ 객체지향 설계에서의 추상화

4. 추상화의 종류

다음의 2가지 예는 과정 추상화(procedure abstraction)를 나타낸다. 다음의 예는 학점 계산 알고리즘에서 과정 추상화를 나타낸다. 예에서 알 수 있듯이, 합계와 평균을 어떻게 구하는지 알 필요가 없다.

```
• 학생 데이터 파일을 읽어온다.
• 학생 한 명의 과목별 합계 및 평균을 구한다.
• 합계 점수를 내림차순으로 정렬한다.
• 상위 10%는 A⁺ 학점을 준다.
• 상위 30%까지는 A⁰ 학점을 준다.
• 하위 20%까지는 C⁰ 학점을 준다.
• 학생 이름과 평균 점수, 학점을 출력한다.
```

▲ 과정 추상화: 학점 계산 알고리즘

다음은 함수 호출에서 과정 추상화를 나타낸다. 예에서 알 수 있듯이, GetSum이 어떻게 동작하는지 알 필요가 없다.

```
int main(void) {
    int result;

    result = GetSum(10);
    printf("1~10의 합계 = &d\n", result);
    return 0;
}

int GetSum(int num) {
    int i;
    int sum = 0;
    for(i=1; i<=num; i++)
        sum += i;
    return sum;
}
```

▲ 과정 추상화: 함수 호출

다음은 데이터 추상화(data abstraction)를 나타낸다. 데이터 추상화의 대표적인 예가 C++ 언어의 클래스이다. Class의 특징은 사용자에게 클래스가 제공할 수 있는 사용법만 알려주고, 불필요한 데이터와 연산을 감추고, 사용자는 클래스에서 제공하는 연산 기능만 알고 그 연산을 사용하여 데이터 값을 변경한다. 아래의 그림은 데이터 추상화의 예를 나타낸다. 그림에서 알 수 있듯이, newStack()이 어떻게 구현되었지는 관심사가 아니다.

```
                    stactk

    int size = 50;  // 스택의 크기
    int size = 0;

    newStack( ) { ...... }
    push( ) { ...... }
    pop( ) { ...... }
```

▲ 데이터 추상화의 예

다음은 제어 추상화(control abstraction)이고, 아래 그림은 제어 추상화의 예를 나타낸다. 그림에서 알 수 있듯이, X에 + Y를 해서 그 값을 Z에 넣는 구체적인 과정을 알 필요가 없다.

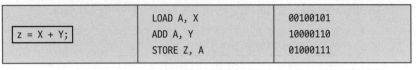

z = X + Y;	LOAD A, X ADD A, Y STORE Z, A	00100101 10000110 01000111
(a) 고급 언어 표현	(b) 어셈블리 언어 표현	(c) 기계 언어 표현

- LOAD A, X   // X번지의 내용을 읽어 레지스터 A에 적재
- ADD A, Y   // Y번지의 내용을 A에 적재된 값과 더한 결과를 레지스터 A에 적재
- STORE Z, A   // A레지스터의 값을 Z번지에 저장

▲ 제어 추상화의 예

5. 단계적 분해

단계적 분해는 하향식 설계에서 사용한다. 기능을 점점 작은 단위로 나누어 점차적으로 구체화하는 방법이다. 다음 그림은 DFD(Data Flow Diagram, 구조적 방법)로 표현한 단계적 분해의 예를 나타낸다.

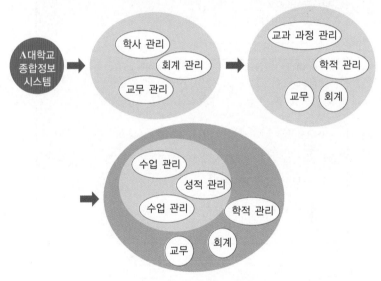

▲ DFD로 표현한 단계적 분해의 예

6. 모듈화

모듈은 '규모가 큰 것을 여러 개로 나눈 조각', '소프트웨어 구조를 이루는 기본적인 단위', '하나 또는 몇 개의 논리적인 기능을 수행하기 위한 명령어들의 집합' 등을 의미한다. 또한 모듈은 라이브러리 함수, 그래픽 함수, 추상화된 자료, subroutine, procedure, object, method 등으로 불리고, 독립 프로그램도 하나의 모듈로 가능하고 함수들도 하나의 모듈로 가능하다.

모듈의 특징은 다음과 같다.

- 다른 것들과 구별될 수 있는 독립적인 기능을 갖는 단위이다.
- 유일한 이름을 가져야 한다.
- 독립적으로 컴파일이 가능하다.
- 모듈에서 또 다른 모듈을 호출할 수 있다.
- 다른 프로그램에서도 모듈을 호출할 수 있다.

주요개념 셀프체크

- ✓ 분할과 정복
- ✓ 추상화
- ✓ 단계적 분해
- ✓ 모듈화
- ✓ 정보 은닉

핵심 기출

소프트웨어 설계의 원칙으로 옳지 않은 것은?   2015년 서울시

① 상세설계로 갈수록 추상화 수준은 증가한다.
② 계층적 조직이 제시되며, 모듈적이어야 한다.
③ 설계는 분석 모델까지 추적이 가능하도록 한다.
④ 요구사항 분석에서 얻은 정보를 이용하여 반복적 방법을 통해 이루어져야 한다.

해설

추상화는 상세설계로 갈수록 추상화 수준이 감소한다.

선지분석

② 모듈적: 모듈화를 수행한다. 여기서 모듈이란 소프트웨어 구조를 이루는 기본적인 단위이고 하나 또는 몇 개의 논리적인 기능을 수행하기 위한 명령어들의 집합이다.
③ 추적: 설계 결과를 검증하기 위해 관련 요구사항을 찾을 수 있어야 한다.
④ 반복적: 반복적 프로세스로 지속적으로 정형화를 수행하고 세세하게 기술함으로써 초기 모델을 개선해 간다.

정답 ①

CHAPTER 07 | 디자인 패턴(Design Pattern)

1 개요

1. 정의

소프트웨어 설계에서 자주 발생하는 문제에 대한 일반적이고 반복적인 해결책을 말한다. 여러가지 상황에 적용될 수 있는 일종의 템플릿이다. 아키텍처 스타일은 전체 시스템에 적용하고, 디자인 패턴은 서브 시스템에 적용함에 유의한다.

여러 가지 문제에 대한 설계 사례를 분석하여 서로 비슷한 문제를 해결하기 위한 설계들을 분류하고, 각 문제 유형별로 가장 적합한 설계를 일반화해 패턴으로 정립한 것을 의미한다(예 통신 프로토콜).

소프트웨어 설계에 대한 지식이나 노하우가 문제 유형별로 잘 구체화되어 있을 뿐 아니라, 동일한 문제 유형에 대해서는 그 해결 방법에 대한 지식이나 노하우가 패턴 형태로 충분히 일반화된 것이다.

2. 구성 요소

디자인 패턴 구성 요소는 다음과 같다.

- 패턴의 이름과 구분
- 솔루션: 패턴을 이루는 요소들, 관계, 협동과정
- 결과: 패턴의 이점, 영향
- 문제 및 배경: 패턴이 사용되는 분야 또는 배경
- 사례: 적용 사례
- 샘플 코드: 예제 코드

2 패턴

1. 분류

Gamma의 23개 패턴은 다음의 표와 같다. 어뎁터가 2개 있음에 유의한다.

구분		목적에 의한 분류		
		생성유형	구조적	행위적
범위	클래스	팩토리 메소드	어뎁터(클래스)	• 인터프리터 • 템플릿 메소드
	객체	• 추상 팩토리 • 싱글톤 • 프로토타입 • 빌더	• 어뎁터(객체) • 브리지 • 컴포지트 • 데코레이터 • 퍼싸드 • 플라이웨이트 • 프록시	• 책임 체인 • 커맨드 • 반복자 • 중재자 • 메멘토 • 옵서버 • 상태 • 전략 • 비지터

2. 종류

(1) factory method 패턴

factory는 공장, 물건(인스턴스)을 만드는 곳을 의미한다. 상위 클래스에서 객체를 생성하는 인터페이스를 정의하고, 하위 클래스에서 인스턴스를 생성하도록 하는 방식이나. 객체를 생성하는 시점은 알시만 어떤 객체를 생성해야 할지 알 수 없을 때, 객체 생성을 하위 클래스에 위임하여 해결한다. 다음 그림은 factory method 패턴을 나타낸다.

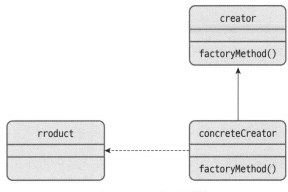

▲ factory method 패턴

(2) abstract factory 패턴

abstract factory은 '추상적인 공장'을 의미한다. 여러 개의 concreteProduct를 추상화시킨 것이고, 구체적인 구현은 concreteProduct 클래스에서 이루어진다. 사용자에게 API를 제공하고, 인터페이스만 사용해서 부품을 조립하여 만든다. 즉 추상적인 부품을 조합해서 추상적인 제품을 만든다. 다음 그림은 abstract factory 패턴을 나타낸다.

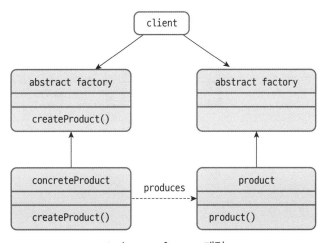

▲ abstract factory 패턴

(3) singleton 패턴

singleton은 '단독 개체', '독신자'라는 뜻 말고도 '정확히 하나의 요소만 갖는 집합'을 의미한다. 특정 클래스의 객체가 오직 한 개만 존재하도록 보장하고, 클래스의 객체를 하나로 제한한다. 동일한 자원이나 데이터를 처리하는 객체가 불필요하게 여러 개 만들어질 필요가 없는 경우에 주로 사용한다. 다음 그림은 singleton 패턴을 나타낸다.

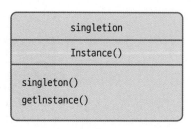

▲ singleton 패턴

(4) prototype 패턴

new Object( )보다 clone( )을 이용해 기존의 것을 복사하여 일부만 바꿔 인스턴스를 생성한다. 일반적인 prototype(원형)을 만들어놓고, 그것을 복사한 후 필요한 부분만 수정하여 사용한다. 인스턴스를 복제하여 사용하는 구조이고, 생성할 객체의 원형을 제공하는 프로토타입 인스턴스로부터 생성할 객체들의 타입을 결정한다. 객체를 생성할 때 갖추어야 할 기본 형태가 있을 때 사용한다. 다음 그림은 prototype 패턴을 나타낸다. clone()을 이용한 복사를 수행함에 유의한다.

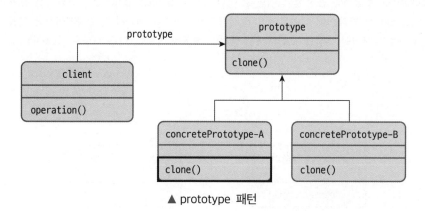

▲ prototype 패턴

(5) builder 패턴

복잡한 인스턴스를 조립하여 만드는 구조이다(builder). 복합 객체를 생성할 때 객체를 생성하는 방법(과정)과 객체를 구현(표현)하는 방법을 분리한다. 동일한 생성 절차에서 서로 다른 표현 결과를 만들 수 있다. 다음 그림은 builder 패턴을 나타낸다. buildPart()를 이용한 조립을 수행함에 유의한다.

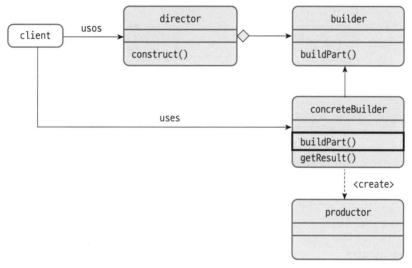

▲ builder 패턴

(6) adapter 패턴

adapter는 '접속 소켓', '확장 카드', '(물건을 다른 것에) 맞추어 붙이다', '맞추다'를 의미한다. 기존 클래스를 재사용할 수 있도록 중간에서 맞춰주는 역할하고, 호환성이 없는 기존 클래스의 인터페이스를 변환해 재사용할 수 있도록 해준다. 클래스 adapter 패턴은 상속을 이용한 어댑터 패턴이고, 인스턴스 adapter 패턴은 위임을 이용한 어댑터 패턴이다. 다음 그림은 adapter 패턴을 나타낸다.

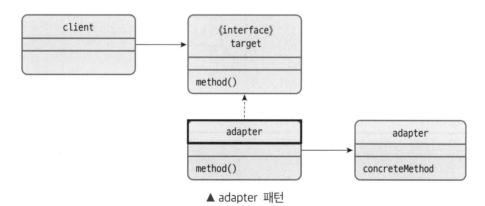

▲ adapter 패턴

(7) bridge 패턴

bridge는 '무엇인가를 연결 한다'를 의미한다. 두 장소를 연결하는 역할을 한다. 기능의 클래스 계층과 구현의 클래스 계층을 연결하고, 구현부에서 추상 계층을 분리하여 각자 독립적으로 변형할 수 있게 해준다. 구현과 인터페이스(추상화된 부분)를 분리할 수 있고, 추상화된 부분과 실제 구현 부분을 독립적으로 확장할 수 있다. 다음 그림은 bridge 패턴을 나타낸다. 해당 패턴은 기능과 구현(추상화)의 분리되었음에 유의한다.

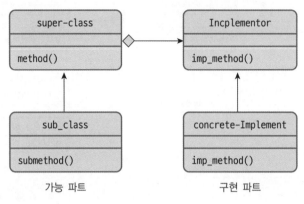

▲ bridge 패턴

(8) composite 패턴-재귀구조

composite은 '합성의', '합성물', '혼합 양식'을 의미한다. composite object는 부분-전체의 상속 구조로 표현되는 조립 객체이다. 사용자가 단일 객체와 복합 객체 모두 동일하게 다루도록 한 것이다(재귀적 구조). 재귀적 구조란 디렉토리 안에 파일 또는 다른 디렉토리(서브 디렉토리)가 존재할 수 있는 것을 의미한다. 그릇(디렉토리)과 내용물(파일)을 동일시해서 재귀적인 구조를 만들기 위한 설계 패턴이다. 다음 그림은 composite 패턴을 나타낸다. 해당 패턴은 재귀적 구조임에 유의한다.

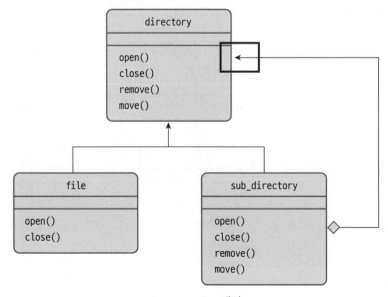

▲ composite 패턴

(9) decorator 패턴

decoration은 '장식(포장)'을 의미한다. 기존에 구현되어 있는 클래스(둥근 모양의 빵)에 그때그때 필요한 기능 (초콜릿, 치즈, 생크림)을 추가(장식, 포장)해나가는 설계 패턴이다. 기능 확장이 필요할 때 상속의 대안으로 사용한다. 다음 그림은 decorator 패턴을 나타낸다.

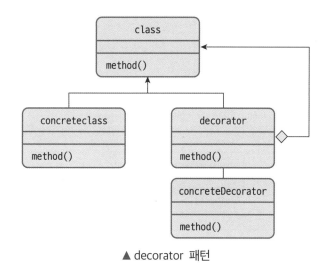

▲ decorator 패턴

(10) facade 패턴

façade는 '건물의 앞쪽 정면(전면)'을 의미한다. 몇 개의 클라이언트 클래스와 서브시스템의 클라이언트 사이에 facade라는 객체를 세워놓음으로써 복잡한 관계를 정리(구조화)한 것이다. 모든 관계가 전면에 세워진 facade 객체를 통해서만 이루어질 수 있게 단순한 인터페이스를 제공(단순한 창구 역할)하는 것이다. 다음 그림은 facade 패턴을 나타낸다.

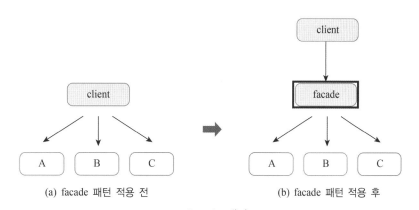

(a) facade 패턴 적용 전   (b) facade 패턴 적용 후

▲ facade 패턴

(11) flyweight 패턴

flyweight는 '(권투·레슬링 등의) 플라이급 선수(보통 체중 48~51kg 사이)', 즉 가벼운 것을 의미한다. 메모리를 가볍게 해준다고 짐작할 수 있다. 메모리 사용량을 줄이기 위한 방법으로, 인스턴스를 필요한 대로 다 만들어 쓰지 말고, 동일한 것은 가능하면 공유해서 객체 생성을 줄이자는 것이다. 다음 그림은 flyweight 패턴을 나타낸다. 해당 패턴은 공유를 수행함에 유의한다.

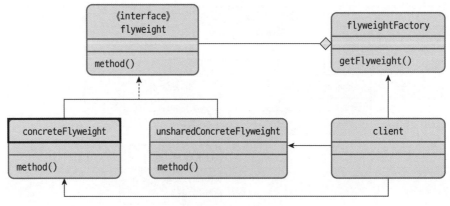

▲ flyweight 패턴

(12) proxy 패턴

proxy는 '대리인', 즉 뭔가를 대신해서 처리하는 것을 의미한다. 그림과 텍스트가 섞여있는 경우 텍스트가 먼저 나오고 나중에 그림이 나올 수 있도록 하기 위해 텍스트 처리용 프로세스, 그림 처리용 프로세스를 별도로 두고 운영하는 것 같은 설계이다(별도-proxy). 다음 그림은 proxy 패턴을 나타낸다. 해당 패턴은 별도(proxy, 적절히 대신 처리)로 수행됨에 유의한다.

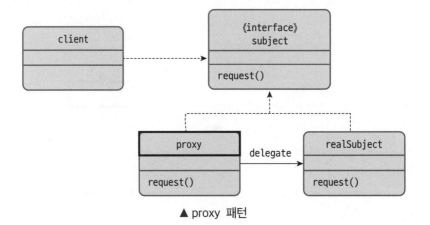

▲ proxy 패턴

(13) interpreter 패턴

interpreter는 '통역자'를 의미한다. 단어의 의미처럼 무언가를 번역하는 데 사용하고, 간단한 언어의 문법을 정의하고 해석하는 데 사용한다. 문법 규칙을 클래스화한 구조를 갖는 SQL 언어나 통신 프로토콜 같은 것을 개발할 때 사용한다. 다음 그림은 interpreter 패턴을 나타낸다. 해당 패턴은 문법을 정의하고 해석함에 유의한다.

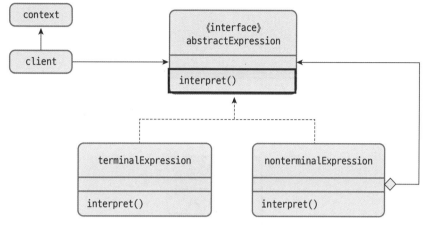

▲ interpreter 패턴

(14) template method 패턴

template는 하나의 '틀'을 의미한다. 이런 틀 기능을 구현할 때 template method 패턴을 이용한다. 상위 클래스에서는 추상적으로 표현하고 그 구체적인 내용은 하위 클래스에서 결정되는 디자인 패턴이다. 다음 그림은 template method 패턴을 나타낸다. 해당 패턴은 틀 기능을 구현함에 유의한다.

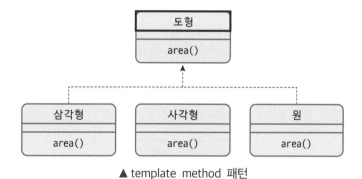

▲ template method 패턴

(15) chain of responsibility 패턴

chain of responsibility는 책임들이 연결되어 있어 내가 책임을 못 질 것 같으면 다음 책임자에게 자동으로 넘어가는 구조이다. 소프트웨어 개발에서도 이렇게 자동으로 연결되는 구조로 프로그램을 만들면 매우 유용한데 이 개념을 적용할 수 있는 것이 바로 chain of responsibility 패턴이다.

다음 그림은 책임들이 연결된 학생 전화 상담의 예를 나타낸다.

(a) 정적 구조   (b) 동적 구조

▲ 학생 전화 상담의 예

다음 그림은 chain of responsibility 패턴을 나타낸다.

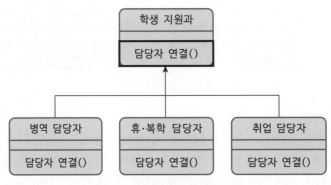

▲ chain of responsibility 패턴

(16) command 패턴

command는 '명령어'를 나타낸다. 예를 들어, 문서편집기의 복사(copy), 붙여넣기(paste), 잘라내기(cut) 등이 있다. 해당 명령어를 각각 구현하는 것보다는 아래 그림처럼 하나의 추상 클래스에 execute( ) 메서드를 하나 만들고 각 명령이 들어오면 그에 맞는 서브 클래스(copy_command)가 선택되어 실행하는 것이 효율적이다. 해당 패턴은 명령어를 만들 때 사용함에 유의한다.

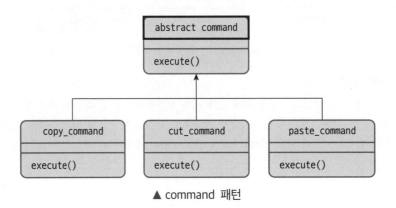

▲ command 패턴

command 패턴은 단순히 명령어를 추상 클래스와 구체 클래스로 분리하여 단순화한 것으로 끝나지 않고, 명령어에 따른 취소(undo) 기능까지 포함한다. 왜냐하면, 사용자 입장에서는 해당 명령어를 실행했다가 취소(undo)하기도 하기 때문이다. 이렇게 프로그램의 명령어를 구현할 때 command 패턴을 활용한다.

(17) iterator 패턴

iterate는 '반복하다', iterator는 '반복자'를 의미한다. 반복이 필요한 자료구조를 모두 동일한 인터페이스를 통해 접근할 수 있도록 다음 그림처럼 iterator 객체 속에 넣은 다음, iterator 객체의 메서드를 이용해 자료구조를 활용할 수 있도록 해준다. 데이터들의 집합체를 모두 동일한 인터페이스를 사용하여 조작함으로써 데이터들의 집합체를 쉽게 사용할 수 있게 해준다.

▲ iterator 객체

다음 그림은 iterator 패턴을 나타낸다. 해당 패턴은 반복이 필요한 자료구조에 사용함에 유의한다.

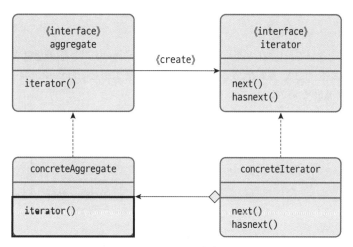

▲ iterator 패턴

(18) mediator 패턴

mediator은 '중재자', '조정자', '중개인'를 의미한다. 부동산 중개사, 비행기의 이착륙을 통제하는 관제탑, 중고 물건을 사고파는 사이트처럼 중간에서 연결하고 통제하는 역할이다. 다음 그림은 mediator 사용 전과 사용 후를 나타낸다.

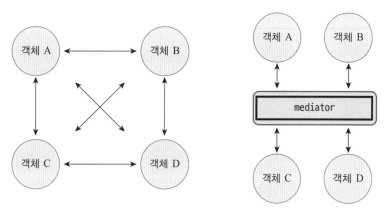

▲ mediator 사용 전과 사용 후

다음 그림은 mediator 패턴을 나타낸다.

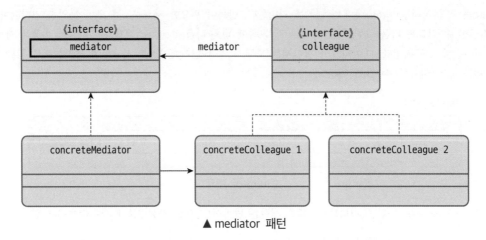

▲ mediator 패턴

(19) memento 패턴

memento는 '(사람, 장소를 기억하기 위한) 기념품'을 의미한다. undo 기능을 개발할 때 유용하다. 클래스 설계 관점에서 객체의 정보를 저장할 필요가 있을 때 적용한다. 다음 그림은 memento 패턴을 나타낸다. 해당 패턴은 객체의 정보를 저장함에 유의한다.

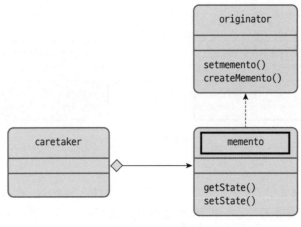

▲ memento 패턴

(20) observer 패턴

observer는 '관찰하는 사람', '관찰자'를 의미한다. 어떤 클래스에 변화가 일어났을 때, 이를 감지하여 다른 클래스에 통보해주는 것이다. 다음 그림은 observer 패턴을 나타낸다. 해당 패턴은 클래스 변화 감지를 수행함에 유의한다.

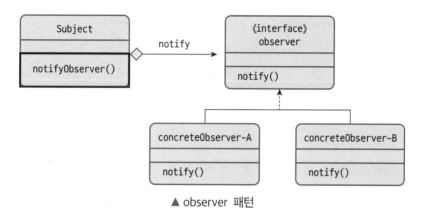

▲ observer 패턴

(21) state 패턴

state는 '상태'를 의미한다. 동일한 동작을 객체 상태에 따라 다르게 처리해야 할 때 사용한다. 아래 그림처럼 객체 상태를 캡슐화하여 클래스화함으로써 그것을 참조하게 하는 방식으로 상태에 따라 다르게 처리(upState, stopState, downState)할 수 있도록 한 것이다. 변경 시(신규 상태 추가) 원시 코드의 수정을 최소화할 수 있고, 유지보수를 쉽게 할 수 있다. 다음 그림은 state 패턴을 나타낸다. 해당 패턴은 객체 상태에 따라 처리함에 유의한다.

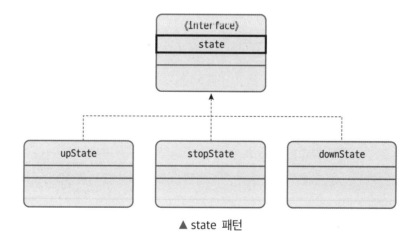

▲ state 패턴

(22) strategy 패턴

strategy는 '전략', '전술'을 의미한다. 소프트웨어 개발에서 전략이나 전술은 알고리즘으로 구현한다. 해당 패턴은 아래 그림처럼 알고리즘 군을 정의하고(strategySort 추상클래스) 같은 알고리즘(버블 정렬, 퀵 정렬, 선택 정렬 등)을 각각 하나의 클래스로 캡슐화한(quickSort 클래스, selectSort 클래스, bubbleSort 클래스) 다음, 필요할 때 서로 교환해서 사용할 수 있게 해준다.

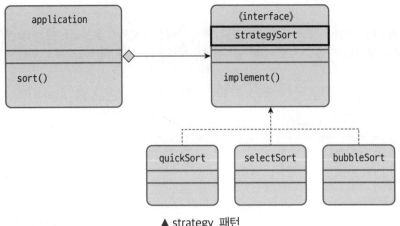

▲ strategy 패턴

클라이언트와 무관하게 독립적으로 알고리즘 변경이 가능하고(quickSort → bubbleSort), 클라이언트는 독립적으로 원하는 알고리즘 사용이 가능하다. 클라이언트에게 알고리즘이 사용하는 데이터나 그 구조를 숨겨주는 역할이다. 알고리즘을 사용하는 곳과, 알고리즘을 제공하는 곳을 분리시킨 구조로 알고리즘을 동적으로 교체 가능하다.

(23) visitor 패턴

visitor는 '방문자'를 의미한다. 아래 그림처럼 각 클래스의 데이터 구조로부터 처리 기능을 분리하여 별도의 visitor 클래스로 만들어놓고 해당 클래스의 메서드(visitElement A, visitElement B)가 각 클래스를 돌아다니며 특정 작업을 수행하도록 하는 것이다. 해당 패턴은 각 클래스를 돌아다님에 유의한다.

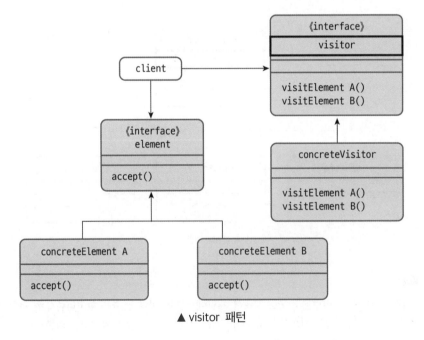

▲ visitor 패턴

visitor 패턴은 객체의 구조와 기능을 분리하고, 객체의 구조는 변경하지 않으면서 기능만 따로 추가하거나 확장할 때 많이 사용한다(visitor 이용). 장점은 클래스의 데이터 구조 변경 없이 기존 작업(기능) 외에 다른 작업을 추가하기가 수월하다.

요약정리

1. 생성 유형

디자인 패턴	단어	특징	적용
팩토리 메소드, 생성유형(factory method)	공장, 물건(인스턴스)을 만드는 곳	상위 클래스에서 객체를 생성하는 인터페이스를 정의하고, 하위 클래스에서 인스턴스를 생성	객체를 생성하는 시점은 알지만 어떤 객체를 생성해야 할지 알 수 없을 때
추상 팩토리 (abstract factory)	추상적인 공장	여러 개의 하위 클래스를 추상화시킨 것이고, 구체적인 구현은 하위 클래스에서 이루어짐	사용자에게 API를 제공하고, 인터페이스만 사용해서 부품을 조립할 때
싱글톤 (singleton)	단독 개체, 독신자	특정 클래스의 객체가 오직 한 개만 존재하도록 보장, 클래스의 객체를 하나로 제한	동일한 자원이나 데이터를 처리하는 객체가 불필요하게 여러 개 만들어질 필요가 없는 경우
프로토타입 (prototype)	원형	기존의 것을 복사하여 일부만 바꿔 인스턴스를 생성	객체를 생성할 때 갖추어야 할 기본 형태가 있을 때
빌더 (builder)	조립	복잡한 인스턴스를 조립하여 만드는 구조	동일한 생성 절차에서 서로 다른 표현 결과를 만들 때

2. 구조적

디자인 패턴	단어	특징	적용
어댑터, 구조적(adapter)	접속 소켓, 확장 카드	기존 클래스를 재사용할 수 있도록 중간에서 맞춰주는 역할	호환성이 없는 기존 클래스의 인터페이스를 변환해 재사용할 때
브리지 (bridge)	무엇인가를 연결한다	기능의 클래스 계층과 구현의 클래스 계층을 연결	추상화된 부분과 실제 구현 부분을 독립적으로 확장할 때
컴포지트 (composite)	합성의, 합성물	부분 - 전체의 상속 구조로 표현되는 조립 개체	재귀적 구조가 필요할 때
데코레이터 (decorator)	장식, 포장	기존에 구현되어 있는 클래스에 그때그때 필요한 기능을 추가	기능 확장이 필요할 때 상속의 대안으로 사용
퍼싸드 (facade)	건물의 앞쪽 정면(전면)	객체를 세워놓음으로써 복잡한 관계를 정리	단순한 창구 역할을 하는 인터페이스가 필요할 때
플라이웨이트 (flyweight)	가벼운 것	동일한 것은 가능하면 공유해서 객체 생성을 줄이자	메모리 사용량을 줄이고자 할 때
프록시 (proxy)	대리인	텍스트 처리용 프로세스, 그림 처리용 프로세스를 별도로 두고 운영	뭔가를 대신해서 처리하는 것이 필요할 때

3. 행위적

디자인 패턴	단어	특징	적용
인터프리터, 행위적(interpreter)	통역자	무언가를 번역하는 데 사용하고, 간단한 언어의 문법을 정의하고 해석	SQL 언어나 통신 프로토콜 같은 것을 개발할 때
템플릿 메소드(template method)	틀	상위 클래스에서 추상적으로 표현하고 그 구체적인 내용은 하위 클래스에서 결정	틀 기능이 필요할 때
책임 체인 (chain of responsibility)	책임 체인	책임들이 연결되어 있어 내가 책임을 못 질 것 같으면 다음 책임자에게 자동으로 넘어가는 구조	자동으로 연결된 구조가 필요할 때
커맨드 (command)	명령어	해당 명령어를 각각 구현하지 않고 각 명령이 들어오면 그에 맞는 서브 클래스가 선택되어 실행	명령어를 만들 때
반복자 (iterator)	반복자	반복이 필요한 자료구조를 모두 동일한 인터페이스를 통해 접근	데이터들의 집합체를 모두 동일한 인터페이스를 사용하여 조작할 때
중재자 (mediator)	중재자	중간에서 연결하고 통제하는 역할	중재자가 필요할 때
메멘토 (memento)	기념품	객체의 정보를 저장할 필요가 있을 때 적용	undo 기능을 개발할 때
옵서버 (observer)	관찰자	어떤 클래스에 변화가 일어났을 때, 이를 감지하여 다른 클래스에 통보	클래스 변화 감지를 수행할 때
상태 (state)	상태	객체 상태를 캡슐화하여 클래스화함으로써 상태에 따라 다르게 처리할 수 있도록 한 것	동일한 동작을 객체 상태에 따라 다르게 처리해야 할 때
전략 (strategy)	전략, 전술	클라이언트와 무관하게 독립적으로 알고리즘 변경이 가능, 클라이언트는 독립적으로 원하는 알고리즘 사용	클라이언트에게 알고리즘이 사용하는 데이터나 그 구조를 숨길 때
비지터 (visitor)	방문자	해당 클래스의 메서드가 각 클래스를 돌아다니며 특정 작업을 수행	클래스의 데이터 구조 변경 없이 기존 작업 외에 다른 작업을 추가할 때

주요개념 셀프체크

⊘ 디자인 패턴
⊘ 생성유형 - singleton
⊘ 구조적 - adapter, facade
⊘ 행위적 - strategy

디자인 패턴에 대한 설명으로 옳지 않은 것은?   2015년 지방직

① 일반적으로 디자인 패턴을 이용하면 좋은 설계나 아키텍처를 재사용하기 쉬워진다.

② 패턴은 사용 목적에 따라서 생성 패턴, 구조 패턴, 행위 패턴으로 분류할 수 있다.

③ 생성 패턴은 빌더(builder), 추상 팩토리(abstract factory) 등을 포함한다.

④ 행위 패턴은 가교(bridge), 적응자(adapter), 복합체(composite) 등을 포함한다.

해설

해당 설명은 구조 패턴이고, 행위 패턴은 인터프리터, 템플릿 메소드, 책임 체인, 커맨드, 반복자, 중재자, 메멘토, 옵서버, 상태, 전략, 비지터가 있다.

선지분석

① 디자인 패턴: 여러 가지 문제에 대한 설계 사례를 분석하여 서로 비슷한 문제를 해결하기 위한 설계들을 분류하고, 각 문제 유형별로 가장 적합한 설계를 일반화해 패턴으로 정립한 것을 의미한다.

② 사용 목적: 디자인 패턴은 Gamma의 23개 패턴이 존재하고 이를 목적에 의해 분류하면 다음과 같다(어브컴데퍼플프).

구분		목적에 의한 분류		
		생성유형	구조적	행위적
범위	클래스	팩토리 메소드	어뎁터(클래스)	• 인터프리터 • 템플릿 메소드
	객체	• 추상팩토리 • 싱글톤 • 프로토타입 • 빌더	• 어뎁터(객체) • 브리지 • 컴포지트 • 데코레이터 • 퍼싸드 • 플라이웨이트 • 프록시	• 책임 체인 • 커맨드 • 반복자 • 중재자 • 메멘토 • 옵서버 • 상태 • 전략 • 비지터

③ 생성 패턴: 팩토리 메소드, 추상 팩토리, 싱글톤, 프로토타입, 빌더가 있다(팩추싱프빌).

정답 ④

1 응집도

1. 응집도(cohesion)

응집도는 모듈 내부에 존재하는 구성 요소들 사이의 밀접한 정도이고, 하나의 모듈 안에서 구성 요소들 간에 똘똘 뭉쳐 있는 정도로 평가한다. 다음 그림은 모듈 내 구성 요소 간의 응집도를 나타낸다.

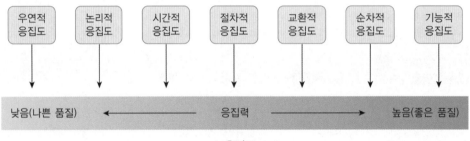

▲ 응집도

2. 기능적 응집(functional cohesion)

기능적 응집은 함수적 응집이고, 응집도가 가장 높은 경우이며 단일 기능의 요소로 하나의 모듈을 구성한다. 다음 그림은 기능적 응집의 예를 나타낸다.

▲ 기능적 응집의 예

3. 순차적 응집(sequential cohesion)

순차적 응집은 A 요소의 출력을 B 요소의 입력으로 사용하므로 두 요소가 하나의 모듈을 구성한 경우이다. 두 요소가 아주 밀접하므로 하나의 모듈로 묶을 만한 충분한 이유가 된다. 다음 그림은 순차적 응집의 예가 된다.

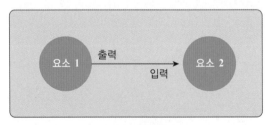

▲ 순차적 응집의 예

4. 교환적 응집(communication cohesion)

교환적 응집은 정보적 응집이다. 같은 입력을 사용하는 구성 요소들을 하나의 모듈로 구성하고, 구성 요소들이 동일한 출력을 만들어낼 때도 교환적 응집이라고 한다. 요소들 간의 순서는 중요하지 않다. 다음 그림은 교환적 응집의 예를 나타낸다.

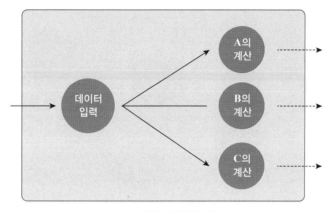

▲ 교환적 응집의 예

5. 절차적 응집(procedural cohesion)

절차적 응집은 순서가 정해진 몇 개의 구성 요소를 하나의 모듈로 구성된다. 순차적 응집과 다른 점은 어떤 구성 요소의 출력이 다음 구성 요소의 입력으로 사용되지 않고, 순서에 따라 수행만 된다는 것이다. 다음 그림은 절차적 응집의 예를 나타낸다.

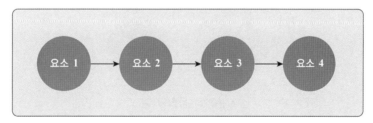

▲ 절차적 응집의 예

6. 시간적 응집(temporal cohesion)

시간적 응집은 모듈 내 구성 요소들의 기능도 다르고, 한 요소의 출력을 입력으로 사용하는 것도 아니고, 요소들 간에 순서도 정해져 있지 않다. 그러나 그 구성 요소들이 같은 시간대에 함께 실행된다는 이유로 하나의 모듈로 구성된다. 다음 그림은 시간적 응집의 예를 나타낸다.

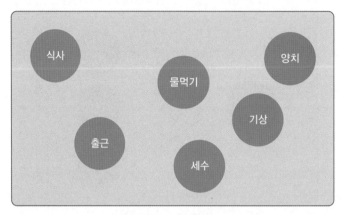

▲ 시간적 응집의 예

7. 논리적 응집(logical cohesion)

논리적 응집은 모듈 간 순서와 무관하고, 한 모듈의 출력을 다른 모듈의 입력으로 사용하는 것도 아니다. 그러나 요소들 간에 공통점이 있거나 관련된 임무가 존재하거나 기능이 비슷하다는 이유로 하나의 모듈로 구성된다. 다음 그림은 논리적 응집의 예를 나타낸다.

▲ 논리적 응집의 예

논리적 응집의 예는 다음과 같다.

- 비슷한 기능(입출력): scanf( ), printf( )를 결합시킨 입출력 모듈
- 공통점(덧셈): 정수의 덧셈과 행렬의 덧셈을 결합시킨 덧셈 모듈
- 공통점(출력): 단말기 출력 기능과 파일 출력 기능을 결합시킨 출력 모듈

8. 우연적 응집(coincidental cohesion)

우연적 응집은 구성 요소들이 말 그대로 우연히 모여 구성된다. 특별한 이유 없이, 크기가 커 몇 개의 모듈로 나누는 과정에서 우연히 같이 묶인 것이다.

2 결합도

1. 결합도(coupling)

결합도는 모듈과 모듈 사이의 관계에서 관련 정도를 나타낸다. 좋은 설계는 loosely coupled(소결합)이어야 한다. 왜냐하면, 상호 의존성이 줄어 모듈의 독립성이 높아지고, 모듈 간에 영향이 적기 때문이다. 다음 그림은 모듈 간의 결합도는 나타낸다.

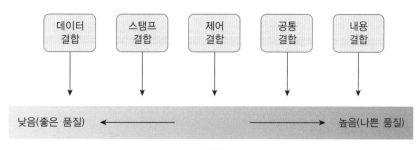

▲ 결합도

2. 데이터 결합(data coupling)

데이터 결합은 가장 좋은 모듈 간 결합이다. 모듈들이 매개변수를 통해 데이터만 주고받음으로써 서로 간섭을 최소화하는 관계이고, 모듈 간의 독립성을 보장한다. 관계가 단순해 하나의 모듈을 변경했을 때 다른 모듈에 미치는 영향이 아주 적다. 다음 그림은 데이터 결합의 예를 나타낸다.

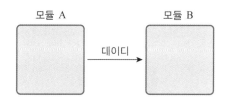

▲ 데이터 결합의 예

3. 스탬프 결합(stamp coupling)

스탬프 결합은 두 모듈 사이에서 정보를 교환할 때 필요한 데이터만 주고받을 수 없고 스탬프처럼 필요 없는 데이터까지 전체를 주고받아야 하는 경우에 사용한다. 레코드나 배열 같은 데이터 구조, C 언어의 구조체(struct)가 이에 해당한다. 다음 그림은 스탬프 결합의 예를 나타낸다.

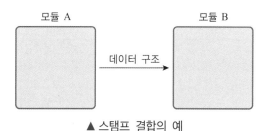

▲ 스탬프 결합의 예

4. 제어 결합(control coupling)

제어 결합은 제어 플래그(flag)를 매개변수로 사용하여 간섭하는 관계이다. 호출하는 모듈이 호출되는 모듈의 내부 구조를 잘 알고 논리적 흐름을 변경하는 관계이다. 정보 은닉을 크게 위배하는 결합으로, 다른 모듈의 내부에 관여하여 관계가 복잡해진다. 다음 그림은 제어 결합의 예를 나타낸다.

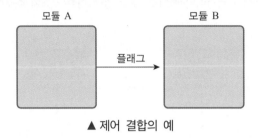

▲ 제어 결합의 예

5. 공통 결합(common coupling)

공통 결합은 모듈들이 공통 변수(전역 변수)를 같이 사용하여 발생하는 관계이다. 문제점은 변수 값이 변하면 모든 모듈이 함께 영향을 받는다는 것이다. 다음 그림은 공통 결합의 예를 나타낸다.

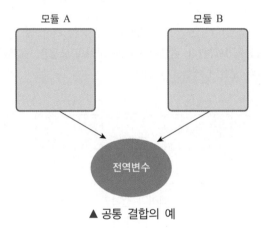

▲ 공통 결합의 예

6. 내용 결합(content coupling)

내용 결합은 모듈 간에 인터페이스를 사용하지 않고 직접 왔다 갔다 하는 경우의 관계이다. 상대 모듈의 데이터를 직접 변경할 수 있어 서로 간섭을 가장 많이 하는 관계이다. C 언어의 goto 문이 이에 해당한다. 다음 그림은 내용 결합의 예를 나타낸다.

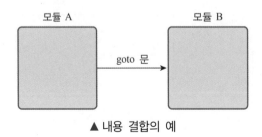

▲ 내용 결합의 예

3 정리

1. 모듈 간의 좋은 관계

바람직한 설계는 모듈 간에는 꼭 필요한 데이터만 주고받도록 하고, 적은 인터페이스의 수를 통한 약한 결합을 유지한다. 매개변수로 제어 플래그보다 데이터를 사용하여 유지보수 용이성을 향상시킨다. 결론은 낮은 결합도와 높은 응집도이다.

2. 응집도 정리

다음의 표는 응집도를 정리한 것이다. 교환적 응집 대신에 통신적 응집이 사용되었음에 유의한다.

응집도	설명	
우연적	아무 관련성 없는 작업을 한 모듈에서 모음	낮음
논리적	유사한 성격의 작업들을 모음	
시간적	같은 시간대에 처리되어야 하는 것들을 모음	
절차적	모듈진행 요소들이 서로 관계되어지고 순서대로 진행	높음
통신적	동일한 입·출력 자료들을 이용하여 서로 다른 기능을 수행하는 기능	
순차적	작업의 결과가 다른 모듈의 입력 자료로 사용	응집도는 높을수록 좋음
기능적	하나의 기능만 수행하는 모듈	

3. 결합도 정리

다음의 표는 결합도를 정리한 것이다. 데이터 결합 대신에 자료 결합이 사용되고, 외부 결합이 새로이 추가되었음에 유의한다.

결합도	단계	
자료	모듈들이 간단히 변수를 파라미터로 교환	낮음
스템프	모듈 사이에 자료구조 교환	
제어	제어용 신호를 주고받음	
외부	모듈들이 소프트웨어의 외부환경과 연관되는 경우	높음
공통	많은 모듈들이 전역변수를 참조할 때 발생	결합도는 낮을수록 좋음
내용	한 모듈이 다른 모듈의 내부 자료나 제어정보를 사용	

요약정리

1. 응집도(우논시절교순기, tightly coupled)

응집도(cohesion)	특징
기능적(functional)	단일 기능의 요소로 하나의 모듈을 구성
순차적(sequential)	A 요소의 출력을 B 요소의 입력으로 사용
교환적(communication)	같은 입력을 사용하는 구성 요소들을 하나의 모듈로 구성 또는 구성 요소들이 동일한 출력
절차적(procedural)	순서가 정해진 몇 개의 구성 요소를 하나의 모듈로 구성
시간적(temporal)	구성 요소들이 같은 시간대에 함께 실행된다는 이유로 하나의 모듈로 구성
논리적(logical)	요소들 간에 공통점이 있거나 관련된 임무가 존재하거나 기능이 비슷하다는 이유로 하나의 모듈로 구성
우연적(coincidental)	크기가 커 몇 개의 모듈로 나누는 과정에서 우연히 같이 묶인 것

2. 결합도(데스제외공내, loosely coupled)

결합도(coupling)	특징
데이터(data)	모듈들이 매개변수를 통해 데이터만 주고받음
스탬프(stamp)	레코드나 배열 같은 데이터 구조, C 언어의 구조체(struct)
제어(control)	제어 플래그(flag)를 매개변수로 사용하여 다른 모듈의 내부에 관여
외부(External)	두 개의 모듈이 외부에서 도입된 데이터 포맷, 통신 프로토콜 또는 디바이스 인터페이스를 공유
공통(common)	모듈들이 공통 변수(전역 변수)를 같이 사용
내용(content)	직접 왔다 갔다 하는 경우의 관계(goto)

 주요개념 셀프체크

☑ 응집도 - 우논시절교순기
☑ 결합도 - 데스제외공내

📖 핵심 기출

소프트웨어 모듈 평가 기준으로 판단할 때, 다음 4명 중 가장 좋게 설계한 사람과 가장 좋지 않게 설계한 사람을 순서대로 바르게 나열한 것은?

2018년 국가직

- 철수: 절차적 응집도 + 공통 결합도
- 영희: 우연적 응집도 + 내용 결합도
- 동수: 기능적 응집도 + 자료 결합도
- 민희: 논리적 응집도 + 스탬프 결합도

① 철수, 영희
② 철수, 민희
③ 동수, 영희
④ 동수, 민희

해설

응집도(Cohesion)란 모듈 내부에 존재하는 구성 요소들 사이의 밀접한 정도이다. 하나의 모듈 안에서 구성 요소들 간에 똘똘 뭉쳐 있는 정도로 평가한다. 기능적 응집은 함수적 응집으로 응집도가 가장 높은 경우이며 단일 기능의 요소로 하나의 모듈을 구성한다. 우연적 응집은 구성 요소들이 말 그대로 우연히 모여 구성된 것이다. 특별한 이유 없이, 크기가 커 몇 개의 모듈로 나누는 과정에서 우연히 같이 묶인 것이다(우논시절교순기).

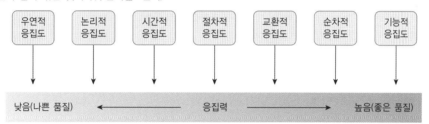

결합도(coupling)는 모듈과 모듈 사이의 관계에서 관련 정도를 의미한다. 데이터(자료) 결합은 모듈들이 매개변수를 통해 데이터만 주고받음으로써 서로 간섭을 최소화하는 관계한다. 모듈 간의 독립성 보장한다. 내용 결합은 모듈 간에 인터페이스를 사용하지 않고 직접 왔다 갔다 하는 경우의 관계이다. 상대 모듈의 데이터를 직접 변경할 수 있어 서로 간섭을 가장 많이 하는 관계이다(데스제외공내).

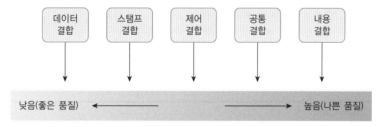

정답 ③

1 객체지향

1. 개요(* 참고)

모델링이 개발자에게 주는 도움은 다음과 같다(개념을 모델링).

- 응용 문제를 이해하는 데 도움을 준다.
- 개발팀원들 사이에 응용문제의 공통 개념으로 대화하게 하고 개선시킨다.
- 파악한 개념을 사용자와 고객에게 전달 할 때 도움을 준다.
- 후속 작업 즉 설계, 구현, 테스팅, 유지보수에 개념적인 기준을 제공한다.

모델링의 도구로서 객체지향의 장점은 다음과 같다.

- 개발자가 설계를 작성하고 이해하기 쉽다(고급 언어).
- 자료와 함수를 함께 추상화(Abstraction) 함으로써 변화에 영향을 적게 받는다.
- 사용자 중심, 대화식 프로그램의 개발에 적합하다(객체).
- 프로그램을 뚜렷하게 구별되는 단위(object)로 분할 가능하다.

2. 객체지향과 절차적 방법의 비교

객체지향은 주어진 문제 영역을 그 안에 존재하는 객체의 집합으로 보며, 객체들은 서로 정보를 주고받아 상호 작용한다고 여긴다. 다음 그림은 객체지향(C++/Java/Python)과 절차적 방법(C언어)의 비교를 나타낸다.

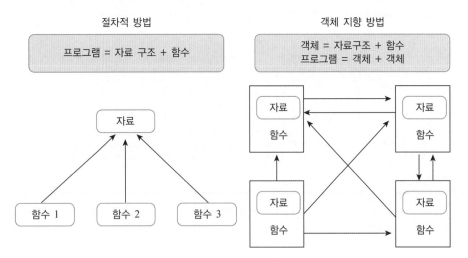

▲ 객체지향과 절차적 방법의 비교

3. 클래스와 객체 - grouping

클래스는 속성(변수)과 오퍼레이션(메소드)을 캡슐화하는 것을 의미하고, 객체는 클래스의 인스턴스를 의미한다. 다음 그림은 클래스 개념을 사용한 그룹핑(grouping)을 나타낸다.

```
class Employee {
public:
    promote(from, to);
    increase_salary(new_salary);
    change_phone(new_number);
    ...
private:
    char*               name;
    positiontype        position;
    int                 salary;
    phonetype           phone;
    ...
}
```

Employee	
char*	Name:
positiontype	Position:
int	Salary:
phonetype	Phone:
promote(from, to)	
increase_salary(new_salary)	
change_phone(new_number)	

▲ 클래스 개념을 사용한 그룹핑

4. 객체와 속성

객체는 속성(변수)과 오퍼레이션(메소드)을 가진 애플리케이션의 독립된 존재를 의미하고, 속성(변수)은 객체의 특징을 결정한다. 객체(소프트웨어 모듈)의 구조는 자료구조(변수)와 함수로 구성된다. 객체는 상태(state), 능력(behavior), 정체성(identity)을 가진다. 상태는 속성(Attribute)을 의미하고, 능력은 연산(operation)을 수행 할 수 있는 능력을 의미한다. 그리고 정체성은 구별 가능성(속성+연산)을 나타낸다.

5. 캡슐화(Encapsulation)

캡슐화는 속성과 관련된 오퍼레이션을 클래스 안에 묶어서 하나로 취급하는 것이다. 예를 들어, 대학 학사 관리 시스템에서 데이터는 학번, 이름, 주소를 캡슐화하고, 함수는 평점 계산, 주소 변경, 수강 신청을 캡슐화한다.

캡슐화는 추상화의 수단이다. 추상화란 객체의 속성, 오퍼레이션 등의 세부사항(구현)은 차후에 생각하는 것을 의미한다. 그리고 캡슐화는 정보은닉(information hiding)을 수행한다. 정보은닉이란 캡슐 속에 있는 항목에 대한 정보를 외부에 감추는 것이다. 즉, 외부의 직접적 접근이 불가한 일종의 블랙박스이다. 구현에 따라 정보은닉을 선택 가능한데, 문법(키워드)으로 public, private, protected 등을 사용한다.

6. 연관(association)

객체는 일반적으로 상호작용하여 동작한다. 객체에 있는 서비스를 호출하면 두 객체는 관계가 맺어져야 하고, 상호작용할 필요가 있는지 찾아내는 작업이 필요하다. 연관은 하나 또는 그 이상의 클래스와의 관계를 나타낸다. 다음은 연관의 사례(은행시스템과 학사업무 시스템)를 나타낸다.

Customer	Account	Student	Course	Professor
홍길동	자유저축1	홍길동	자료구조	이금희
홍길동	정기예금1	홍길동	객체지향 설계	박영희
김동국	자유저축2	김동국	객체지향 설계	박영희
이철수	자유저축3	이철수	소프트웨어공학	곽후근
한국남	정기예금2	한국남	소프트웨어공학	곽후근

▲ 연관의 사례

가시성(visibility)은 객체의 접근 가능성이고, 연관을 맺은 두 객체가 서로를 알게 하고 접근하게 하는 방법은 다음과 같다(* 참고).

- 연관된 객체(Course)를 전역으로 선언하여 클라이언트 객체(Student)가 접근할 수 있게 한다.
- 연관된 객체(Course)를 클라이언트 객체(Student)의 메시지 호출 오퍼레이션의 매개변수로 만든다.
- 연관된 객체(Course)를 클라이언트 객체(Student)의 일부로 만든다(nested class).
- 연관된 객체(Course)를 클라이언트 객체(Student)에서 선언한다.

7. 집합(aggregation)

집합 관계는 전체 개념(whole)과 부분 개념(part) 사이의 관계이다. 격납(containment)의 의미와 동일하다. 예를 들어, 디스크 ⊃ 트랙 ⊃ 섹터는 집합 관계를 가진다. 다음 그림은 집합의 예를 나타낸다.

```
Class Distk {
    private:
        Track *tracks;
        disk information
        ...
};
class Track {
    private:
        Sector sectors[MAX];
        ...
};
class Sector {
    private:
        ...
};
```

▲ 집합의 예

8. 상속(inheritance)

상속은 한 클래스가 다른 클래스의 일반화된 개념인 경우 성립한다. 슈퍼클래스(superclass)와 서브 클래스(subclass)로 구성된다. 예를 들어, 직원은 슈퍼클래스이고, 관리자는 서브클래스이다. 다음 그림은 상속의 예를 나타낸다.

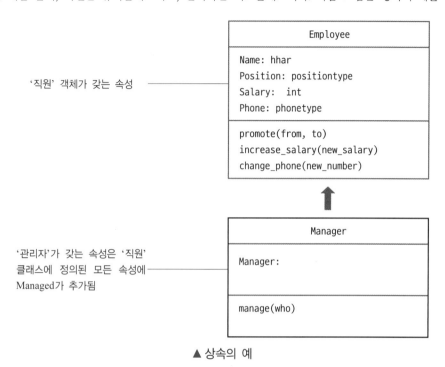

▲ 상속의 예

복수 상속(multiple inheritance)은 두 개 이상의 수퍼 클래스에서 상속 받는 것을 의미한다. 다음 그림은 복수 상속의 예를 나타낸다. C++은 복수 상속이 가능하나, 자바는 복수 상속이 불가능함에 유의한다.

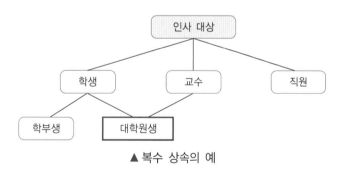

▲ 복수 상속의 예

9. 추상 클래스(abstract class)

일단 일반적인 클래스는 세부적이며 아주 구체적이다(concrete). 예를 들어, 사자, 독수리, 금붕어 등이 이에 해당한다. 반면에 추상 클래스는 일반 클래스에 비해 구체적이지 않으며 약간 추상적이다(abstract). 예를 들어, 포유류, 조류, 어류 등이 이에 해당한다.

추상 클래스는 하나 이상의 추상 메소드를 가지며(없을 수도 있음), 객체를 생성할 수 없다(비슷한 개념인 인터페이스는 프로그래밍 언어에서 다룸). 하지만 슈퍼 클래스로 사용할 수는 있으며, 추상 메소드를 사용하기 위해서는 반드시 해당 메소드를 재정의 해야만 한다. 추상 메소드는 내용이 없는 비어있는 메소드이고, 추상 클래스나 추상 메소드를 선언하기 위해서는 이름 앞에 abstract이라는 키워드를 추가하면 된다.

10. 다형성(polymorphism)-overriding, overloading

다형성은 여러 형태를 가지고 있다(여러 형태를 받아들일 수 있다)는 의미이다. 같은 이름의 메소드를 다른 객체 또는 서브클래스에서 호출할 수 있다. 예를 들어, getArea()를 도형의 모양이 달라도 호출할 수 있다. 메소드는 특정한 클래스를 위하여 오퍼레이션을 구현하고, 하나 이상의 메소드를 가진 오퍼레이션은 매개변수나 객체가 속한 클래스의 이름으로 구분한다(Overriding 또는 Overloading).

다형성(polymorphism)을 사용하면 현재 코드를 변경하지 않고 새로운 클래스를 쉽게 추가할 수 있다. 다음 그림은 다형성의 예를 나타낸다. 동일한 getArea()를 슈퍼클래스 또는 서브클래스에서 호출할 수 있음에 유의한다. 오버로 딩은 이름이 같고 원형이 틀린 동일한 함수를 슈퍼클래스 또는 서브클래스에서 사용할 수 있음을 의미하고, 오버라 이딩은 원형이 동일한 함수를 슈퍼클래스와 자식클래스에서 사용할 수 있음을 의미한다(동적 바인딩을 통해 실행 시 간에 함수 호출을 결정함).

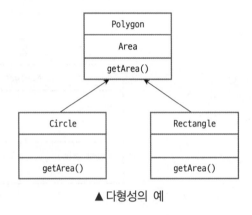

▲ 다형성의 예

2 UML(Unified Modeling Language)

1. 개요

UML은 객체지향 소프트웨어를 모델링하는 표준 그래픽 언어로서 주어진 목표를 수행하는 방법론이 아니라 수행된 결과를 보여주는 도구이다. 시스템의 여러 측면을 그림으로 모델링하고, 하드웨어의 회로도 같은 의미이다. 다음 그림은 UML과 회로도를 나타낸다.

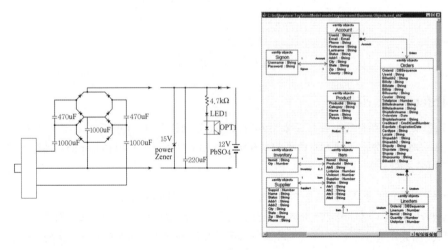

▲ UML과 회로도

2. UML의 배경과 역사(* 참고)

UML은 OMT(Object Modeling Technique)와 Booch, OOSE(Object-Oriented Software Engineering) 방법의 통합으로 만들어진 표현이다. 다음 그림은 UML의 진화를 나타낸다.

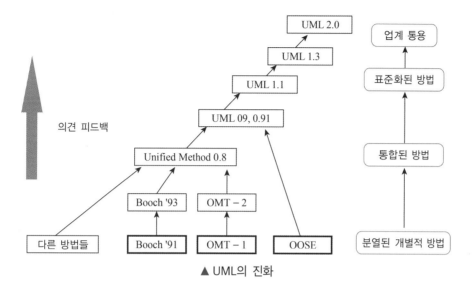

▲ UML의 진화

3. UML 다이어그램

시스템의 모델링은 기능적 관점, 구조적(정적) 관점, 동적 관점으로 구성된다(각 개발 단계마다 적합한 모델 사용). 다음 그림은 세 가지 측면의 모델을 나타낸다[정적 모델(static, structure): 클래스, 패키지, 배치, 컴포넌트, 객체, 동적 모델(dynamic, behavioral): 시퀀스, 상태, 액티비티, 유스케이스, 통신].

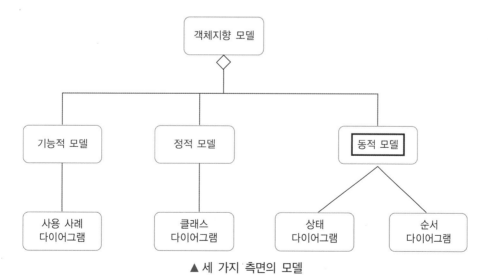

▲ 세 가지 측면의 모델

다음 그림은 UML 다이어그램 타입을 나타낸다.

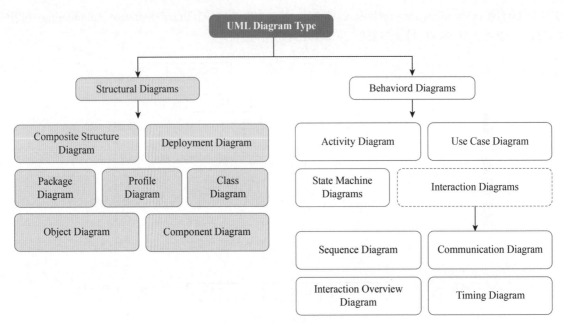

▲ UML 다이어그램 타입

다음의 표는 UML 다이어그램을 정리한 것이다.

다이어그램 이름	개략적인 모양	설명
Use Case Diagram		특정 시스템 혹은 개체 내에서 기능을 표현하는 use case들과 그 외부의 actor들 간의 관계(상호작용)를 표현한 다이어그램(예 은행 - 출금/입금)
Class Diagram		Class 관련 요소들의 여러가지 정적인 관계를 시각적으로 표현한 다이어그램
Package Diagram		관련된 클래스를 패키지로 grouping하여 의존도를 낮추기 위하여 사용
Sequence Diagram		Instance들이 어떻게 상호작용을 하는지를 묘사하는 다이어그램 (순서)

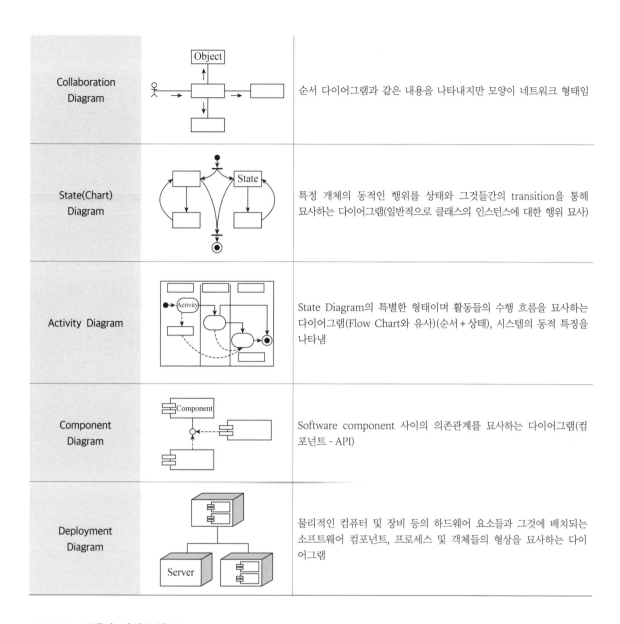

Collaboration Diagram		순서 다이어그램과 같은 내용을 나타내지만 모양이 네트워크 형태임
State(Chart) Diagram		특정 개체의 동적인 행위를 상태와 그것들간의 transition을 통해 묘사하는 다이어그램(일반적으로 클래스의 인스턴스에 대한 행위 묘사)
Activity Diagram		State Diagram의 특별한 형태이며 활동들의 수행 흐름을 묘사하는 다이어그램(Flow Chart와 유사)(순서＋상태), 시스템의 동적 특징을 나타냄
Component Diagram		Software component 사이의 의존관계를 묘사하는 다이어그램(컴포넌트 - API)
Deployment Diagram		물리적인 컴퓨터 및 장비 등의 하드웨어 요소들과 그것에 배치되는 소프트웨어 컴포넌트, 프로세스 및 객체들의 형상을 묘사하는 다이어그램

4. UML 모델링 과정(* 참고)

UML 모델링 과정은 다음과 같다.

- 요구를 사용 사례로 정리하고 사용 사례 다이어그램을 작성한다.
- 클래스 후보를 찾아내고 개념적인 객체 모형을 작성한다(클래스 다이어그램-개념적).
- 사용 사례를 기초하여 순서(시퀀스) 다이어그램을 작성한다.
- 상태 다이어그램이나 액티비티 다이어그램 등 다른 다이어그램을 추가하여 UML 모델을 완성한다.
- 클래스의 속성, 오퍼레이션 및 클래스 사이의 관계를 찾아 객체 모형을 완성한다(클래스 다이어그램-논리적).
- 서브시스템을 파악하고 전체 시스템 구조를 설계한다.
- 적당한 객체를 찾아내거나 커스텀화 또는 객체를 새로 설계한다(적용).

다음 그림은 UML 모델링 과정을 나타낸다.

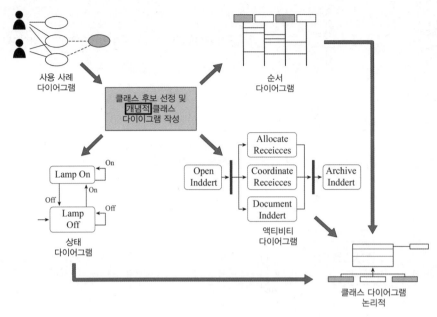

▲ UML 모델링 과정

성공적인 모델링을 위한 기타 조건은 다음과 같다.

- 복잡한 문제라면 도메인을 잘 아는 전문가와 같이 모델링 한다.
- 각 모델의 목적을 잘 이해하고 모델링을 위하여 어떤 정보가 필요한지 잘 알아둔다.
- 한번 그린 모델로 만족하지 않고 계속 논의하고 향상시켜 나간다(이를 리팩토링-refactoring이라 함).
- 소그룹 회의를 열어 모델을 칠판에 그리고 토의한다.
- 디자인 패턴을 잘 숙지하고 필요하면 이를 이용한다(reuse).

🔑 요약정리

객체 지향
1. 클래스와 객체: grouping
2. 객체와 속성
   - **캡슐화(Encapsulation):** 추상화, 정보 은닉
   - **연관(association):** 하나 또는 그 이상의 클래스와의 관계
   - **집합(aggregation):** 전체 개념과 부분 개념 사이의 관계
   - **상속(inheritance):** 한 클래스가 다른 클래스의 일반화된 개념인 경우 성립
   - **다형성(polymorphism):** 오버라이딩, 오버로딩
3. UML Diagram

	UML	특징
정적	Class	Class 관련 요소들의 여러 가지 정적인 관계를 시각적으로 표현한 다이어그램
	Package	관련된 클래스를 패키지로 grouping하여 의존도를 낮추기 위하여 사용
	Component	Software component 사이의 의존관계를 묘사하는 다이어그램
	Deployment	물리적인 컴퓨터 및 장비 등의 하드웨어 요소들과 그것에 배치되는 소프트웨어 컴포넌트, 프로세스 및 객체들의 형상을 묘사하는 다이어그램

동적	Use case	특정 시스템 혹은 개체 내에서 기능을 표현하는 use case들과 그 외부의 actor들 간의 관계(상호작용)를 표현한 다이어그램
	Sequence	Instance 들이 어떻게 상호작용을 하는지를 묘사하는 다이어그램
	Collaboration	순서 다이어그램과 같은 내용을 나타내지만 모양이 네트워크 형태임
	State(Chart)	특정 개체의 동적인 행위를 상태와 그것들간의 transition을 통해 묘사하는 다이어그램
	Activity	State Diagram의 특별한 형태이며, 활동들의 수행 흐름을 묘사하는 다이어그램(순서 + 상태)

🅰 주요개념 셀프체크

☑ 객체지향 - 캡슐화, 연관, 집합, 상속, 추상클래스, 다형성
☑ UML - 정적(클래스, 패키지, 컴포넌트, 배치)
☑ UML - 동적(유스케이스, 시퀀스, 콜라보레이션, 상태, 액티비티)

📖 핵심 기출

1. 객체 지향 언어에서 클래스 A와 클래스 B는 상속관계에 있다. A는 부모 클래스, B는 자식 클래스라고 할 때 클래스 A에서 정의된 메서드(method)와 원형이 동일한 메서드를 클래스 B에서 기능을 추가하거나 변경하여 다시 정의하는 것을 무엇이라고 하는가?
2014년 국가직

① 추상 클래스(abstract class)
② 인터페이스(interface)
③ 오버로딩(overloading)
④ 오버라이딩(overriding)

해설

오버로딩과 오버라이딩을 비교하면 다음과 같다.

비교 요소	메소드 오버로딩	메소드 오버라이딩
선언	같은 클래스나 상속 관계에서 동일한 이름의 메소드 중복 작성	서브 클래스에서 슈퍼 클래스에 있는 메소드와 동일한 이름의 메소드 재작성
관계	동일한 클래스 내 혹은 상속 관계	상속 관계
목적	이름이 같은 여러 개의 메소드를 중복 선언하여 사용의 편리성 향상	슈퍼 클래스에 구현된 메소드를 무시하고 서브 클래스에서 새로운 기능의 메소드를 재정의하고자 함
조건	메소드 이름은 반드시 동일함. 메소드의 인자의 개수나 인자의 타입이 달라야 성립	메소드의 이름, 인자의 타입, 인자의 개수, 인자의 리턴 타입 등이 모두 동일하여야 성립
바인딩	정적 바인딩. 컴파일 시에 중복된 메소드 중 호출되는 메소드 결정	동적 바인딩. 실행 시간에 오버라이딩 된 메소드 찾아 호출

선지분석

① 추상 클래스(abstract class): abstract로 선언된 클래스, 추상 메소드가 있을 수도 있고 없을 수도 있다. 추상 메소드는 abstract로 선언된 메소드이고 메소드의 코드는 없고 원형만 선언한다. 추상 클래스는 온전한 클래스가 아니기 때문에 인스턴스를 생성할 수 없다. 목적은 상속을 위한 슈퍼 클래스로 활용하고 다형성(오버라이딩과 오버로딩)을 실현한다.

② 인터페이스(interface): 상수와 추상 메소드로만 구성되고 변수 필드가 없다. interface 키워드로 선언한다. 인터페이스의 객체 생성이 불가하다. 인터페이스는 extends 키워드로 상속하고 다중 상속을 허용한다. implements 키워드로 인터페이스를 구현한다.

정답 ④

2. 다음의 UML 다이어그램 중 시스템의 구조(structure)보다는 주로 동작(behavior)을 묘사하는 다이어그램들만 고른 것은?

2019년 서울시

> ㄱ. 클래스 다이어그램(class diagram) ㄴ. 상태 다이어그램(state diagram)
> ㄷ. 시퀀스 다이어그램(sequence diagram) ㄹ. 패키지 다이어그램(package diagram)
> ㅁ. 배치 다이어그램(deployment diagram)

① ㄱ, ㄹ
② ㄴ, ㄷ
③ ㄴ, ㅁ
④ ㄷ, ㄹ

해설
ㄴ. 상태: 특정 개체의 동적인 행위를 상태와 그것들 간의 transition을 통해 묘사하는 다이어그램(동적)
ㄷ. 시퀀스: Instance 들이 어떻게 상호작용을 하는지를 묘사하는 다이어그램(동적)

선지분석
ㄱ. 클래스: Class 관련 요소들의 여러 가지 정적인 관계를 시각적으로 표현한 다이어그램(정적)
ㄹ. 패키지: 관련된 클래스를 패키지로 grouping하여 의존도를 낮추기 위하여 사용(정적)
ㅁ. 배치: 물리적인 컴퓨터 및 장비 등의 하드웨어 요소들과 그것에 배치되는 소프트웨어 컴포넌트, 프로세스 및 객체들의 형상을 묘사하는 다이어그램(정적)

정답 ②

CHAPTER 10 | 테스트 케이스(Test Case)

1 개요

1. 명세 기반 테스트

명세 기반 테스트(블랙박스 테스트)는 입력 값에 대한 예상출력 값을 정해놓고 그대로 결과가 나오는지를 체크한다. 프로그램 내부의 구조나 알고리즘을 보지 않고, 요구 분석 명세서나 설계 사양서에서 테스트 케이스를 추출하여 테스트한다. 기능을 어떻게 수행하는가 보다는 사용자가 원하는 기능을 수행하는가 테스트한다.

2. 구현 기반 테스트

구현 기반 테스트는 화이트박스 테스트, 코드 기반 테스트라고도 불린다. 구현 기반 테스트에서는 테스트 데이터 적합성 기준(test data adequacy criterion) 또는 테스트 데이터 생성 기준(test data generation criterion)이 필요하다. 이는 테스트에서 프로그램 코드의 가능한 경로를 모두 테스트할 수 없기 때문에 프로그램의 일부 경로만 정해 테스트해야 하는데 어떤 경로를 테스트 대상으로 선정할지 결정할 수 있는 기준을 의미한다.

> **📁 개념 PLUS+**
>
> **그레이박스 테스트**
> 그레이박스 테스트(gray box test)는 블랙박스와 화이트박스의 장점을 결합한 테스트 방법이다.

3. 화이트박스 테스트 절차(* 참고)

화이트박스 테스트 절차는 다음과 같다.

- 테스트 데이터 적합성 기준을 선정한다.
- 테스트 데이터를 생성한다(test data generation). 명세나 원시 코드를 분석하여 선정된 기준을 만족하는 입력 데이터를 만든다.
- 테스트를 실행한다. 프로그램 실행 후 실행 결과가 예상된 결과와 같은지 비교한다.

4. 화이트박스 테스트 방법

다음은 화이트박스 테스트 방법을 나타낸다. 방법 별로 복잡도와 소요 시간이 다르므로 테스트의 목적과 조건에 맞는 방법을 선택한다.

- 문장 검증 기준(statement coverage)
- 분기 검증 기준(branch coverage)
- 조건 검증 기준(condition coverage)
- 분기/조건 검증 기준(branch/condition coverage)
- 다중 조건 검증 기준(multiple condition coverage)
- 기본 경로 테스트(basic path test)

2 문장 검증 기준

1. 첫 번째 단계

문장 검증 기준(statement coverage)은 프로그램 내의 모든 문장이 최소한 한 번은 실행될 수 있는 테스트 데이터를 갖는 테스트 케이스를 선정한다. 다음 그림은 원시 코드를 제어 흐름 그래프로 표현한 것을 나타낸다.

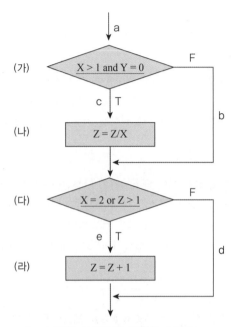

▲ 제어 흐름으로 표현한 그래프

2. 두 번째 단계

다음의 표와 같이 가능한 모든 경로를 구한다. 즉, 프로그램 내의 모든 문장이 최소한 한 번은 실행될 수 있는 테스트 데이터를 갖는 테스트 케이스를 선정한다.

번호	경로(가, 다)	가능 경로	만족 여부	이유
1	경로 1(T.T)	a - c - e	만족	(가), (나), (다), (라) 문장을 모두 지나감
2	경로 2(T.F)	a - c - d	불만족	(라) 문장을 안 지나감
3	경로 3(F.T)	a - b - e	불만족	(나) 문장을 안 지나감
4	경로 4(F.F)	a - b - d	불만족	(나), (라) 문장을 안 지나감

3. 세 번째와 네 번째 단계

다음의 표와 같이 모든 경로 중 문장 검증 기준을 만족하는 경로를 선택한다.

번호	경로(가, 다)	가능 경로	만족 여부	이유
1	경로 1(T.T)	a - c - e	만족	(가), (나), (다), (라) 문장을 모두 지나감

다음의 표와 같이 선택한 경로에 해당하는 테스트 데이터를 가지고 실행한다.

번호	경로(가, 다)	테스트 데이터	가능 경로	출력 값	만족 여부
1	경로 1(T.T)	X=2, Y=0, Z=3	a-c-e	2.5	만족

4. 문제점

첫 번째 조건문에서의 문제는 원래는 and인데 실수로 or로 코딩한 경우에 검증 기준 방법으로는 오류를 발견하지 못한다. 다음과 같이 and인 경우와 or인 경우 모두 (나) 문장을 지나가기 때문이다.

> • and인 경우: 입력 값(X = 2, Y = 0, Z = 3), 출력 값(Z = 2.5)
> • or인 경우: 입력 값(X = 2, Y = 0, Z = 3), 출력 값(Z = 2.5)

두 번째 조건문에서의 문제는 Z > 1식을 Z > 0로 잘못 코딩해도 오류를 발견하지 못한다. or의 특성이 둘 중 하나만 만족하면 다른 조건식은 결과에 영향을 주지 않기 때문이다.

해당 문제점의 해결 방법은 조건문에 대해 T와 F가 적어도 한 번씩 수행할 수 있는(분기할 수 있는) 테스트 케이스를 선정하는 것이고, 이를 분기 검증 기준이라고 한다.

3 분기 검증 기준

1. 첫 번째와 두 번째 단계

분기 검증 기준(branch coverage) 또는 결정 검증 기준(decision coverage)은 조건문에 대해 T, F가 최소한 한 번은 실행되는 입력 데이터를 테스트 케이스로 사용한다. 분기 시점 또는 합류 위치에서 조건과 관련된 오류를 발견할 가능성이 높다. 원시 코드를 제어 흐름 그래프로 표현하고, 다음의 표와 같이 가능한 모든 경로를 구한다.

번호	경로(가, 다)	가능 경로	만족 여부	이유
1	경로 1(T.T)	a - c - e	불만족	(F.F)경로를 테스트 안 함
2	경로 2(T.F)	a - c - d	불만족	(F.T)경로를 테스트 안 함
3	경로 3(F.T)	a - b - e	불만족	(T.F)경로를 테스트 안 함
4	경로 4(F.F)	a - b - d	불만족	(T.T)경로를 테스트 안 함

2. 세 번째 단계

모든 경로 중 분기 검증 기준을 만족하는 경로를 선택한다. 네 개의 경로 중 하나만으로는 분기 검증 기준을 만족시키지 못한다. 방법은 다음의 표와 같이 두 개의 경로를 묶어서 분기 검증 기준을 만족시킬 수 있는 경우를 찾는다.

> (1 , 2), (1 , 3), (1 , 4), (2 , 3), (2 , 4), (3 , 4) → (1 , 4) 또는 (2 , 3)

번호	경로(가, 다)	가능 경로	이유
1	경로 1(T.T)	a - c - e	(T.T)경로를 테스트함
4	경로 4(F.F)	a - b - d	(F.F)경로를 테스트함

번호	경로(가, 다)	가능 경로	이유
2	경로 2(T.F)	a - c - d	(T.F)경로를 테스트함
3	경로 3(F.T)	a - b - e	(F.T)경로를 테스트함

3. 테스트 결과

각 테스트 케이스에 대한 테스트 결과는 다음의 표와 같다.

번호	경로(가, 다)	테스트 데이터	가능 경로	출력 값	두 경로의 합
1	경로 1(T.T)	X = 2, Y = 0, Z = 10	a - c - e	Z = 6	만족
4	경로 4(F.F)	X = 0, Y = 0, Z = 1	a - b - d	Z = 1	

번호	경로(가, 다)	테스트 데이터	가능 경로	출력 값	두 경로의 합
2	경로 2(T.F)	X = 3, Y = 0, Z = 2	a - c - d	Z = 1	만족
3	경로 3(F.T)	X = 2, Y = 1, Z = 2	a - b - e	Z = 2	

4. 문제점

경로 1, 4에서 Z > 1를 Z < 1로 코딩을 실수해도 그 오류를 발견 못한다. 이유는 개별 조건식이 or로 연결되어 있어 둘 중 하나만 만족하면 두 번째 식이 무엇이든 관계없이 조건문의 결과 값에 영향을 주지 않기 때문이다.

해당 문제의 해결 방법은 조건문 내의 개별 조건식에 대하여 각각 T와 F인 경우를 최소한 한 번씩 수행하는 것이고, 이를 조건 검증 기준이라고 한다.

4 조건 검증 기준

1. '분기 검증 기준'의 문제

두 개별 조건식이 T일 때만 조건문이 T이고, 나머지는 두 조건식과 관계없이 모두 F이다. 이유는 두 개별 조건식이 and로 연결되어 있고, 다음의 표와 같이 개별 조건식이 (T, T)를 제외하고는 나머지 (T, F), (F, T), (F, F)는 모두 거짓이 되기 때문이다.

```
IF(score>=90 and report>=90) THEN printf("A")
```

개별 조건식 A (score > =90)	연산자	개별 조건식 B (report > =90)	조건문 (전체 조건식)
T		T	T
T	and	F	F
F		T	F
F		F	F

개별 조건식 (score >= 90)을 A라고 하고, (report >= 90)를 B라고 가정한 경우 다음과 같은 오류를 발견하지 못한다.

- (T, F)에서 개별 조건식 A: T에서 F로 바뀜
- (F, T)에서 개별 조건식 B: T에서 F로 바뀜
- (F, F)에서 개별 조건식 둘 중 하나가 T로 바뀜

해당 문제가 발생하는 이유는 and의 특성이 하나라도 F이면 전체 조건식이 항상 F이기 때문이고, 이를 해결하는 방법은 조건 검증 기준이다.

2. 첫 번째 단계

조건 검증 기준은 두 개의 개별 조건식이 존재할 때 개별 조건식의 T와 F를 최소한 한 번은 테스트할 수 있도록 테스트 케이스 선정한다. 분기 검증 기준에서 발견하지 못한 오류(개별 조건식에 존재하는 오류)를 발견할 수 있는 더 강력한 테스트이다.

조건 검증 기준의 테스트 케이스(4가지) 중 (가)의 개별 조건식을 만족하는 테스트 케이스는 다음과 같다.

```
(가): (X>1) = T  and  (Y = 0) = T
(가): (X>1) = T  and  (Y = 0) = F
(가): (X>1) = F  and  (Y = 0) = T
(가): (X>1) = F  and  (Y = 0) = F
테스트 케이스: (T, T), (F, F)와 (T, F), (F, T)
```

조건 검증 기준의 테스트 케이스(4가지) 중 (다)의 개별 조건식을 만족하는 테스트 케이스는 다음과 같다.

```
(다): (X = 2) = T  or  (Z>1) = T
(다): (X = 2) = T  or  (Z>1) = F
(다): (X = 2) = F  or  (Z>1) = T
(다): (X = 2) = F  or  (Z>1) = F
테스트 케이스: (T, T), (F, F)와 (T, F), (F, T)
```

테스트 케이스를 정리하면 다음의 표와 같다.

1

(가) 개별조건식		(다) 개별조건식	
A	B	A	B
T	T	T	T
F	F	F	F

2

(가) 개별조건식		(다) 개별조건식	
A	B	A	B
T	T	T	F
F	F	F	T

3

(가) 개별조건식		(다) 개별조건식	
A	B	A	B
T	T	F	T
F	F	T	F

4

(가) 개별조건식		(다) 개별조건식	
A	B	A	B
T	T	Γ	Γ
F	F	T	T

5

(가) 개별조건식		(다) 개별조건식	
A	B	A	B
T	F	T	T
F	T	F	F

6

(가) 개별조건식		(다) 개별조건식	
A	B	A	B
T	F	T	F
F	T	F	T

7

(가) 개별조건식		(다) 개별조건식	
A	B	A	B
T	F	F	T
F	T	T	F

8

(가) 개별조건식		(다) 개별조건식	
A	B	A	B
T	F	T	T
F	T	T	T

3. 테스트 결과

다음의 표는 테스트 케이스에 대한 테스트 결과를 나타낸다.

번호	경로	(가)	(다)	개별 조건식	두 경로의 합	테스트 케이스	전체 조건식	
1	경로1	T.T	T.T	불만족	만족	적합	(가)T.(다)T	만족
	경로2	F.F	F.F	불만족			(가)F.(다)F	
2	경로3	T.T	T.F	불만족	만족	적합	(가)T.(다)T	불만족/ (다)F가 없음
	경로4	F.F	F.T	불만족			(가)F.(다)T	
3	경로5	T.T	F.T	불만족	만족	제외(경로 3, 4와 중복)	(가)T.(다)T	×
	경로6	F.F	T.F	불만족			(가)F.(다)T	

번호	경로							
4	경로7	T.T	F.F	불만족	만족	적합	(가)T.(다)F	만족
	경로8	F.F	T.T	불만족			(가)F.(다)T	
5	경로9	T.F	T.T	불만족	만족	적합	(가)F.(다)T	불만족/
	경로10	F.T	F.F	불만족			(가)F.(다)F	(가)T가 없음
6	경로11	T.F	T.F	불만족	만족	적합	(가)F.(다)T	불만족/(가)T,
	경로12	F.T	F.T	불만족			(가)F.(다)F	(다)F가 없음
7	경로13	T.F	F.T	불만족	만족	제외(경로 11, 12와 중복	(가)T.(다)T	×
	경로14	F.T	F.F	불만족			(가)T.(다)T	
8	경로15	T.F	F.F	불만족	만족	적합	(가)T.(다)T	불만족/(가)
	경로16	F.T	T.T	불만족			(가)T.(다)T	(다)F가 없음

5 다중 조건 검증 기준

1. 마스크 문제

and로 연결된 개별 조건식에서의 마스크 문제는 두 식 중 하나가 F인 경우 나머지 식이 F이든 T이든 상관없이 결과가 F라는 것이다. 해결 방법은 나머지 식에서 T와 F인 경우를 각각 하나씩 추가하여 테스트 케이스로 선정하는 것이다. or로 연결된 개별 조건식에서의 마스크 문제는 두 식 중 하나가 T인 경우 나머지 식은 F이든 T이든 상관없이 결과가 T라는 것이다. 해결 방법은 나머지 식에서 T인 경우와 F인 경우를 하나씩 추가하여 테스트 케이스 선정하는 것이다.

다중 조건 검증 기준(multiple condition coverage)은 마스크 문제까지 해결한 테스트 케이스에 해당하는 테스트 데이터를 생성하는 기준이다.

2. 테스트 케이스

다음의 표는 다중 조건 검증 기준의 테스트 케이스를 나타낸다.

번호	경로			분기/조건 검증 기준		다중 조건 검증 기준
		(가)	(다)	두 경로의 합	전체 조건식	
1	경로1	T.T	T.T	만족	만족	만족
	경로1	T.T	T.F			
	경로2	F.F	F.F			
	경로2	F.T	F.F			
4	경로7	T.T	F.F	만족	만족	만족
	경로8	F.F	T.T			
	경로8	F.F	T.F			
	경로8	F.T	T.T			
	경로8	F.T	T.F			

요약정리

테스트 케이스

구분		특징
블랙박스		프로그램 내부의 구조나 알고리즘을 안봄(사용자가 원하는 기능을 수행하는가?)
화이트박스	문장 검증	프로그램 내의 모든 문장이 최소한 한 번은 실행될 수 있는 테스트 데이터
	분기 검증	조건문에 대해 T, F가 최소한 한 번은 실행되는 입력 데이터를 테스트 케이스로 사용
	조건 검증	두 개의 개별 조건식이 존재할 때 개별 조건식의 T와 F를 최소한 한 번은 테스트할 수 있도록 테스트 케이스 선정
	다중 조건 검증	마스크 문제까지 해결한 테스트 케이스에 해당하는 테스트 데이터를 생성하는 기준

주요개념 셀프체크

☑ 블랙박스 vs. 화이트박스
☑ 문장, 분기, 조건, 다중조건

핵심 기출

결정 명령문 내의 각 조건식이 참, 거짓을 한 번 이상 갖도록 조합하여 테스트 케이스를 설계하는 방법은? 2018년 국가직

① 문장 검증 기준(Statement Coverage)
② 조건 검증 기준(Condition Coverage)
③ 분기 검증 기준(Branch Coverage)
④ 다중 조건 검증 기준(Multiple Condition Coverage)

해설

조건 검증은 두 개의 개별 조건식이 존재할 때 개별 조건식의 T(true)와 F(false)를 최소한 한 번은 테스트할 수 있도록 테스트 케이스 선정한다. 분기 검증 기준에서 발견하지 못한 오류(개별 조건식에 존재하는 오류)를 발견할 수 있는 더 강력한 테스트이다.

선지분석

① 문장 검증: 프로그램 내의 모든 문장이 최소한 한 번은 실행될 수 있는 테스트 데이터를 갖는 테스트 케이스(입력값에 대한 출력값을 미리 만들어 놓고 테스트)를 선정한다.
③ 분기 검증: 조건문에 대해 T(ture), F(false)가 최소한 한 번은 실행되는 입력 데이터를 테스트 케이스로 사용한다. 분기 시점 또는 합류 위치에서 조건과 관련된 오류를 발견할 가능성이 높다.
④ 다중 조건 검증: 마스크 문제까지 해결한 테스트 케이스에 해당하는 테스트 데이터를 생성하는 기준이다. 마스크 문제란 and 의 경우 두 식 중 하나가 F인 경우 나머지 식이 F이든 T이든 상관없이 결과가 F인 것이고, or인 경우 두 식 중 하나가 T인 경우 나머지 식은 F이든 T이든 상관없이 결과가 T라는 것이다.

정답 ②

1 소프트웨어 개발 단계에 따른 테스트

V 모델은 소프트웨어 개발 단계의 순서와 짝을 이루어 테스트를 진행해나가는 방법이고, 프로젝트 초기 단계부터 테스트 계획을 세우고, 테스트 설계 과정이 함께 진행한다. 다음 그림은 V 모델은 나타낸다.

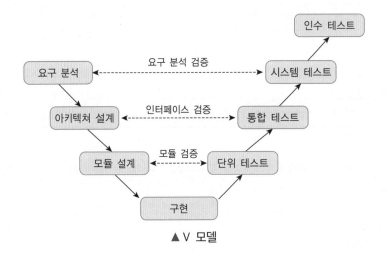

▲ V 모델

2 단위 테스트

1. 개요

단위 테스트 또는 모듈 테스트(module test)는 프로그램의 기본 단위인 모듈의 테스트이고, 모듈 개발 완료한 후 명세서의 내용대로 정확히 구현되었는지를 테스트한다. 즉, 개별 모듈이 제대로 구현되어 정해진 기능을 정확히 수행하는지를 테스트하고, 프로그램의 기본 단위인 모듈을 테스트한다. 단위 테스트 수행 후 발견되는 오류는 다음과 같다.

- 잘못 사용한 자료형
- 잘못된 논리 연산자
- 알고리즘 오류에 따른 원치 않는 결과
- 틀린 계산 수식에 의한 잘못된 결과
- 탈출구가 없는 반복문의 사용

2. 모듈 테스트 시 상위/하위 모듈이 개발 안된 경우

가상의 상위나 하위 모듈을 만들어 사용한다. 테스트 드라이버(test driver)는 상위 모듈의 역할을 하는 가상의 모듈이고 테스트할 모듈을 호출한다. 필요한 데이터를 인자를 통하여 넘겨주고, 테스트가 완료된 후 그 결과 값을 받는 역할을 수행한다. 테스트 스텁(stub)은 하위 모듈의 역할을 수행하고, 테스트할 모듈이 호출할 때 인자를 통해 받은 값을 가지고 수행 후 결과를 테스트할 모듈에 넘겨주는 역할을 한다. 다음 그림은 드라이버/스텁 모듈과 테스트 대상 모듈의 관계를 나타낸다.

▲ 드라이버/스텁 모듈과 테스트 대상 모듈의 관계

3 통합 테스트

1. 개요

통합 테스트(integration test)는 단위 테스트가 끝난 모듈을 통합하는 과정에서 발생할 수 있는 오류를 찾는 테스트이고, '모듈 간의 상호작용이 정상적으로 수행되는가' 테스트하는 것이다. 모듈 사이의 인터페이스 오류는 없는지, 모듈이 올바르게 연계되어 동작하고 있는지 체크한다. 모듈 통합 방법에 따른 분류는 다음과 같다.

> • 한꺼번에 하는 방법: big-bang 테스트
> • 점진적으로 하는 방법: 하향식 기법, 상향식 기법

2. Big-bang 테스트

단위테스트가 끝난 모듈을 한꺼번에 결합하여 수행하는 방식이고, 소규모 프로그램이나 프로그램의 일부를 대상으로 하는 경우에 적합하다. 오류 발생 시 어떤 모듈에서 오류가 존재하는지, 그 원인이 무엇인지 찾기가 어렵다.

3. 점진적 모듈 통합 방법 - 하향식(top-down) 기법

모듈의 계층 구조에서 맨 상위의 모듈부터 시작하여 점차 하위 모듈 방향으로 통합한다. 모듈의 구성에서 상위 모듈은 시스템 전체의 흐름을 관장하고, 하위 모듈은 각 기능을 구현한다. 장점은 프로그램 전체에 영향을 줄 수 있는 오류를 일찍 발견하기가 쉽다. 단점은 하위 모듈이 임시로 만든 스텁들로 대체되어 결과가 완전하지 않을 수도 있다. 그리고 스텁 수가 많으면 스텁을 만드는 데 시간과 노력이 많이 들 수 있다. 하향식 기법은 모듈 간의 인터페이스와 시스템의 동작이 정상적으로 잘되고 있는지를 빨리 파악하고자할 때 유용하다.

넓이 우선(breadth first) 방식은 같은 행에서는 옆으로 가며 통합한다(다음 그림 참조).

$$(A, B) \rightarrow (A, C) \rightarrow (A, D) \rightarrow (A, B, E) \rightarrow (A, B, F) \rightarrow (A, C, G)$$

깊이 우선 방식(depth first) 방식은 같은 행에서는 아래로 가며 통합한다(다음 그림 참조).

$$(A, B) \rightarrow (A, B, E) \rightarrow (A, B, F) \rightarrow (A, C) \rightarrow (A, C, G) \rightarrow (A, D)$$

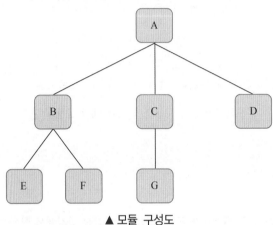

▲ 모듈 구성도

4. 점진적 모듈 통합 방법 - 상향식(bottom-down) 기법

가장 말단에 있는 최하위 모듈부터 테스트하고, 상위 모듈의 역할을 하는 테스트 드라이버가 필요하다. 드라이버는 하위 모듈을 순서에 맞게 호출하고, 호출할 때 필요한 매개 변수를 제공하며, 반환 값을 전달하는 역할을 한다. 순서 는 우선 가장 말단(레벨 3)에 있는 모듈 E와 F를 모듈 B에 통합하여 테스트하고, 그 다음 모듈 G를 모듈 C에 통합 하여 테스트한다. 그리고 마지막으로 모듈 B, C, D를 모듈 A에 통합하여 테스트한다.

장점은 최하위 모듈들을 개별적으로 병행하여 테스트하므로 하위에 있는 모듈들을 충분히 테스트 가능하고, 정밀한 계산이나 데이터 처리가 요구되는 시스템 같은 경우에 유용하다. 단점은 상위 모듈에 오류가 발견되면 그 모듈과 관 련된 하위의 모듈을 다시 테스트해야 한다(리그레션).

4 시스템(system) 테스트

시스템 전체가 정상적으로 작동하는지를 체크하고, 모듈이 모두 통합된 후 사용자의 요구 사항들을 만족하는지 테스트 한다. 사용자에게 개발된 시스템을 전달하기 전에 개발자가 진행하는 마지막 테스트하고, V & V에서 확인(verification) 에 해당한다(나선형 모델 참조). 실제 사용 환경과 유사하게 테스트 환경을 만들어놓고 요구 분석 명세서에 명시한 기능적 요구 사항과 비기능적 요구 사항을 충족하는지 테스트하고, 주로 부하를 주는 상황에서 수행하고, 비기능적 테스트를 중심으로 수행한다.

5 인수(acceptance) 테스트

1. 개요

시스템이 예상대로 동작하는지 확인하고, 요구 사항에 맞는지 확신하기 위해 하는 테스트하고, 시스템을 인수하기 전 요구 분석 명세서에 명시된 대로 모두 충족시키는지를 사용자가 테스트한다. 목적은 사용자 주도로 이루어지며, 오류 발견보다는 제품의 출시 여부를 판단하는 것이고, 인수 테스트 결과는 시스템을 출시할지 출시시기를 늦추더라도 보완할지를 결정한다. V & V의 검증(validation)에 해당한다(나선형 모델 참조).

2. 알파와 베타 테스트

알파 테스트(alpha test)는 내부 필드 테스트이고, 베타 테스트 전에 개발자 환경에서 사용해서 오류와 사용상의 문제점을 파악한다. 베타 테스트(beta test)는 알파 테스트 후 시장 출시 전 시장의 피드백을 얻기 위한 목적으로 테스트이고, 특정 사용자가 미리 사용하여 문제점 및 오류를 발견한다. 그리고 이를 개발자에게 알려준다. 개발자는 베타 테스트를 통해 보고된 문제점을 수정한 후 제품을 출시한다.

6 회귀(regression) 테스트

1. 개요

확정 테스트(confirmation test)는 원시 코드의 결함을 수정한 후 제대로 수정되었는지 확인하는 테스트이고, 회귀 테스트(regression test, 리그레션)는 한 모듈의 수정이 다른 부분에 영향을 끼칠 수도 있다고 생각하여 수정된 모듈 뿐 아니라 관련된 모듈까지 문제가 없는지 테스트한다.

2. 종류(* 참고)

수정을 위한 회귀 테스트(corrective regression test)는 모든 테스트를 완료하여 사용자에게 전달하기 전에 테스트 과정에서 미처 발견하지 못한 오류를 찾아 수정한 후 다시 테스트한다. 그리고 점진적 회귀 테스트(progressive regression test)는 사용 중에 일부 기능을 추가하여 새로운 버전을 만들고, 이 새 버전을 다시 테스트한다.

🔑 요약정리

테스트

구분		특징
단위		테스트 드라이버(상위), 테스트 스텁(하위)
통합	빅뱅	한꺼번에 테스트
	하향식	점진적 테스트, 넓이 우선 방식, 깊이 우선 방식
	상향식	점진적 테스트, 테스트 드라이버
시스템(verfication)		사용자 요구 사항 만족
인수 (validation)	알파	개발자 환경에서 사용(예상대로 동작하는지)
	베타	특정 사용자가 미리 사용(사용자 주도)
회귀		수정된 모듈과 관련된 모듈까지 테스트

주요개념 셀프체크

✓ 단통시인
✓ 통합: 빅뱅, 하향, 상향
✓ 회귀

 핵심 기출

소프트웨어 테스트에 대한 설명으로 옳지 않은 것은?   2016년 국가직

① 단위(unit) 테스트는 개별적인 모듈에 대한 테스트이며 테스트 드라이버(driver)와 테스트 스텁(stub)을 사용할 수 있다.
② 통합(integration) 테스트는 모듈을 통합하는 방식에 따라 빅뱅(big-bang) 기법, 하향식(top-down) 기법, 상향식(bottom-up) 기법을 사용한다.
③ 시스템(system) 테스트는 모듈들이 통합된 후 넓이 우선 방식 또는 깊이 우선 방식을 사용하여 테스트한다.
④ 인수(acceptance) 테스트는 인수 전에 사용자의 요구 사항이 만족되었는지 테스트한다.

해설

시스템 테스트는 해당 설명은 통합 테스트의 하향식 기법이고, 시스템 테스트는 모듈이 모두 통합된 후 사용자의 요구 사항들을 만족하는지 테스트한다(개발자).

선지분석

① 단위 테스트: 프로그램의 기본 단위인 모듈을 테스트한다. 가상의 상위 모듈(테스트 드라이버)이나 하위 모듈(테스트 스텁)을 만들어 사용한다.
② 통합 테스트: 단위 테스트가 끝난 모듈을 통합하는 과정에서 발생할 수 있는 오류를 찾는 테스트이다. 모듈 통합 방법에 따라 한꺼번에 하는 방법(빅뱅 테스트)과 점진적으로 하는 방법(하향식 기법, 상향식 기법)이 있다.
④ 인수 테스트: 시스템이 예상대로 동작하는지 확인하고, 요구 사항에 맞는지 확신하기 위해 하는 테스트이다(사용자).

정답 ③

1 표준 프로세스의 필요성

1. 표준 프로세스

표준 프로세스는 소프트웨어 개발에서 레시피, 하나의 매뉴얼, 내비게이션과 같은 역할이고, 조직원들이 우왕좌왕 해매는 시간을 줄여주고 생산성을 높인다. 기준과 목표, 방향을 제시해주기 때문에 업무 처리 프로세스가 명확하고 계획적이며 결과를 충분히 예측할 수 있다.

2. CMMI(Capability Maturity Model Integration)

CMMI는 조직의 프로세스 개선을 위해 개발되었고, 기업에 표준 프로세스를 만들 수 있는 지침을 제시하고 그 기준이 된다. 어떤 조직이 표준 프로세스를 사용하고 지속적으로 개선한다면 조직의 업무 수행 능력 및 품질이 향상되고, 현재 조직의 표준 프로세스 수준을 잘 파악할 수 있고 향후 개선 방향 판단이 가능하다. 프로젝트의 정량적 목표 및 계획 수립이 가능하고, 최종 목표 달성 예측이 가능하다. 소프트웨어 공학의 목표인 개발의 생산성 향상과 품질 향상을 꾀할 수 있다.

2 CMMI 모델

1. 개요(* 참고)

CMMI의 C는 능력(Capability)을 나타낸다. 여기서 능력이란 개발 목표(주어진 기간, 정해진 비용, 고품질 등)를 달성할 수 있는 힘이다. M은 성숙도(Maturity)를 나타낸다. 여기서 성숙(사전적 의미)이란 '생물의 발육이 완전히 이루어짐', '몸과 마음이 자라서 어른스럽게 됨', '경험이나 습관을 쌓아 익숙해짐' 등으로, 다 자라서(완성되어) 책임감이 있는 느낌을 준다. 성숙도가 높은 조직은 책임감이 있는 조직으로서 개발 과정에서 객관적이고 정량적인 근거에 따라 프로세스가 측정되고 지속적인 개선이 이루어지는 조직이다.

CMMI의 M은 모델(Model)을 나타낸다. 프로세스를 감사(audit)하는 의미로 사용되고, 기준대로 하고 있는지 그렇지 않은지를 검사한다. CMMI는 그 기준을 제시하고 있는데 그것이 '수행 지침(best practice)'이라는 모델이다. I는 통합(Integration)을 나타낸다. 여러 가지 프로세스의 기준을 하나로 통합했다는 의미이고, 소프트웨어 개발 생명주기의 각 단계를 통합한 모델이라는 의미이다.

2. CMMI

CMMI는 조직의 프로세스에 대한 가이드이자 기준이다. '능력'과 '성숙도'로 조직의 프로세스를 측정하고 평가하는 모델의 통합 버전인 프로세스 개선 성숙도 모델이다. 다음의 표는 성숙도가 높은 조직과 낮은 조직의 특징을 나타낸다.

성숙도 높음	• <u>소프트웨어 개발/관리 프로세스가 조직 차원에서 이루어진다.</u> • 구성원들이 소프트웨어 프로세스를 잘 알고 있다. • 프로세스를 따라 수행함으로써 역할과 책임이 명확하다. • 제품 품질을 중요하게 여기고, 사용자의 만족도를 측정한다. • 조직 차원의 표준 프로세스가 일관성 있게 준수되고 있다.
성숙도 낮음	• <u>조직 내에서 정해진 프로세스가 없어 필요할 때마다 임시방편으로 만들어 사용하고 있다.</u> • 문제가 발생했을 때 근본적인 해결 방안을 찾기보다는 임시방편으로 해결하려고 한다. • 객관적인 비용 산정과 근거에 의한 일정이 산출되지 않아 개발 기간과 비용이 초과하는 경우가 많다. • 제품 품질에 대해 객관적으로 평가하지 못한다. • 제품의 기능, 품질보다 납기일을 최우선으로 생각한다.

3 CMMI의 구성

1. CMMI 5단계

다음의 표는 CMMI 5단계(소프트웨어 프로세스 성숙도)를 나타낸다.

단계	프로세스	내용
초기(initial) 단계	프로세스 없음	예측/통제 불가능
관리(managed) 단계	규칙화된 프로세스	기본적인 프로젝트 관리 체계 수립
정의(defined) 단계	표준화된 프로세스	조직 차원의 표준 프로세스를 통한 프로젝트 지원
정량적 관리(quantitative managed) 단계	예측 가능한 프로세스	정량적으로 프로세스가 측정/통제됨
최적화(optimizing) 단계	지속적 개선 프로세스	프로세스 개선 활동

2. 22개의 프로세스 영역(* 참고)

다음의 표는 CMMI의 4가지 범주로 구분된 22개의 프로세스 영역을 나타낸다.

범주	프로세스 영역
프로젝트 관리	프로젝트 계획, 감시, 제어와 관련된 프로젝트 관리 행위들을 다루는 프로세스 영역들로 구성됨 ① 프로젝트 계획(PP; Project Planning) ② 프로젝트 감시 및 통제(PMC; Project Monitoring Control) ③ 협력 업체 관리(SAM; Supplier Agreement Management) ④ 통합된 프로젝트 관리(IPM; Intergrated Project Management) ⑤ 위험 관리(RSKM; Risk Management) ⑥ 정량적 프로젝트 관리(QPM; Quantitative Project Management)
공학	여러 공학 분야에 걸쳐서 공유되는 개발과 유지보수와 관련된 활동들을 다루는 프로세스 영역들로 구성됨 ⑦ 요구사항 관리(REQM; Requirements Mangement) ⑧ 요구사항 개발(RD; Requirements Development) ⑨ 기술적 솔루션(TS; Technical Solution) ⑩ 제품 통합(PI; Product Integration) ⑪ 확인(VER; Verification) ⑫ 검증(VAL; Validation)

	프로세스의 정의, 계획, 배치, 구현, 감시, 제어, 평가, 측정, 개선과 관련된 여러 프로젝트에 걸쳐진 활동들을 포함하는 프로세스 영역들로 구성됨 ⑬ 조직 차원의 프로세스 개선(OPF; Organizational Process Focus) ⑭ 조직 차원의 프로세스 정의(OPD; Organizational Process Definition) ⑮ 조직 차원의 교육 훈련(OT; Organizational Training) ⑯ 조직 차원의 프로세스 성과 관리(OPP; Organizational Process Performance) ⑰ 조직 차원의 혁신 활동 전개(OID; Organizational Innovation and Development)
프로세스 관리	
지원	제품 개발과 유지보수를 지원하는 활동들을 다루는 내용으로, 프로젝트를 목적으로 한 프로세스 영역과 조직에 적응하는 것을 목적으로 하는 프로세스 영역들로 구성됨 ⑱ 형상 관리(CM; Configuration Management) ⑲ 프로세스/제품 품질 보증(PPQA; Process and Product Quality Assurance) ⑳ 측정 및 분석(MA; Measurement and Analysis) ㉑ 의사결정 분석 및 해결(DAR; Decision Analysis and Resolution) ㉒ 근본 원인 분석 및 해결(CAR; Causal Analysis and Resolution)

3. 프로세스 영역의 구조도(* 참고)

다음의 그림은 CMMI 프로세스 영역(PA)의 구조도를 나타낸다.

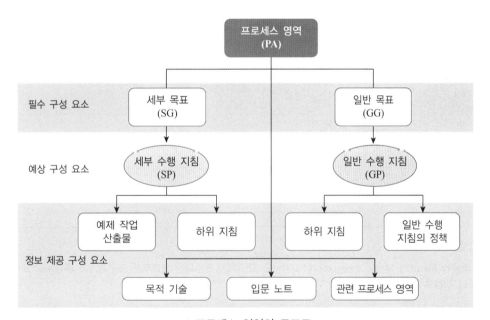

▲ 프로세스 영역의 구조도

일반(공통) 목표는 모든 프로세스 영역에 공통으로 적용되는 목표이고, 일반 목표 달성은 해당 프로세스의 활동들이 조직에 내재화되어 자연스럽게 수행될 수 있다. 수행 지침은 일반적인 목표를 만족시키기 위해 수행해야 하는 활동이 무엇인지를 설명한다. 그리고 세부(구체) 목표는 특정 프로세스 영역에만 적용되는 좁은 의미의 구체적인 목표이고, 수행 지침은 세부적인 목표를 만족시키기 위해 수행해야 하는 활동이 무엇인지를 설명한다.

필수 구성 요소는 조직이 프로세스 영역을 만족시키기 위해 무엇을 성취해야 하는지를 기술하는 구성 요소이고, 예상 구성 요소는 조직이 필수 구성 요소를 성취하기 위해 전형적으로 무엇을 구현해야 하는지를 기술이다. 즉, 이 구성 요소들은 누가 평가를 수행하고 개선을 구현하는지를 가이드이다. 정보 제공 구성 요소는 필수 구성 요소와 예상 구성 요소에 접근할 수 있도록 돕는 세부 내용을 제공한다(결론: 프로세스 영역 ← 필수 구성 ← 예상 구성 ← 정보 제공 구성).

4. 성숙도 단계별 프로세스 영역

단계	범주	프로세스 영역
초기 단계	프로세스 없음	
관리 단계	프로젝트별로프로세스 존재 (규칙화된)	• 요구 사항 관리 • 프로젝트 계획 수립 • 프로젝트 감시 및 통제 • 협력 업체 관리 • 측정 및 분석 • 프로세스/제품 품질 보증 • 형상 관리
정의 단계	조직 차원의 프로세스 존재(프로세스 표준화)	• 요구 사항 개발 • 기술적 솔루션 • 제품 통합 • 검증, 확인 • 조직 차원의 프로세스 개선 • 조직 차원의 프로세스 정의 • 조직 차원의 교육 훈련 • 통합된 프로젝트 관리 • 위험 관리 (7급) • 의사결정 분석 및 해결
정량적 관리 단계	측정 가능한 정량적 프로세스 존재 (예측 가능한)	• 조직 차원의 프로세스 성관 관리 • 정량적 프로젝트 관리
최적화 단계	프로세스를 지속적으로 개선	• 조직 차원의 혁신 활동 전개 • 근본 원인 분석 및 해결

주요개념 셀프체크

☑ CMMI
☑ 관정정 - 규표예

핵심 기출

CMMI(Capability Maturity Model Integration)의 성숙도 모델에서 표준화된 프로젝트 프로세스가 존재하나 프로젝트 목표 및 활동이 정량적으로 측정되지 못하는 단계는?   2016년 국가직

① 관리(managed) 단계   ② 정의(defined) 단계
③ 초기(initial) 단계   ④ 최적화(optimizing) 단계

해설

CMMI 5단계(소프트웨어 프로세스 성숙도)는 다음과 같다(관정정 - 규표예).

단계	프로세스	내용
초기(initial) 단계	프로세스 없음	예측/통제 불가능
관리(managed) 단계	규칙화된 프로세스	기본적인 프로젝트 관리 체계 수립
정의(defined) 단계	표준화된 프로세스	조직 차원의 표준 프로세스를 통한 프로젝트 지원
정량적 관리(quantitative managed) 단계	예측 가능한 프로세스	정량적으로 프로세스가 측정/통제됨
최적화(optimizing) 단계	지속적 개선 프로세스	프로세스 개선 활동

정답 ②

CHAPTER

13 | PMBOK

1 프로젝트 관리

프로젝트 관리의 수행은 프로젝트관리지식체계(PMBOK; Project Management Body of Knowledge)를 통해 수행한다. PMBOK는 프로젝트와 관련된 대표적인 문서이고, 프로젝트와 관련된 작업의 표준이다. 다음은 PMBOK에서 수행되는 일들을 정리한 것이다.

- 프로젝트 완수를 위해 활동에 필요한 기술, 기법, 도구들을 적절히 배치
- 필요한 자원들을 계획하고 적기에 사용할 수 있도록 공급
- 필요한 인력을 적재적소에 배치
- 프로젝트의 진행 상황 확인 및 진도 관리
- 예상대로 되지 않는 것들에 대해 대비 계획을 세우고, 대응책 마련

2 PMBOK의 5가지 프로세스 그룹(* 참고)

1. 개요

다음의 그림은 프로젝트의 프로세스 그룹 관계도를 나타낸다.

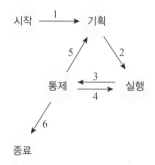

▲ 프로젝트의 프로세스 그룹 관계도

2. 시작(initiating) 그룹

핵심 프로세스는 범위 관리 착수 및 프로젝트 또는 프로젝트를 구성하는 단계 정의 및 승인이다.

3. 기획(planning) 그룹

프로젝트 목표 설정 및 목표 달성을 위한 활동 계획과 예산, 인력, 자원 등의 계획을 수립한다. 이를 세부적으로 정리하면 다음과 같다.

- 범위 기획: 프로젝트의 목적을 정의하는 범위 기술서 개발
- 범위 정의: 프로젝트 수행을 위해 더 작고 관리 가능한 구성 요소로 세분화
- 작업 정의: 프로젝트 수행을 위해 실행되어야 할 특정 활동들 식별
- 작업 순서: 활동 간의 상호 의존성을 식별하고 기록
- 작업 기간 산정: 단위별 활동을 완료하기 위해 필요한 작업 기간 산정
- 일정 개발: 활동 순서와 활동 기간, 프로젝트 일정을 세우기 위해 필요한 자원 산정
- 위험 관리 기획: 위험 관리를 위한 접근 방법과 계획을 세움
- 자원 기획: 프로젝트 수행 시 필요한 자원의 종류와 양 결정
- 비용 산정: 프로젝트 수행 시 필요한 비용 산정
- 비용 예산 수립: 개별적인 작업들에 소요되는 모든 비용 산정
- 프로젝트 계획 개발: 다른 기획 프로세스에서 세운 결과들과 일관되고 명확하게 문서화

4. 실행(executing) 그룹

핵심 프로세스는 프로젝트 계획 실행으로 계획을 세운대로 실제 프로젝트를 수행한다.

5. 통제(controlling) 그룹

프로젝트 통제는 계획 대비 목표의 진척 상황을 주기적으로 감시하고 성과를 측정한다. 이를 세부적으로 정리하면 다음과 같다.

- 성과 보고: 상태 보고, 진척도 측정, 예측 등이 포함된 성과 정보를 수집하고 배포
- 통합된 변경 통제: 프로젝트의 변경 사항 조정(형상 관리)

6. 종료(closing) 그룹

프로젝트가 사용자의 모든 요구 사항이 완료되었음을 검증한다. 이를 세부적으로 정리하면 다음과 같다.

- 계약 종료: 진행 중인 모든 항목들을 마무리하고 계약 종료
- 관리 종료: 공식적으로 프로젝트를 완료하기 위해 정보를 생성, 수집, 보급

3 프로젝트 관리의 9가지 관점

1. 개요

다음의 표는 PMBOK의 9가지 관점을 나타낸다.

프로젝트 통합 관리	프로젝트 범위 관리	프로젝트 일정 관리
• 프로젝트 계획 개발 • 프로젝트 계획 실행 • 통합된 변경 통제	• 착수 • 범위 기획 • 범위 정의 • 범위 검증 • 범위 변경 통제	• 작업 정의 • 작업 순서 • 작업 기간 산정 • 일정 개발 • 일정 통제
프로젝트 비용 관리	**프로젝트 품질 관리**	**프로젝트 인적 자원 관리**
• 자원 기획 • 비용 산정 • 비용 예산 수립 • 비용 통제	• 품질 기획 • 품질 보증 • 품질 통제	• 조직 기획 • 팀 확보 • 팀 개발
프로젝트 의사소통 관리	**프로젝트 위험 관리**	**프로젝트 조달 관리**
• 의사소통 기획 • 정보 배포 • 성과 보고 • 관리 종료	• 위험 관리 기획 • 위험 식별 • 정성적 위험 분석 • 정량적 위험 분석 • 위험 대응 기획 • 위험 모니터링 및 통제	• 조달 기획 • 공급자 유치 기획 • 공급자 유치 • 공급자 선정 • 계약 관리 • 계약 종료

2. 프로젝트 통합 관리(* 참고)

프로젝트 계획 개발은 프로젝트 계획서를 작성한다. 프로젝트 계획서는 프로젝트 수행과 통제를 가이드하기 위한 관련 문서이고, 프로젝트 실행을 위하여 공식적으로 승인된 문서이다. 그리고 프로젝트에 새로운 정보가 추가됨에 따라 변경 가능하다. 프로젝트 계획 실행은 계획된 프로젝트를 예정대로 구현하는 프로세스이다. 프로젝트를 완료하기 위해 수행한 활동들의 성과로서 작업 결과물을 산출한다. 통합된 변경 통제는 변경통제시스템이나 형상 관리 등의 변경 관리를 통해 수정된 내용으로 개정된 프로젝트의 기준을 만든다.

3. 프로젝트 범위 관리(* 참고)

프로젝트 범위 관리는 프로젝트를 성공적으로 완료하기 위해 필요한 모든 작업을 프로젝트에 포함시키기 위해 요구되는 프로세스들로 구성된다.

> • 제품 범위(product scope)
> • 구성
> • 프로젝트 범위(project scope)

프로젝트 범위 관리 프로세스는 다음과 같다.

- 착수: 새로운 프로젝트가 시작됨을 공식적으로 승인하는 프로세스
- 범위 기획: 프로젝트 작업을 문서화하고 순차적으로 완성해가는 프로세스 (범위 정의 전단계)
- 범위 정의: 주요 프로젝트 인도물을 더 작고 관리 가능한 구성 요소로 나누는 작업
- 범위 검증: 이해 관계자들에 의해 프로젝트 범위 승인을 획득하는 프로세스
- 범위 변경 통제: 프로젝트 범위 변경에 관한 절차를 정의

4. 프로젝트 일정 관리(* 참고)

프로젝트 일정 관리는 프로젝트를 주어진 기간 내에 완료하기 위해 요구되는 다음과 같은 프로세스들로 구성된다.

- 작업 정의: 프로젝트 목적에 부합하는 활동을 정의
- 작업 순서: 활동 간의 논리적 상호 관계를 식별하고 문서화
- 작업 기간 산정: 프로젝트를 수행하는 데 필요한 개발 기간이 얼마나 되는지를 산정
- 일정 개발: 프로젝트를 언제 시작해서 언제 끝낼 것인지, 즉 시작일과 종료일을 결정
- 일정통제: 일정에 대한 변경을 결정하고, 변경이 발생했을 때 변경 관리

5. 프로젝트 비용 관리(* 참고)

프로젝트 비용 관리는 주어진 예산 범위 안에서 프로젝트를 완료하기 위해 요구되는 다음과 같은 프로세스들로 구성된다.

- 자원 기획: 무슨 자원(인력, 장비, 도구 등)이 언제, 얼마나 필요한지를 결정
- 비용 산정: 필요한 자원(인력, 장비, 도구 등)에 대해 어느 정도의 비용이 발생하는지 계산
- 비용 예산 수립: 산정된 프로젝트 비용을 합산하여 승인된 비용 기준선을 설정
- 비용 통제: 프로젝트 상태를 모니터링 하면서 프로젝트 예산을 갱신하고, 비용 기준선에 따라 부적절하거나 승인되지 않은 변경을 방지

6. 프로젝트 품질 관리(* 참고)

프로젝트 품질 관리는 사용자의 품질 요구를 만족시키기 위해 요구되는 다음과 같은 프로세스들로 구성된다.

- 품질 기획: 프로젝트에 적합한 품질 요구 사항과 품질 표준을 식별하고 이를 프로젝트에서 어떻게 달성할 것인지 계획하는 프로세스
- 품질 보증: 품질 요구 사항과 품질 통제 측정치를 감시하면서 해당하는 품질 표준을 사용하고 있는지 확인하는 프로세스
- 품질 통제: 프로젝트 결과물에 대한 모니터링을 통해 관련 품질 표준을 만족하였는지 결정하고 부적합이 발생할 경우 원인을 찾아 해결하는 프로세스

7. 프로젝트 인적 자원 관리(* 참고)

프로젝트 인적 자원 관리는 참여 인력들에 대한 지원과 팀 환경을 만들어주는 다음과 같은 프로세스들로 구성된다.

- 조직 기획: 프로젝트의 역할, 책임 사항, 필요한 역량 등을 문서화, 직원 관리 계획서 작성
- 팀 확보: 가용 인적자원을 확인하여 꼭 필요한 인력을 확보해서 팀을 구성
- 팀 개발: 프로젝트 성과를 향상시키기 위해 팀원들의 역량과 팀원 간 협력, 전반적인 팀 분위기를 개선하는 프로세스

8. 프로젝트 의사 소통 관리(* 참고)

프로젝트 의사 소통 관리는 이해 관계자들 간의 메시지를 누구에게, 언제, 어떻게 보낼 것인가를 결정하고 관리하고 다음과 같은 프로세스들로 구성된다.

- 의사소통 기획: 이해 관계자들이 원하는 요구 사항을 식별해서 프로젝트가 진행됨에 따라 발생하는 정보들을 적시에 적합한 형태로 제공할 수 있도록 계획을 세워야 한다.
- 정보 배포: 이해 관계자들이 원하는 정보를 제공
- 성과 보고: 프로젝트에 대한 결과 정보(프로젝트 비용, 일정, 품질과 실적 대비 예측치 등)를 생성해서 배포

9. 프로젝트 위험 관리(* 참고)

프로젝트 위험 관리는 프로젝트의 위험을 식별, 분석, 대응하기 위해 요구되는 다음과 같은 6개의 프로세스들로 구성된다.

- 위험 관리 기획: 위험들을 언제, 어떤 방법으로, 어떻게 관리할 것인가를 계획
- 위험 식별: 무엇이 위험인지 파악하고 찾아내는 것
- 정성적 위험 분석: 도출된 위험들이 미치는 영향력과 빈도수 등을 분석
- 정량적 위험 분석: 위험의 빈도수, 위험의 크기 등을 수치화하여 계량하는 프로세스
- 위험 대응 기획: 대응 전략(회피, 전가, 완화, 수용)을 세우고, 그 대응 전략 이후에도 남아있을 위험과 이차적인 위험, 위험 대응을 위해 필요한 시간과 비용, 위험에 대한 비상 계획, 예비 계획 등을 세움
- 위험 모니터링 및 통제: 식별된 위험에 대해 추적하고, 잔존하는 위험을 감시하며, 새롭게 발견되는 위험을 식별하고, 위험 감소 효과를 평가하는 프로세스

10. 프로젝트 조달 관리(* 참고)

프로젝트 조달 관리는 조직의 외부에서 물품과 서비스를 조달하기 위해 요구되는 다음과 같은 6개의 프로세스로 구성된다.

- 조달 기획: 조달 여부를 결정하는 것부터 무엇을, 어떻게, 언제, 얼마나 할 것인지 고려
- 권유(공급자 유치) 기획: 제안요청서 작성하는 것
- 권유(공급자 유치): 입찰자들이 작성하는 제안서
- 공급자 선정: 응찰 업체 중 하나의 업체를 선정
- 계약 관리: 선정된 업체와 계약을 맺을 때 계약과 관련해서 필요한 모든 작업
- 계약 종료: 납품(또는 개발)이 완료되면 처음의 요구 사항과 같은지 검수하고, 문제가 없으면 최종 산출물 관련 자료들을 받는 것으로 끝을 내는 데 필요한 프로세스

🖐 **주요개념 셀프체크**

- ⊘ PMBOK
- ⊘ 통합, 범위, 일정, 비용, 품질, 인적자원, 의사소통, 위험, 조달

PMBOK(Project Management Body of Knowledge)에서 제시하는 소프트웨어 프로젝트 관리 영역에 대한 설명으로 옳지 않은 것은?
2017년 지방직

① 프로젝트 일정 관리(time management)는 주어진 기간 내에 프로젝트를 완료하기 위한 활동에 대해 다룬다.
② 프로젝트 비용 관리(cost management)는 승인된 예산 내에서 프로젝트를 완료하기 위한 활동에 대해 다룬다.
③ 프로젝트 품질 관리(quality management)는 품질 요구를 만족하여 수행 목표를 달성하기 위한 활동에 대해 다룬다.
④ 프로젝트 조달 관리(procurement management)는 완성된 소프트웨어를 고객에게 전 달하기 위한 활동에 대해 다룬다.

해설

조달 관리는 조직의 외부에서 물품과 서비스를 조달하기 위해 요구되는 프로세스로 구성된다.

선지분석

① 일정 관리: 프로젝트를 주어진 기간 내에 완료하기 위해 요구되는 프로세스들로 구성된다.
② 비용 관리: 주어진 예산 범위 안에서 프로젝트를 완료하기 위해 요구되는 프로세스들로 구성된다.
③ 품질 관리: 사용자의 품질 요구를 만족시키기 위해 요구되는 프로세스들로 구성된다.

TIP PMBOK의 9가지 관점을 그림으로 나타내면 다음과 같다.

프로젝트 통합 관리	프로젝트 범위 관리	프로젝트 일정 관리
• 프로젝트 계획 개발 • 프로젝트 계획 실행 • 통합된 변경 통제	• 착수 • 범위 기획 • 범위 정의 • 범위 검증 • 범위 변경 통제	• 작업 정의 • 작업 순서 • 작업 기간 산정 • 일정 개발 • 일정 통제
프로젝트 비용 관리	프로젝트 품질 관리	프로젝트 인적 자원 관리
• 자원 기획 • 비용 산정 • 비용 예산 수립 • 비용 통제	• 품질 기획 • 품질 보증 • 품질 통제	• 조직 기획 • 팀 확보 • 팀 개발
프로젝트 의사소통 관리	프로젝트 위험 관리	프로젝트 조달 관리
• 의사소통 기획 • 정보 배포 • 성과 보고 • 관리 종료	• 위험 관리 기획 • 위험 식별 • 정상적 위험 분석 • 정량적 위험 분석 • 위험 대응 기획 • 위험 모니터링 및 통제	• 조달 기획 • 공급자 유치 기획 • 공급자 유치 • 공급자 선정 • 계약 관리 • 계약 종료

정답 ④

CHAPTER 14 | 형상관리

1 변경 관리

1. 소프트웨어 변경에 대한 견해

소프트웨어 변경에 대한 견해는 다음과 같다.

- Eric J. Braude: "프로젝트는 진행되어가면서 새로운 산출물들이 축적되고, 축적된 산출물들은 계속해서 버전 업이 된다.", "이렇게 변경되는 산출물들을 관리하는 것이 형상 관리다."
- Bersoff: "시스템은 소프트웨어 개발 생명주기의 모든 단계에서 변경이 일어나고, 시스템을 변경하고자 하는 욕구는 개발 생명주기 동안 지속적으로 일어날 것이다."

2. 변경의 요인

변경의 요인은 업무 환경의 변화이다. 새로운 기능의 추가와 같이 고객의 요구의 변경, 시장 여건의 변경, 예산과 일정 계획 등에서의 변경 등이 존재한다. 그리고 변경의 요인은 기술 환경의 변화이다. 즉, 하드웨어의 사양 및 운영체제의 변경 등이 존재한다.

2 버전 관리

1. 개요

full model change(major change)는 자동차 외형의 디자인도 대폭 바뀌고, 내부 인테리어뿐 아니라 엔진까지도 바뀌는 경우이고, 대표적인 예는 소나타 III에서 EF 소나타로 바뀐 것이다. 소프트웨어에서는 Ver.1.0에서 Ver.2.0으로 바뀌는 것이다.

minor change는 자동차의 외형적인 디자인과 내부 인테리어 정도가 바뀌는 것이고, 대표적인 예는 소나타 II에서 소나타 III로 바뀐 것이다. 소프트웨어에서는 Ver.1.0에서 Ver.1.1 또는 Ver.1.1.1에서 Ver.1.1.2로 바뀌는 것이다. 소프트웨어에서 버전은 개발 단계 또는 순서를 번호로 표시한 것이다.

2. 버전 관리의 필요성

"서로 다른 버전의 원시 파일에 어떤 차이점이 있는가?"에 바로 대답할 수 있는 방법은 각 버전의 정보를 데이터베이스화하여 언제라도 과거의 릴리스된 파일을 가지고 작업할 수 있도록 관리하면 가능하다. 파일의 이력이나 차이점을 관리해 애플리케이션의 버전과 각 원시 파일이나 문서를 유용하게 활용하기 위함이다.

다음의 그림은 버전 항목 트리를 나타낸다.

▲ 버전 항목 트리

3. 릴리스

다음 그림은 릴리스된 버전 항목을 나타내는 트리를 나타낸다.

- 릴리스 1.0: 요구 분석 명세서(V1.1) - 설계 사양서(V1.2) - 원시 코드(V1.1)
- 릴리스 2.0: 요구 분석 명세서(V1.2) - 설계 사양서(V1.3) - 원시 코드(V1.3)
- 릴리스 3.0: 요구 분석 명세서(V1.3) - 설계 사양서(V1.4) - 원시 코드(V1.5)

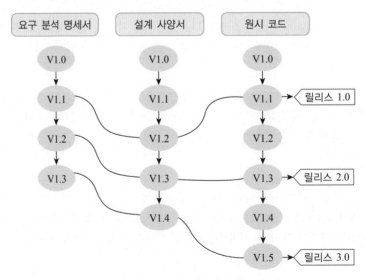

▲ 릴리스된 버전 항목을 나타내는 트리

3 형상 관리

1. 개요

형상 항목(configuration item)은 수만에서 수십만 개의 부품으로 이루어져 있는 자동차나 비행기의 작은 단위의 부품들이다. 형상 관리는 특정 항목의 변화에 대해 관리하면서 시스템의 통합과 일치를 보장하는 것이다.

소프트웨어 형상 관리(SCM: Software Configuration Management)는 개발 중 발생하는 모든 산출물들이 변경됨으로써 점차 변해가는 소프트웨어 형상을 체계적으로 관리하고 유지하는 기법이다. 소프트웨어 개발 생명주기 전반에 걸쳐 생성되는 모든 산출물의 종합 및 변경 과정을 체계적으로 관리하고 유지하는 일련의 개발 관리 활동이다.

2. IEEE-Std-1042

IEEE-Std-1042에서 정의된 형상 관리는 형상 관리 절차를 중심으로 형상 항목을 식별하여 그 기능적 물리적 특성을 문서화하고, 그러한 특성에 대한 변경을 공식적으로 통제하고, 변경 처리 상태를 기록 및 보고하고, 명시된 요구 사항에 부합하는지 확인하는 일련의 사항에 대해 기술적, 행정적인 지침과 관리적인 감독, 감시 활동을 포함한 사후 관리를 적용하는 원칙이다.

언제라도 특정 시간대에 가장 안정적인 버전의 소프트웨어를 유지할 수 있도록, 소프트웨어 제품이 변경되어가는 상태에 대한 가시성을 확보해준다. 누가 변경했는지, 변경된 것은 무엇인지, 언제 변경되었는지, 왜 변경했는지와 같은 질문에 대답해준다. 궁극적으로 프로젝트를 개발하는 동안 생산성과 안전성을 높여 좋은 품질의 소프트웨어를 생산하고 유지보수도 용이하게 해주는 데 목적이 있다.

3. 형상 관리

형상 관리는 변경되어가는 상태에 대한 가시성을 확보해서 언제라도 가장 안정적인 버전의 SW를 유지한다. 변경에 관한 질문에 답변이 가능해서 누가, 언제, 무엇을, 왜 변경했는지 답변이 가능하다. 그리고 생산성과 안전성이 향상되어 좋은 품질의 소프트웨어 생산 및 유지보수가 용이하고, 적절한 변경 관리가 가능해서 무절제한 변경의 사전 예방 및 변경에 따른 부작용을 최소화한다.

형상 관리 효과는 프로젝트의 적절한 통제를 통해 체계적이고 효율적 관리 가능하고, 가시성과 추적성을 보장함으로써 소프트웨어의 생산성과 품질 향상이 가능하다.

4. 형상 관리 수행 절차

다음 그림은 형상 관리 수행 절차를 나타낸다.

▲ 형상 관리 수행 절차

4 형상 식별

1. 형상 식별(configuration identification)

형상 식별은 형상 관리의 가장 밑바탕이 되는 활동이고, 프로젝트 계획 시 형상 관리 계획을 근거로 형상 관리의 대상이 무엇인지 식별하는 과정이다.

2. 형상 항목 선정

제품 개발 초기 단계에 관리방법이나 변경에 대한 통제 여부에 따라 산출물을 구분하고, 이 중 변경에 대한 통제가 필요한 산출물을 선정한다.

3. 형상 식별자 규칙 선정

어떤 프로젝트에서 사용되는 파일인지, 어떤 내용의 문서인지, 버전이 어떻게 되는지를 같은 작업을 하는 소속 팀원들끼리 한눈에 알아볼 수 있도록 이름을 명명하는 규칙이다. 예를 들어, 'TIS_Design_UC_V1.0'는 종합정보시스템(TIS)의 디자인 단계(Design)에서 사용하는 유스케이스 다이어그램(UC)으로, 버전은 1.0(V1.0)임을 나타낸다.

4. 베이스라인 기준 선정

베이스라인(baseline)은 소프트웨어 개발 과정 중 특정 시점에 만들어진 산출물의 집합이다. 예를 들어, 특정 시점은 Ver.2015 출시이고, 이때 베이스라인은 V1.3, V1.2, V1.4, V1.3이다. 다음 그림은 파일의 버전 트리를 나타낸다.

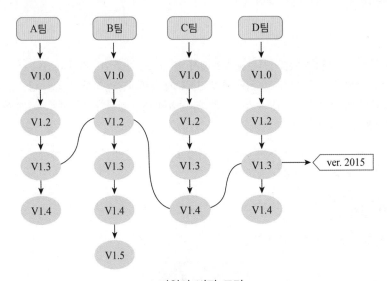

▲ 파일의 버전 트리

다음 그림은 Ver. 2016(출시 예정)의 개발 작업을 나타낸다.

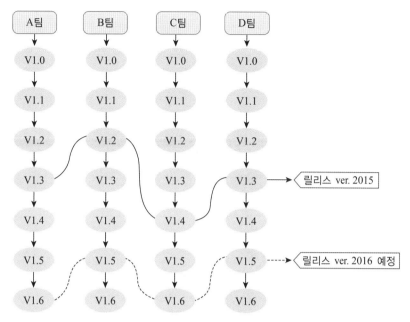

▲ Ver. 2016(출시 예정)의 개발 작업

다음 그림은 브랜치를 이용한 패치 파일 작업을 나타낸다.

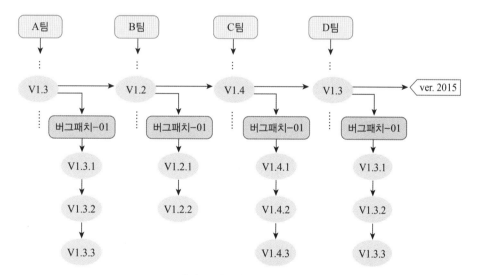

▲ 브랜치를 이용한 패치 파일 작업

다음 그림은 병합을 이용한 파일 작업을 나타낸다.

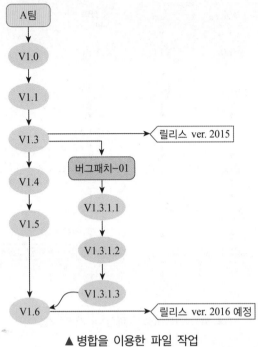

▲ 병합을 이용한 파일 작업

5 형상 통제

1. 형상 통제(configuration control)

형상 목록의 변경 요구를 검토 및 승인하여 현재의 소프트웨어 기준선에 반영될 수 있도록 통제하는 일련의 과정이다.

2. 변경 요청

고객/개발자는 변경 사항 발생 시 변경 요청서 작성하고, 변경 관리 담당자에게 제출한다.

3. 변경 심사

고객/개발자가 변경 요청서 제출하고, 형상통제위원회의 검토한 후 수락/거절을 결정한다.

4. 변경 실시

저장소에 보관 중인 해당 항목을 가져온다(체크아웃). 그리고 항목을 변경하고 이력을 관리한다.

5. 변경 확인

변경 완료 후 개정 이력들과 함께 새로운 버전 번호 부여한다. 형상통제위원회는 변경된 내역 확인 및 승인 후 체크인한다. 저장소에 새로이 저장된 변경 항목은 다시 베이스라인으로 수립한다.

6 형상 상태 보고

1. 형상 상태 보고(configuration status reporting)

베이스라인으로 설정된 형상 항목 구조와 변경 상태를 기록하고 관련된 사람들에게 보고한다.

2. 형상 상태 보고 내용

형상 상태 보고 내용은 다음과 같다.

- 프로젝트에서의 변경 횟수
- 최근 SW 항목의 버전, 릴리스 식별자, 릴리스 횟수, 릴리스 간의 비교 내용
- 베이스라인의 상태
- 변경 제어 상태
- 형상통제위원회 활동 내역

3. 형상 감사(configuration audit)

형상 관리 계획서대로 형상 관리가 진행되고 있는지, 형상 항목의 변경이 요구 사항에 맞도록 제대로 이뤄졌는지 등을 살펴보는 활동이고, 단계별 베이스라인의 적정성과 무결성을 평가하고 승인한다.

형상 감사 내용은 다음과 같다.

- 승인된 변경 요청이 제대로 반영되었는지 검증
- 승인되지 않은 내용이 혹시 반영되었는지 검증
- 승인된 변경과 관련된 항목들이 갱신되었는지 검증

7 형상관리에 대한 역할과 책임

1. 형상 관리 담당자(configuration manager)

프로젝트 관리자가 정의한 형상 관리 계획서에 따라 운영 환경을 구현하고 형상 관리 활동을 수행한다. 형상 관리 담당자의 역할은 다음과 같다.

- 형상 관리 계획서 작성에 참여
- 형상 관리 환경 구축 및 형상 관리 저장소(repository) 생성
- 형상 관리 절차 개발 및 문서화
- 베이스라인 설정
- 형상 항목 식별 및 관리
- 주기적으로 형상 상태 보고

2. 형상통제위원회(CCB; Configuration Control Board)

형상 항목의 변경을 수락하거나 거절하는 역할을 수행한다. 변경의 필요성, 계약, 일정, 비용에 미치는 영향, 유지보수에 미치는 영향, 변경 결과의 적절성 등을 판단하여 검증한다. 프로젝트 관리자, 형상 담당자, 품질 담당자, 기술 담당자 및 고객 측 담당자와 같은 형상 항목의 변경으로 인해 영향을 받는 사람들로 구성된다. 형상 항목 결정, 베이스라인 수립 여부 결정, 승인된 변경에 대한 책임 및 보증, 베이스라인의 변경 요청이 필요한 경우 이에 대한 검토 및 승인 역할을 수행한다. 다음 그림은 형상통제위원회의 형상 변경 절차를 나타낸다.

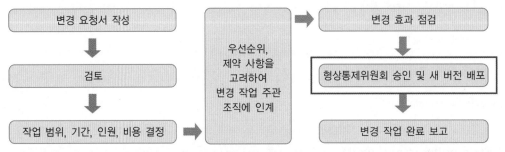

▲ 형상통제위원회의 형상 변경 절차

3. 형상관리 계획서

다음의 표는 형상관리 계획서를 나타낸다. 형상 관리 활동을 비롯해 형상 관리 활동을 수행하기 위한 절차와 일정 등이 포함된다.

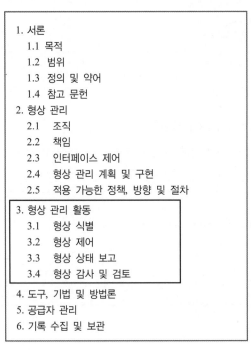

▲ 형상관리 계획서

주요개념 셀프체크

☑ 형상관리
☑ 식통상 - 베이스라인

📖 핵심 기출

소프트웨어 형상 관리(configuration management)에 대한 설명으로 옳지 않은 것은?   2014년 지방직

① 형상 관리는 소프트웨어에 가해지는 변경을 제어하고 관리하는 활동을 포함한다.
② 기준선(baseline) 변경은 공식적인 절차에 의해서 이루어진다.
③ 개발 과정의 산출물인 원시 코드(source code)는 형상 관리 항목에 포함되지 않는다.
④ 형상 관리는 소프트웨어 운용 및 유지보수 단계뿐 아니라 소프트웨어 개발 단계에서도 적용될 수 있다.

해설
원시 코드는 소프트웨어 개발 단계에서 생성되는 모든 산출물의 종합 및 변경 과정을 관리하므로 원시 코드를 포함한다.

선지분석
① 소프트웨어: 개발 중 발생하는 모든 산출물들이 변경됨으로써 점차 변해가는 소프트웨어 형상을 체계적으로 관리하고 유지하는 기법이다.
② 기준선 변경: 기준선 변경은 형상 통제에 의해서 이루어진다. 형상 통제는 변경 요청, 변경 심사, 변경 실시, 변경 확인 단계를 가진다.
④ 소프트웨어 개발 단계: 소프트웨어 개발 생명주기 전반에 걸쳐 이루어지므로 소프트웨어 개발 단계를 포함한다.

정답 ③

1 CASE

1. 개요

컴퓨터 지원 소프트웨어 공학(CASE; computer-aided software engineering)은 컴퓨터 지원 시스템 공학이라고도 하는데 시스템 개발 방법론들의 자동화를 지원하는 소프트웨어 도구를 제공해 개발자의 반복적인 작업량을 줄이도록 하는 것이다. 또한 CASE 도구들은 문서의 생성과 개발 팀 간의 협업을 돕는다. 작업된 내용을 검토하고 수정하기 위해 서로 다른 사람의 파일에 접근하도록 허용해 팀 구성원들은 그들의 작업을 손쉽게 공유할 수 있다. CASE 도구들은 강력한 그래픽 기능이 있으며 PC 기반에서 운영된다. CASE 도구들은 차트와 다이어그램을 자동으로 생성하는 그래픽 기능, 화면과 리포트 생성기, 데이터사전, 분석과 검사 도구, 코드 생성기, 문서 생성기 등을 제공한다.

2. 소프트웨어 위기 해결

소프트웨어 위기 현상을 해결하기 위하여 소프트웨어 생산 자체를 컴퓨터의 도움으로 자동화 시켜보자는 개념으로 탄생한 것이 CASE(Computer Aided Software Engineering)이다(수작업 → 컴퓨터의 도움). 즉, 수작업으로 프로그래밍하고 문서 산출물을 만드는 대신, CASE를 활용하여 산출문을 작성하고 프로그램 코드를 만들어낸다. 이것은 자동화를 통한 개발 기간을 단축 뿐 아니라 생산하는 소프트웨어의 일관성과 통합성, 완전성을 높임으로서 생산성 향상과 품질의 향상을 가져온다는 개념이다.

2 CASE 정의

1. 소프트웨어 개발의 자동화

CASE는 소프트웨어 개발의 자동화를 의미한다. CASE라는 개념은 실제로 CASE Tool이라는 소프트웨어와 방법론이라는 개념의 결합으로 실현된다. 우리가 CASE라는 개념을 소프트웨어 개발에 적용하기 위해서는 CASE Tool이라는 도구를 방법론에 따라 활용하면 된다. CASE Tool은 소프트웨어 라이프사이클(Life Cycle)의 전체 단계를 연계시키고, 자동화하고, 통합시키는 도구의 집합이다.

2. CASE 정의

CASE의 정의를 다시 정리하면 다음과 같다.

- 기본적으로 컴퓨터를 이용한다.
- 그래픽 기능이 전제가 된다.
- 정형화된 구조 및 메커니즘을 소프트웨어 개발에 적용하여 소프트웨어 생산성 향상을 구현하는 공학기법이다.
- 시스템 개발과정의 일부분 혹은 전체를 자동화하는 것이다.
- 개발도구와 개발방법론이 결합된 것이다(예전: 도구/방법론 따로).
- 구조화된 분석/설계를 위한 개발기법을 지원하는 도구들로 이루어져 있다.

3. Forward engineering & Reverse engineering

분석과 설계과정부터 프로그래밍에 이르기까지 자동화하게 되면 문서 산출물이 분석되어 프로그램 코드를 생산해내는 전공학(Forward Engineering)뿐 아니라 프로그램 코드에서 설계 산출물, 설계 산출물에서 분석 산출물 등 역으로 생산하는 역공학(Reverse Engineering)도 가능하다. 이것은 정보저장소라고 하는 리파지토리(Repository)에 의해 모든 정보가 연결되어 있기 때문에 가능하게 된다. 따라서 CASE의 핵심은 리파지토리(Repository)라고 볼 수 있다.

3 CASE 분류

CASE가 적용될 수 있는 지원단계에 따라 상위 CASE, 중위 CASE, 하위 CASE, 통합 CASE 등으로 분류된다.

1. 상위 CASE

계획과 분석, 설계 단계를 지원한다. 기업이나 조직을 파악하고 기술하기 위하여 다이어그래밍, 명세서 등의 기능을 제공한다. 하위 CASE의 성격이 보강되면서 점점 통합 CASE화하는 추세에 있다.

2. 중위 CASE

사용자가 정보에 따른 문제점을 분석하고 이들에 대한 해결책을 찾도록 다이아그래밍과 사전(Dictionary) 구성요소로 이루어진다.

3. 하위 CASE

코드를 생성하기 위한 기능이 대부분이며 시스템 명세서를 작성할 수 있다.

4. 통합 CASE

전체 라이프사이클을 포괄하여 지원하는 CASE로 대개 CASE라 하면 통합 CASE를 가리킨다.

 주요개념 셀프체크

☑ CASE   ☑ 상위, 중위, 하위, 통합

핵심 기출

CASE(Computer-Aided Software Engineering)에 대한 설명으로 옳지 않은 것은?   2017년 지방직

① 소프트웨어 품질을 효율적으로 제어할 수 있다.
② 소프트웨어 유지보수 비용을 절감할 수 있다.
③ 통합 CASE 도구는 소프트웨어 개발 주기의 전체 과정을 지원한다.
④ 하위 CASE 도구는 프로젝트 계획 수립 및 요구 분석 과정을 지원한다.

해설

해당 설명은 상위 CASE이고, 하위 CASE는 코드를 생성하기 위한 기능이 대부분이며 시스템 명세서를 작성할 수 있다.

선지분석

①② CASE는 시스템 개발 방법론들의 자동화를 지원하는 소프트웨어 도구를 제공해 개발자의 반복적인 작업량을 줄이도록 하는 것으로 품질을 효율적으로 제어하고 유지보수 비용을 절감할 수 있다.
③ 통합 CASE는 전체 라이프 사이클(SDLC)을 포괄하여 지원한다(일반적인 CASE를 나타냄).

정답 ④

CHAPTER 16 | 그 외

1. 소프트웨어 특징

소프트웨어 제품은 형태가 없다. 소프트웨어 개발 Project를 생각해 보자. 개발자가 Program을 개발하고 있지만 PL, PM, 발주자는 Project의 진척 상황을 알 수 없다. 왜냐하면 개발자가 개발한 것이 실질적으로 운용 될수 있는 것을 개발한 것인지 아니면 껍데기만을 개발한 것인지 개발을 안 하였으면서 개발한 것처럼 허위 진척 보고를 하고 있는 것 인지 실질적으로 확인 할 수 있는 방법이 없다. 실제로 프로젝트를 진행하다보면 초기 분석 설계 기간에 허위로 진척 보고 및 엉터리 분석 설계를 하여 놓고 도망가는 엔지니어들이 있다. 이는 소프트웨어가 하드웨어처럼 제품의 형태가 없어 발생되는 문제로 이 문제를 해결하기 위하여 PL, PM, 발주자는 문서에 의존할 수밖에 없다.

표준화된 프로세스가 없다. 즉 조직에 따라 매우 가변적이다. 조직의 문화 또는 프로젝트의 규모, 프로젝트팀의 특성, 심지어는 프로젝트 팀원의 성향에 따라 변경될 수도 있다. 그리고 대규모 소프트웨어 프로젝트는 종종 일회성 (one-off) 프로젝트이다.

2. 가용성

MTTF(Mean Time To Failure)는 평균 가동 시간으로, 수리 불가능한 시스템의 사용 시점부터 고장이 발생할 때까지의 가동 시간 평균, 고장 평균 시간이라고도 한다. MTTF = 가동시간 + 가동시간 + ... /n로 계산된다. 그리고 MTTR(Mean Time To Repair)는 평균 수리 시간으로, 시스템에 고장이 발생하여 가동하지 못한 시간들의 평균으로, MTTR = 고장시간 + 고장시간 + ... /n로 계산된다. 여기서, 가용성(신뢰도) 측정은 시스템의 총 운용 시간 중 정상적으로 가동된 시간의 비율을 나타내고, 가용성 = MTTF/(MTTF + MTTR)*100%로 계산된다. 참고로, MTBF(Mean Time Between Failure)는 평균 고장 간격으로 수리가 가능한 시스템이 고장난 후부터 다음 고장이 날 때까지의 평균 시간으로 MTBF = MTTF + MTTR로 계산된다.

3. 소프트웨어 재사용

코드 재사용 또는 소프트웨어 재사용은 기존의 소프트웨어 또는 소프트웨어 지식을 활용해, 새로운 소프트웨어를 구축하는 일이다. 단순한 재사용은 프로그래밍의 여명기로부터 행해져 왔다. 프로그래머는 템플릿, 함수, 프로시저와 같이 항상 코드의 일부를 재사용하고 있다. 소프트웨어 재사용은 소프트웨어 공학의 연구 대상으로 여겨져 1968년에 벨 연구소의 더글러스 맥일로이(Douglas McIlroy)가 재사용가능한 콤포넌트에 기반한 소프트웨어 산업을 제창한 것이 시초이다(예 소프트웨어 라이브러리, 디자인 패턴).

편의적 재사용(opportunistic reuse)은 프로젝트를 시작할 때 재사용가능한 콤포넌트가 있는지를 찾아보고 재사용한다. 계획적 재사용(planned reuse)은 컴퍼넌트를 차후에 재사용가능하도록 전략적으로 설계해 나간다. 편의적 재사용은 다음으로 더 세분화할 수 있다.

(1) 내부 재사용(internal reuse)

팀 내에서 만든 콤포넌트를 재사용한다. 어디까지나 편의상이며 계획적인 것이 아니기 때문에, 인터페이스의 조정 등에 추가적인 비용이 발생할 수 있다.

(2) 외부 재사용(external reuse)

서드파티에서 만든 콤포넌트를 구하여 사용한다. 유상인 경우, 조달비용을 자신이 직접 개발할 때 드는 비용의 20% 이하로 잡는 것이 일반적이다. 또, 조달한 콤포넌트를 학습하여 활용하는 데 걸리는 시간도 고려해야 한다.

4. Plan-driven development

소프트웨어를 개발하는 과정에서 계획을 세우고 그 계획을 실천하는 데에 많은 시간과 노력을 할애하는 개발 방법이다. 장점으로는 소프트웨어 개발이 조금 더 예측가능해지고, 효율적이게 된다는 데에 있다. 하지만, 단점도 존재하는데 가장 큰 단점이자 가장 많은 지적을 받는 점으로는 너무 계획에 치중을 하다 보니 개발 방법 자체가 너무 형식에만 신경을 쓰고 얽매이게 된다는 것이다.

계획 기반 개발은 반복성과 예상성, 점증적 프로세스, 문서화, 세부적인 계획, 프로세스 모니터링 등을 포함한다. 계획은 프로젝트를 스테이지/태스크로 쪼개는 데서 시작해서 배송으로 끝난다.

5. 클래스 설계 원칙

클래스 설계 원칙은 다음과 같다.

(1) 단일 책임 원칙(SRP: Single-Responsibility Principle)

클래스를 변경해야 하는 이유는 오직 하나여야 한다(한 가지 기능).

(2) 개방 폐쇄이 원칙(OCP: Open-Closed Principle)

확장(상속)에는 열려 있어야 하고 변경에는 닫혀 있어야 한다(7급: 기존의 코드를 변경하지 않고 새로운 기능을 추가할 수 있다).

(3) 리스코프 교체의 원칙(LSP: Liskov Substitution Principle)

기반 클래스는 파생 클래스로 대체할 수 있어야 한다(구버전에서 작업한 내용을 신버전에서도 계속 사용할 수 있도록 설계).

(4) 의존 관계 역전의 원칙(DIP: Dependency Inversion Principle)

클라이언트는 구체 클래스가 아닌 추상 클래스(인터페이스)에 의존해야 한다(구체 클래스에서 상속 안됨).

(5) 인터페이스 분리의 원칙(ISP: Interface Segregation Principle)

하나의 일반적인 인터페이스보다는 구체적인 여러 개의 인터페이스가 낫다(특정 메서드를 분리).

6. 요구 사항

요구 사항은 기능적 요구 사항과 비기능적 요구 사항으로 구분된다.

(1) 기능적 요구 사항

기능적 요구 사항은 사용자가 원하는 기능으로 다음과 같은 요구가 가능하다.

> • 시스템이 어떤 서비스를 제공하는가?
> • 어떤 입력이 주어졌을 때 어떻게 반응하는가?
> • 어떤 상황에서 어떻게 행동하는가?
> • 시스템이 무엇을 해야하는지 설명

(2) 비기능적 요구 사항

비기능적 요구 사항은 수행 가능한 환경, 품질, 제약 사항 등에 대한 요구 사항으로 다음과 같은 요구가 가능하다.
① 제약 사항의 예

> • 자바 언어를 사용해 개발하고, CBD 개발 방법론을 적용해야 한다.
> • 레드햇 리눅스 엔터프라이즈 버전에서 실행해야 한다.
> • 웹로직 서버(WebLogic Server)를 미들웨어로 사용해야 한다.
> • 윈도우즈 운영체제와 리눅스 운영체제에서 모두 실행할 수 있어야 한다.

② 품질: 신뢰성, 성능, 보안성, 안전성, 사용성
③ 시스템의 반응시간, 시스템이 제공해야 하는 가용성

7. 기본 경로 테스트(basic path test)

기본 경로 테스트는 흐름 그래프를 통해 순환 복잡도(CC, Cyclomatic Complexity)를 구한다. 다음 그림은 순환 복잡도가 $3(= E - N + 2 = 7 - 6 + 2)$인 그래프를 나타낸다.

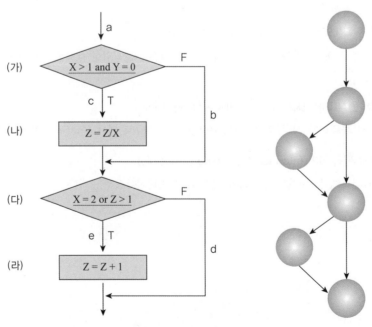

▲ 순환 복잡도가 3인 그래프

8. 아키텍처 모델

아키텍처 모델은 기능의 분할과 배치 관점과 제어 관계 관점으로 나눌 수 있다.

기능의 분할과 배치 관점에서의 모델은 다음과 같다.

- 데이터 중심형 모델(repository model): 은행 업무 시스템
- 클라이언트 – 서버 모델: 웹 서버 시스템
- 계층 모델: 데이터베이스 시스템, TCP/IP 시스템
- MVC 모델: Model(모든 데이터 상태와 로직을 처리, Java Beans), View(모델이 제공한 데이터를 사용자에게 보여주는 역할, JSP), Controller(뷰와 모델 사이에서 전달자 역할, Servlet)

제어 관계 관점에서의 모델은 다음과 같다.

데이터 흐름 모델(pipe and filter): 이미지 프로세싱 시스템, 컴파일러의 순차적인 변환 처리기, 유닉스의 셸

📖 핵심 기출

시간 순서대로 제시된 다음의 시스템 운영 기록만을 이용하여 시스템의 가용성(availability)을 계산한 결과는?

2017년 지방직

(단위: 시간)

가동시간	고장시간	가동시간	고장시간	가동시간	고장시간
8	1	7	2	9	3

① 80%
② 400%
③ 25%
④ 75%

해설

MTTF(Mean Time To Failure)는 평균 가동 시간으로, 수리 불가능한 시스템의 사용 시점부터 고장이 발생할 때까지의 가동 시간 평균, 고장 평균 시간이라고도 한다.

$$MTTF = 가동시간 + 가동시간 + … / n$$

MTTR(Mean Time To Repair)은 평균 수리 시간으로, 시스템에 고장이 발생하여 가동하지 못한 시간들의 평균이다.

$$MTTR = 고장시간 + 고장시간 + … / n$$

가용성(신뢰도) 측정은 시스템의 총 운용 시간 중 정상적으로 가동된 시간의 비율을 의미한다.

$$가용성 = MTTF / (MTTF + MTTR) * 100\%$$

주어진 조건을 기반으로 실제 계산을 하면 다음과 같다.

$$MTTF = (8 + 7 + 9) / 3 = 8$$
$$MTTR = (1 + 2 + 3) / 3 = 2$$
$$가용성 = MTTF / (MTTF + MTTR) * 100\% = 80\%$$

정답 ①

PART 9

인터넷

1 정보통신 기술의 변화

앞으로의 시대는 사물인터넷(IoT) 시대가 될 것이다. IoT 이전에는 M2M이 있었고, IoT 이후에는 IoE가 있을 것이다. 새로운 환경의 원천이 되는 정보통신 기술 4가지는 사물인터넷, 클라우드 컴퓨팅, 빅데이터 컴퓨팅, 5G 이동통신이고, ICBM(IoT, Cloud, Big Data, Mobile)이라고도 한다. 다음 그림은 정보통신 기술을 기반으로 한 공간의 융합과 변화를 나타낸다.

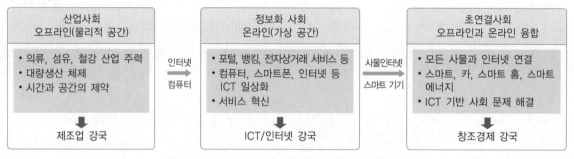

▲ 정보통신 기술을 기반으로 한 공간의 융합과 변화

2 유비쿼터스(Ubiquitous)

유비쿼터스(Ubiquitous)는 라틴어 유비크(Ubique)에서 나온 용어로, '언제 어디서나 동시에 있다'는 뜻이다. 모든 사물에 칩을 넣어 어느 곳에서든 사용할 수 있도록 구현한 컴퓨팅 환경을 의미한다. 아래의 그림은 유비쿼터스 컴퓨팅의 여러 가지 표현을 나타낸다. 입는/심는 컴퓨팅은 스마트 워치 등을 나타내고, 노매딕 컴퓨팅은 언제 어디서나 인터넷을 사용할 수 있음을 의미한다. 조용한 컴퓨팅은 미디어컵(컴퓨터가 컵에 내장되어 컴퓨터가 있는지 모름) 등을 나타내고, 감지 컴퓨팅은 온도 정보 제공 등을 의미한다. 1회용 컴퓨팅은 RFID 등을 이용해서 한번만 사용하고 버리는 것을 의미하고, 임베디드 컴퓨팅은 냉장고(냉장고에 컴퓨터의 기능이 포함됨) 등을 의미한다. 엑조틱 컴퓨팅은 집안을 원격 관리할 때 지능적으로 하는 것을 의미한다.

▲ 유비쿼터스 컴퓨팅의 여러 가지 표현

개념 PLUS+

Pervasive Computing

퍼베이시브(pervasive)는 '퍼지는, 보급되는, 스며드는'이라는 뜻을 가진 말로 생활 속 구석구석 파고드는 컴퓨터 관련 기술을 의미한다. IBM은 「퍼베이시브 컴퓨팅」이란 제목의 보고서에서 앞으로는 사무실 외부나 자동차 안 등 어느 곳에서도 자유롭게 회사의 정보망에 연결해 업무를 처리하고 교통상황·기상 등 간단한 정보조회는 물론 금융업무도 볼 수 있도록 컴퓨팅 환경이 바뀔 것으로 언급했다. 퍼베이시브 컴퓨팅을 대표하는 제품은 개인휴대단말기(PDA), 스마트폰, MP3 플레이어와 같은 초소형 핸드헬드 제품(일명 포스트 PC), 인터넷 TV, 인터넷 냉장고 등 컴퓨터와 인터넷 기술이 접목된 첨단 가전제품, 자동차용 오토 PC 등이 있다. 현재는 인터넷(LTE, WiFi)과 PC(스마트폰, 임베디드)를 이용해서 퍼베이시브를 구현한다.

3 녹색성장과 그린 IT 기술

저탄소 녹색성장의 기반 기술 중 하나가 IT인데, 이것을 그린 IT(Green IT)라고 한다. 예를 들면, 사무실의 컴퓨터 중에 사용하지 않는 컴퓨터들이 자동으로 꺼지는 것 등을 들 수 있다. 아래의 그림은 그린 IT의 발전 단계를 나타낸다.

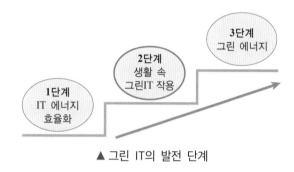

▲ 그린 IT의 발전 단계

4 클라우드 컴퓨팅(Cloud Computing)

1. 클라우드 컴퓨팅의 개념

클라우드 컴퓨팅은 개인의 컴퓨터나 기업의 응용 서버 등이 대규모의 컴퓨터 집합, 즉 클라우드(Cloud of Computers)로 옮겨간 형태의 네트워크를 의미한다. 즉, 클라이언트는 자원을 줄이고(Thin Client), 서버는 자원을 늘리는 것이다(Fat Server). 다음 그림은 클라우드 컴퓨팅의 개념도를 나타낸다.

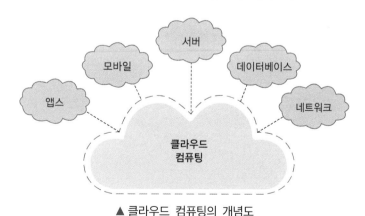

▲ 클라우드 컴퓨팅의 개념도

클라우드 컴퓨팅은 각종 소프트웨어와 데이터를 인터넷과 연결된 중앙 컴퓨터에 저장하고, 필요할 때마다 컴퓨터나 스마트폰 같은 단말기로 접속하여 데이터를 내려받아 사용하고 다시 업로드하는 방식이다(Utility Computing). 사용 목적에 따라 공용 클라우드와 사설 클라우드로 나뉜다. 공용 클라우드(Public Cloud)는 일반적인 공적 업무에 이용하기 위하여 외부 서비스 제공자가 관리하는 클라우드이고, 사설 클라우드(Private Cloud)는 회사 내부의 이용자가 공유할 수 있도록 만든 클라우드이다.

📁 개념 PLUS+

Public Cloud vs. Private Cloud
Public Cloud는 클라우드 서비스 이용 대상을 제한하지 않는 방식으로 누구나 네트워크에 접속해 신용카드 등의 결제만으로 서비스에 접근할 수 있고 사용한 만큼 지불하는(Pay-as-you-go) 구조를 갖는 공중 인프라를 말한다. 포털 사이트처럼 외부 데이터 센터를 이용하는 형태이다. 불특정 다수의 개인이나 기업 고객을 대상으로 제공된다. 한편 클라우드는 사용 방식에 따라 폐쇄형 클라우드(Private Cloud), 공개형 클라우드(Public Cloud), 혼합형 클라우드(Hybrid Cloud)로 분류하기도 한다(Barnatt, 2010). 폐쇄형 클라우드는 특정한 기업 내부 구성원에게만 제공되는 서비스(Internal Cloud)를 말하고 공개형 클라우드는 일반인에게 공개되는 개방형 서비스(External Cloud)를 말한다. 혼합형 클라우드는 특정 업무는 폐쇄형 클라우드 방식을 이용하고 기타 업무는 공개형 클라우드 방식을 함께 이용하는 것을 말한다.

---

2. 클라우드 컴퓨팅의 플랫폼(Platform) 구성도

아래의 그림은 클라우드 컴퓨팅의 플랫폼 구성도를 나타낸다. 분산 데이터 저장 기술은 네트워크상에서 데이터를 저장, 조회, 관리할 수 있는 기술이다. 예를 들어, 분산 파일 시스템(Hadoop)과 분산 데이터 관리 시스템(NoSQL)이 있다. 서비스 프로비저닝(Provisioning)은 운영체제, 소프트웨어, 환경정보, 스크립트 등을 관리하며, 필요 시 설치 및 실행을 동적(Dynamic)으로 수행해 주는 기술이다. 클러스터 기술(Clustering)은 고성능 연산을 제공하기 위한 목적으로 구성된 컴퓨터들의 집합이다(동일 기종, 프로토콜 필요 없음). 분산 컴퓨팅(Distributed Computing) 기술에서 설명한 기술들도 일종의 클러스터 컴퓨팅이라고 할 수 있다. 참고로, Grid Computing은 이기종에 적용하고 프로토콜이 필요하다(컴퓨터 구조에서 자세하게 다룸).

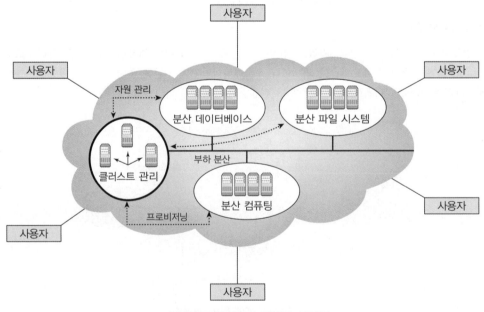

▲ 클라우드 컴퓨팅의 플랫폼 구성도

3. 서비스 유형

클라우드 컴퓨팅의 서비스 유형을 정리하면 다음과 같다.

(1) SaaS(Software as a Service)

웹 브라우저를 통하여 소프트웨어를 제공하는 서비스로, 대상자는 일반사용자이다. 대표적인 예는 Gmail 등이 있다.

(2) PaaS(Platform)

표준화된 플랫폼을 제공하는 서비스로, 대상자는 애플리케이션 개발자이다. 대표적인 예는 Google AppEngine, Microsoft Asure 등이 있다.

(3) IaaS(Infrastructure)

인프라스트럭처를 제공하는 서비스로, 대상자는 네트워크 아키텍처이다. 대표적인 예는 AWSAmazon Web Service 등이 있다.

(4) BPaaS(Business Process)

고객을 대신해 비즈니스 프로세스를 실행하는 서비스 공급자가 사용하는 서비스이다. Business Process는 특정 고객을 대상으로 특정 서비스의 제품을 생산하는 활동이나 태스크의 구조, 관계에 대한 집합을 의미한다.

(5) NaaS

클라우드 서비스 고객·제공자·파트너 간 제공되는 네트워크 연결성과 네트워크 기능 관리를 제공하는 서비스이다. 샘플 서비스는 VPN 등이 있다.

이외에도 SECaaS(Security as a Service, 클라우드 기반 보안, 보안 클라우드) 등이 있다.

아래의 그림은 클라우드 컴퓨팅의 서비스 유형을 나타낸다.

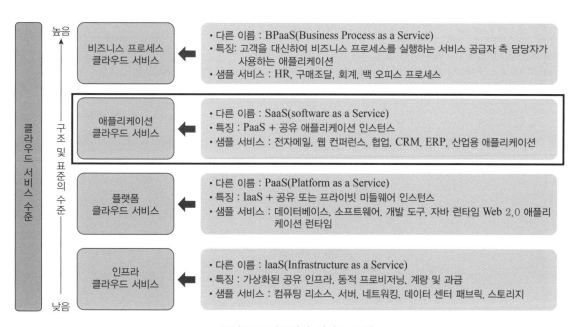

▲ 클라우드 컴퓨팅의 서비스 유형

5 빅데이터(Big Data)

1. 빅데이터(Big Data)의 개념

빅데이터는 굉장히 많은 양의 데이터에서 빠르게 정보를 추출 및 분석하여 가치 있는 정보를 발견하는 기술이다. 다루는 데이터는 어마어마한 대량의 정형(structured, 데이터베이스의 데이터 등) 또는 비정형(unstructured, 자연어, 이미지, 동영상 등) 데이터이다. 대규모 데이터의 수집·저장·관리·분석 기술이 필요하다.

빅데이터 기술은 컴퓨터 명령어로 짜여진 정보가 아니라 사람들이 평상시에 쓰는 말이나 글을 컴퓨터가 이해하고, 정보화하는 것으로부터 시작된다. 이를 통해 모아진 대용량의 정보를 분석할 수 있도록 프로그래밍하고, 여기에 여러 가지 통계 기법, 기계 학습과 같은 인공지능 프로그램을 사용하여 이 정보가 담고 있는 복합적인 의미를 분석하고 추론하는 것이 빅데이터 분석이다.

정형 데이터(Structured Data)는 관계형 데이터베이스 시스템의 테이블과 같이 고정된 컬럼에 저장되는 데이터와 파일, 그리고 지정된 행과 열에 의해 데이터의 속성이 구별되는 스프레드시트 형태의 데이터도 있을 수 있다. 예를 들면, RDBMS의 테이블들(단일 테이블 혹은 조인한 테이블 포함), 스프레드시트 등이 해당된다.

반정형 데이터(Semi-structured Data)는 데이터 내부에 정형데이터의 스키마에 해당되는 메타데이터를 갖고 있으며, 일반적으로 파일 형태로 저장된다. 예를 들면, URL 형태로 존재 - HTML, 로그형태 - 웹로그, IOT에서 제공하는 센서 데이터 등이 해당된다.

비정형 데이터(Unstructured-Data)는 데이터 세트가 아닌 하나의 데이터가 수집 데이터로 객체화돼 있다. 언어 분석이 가능한 텍스트 데이터나 이미지, 동영상 같은 멀티미디어 데이터가 대표적인 비정형 데이터다. 예를 들면, 이진 파일 형태: 동영상, 이미지와 스크립트 파일 형태: 소셜 데이터의 텍스트 등이 해당된다.

2. 빅데이터의 속성(3V)

빅데이터의 기존 3V는 규모(Volume), 속도(Velocity), 다양성(Variety)을 나타낸다(다음 그림). 각각에 대해 설명하면 다음과 같다.

- 규모(Volume): 빅데이터 환경에서 다루는 데이터의 크기를 나타낸다.
- 속도(Velocity): 빅데이터 환경에서 다루는 데이터의 처리 속도를 나타낸다.
- 다양성(Variety): 빅데이터 환경에서 다루는 데이터의 다양성을 나타낸다.

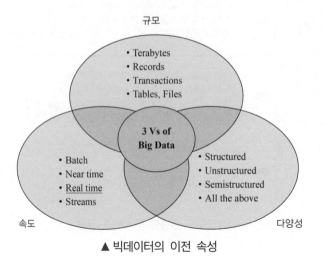

▲ 빅데이터의 이전 속성

빅데이터의 새로운 3V는 정확성(Veracity), 가변성(Variability), 시각화(Visualization)를 나타낸다. 각각에 대해 설명하면 다음과 같다.

- 정확성(Veracity): 빅데이터 시대에는 방대한 데이터의 양을 분석하여 일정한 패턴을 추출할 수 있다. 하지만 정부의 양이 많아지는 만큼 데이터의 신뢰성이 떨어지기 쉽다. 따라서 빅데이터를 분석하는 데 있어 기업이나 기관에 수집한 데이터가 정확한 것인지, 분석할 만한 가치가 있는지 등을 살펴야 하는 필요성이 대두되었고, 이러한 측면에서 새로운 속성인 정확성(Veracity)이 제시되고 있다.
- 가변성(Variability): 최근 소셜미디어의 확산으로 자신의 의견을 웹사이트를 통해 자유롭게 게시하는 것이 쉬워졌지만 실제로 자신의 의도와는 달리 자신의 생각을 글로 표현하게 되면 맥락에 따라 자신의 의도가 다른 사람에게 오해를 불러일으킬 수 있다. 이처럼 데이터가 맥락에 따라 의미가 달라진다고 하여 빅데이터의 새로운 속성으로 가변성(Variability)이 제시되고 있다.
- 시각화(Visualization): 빅데이터는 정형 및 비정형 데이터를 수집하여 복잡한 분석을 실행한 후 용도에 맞게 정보를 가공하는 과정을 거친다. 이때 중요한 것은 정보의 사용대상자의 이해정도이다. 그렇지 않으면 정보의 가공을 위해 소모된 시간적, 경제적 비용이 무용지물이 될 수 있기 때문이다.

3. 빅데이터 플랫폼(Platform)

빅데이터 플랫폼은 빅데이터의 수집부터 처리, 관리까지에 이르는 일련에 과정에서 필요한 공통 기술과 기능을 제공한다. 다음 그림은 빅데이터 플랫폼을 나타낸다.

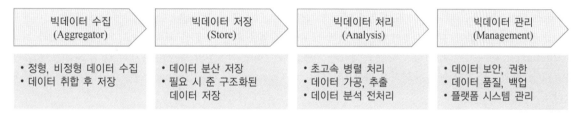

▲ 빅데이터 플랫폼

대표적인 빅데이터 플랫폼은 하둡(Hadoop)이 존재한다. 다음 그림은 하둡을 나타낸다.

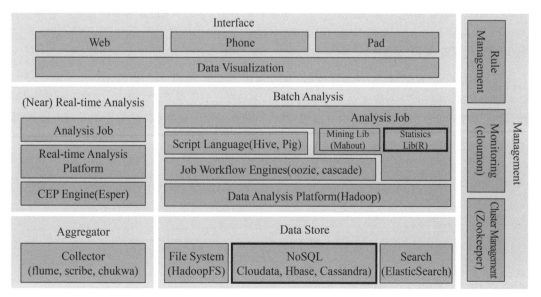

▲ 하둡

하둡은 여러 개의 저렴한 컴퓨터를 마치 하나인 것처럼 묶어 대용량 데이터를 처리하는 기술이다. 하둡은 수천대의 분산된 x86 장비에 대용량 파일을 저장할 수 있는 기능을 제공하는 분산파일 시스템(하드웨어)과, 저장된 파일 데이터를 분산된 서버의 CPU와 메모리 자원을 이용해 쉽고 빠르게 분석할 수 있는 컴퓨팅 플랫폼인 맵리듀스(소프트웨어)로 구성돼 있다.

아파치 하둡(Apache Hadoop, High-Availability Distributed Object-Oriented Platform)은 대량의 자료를 처리할 수 있는 큰 컴퓨터 클러스터에서 동작하는 분산 응용 프로그램을 지원하는 프리웨어 자바 소프트웨어 프레임워크이다. 원래 너치의 분산 처리를 지원하기 위해 개발된 것으로, 아파치 루씬의 하부 프로젝트이다. 분산처리 시스템인 구글 파일 시스템을 대체할 수 있는 하둡 분산 파일 시스템(HDFS: Hadoop Distributed File System)과 맵리듀스(MapReduce)를 구현한 것이다.

베이스 아파치 하둡 프레임워크는 다음의 모듈을 포함하고 있다.

- 하둡 커먼(Hadoop Common)
- 하둡 분산 파일 시스템(HDFS): 하드웨어
- 하둡 YARN
- 하둡 맵리듀스: 소프트웨어

NoSQL은 전통적인 관계형 데이터베이스 관리 시스템(RDBMS)과는 다르게 설계된 비관계형(non-relational) 데이터베이스 관리 시스템으로, 대규모의 데이터를 유연하게 처리할 수 있는 것이 강점이다. 노에스큐엘(NoSQL)은 테이블 - 컬럼과 같은 스키마 없이, 분산 환경에서 단순 검색 및 추가 작업을 위한 키 값을 최적화하고, 지연(latency)과 처리율(throughput)이 우수하다. 그리고 대규모 확대가 가능한 수평적인 확장성의 특징을 가지고 있다. NoSQL에 기반을 둔 시스템의 대표적인 예로는 아파치 카산드라(Apache Cassandra), 하둡(Hadoop), 몽고디비(MongoDB) 등이 있다.

R 프로그램은 기업의 정형화된 데이터 또는 비정형화된 데이터를 IT, 제조, 금융, 방송 등 기업의 목적에 맞게 분석하고 시각화하여 마케팅 또는 공공화 사업에 활용할 수 있도록 만든 소프트웨어이다. 무료 오픈 소스로 보통 하둡 플랫폼과 연동하여 사용한다. 통계 관련 분야 종사자뿐만 아니라 기업의 마케터, 기획자, 개발자들이 관심을 갖고 많이 배우는 추세이다. 예를 들어, 대용량의 단순 일기 정보를 R 프로그램을 이용하여 유용한 정보로 만들 수 있다.

4. 빅데이터의 국내외 활용 사례

구글은 구글 분산 파일 시스템과 맵리듀스(MapReduce)라는 새로운 처리 기술을 개발하여 검색에 사용한다. MapReduce는 대용량 데이터 처리를 분산 병렬 컴퓨팅에서 처리하기 위한 목적으로 만든 소프트웨어 프레임워크이다. 예를 들어, 해당 기술을 이용한 구글의 독감 트렌드에서 보여지는 독감 관련 정보가 다른 어떤 정보 보다 빠르고 정확하다.

6 5G(* 참고)

1. 5G 이동통신의 개념과 출현 배경

5G는 4세대 이동통신(LTE)보다 1,000배 빠른 기술이다. 2019년에 성용화가 되었고, 5G를 통해 실현될 핵심 서비스는 사물인터넷(IoT)이다.

2. 5G 이동통신의 기술 요소

다음의 표는 5G 이동통신의 기술 요소를 나타낸다. 여기서, TDD는 상향(Uplink)/하향(Downlink) 각각에 다른 주파수대역을 사용하는 FDD 방식과는 달리, 상/하향 동일한 주파수대역을 활용하나, 시간을 교대하여 양방향으로 또는 사용자별 시간대를 달리하여 전송하는 방식이다.

기술명	내용 요약
네트워크 고밀도화	단위면적당 용량증대로 트래픽 수용
고집적 안테나 시스템	TDD(Time Division Duplexing) 기반 안테나 수를 늘려 다수 사용자 동시 지원
전이중 전송	같은 주파수 대역에서 송수신 동시 수행
비직교 다중접속	2대 이상 단말 동시에 중첩 할당
초광대역	GHz급 전송 지원
저지연 고신뢰 무선전송	수 ms 이하 지연 시간으로 원활한 상용 서비스 지원(자율 주행차)
단말 네트워킹	기지국을 통하지 않고 단말 간 직접 통신

3. 5G 이동통신의 8대 핵심 기능

아래의 표는 5G 이동통신의 8대 핵심 기능을 나타낸다.

파라미터	수치
최대전송률	100Mbit~1Gbit/s
사용자 체감 전송률	10~50Gbit/s
이동성	500km/h
전송 지연	1ms(무선구간)(자율주행차)
연결 밀도	$10^6 \sim 10^7/km^2$
에너지 효율	IMT-Advanced 대비 50~100배 LTE-Advanced(4G)
주파수 효율	IMT-Advanced 대비 5배
단위면적당(km^2) 전송 용량	1~10TB/s

7 사물 인터넷(Internet of Things)

1. 사물인터넷(Internet of Things, IoT)

사물인터넷은 각종 사물에 컴퓨터 칩과 통신 기능을 내장해 인터넷에 연결하는 기술을 의미한다. 사물끼리 정보를 주고받기 위하여 인터넷으로 연결되어 있는 사물 공간 연결망이다[무선(Wireless) 또는 유선(Wired)을 이용].

2. 사물인터넷 기술 구현과 연관된 기술

(1) 클라우드 기술

인터넷에 연결되어 축적된 데이터를 저장한다.

(2) 빅데이터 기술

데이터를 분석하는 기술이다.

(3) 상황 인식 기술

데이터로부터 사용자의 콘텍스트(Context)를 추출한다.

(4) 인공지능 기술

기계가 자가 학습(Self-Learning)을 하도록 한다(엑조틱 컴퓨팅).

3. 유비쿼터스와 사물인터넷 비교

유비쿼터스는 모든 사물에 칩을 넣어 어느 곳에서든 사용할 수 있도록 구현한다(어디서나 인터넷을 할 수 있다). 반면 사물인터넷은 칩을 탑재한 모든 사물을 연결하여 상호 소통이 가능하도록 만든 지능형 환경을 의미한다.

4. 사물인터넷의 기술 요소

다음의 표는 사물인터넷을 구현하기 위한 기술 요소를 나타낸다.

기술	요소	내용
하드웨어 기술	센싱 기술	사물로부터 데이터를 인식하고 추출해낸 후 이를 인터넷으로 전송하는 기술이다. 사물을 인식하고 추적할 수 있는 RFID, 바코드와 같은 태그 기술, 위치 추적 장치인 GPS, 수평을 감지할 수 있는 자이로스코프(Gyroscope), 속도를 감지하는 가속도계(Accelermometer) 등이 해당된다.
	유무선 통신 기술	고속 처리와 병렬 처리를 할 수 있는 유무선 통신 기술 및 네트워크 인프라 기술이다. 근거리에서 정보를 송수신하는 기술로는 지그비, NFC, 블루투스 등이 있으며, 원거리에서 인터넷 접속을 위한 기술로 LAN과 WAN 등이 있다.
소프트웨어 기술	서비스 인터페이스 기술	각종 서비스 분야와 형태에 적합하게 정보를 가공하고 처리하고 융합하는 기술이다. 미들웨어는 수집된 데이터를 실제 애플리케이션에 활용할 수 있도록 저장하고 가공하는 단계에서의 소프트웨어를 말하며, 일종의 소프트웨어 인프라로 작동한다. 미들웨어를 거친 데이터는 애플리케이션 단계에서 실제 산업 현장이나 실생활에서 여러 가지 서비스나 관리 도구의 형태로 활용한다.
	보안 기술	대량의 데이터 등 사물인터넷 구성요소에 대한 해킹이나 정보 유출을 방지하기 위한 기술이다.

8 웨어러블 컴퓨터(Wearable Computer)

웨어러블 컴퓨터(Wearable Computer → Implanting Computer)는 신체에 착용하는 컴퓨터로 구글의 구글 글래스 (국내의 K-glass), 애플의 애플 워치, 삼성의 갤럭시 기어, LG의 G 워치 등을 들 수 있다.

9 3D 프린팅(3D Printing)

3D 프린팅(3D printing ← 3D scanning)은 겹겹이 재료를 뿌려서 3차원 물체를 만들어 내는 기술이다(적층형과 절삭형이 존재). 인간의 귀를 스캔하여 맞춤형 이어폰을 만들거나 인간의 신체를 스캔하여 맞춤형 신발이나 의류를 만들 수 있다(자신에 맞는 맞춤형 이어폰 제작).

10 가상현실과 증강현실

1. 가상현실(VR; virtual reality ← Head Mounted Display)

가상현실은 실제가 아닌 인공적인 환경을 구축하여 그 속에서 인간이 새로운 경험을 할 수 있도록 하는 기술이다. 군사용 시뮬레이션, 게임, 기계설비, 의료, 관광, 스포츠, e-러닝 등에 다양하게 사용된다.

2. 증강현실(AR, Augmented Reality)

증강현실은 사용자가 눈으로 보는 현실세계에 가상의 물체를 겹쳐 보여주는 기술(가상이 현실을 보강)이다. 현실세계에 가상세계를 합쳐 하나의 영상으로 보여주기 때문에 혼합현실(MR; Mixed Reality)이라고도 한다.

이외에도 증강가상이 존재하는데 현실이 가상을 보강하는 것이다. 예를 들면, 닌텐도의 위(wii) 게임을 들 수 있다.

> **주요개념 셀프체크**
> - ⊘ ubiquitous - calm/silent, sentient, disposable, exotic
> - ⊘ cloud - public vs. private, PaaS vs. IaaS
> - ⊘ big - semi-structured, veracity/variability/visualization
> - ⊘ iot - 센싱 기술, 유무선 통신 기술, 서비스 인터페이스 기술
> - ⊘ virtual vs. augmented reality

1. 클라우드 컴퓨팅 서비스 모델과 이에 대한 설명이 바르게 짝지어진 것은?　　　　　2015년 국가직

> ㄱ. 응용소프트웨어 개발에 필요한 개발 요소들과 실행 환경을 제공하는 서비스 모델로서, 사용자는 원하는 응용 소프트
> 웨어를 개발할 수 있으나 운영체제나 하드웨어에 대한 제어는 서비스 제공자에 의해 제한된다.
> ㄴ. 응용소프트웨어 및 관련 데이터는 클라우드에 호스팅되고 사용자는 웹브라우저 등의 클라이언트를 통해 접속하여 응
> 용소프트웨어를 사용할 수 있다.
> ㄷ. 사용자 필요에 따라 가상화된 서버, 스토리지, 네트워크 등의 인프라 자원을 제공한다.

	IaaS	PaaS	SaaS
①	ㄷ	ㄴ	ㄱ
②	ㄴ	ㄱ	ㄷ
③	ㄷ	ㄱ	ㄴ
④	ㄱ	ㄷ	ㄴ

해설

ㄷ. IaaS: 인프라스트럭처를 제공하는 서비스로, 대상자는 네트워크 아키텍처이다. 대표적인 예는 AWSAmazon Web Service 등
이 있다.

ㄱ. PaaS: 표준화된 플랫폼을 제공하는 서비스로, 대상자는 애플리케이션 개발자이다. 대표적인 예는 Google AppEngine,
Microsoft Asure 등이 있다.

ㄴ. SaaS: 웹 브라우저를 통하여 소프트웨어를 제공하는 서비스로, 대상자는 일반사용자이다. 대표적인 예는 Gmail 등이 있다.

TIP 이외에도 BPassS, NaaS, SECaaS 등이 있다. 이들을 그림으로 나타내면 다음과 같다.

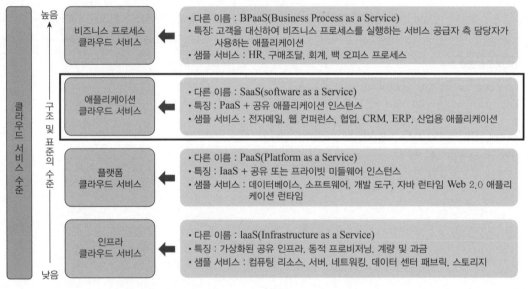

정답 ③

2. 비쿼터스 컴퓨팅에 대한 설명으로 옳지 않은 것은?

2016년 국가직

① 감지 컴퓨팅은 컴퓨터가 센서 등을 이용하여 사용자의 행위 또는 주변 환경을 인식하여 필요 정보를 제공하는 기술이다.
② 노매딕(nomadic) 컴퓨팅은 현실 세계와 가상 화면을 결합하여 보여주는 기술이다.
③ 퍼베이시브(pervasive) 컴퓨팅은 컴퓨터가 도처에 편재되도록하는 기술이다.
④ 웨어러블(wearable) 컴퓨팅은 컴퓨터 착용을 통해 컴퓨터를 인간 몸의 일부로 여길 수 있도록 하는 기술이다.

해설

해당 설명은 증강 현실이고, 노매딕은 선(네트워크)과 연결의 제약을 없애고 네트워킹의 이동성을 극대화하여 특정장소가 아닌, 어디에서나 컴퓨터를 사용할 수 있게 하는 기술이다. 현재는 이동통신(LTE, 5G)과 스마트폰을 이용해서 노매딕 컴퓨팅을 구현하고 있다.

선지분석

① 감지: 인간이 감각기관을 통하여 외부환경의 상태를 느끼는 것처럼 센서라는 장치를 이용하여 정보를 획득하여 사용자에게 정보를 제공하거나 스스로 처리하는 것을 말한다. 예를 들어, 컵에 온도를 측정할 수 있는 장치가 있다면 이를 감지 컴퓨팅이라고 한다.
③ 퍼베이시브: 생활 속 구석구석 파고드는 컴퓨터 관련 기술로서, 사무실 외부나 자동차 안 등 어느 곳에서도 자유롭게 회사의 정보망에 연결해 업무를 처리하고 교통상황·기상 등 간단한 정보조회는 물론 금융업무도 볼 수 있는 컴퓨팅 환경을 의미한다.
④ 웨어러블: 안경, 시계, 의복 등과 같이 착용할 수 있는 형태로 된 컴퓨터를 뜻한다. 예를 들면, 스마트 워치나 구글 글래스 등을 들 수 있다.

TIP 유비쿼터스 컴퓨팅의 여러 가지 표현은 다음과 같다. 용어가 자주 출제되므로 영어 단어와 함께 기억하는 것이 좋다.

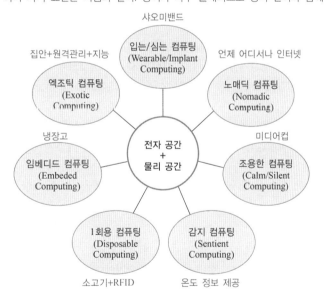

정답 ②

1 시험 출제 용어 - 1

1. RSS

'RDF site summary(RDF 사이트 요약)', 'rich site summary(풍부한 사이트 요약)' 또는 'really simple syndication (초간편 배급)' 등의 머리글자를 딴 용어로, 웹사이트 간에 자료를 교환하거나 배급하기 위한 XML(확장성 생성 언어) 기반의 포맷을 말한다. 뉴스·날씨·쇼핑·블로그 등 업데이트가 빈번히 이루어지는 웹사이트에서 업데이트된 정보를 사용자들에게 자동적으로 간편하게 제공하기 위한 방편으로 이용된다. RSS는 넷스케이프(Netscape)의 넷센터(NetCenter)에서 신문기사를 손쉽게 제공하기 위하여 시작한 것으로, 1995년 MCF(meta content framework)에서 출발하여 RDF(resource description framework)와 CDF(channel definition format)을 거쳐 RSS(RDF site summary) 방식으로 정착하였다. 설치형과 웹기반형이 있는데, 간단한 계정 등록으로 어디에서든 이용할 수 있는 웹기반형이 더 많이 이용된다.

2. CGI

사용자가 서버에게 웹페이지를 통한 요청이 있었을 때, 그것이 응용프로그램에 의해 처리될 필요가 있다면 서버가 응용프로그램을 실행시키고 필요한 메시지를 받는다. 이때 서버와 응용프로그램 사이에 데이터를 주고받기 위한 표준화된 방법을 CGI라고 한다. 공통 게이트웨이 인터페이스(common gateway interface)의 약어로, 웹서버와 외부 프로그램 사이에서 정보를 주고받는 방법이나 규약들을 말한다. 브라우저가 서버를 경유하여 데이터베이스 서버에 질의를 내는 등 대화형 웹페이지를 작성할 때 이용된다. 게이트웨이의 개발 언어로는 유닉스에서는 문자열 처리가 간단한 펄(perl), 윈도NT에서는 비주얼베이식(visual basic) 등이 사용되는 경우가 많다. 외부 프로그램을 실행하는 표준 방식으로 자리 잡았으며 사용이 편리하다는 장점이 있지만, 서버에서 많은 프로그램을 수행하므로 서버에 무리를 준다는 단점도 지니고 있다(보안 상의 문제). CGI의 예는 게시판 등을 들 수 있다.

3. Web Cache

웹 캐시는 월드 와이드 웹(WWW)용 프락시 캐시이다. 홈 페이지 열람자는 웹 페이지 방문 시 직접 서버에 접속하지 않고 근처의 프락시 서버에 접속한다. 프락시 서버는 원래의 페이지에 접속된 후 열람자에게 되돌아감과 동시에 디스크에 캐시되므로, 이후부터 동일 페이지에 접속할 때는 디스크에 캐시된 페이지를 사용한다. 이 웹 캐시로 페이지를 읽으면 고속화되고, 대역폭은 절약된다. 웹 캐시로는 스퀴드(Squid) 캐시나 아파치(Apache) 캐시 서버 또는 하비스트(Harvest) 캐시나 넷스케이프 프락시 서버 등이 널리 이용된다. 캐시는 클라이언트, 프록시 서버(클라이언트측 프록시), 리버스 프록시(서버측 프록시)에 존재한다.

4. RFID

RFID의 기술은 2차 세계대전당시 영국이 자국의 전투기와 적군의 전투기를 자동적으로 식별하기 위해 RFID 기술을 개발하였으나, 태그가 크고 값이 비싸 일반에 보급되지는 못하고 군사부분에서만 사용 되다가, 태그의 소형화와 반도체 기술의 발달로 저가격, 고기능 태그가 개발되면서부터 다양한 분야로 적용이 확대되고 있다. RFID(Radio Frequency Identification)는 '전파식별'보다 한국기술표준원에서 정의한 '무선인식'으로 더 불리고 있다.

RFID 시스템은 태그, 안테나, 리더기 등으로 구성되는데, 태그와 안테나는 정보를 무선으로 수미터에서 수십미터까지 보내며 리더기는 이 신호를 받아 상품 정보를 해독한 후 컴퓨터로 보낸다. 보내진 자료는 인식한 자료를 컴퓨터 시스템으로 보내 처리된다. 그러므로 태그가 달린 모든 상품은 언제 어디서나 자동적으로 확인 또는 추적이 가능하다. 그리고 태그는 메모리를 내장하여 정보의 갱신 및 수정이 가능하다. RFID는 유비쿼터스의 1회용 컴퓨팅(disposable computing)과 연관을 가진다.

5. 스마트 카드

IC카드 또는 칩카드(chip card)라고도 한다. 국제표준화기구(ISO)의 표준에 따르면 IC가 1개 이상 삽입되어 있는 카드를 IC카드라고 총칭한다. 기존의 자기카드(마그네틱카드)에 비하여 매우 큰 기억 용량과 고도의 기능 및 안정성을 지니고 있다. 1970년 프랑스에서 개발되어 금융기관에서 사용하기 시작하였으며, 이후 미국에서도 개발되었다. 구조는 접속단자와 IC칩, 플라스틱 카드로 이루어져 있다. 제조공정은 반도체 제조공장에서 IC칩을 제작한 후, 다이(die)를 PCB(인쇄회로기판)에 부착한다. 와이어 본딩(wire bonding)을 하고 수지 보호층을 도포하고 마이크로 모듈을 제작한다. 기저판의 인쇄 및 모듈용 홈을 가공한 후 마이크로모듈을 부착한다. 스마트 카드는 제2세대 신용카드이다.

6. 텔레메틱스

자동차와 무선통신을 결합한 새로운 개념의 차량 무선인터넷 서비스이다. 텔레커뮤니케이션(telecommunication)과 인포매틱스(informatics)의 합성어로, 자동차 안에서 이메일을 주고받고, 인터넷을 통해 각종 정보도 검색할 수 있는 오토(auto) PC를 이용한다는 점에서 '오토모티브 텔레매틱스'라고도 부른다. 운전자가 무선 네트워크를 통해 차량을 원격 진단하고, 무선모뎀을 장착한 오토 PC로 교통 및 생활 정보, 긴급구난 등 각종 정보를 이용할 수 있으며, 사무실과 친구들에게 전화 메시지를 전할 수 있음은 물론, 음성 이메일을 주고받을 수도 있고, 오디오북을 다운받을 수도 있다.

7. 웨어러블 컴퓨팅

웨어러블 컴퓨터(wearable computer) 또는 웨어러블 디바이스(wearable device)로 불리는 착용 컴퓨터는 안경, 시계, 의복 등과 같이 착용할 수 있는 형태로 된 컴퓨터를 뜻한다. 궁극적으로는 사용자가 거부감 없이 신체의 일부처럼 항상 착용하고 사용할 수 있으며 인간의 능력을 보완하거나 배가시키는 것이 목표이다. 기본 기능들로는 언제 어디서나(항시성), 쉽게 사용할 수 있고(편의성), 착용하여 사용하기에 편하며(착용감), 안전하고 보기 좋은(안정성/사회성) 특성이 요구된다. 이는 단순히 액세서리처럼 전자기기를 몸에 착용하는 것이 아니라, 사용자 신체의 가장 가까운 위치에서 사용자와 소통할 수 있는 전자기기이다. 웨어러블 디바이스의 장점은 주변 환경에 대한 상세 정보나 개인의 신체 변화를 실시간으로 끊이지 않고 지속적으로 수집할 수 있다는 것이다. 예를 들어 스마트 안경의 경우 눈에 보이는 주변의 모든 정보의 기록이 가능하며 스마트 속옷은 체온, 심장박동과 같은 생체신호를 꾸준히 수집할 수 있다(프라이버시 문제).

8. USENET

User Network(사용자 네트워크)의 약어이다. 유즈넷은 전자게시판의 일종으로 특정한 주제나 관심사에 대해 의견을 게시하거나 관련 분야에 대한 그림, 동영상, 실행파일, 데이터파일 등의 자료를 등록할 수 있는 전 세계적인 토론 시스템이다. 1979년 미국 듀크대학교 대학원생이던 톰 트루스코트(Tom Truscott)와 짐 엘리스(Jim Ellis)의 정보교환에 대한 아이디어로 처음 시작되어 네트워크를 통해 서로의 의견을 교환하다가 발전되었다. 올라온 정보를 보기만 하는 웹과 달리 PC 통신의 게시판처럼 다른 사용자와 각종 자료를 주고 받으며 토론도 벌일 수 있어 동호인이나 같은 분야에 관심을 가진 네티즌이 모이는 곳이다. 유즈넷은 특정한 분야에 대한 정보를 다루기 때문에 유용한 정보를 빠르게 찾을 수 있고, 서로 정보를 교환하며 도움을 주고받을 수도 있다. 현재는 유명무실해졌다.

9. TELNET

인터넷을 통하여 원격지의 호스트 컴퓨터에 접속할 때 지원되는 인터넷 표준 프로토콜이다. 인터넷 사용자는 텔넷을 이용하여 전세계의 다양한 온라인 서비스를 제공받을 수 있다. 물론 다른 컴퓨터에 접속하려면 그 컴퓨터를 사용할 수 있는 사용자 번호와 비밀번호를 알고 있어야 한다. 이 텔넷 응용서비스가 매우 효과적인 이유는 거리에 관계없이 쉽게 원격시스템에 접속할 수 있기 때문이다. 텔넷도 다른 TCP/IP 프로토콜의 인터넷 응용서비스들과 마찬가지로 모두 고유의 포트번호를 가지고 있는데 텔넷은 23번이라는 고유 포트번호를 가진다. 일반적으로는 이 번호를 사용하지만 특별한 게임이나 채팅 등의 서비스 제공이나 문제 해결을 위한 디버깅을 위해서 별도의 포트번호를 사용할 수도 있다. 텔넷은 SSH로 대체되었다.

10. HTML

인터넷 서비스의 하나인 월드 와이드 웹을 통해 볼 수 있는 문서를 만들 때 사용하는 프로그래밍 언어의 한 종류이다. 특히 하이퍼텍스트를 작성하기 위해 개발되었으며, 인터넷에서 웹을 통해 접근되는 대부분의 웹 페이지들은 HTML로 작성된다. HTML은 문서의 글자크기, 글자색, 글자모양, 그래픽, 문서이동(하이퍼링크) 등을 정의하는 명령어로서 홈페이지를 작성하는 데 쓰인다. HTML에서 사용하는 명령어는 태그(tag)라고 하는데 꺽쇠괄호 "<>"를 사용하여 나타낸다. 일반적으로 태그는 시작과 끝을 표시하는 2개의 쌍으로 이루어져 있으나 "img", "br"등의 태그와 같이 시작태그만으로 그 영향을 나타내는 경우도 있으며, 종료 태그의 이름은 슬래시 문자[/]로 시작된다. 이와 같이 HTML로 작성된 문서를 HTML 문서라 하며 이 HTML로 작성된 문서를 웹 브라우저가 해석하여 이용자에게 보여주게 된다. HTML에서는 문서가 별도의 코드(code)를 인식하여 완벽한 하이퍼텍스트를 만들 뿐만 아니라 단어 또는 단문을 인터넷의 다른 장소나 파일로 연결시킬 수 있다. HTML은 비순차적(책과 다른 방식으로 접근됨) 태그(태그를 이용하여 웹 페이지를 정의) 언어를 의미한다.

11. CSS

기존의 HTML은 웹 문서를 다양하게 설계하고 수시로 변경하는데 많은 제약이 따르는데, 이를 보완하기 위해 만들어진 것이 스타일 시트이고 스타일 시트의 표준안이 바로 CSS이다. 간단히 스타일 시트라고도 한다. HTML을 이용해서 웹 페이지를 제작할 경우 전반적인 틀에서 세세한 글꼴 하나 하나를 일일이 지정해주어야 하지만, 웹 페이지의 스타일(작성 형식)을 미리 저장해 두면 웹 페이지의 한 가지 요소만 변경해도 관련되는 전체 페이지의 내용이 한꺼번에 변경되므로, 문서 전체의 일관성을 유지할 수 있고 작업 시간도 단축된다. 따라서 웹 개발자들은 보다 풍부한 디자인으로 웹을 설계할 수 있고, 글자의 크기, 글자체, 줄간격, 배경 색상, 배열위치 등을 자유롭게 선택하거나 변경할 수 있으며 유지 · 보수도 간편하게 할 수 있다(출력). CSS와 XSS의 차이점에 주의하자.

12. XML

확장성 생성 언어로 번역되며, 1996년 W3C(World Wide Web Consortium)에서 제안하였다. HTML보다 홈페이지 구축 기능, 검색 기능 등이 향상되었고 클라이언트 시스템의 복잡한 데이터 처리를 쉽게 한다. 또한 인터넷 사용자가 웹에 추가할 내용을 작성, 관리하기에 쉽게 되어 있다. 이밖에 HTML은 웹 페이지에서 데이터베이스처럼 구조화된 데이터를 지원할 수 없지만 XML은 사용자가 구조화된 데이터베이스를 뜻대로 조작할 수 있다. 구조적으로 XML 문서들은 SGML(standard generalized markup language) 문서 형식을 따르고 있다. XML은 SGML의 부분집합이라고도 할 수 있기 때문에 응용판 또는 축약된 형식의 SGML이라고 볼 수 있다. 1997년부터 마이크로소프트사와 넷스케이프 커뮤니케이션스사가 XML을 지원하는 브라우저 개발했다. XML은 태그 정의가 가능하다.

13. SGML

다양한 형태의 전자문서들을 서로 다른 시스템들 사이에 정보의 손실없이 효율적으로 전송·저장·자동처리를 하기 위한 ISO(International Organization for Standardization: 국제표준화기구) 문서처리표준의 하나이다. 이 표준은 출판 환경에 적합한 것으로 모두 헤더파일, 문서형태정의(DTD), 본문 등 세 부분으로 구성한다. 이것은 문서의 마크업언어나 태그 셋의 정의에 관한 표준으로, 문서언어를 어떻게 지정할 것인가를 설명한 것이다. 문서를 구성하는 구조적이고 의미론적인 요소들을 가지고 있다는 것에 기반을 둔다. 이러한 문서의 실제적인 표현은 출력매체나 스타일의 선호도에 따라 달라진다. 미국출판협회의 전자출판용 언어로, 문장 중 어떤 부분에 표시를 달아 그 부분이 어떤 문장의 요소인지를 알 수 있게 하고, 별도표시의 의미를 정리하여 편집자의 의도를 표현한다. 문서의 구조를 정의할 수 있는 메타언어로서의 국제표준으로 1986년에 최초로 공개되었는데, 기능이 복잡한 단점이 있어 널리 쓰이지 못한다. SGML로부터 HTML(아들)이 나왔고, SGML을 간단하게 줄인 것이 XML(형제)이다.

14. EAI(Enterprise Application Integration)

기업 내 상호 연관된 모든 애플리케이션을 유기적으로 연동하여 필요한 정보를 중앙 집중적으로 통합, 관리, 사용할 수 있는 환경을 구현하는 것으로 e-비즈니스를 위한 기본 인프라이다. 기존의 점 대 점 인터페이스(Point-to-Point Interface)에서는 애플리케이션 수의 실질적 한계와 유지 보수의 어려움 및 애플리케이션 추가 시 방대한 비용 및 시간 손실이 있었으나 EAI를 도입한 인터페이스에서는 새로운 애플리케이션 도입 시 어댑터(Adapter)만 필요한 손쉬운 확장성이 보장된다.

15. ERP(Enterprise Resource Planning)

전사적 자원관리 운동의 약자이다. 생산, 판매, 자재, 인사, 회계 등 기업 전 부문에 걸쳐 있는 인력, 자금, 정보 등 모든 경영자원을 하나의 체계로 통합, 계획, 관리함으로써 기업 생산성을 높이는 종합경영 관리시스템이다. 과거 미국에서 개발돼 종합생산관리시스템의 대명사로 불렸던 MRP(manufacturing resources planning) 기법이 주로 생산사원을 계획, 관리하는 목적에서 출발했다면 ERP는 MRP를 확대 적용해 기업 전반에 걸친 모든 경영 자원을 통합 컴퓨터시스템에 의해 계획적으로 관리 및 낭비요소를 없애고 자원의 생산성을 극대화하는 시도로 고안된 것이다.

16. BPR(Business Process Reengineering)

업무 재설계, 즉 BPR이란 고도로 전문화되어 프로세스가 분업화된 조직을 개혁하기 위해, 조직과 비즈니스 규칙 및 절차를 근본적으로 재검토하여 비즈니스 프로세스에 관점을 두고 조직, 직무, 업무 흐름, 관리 기구, 정보 시스템을 재설계하는 경영혁신기법의 하나이다. 발달된 정보통신 기술을 기반으로 기업의 전 분야에서 정보시스템의 통일화를 이루고, 이를 통해 업무 효율을 극대화하고, 기업에 있어서 이익의 원천이자 최종 수혜자인 고객에 대한 가치를 창출하고자 하는 것이다. 업무 재설계의 개념은 매사추세츠공과대학교(MIT; Massachusetts Institute of Technology)의 마이클 해머(Michael Hammer)와 경영 컨설턴트 제임스 챔피(James Champy)가 1993년 출간한 저서 『리엔지니어링 기업혁명』(Reengineering the Corporation: A Manifesto for Business Revolution)에서 처음 소개되었다.

17. KMS(Knowledge Management System)

기업의 환경이 물품을 주로 생산하던 산업사회에서, 지적 재산의 중요성이 커지는 지식사회로 급격히 이동함에 따라, 기업 경영을 지식이라는 관점에서 새롭게 조명하는 접근방식이다. 지금까지 기업정보 시스템은 기업 내외의 정형화된 정보만을 관리해 왔다. 재무, 생산, 영업 등 기업활동에서 발생하는 수치 데이터를 저장, 관리하는 것이 정보시스템의 역할이었고 실제 판단을 하고 의사결정을 내리는 것은 기업 내 인적 자원이 수행하는 것이었다. 그러나 의사결정의 주체인 인적 자원이 떠나면 그가 갖고 있던 지식 자원도 함께 떠나가고 기업의 지적 자원이 소실된다는 관점에서 지식관리 시스템은 출발했다.

따라서 지식관리 시스템의 기본 개념은 인적 자원이 소유하고 있는 비정형 데이터인 지적 자산을 기업 내에 축적·활용할 수 있도록 하자는 것이다. KMS는 원래 미국 카네기멜론대학교의 ZOG 연구 결과에 기반을 두고, 놀리지시스템스(Knowledge Systems)에서 개발한 워크스테이션용 상용 시스템의 이름이었다.

18. NAT

NAT를 사용하는 목적에는 2가지가 있는데, 첫째는 인터넷의 공인 IP 주소를 절약할 수 있다는 점이고 둘째는 인터넷이란 공공망과 연결되는 사용자들의 고유한 사설망을 침입자들로부터 보호할 수 있다는 점이다. 인터넷의 공인 IP 주소는 한정되어 있기 때문에 가급적 이를 공유할 수 있도록 하는 것이 필요한데 NAT를 이용하면 사설 IP 주소를 사용하면서 이를 공인 IP 주소와 상호 변환할 수 있도록 하여 공인 IP 주소를 다수가 함께 사용할 수 있도록 함으로써 이를 절약할 수 있는 것이다. 공개된 인터넷과 사설망 사이에 방화벽(Firewall)을 설치하여 외부 공격으로부터 사용자의 통신망을 보호하는 기본적인 수단으로 활용할 수 있다. 이때 외부 통신망 즉 인터넷망과 연결하는 장비인 라우터(방화벽 기능을 가짐)에 NAT를 설정할 경우 라우터는 자신에게 할당된 공인 IP 주소만 외부로 알려지게 하고, 내부에서는 사설 IP 주소만 사용하도록 하여 필요시에 이를 서로 변환시켜 준다. 따라서 외부 침입자가 공격하기 위해서는 사설망의 내부 사설 IP 주소를 알아야 하기 때문에 공격이 불가능해지므로 내부 네트워크를 보호할 수 있다. NAT에서는 Public 네트워크와 Private 네트워크의 개념에 주의하기 바란다(나중에 자세하게 다룬다).

19. ARP

ARP는 네트워크 계층 주소(예 인터넷 IP 주소)를 물리 주소(예 이더넷 하드웨어, 즉 어댑터 주소 또는 MAC 주소)로 변환하기 위해 사용된다. 인터넷 상에서 호스트 간의 전송은 IP 주소를 기반으로 이루어진다. 송신 호스트는 수신 호스트의 IP 주소를 이용해 데이터 송신을 시도한다. 이때 실제 송신 호스트의 송신 어댑터에서는 IP 패킷을 포함하고 있는 링크 계층 프레임을 구성한다. 링크 계층은 하나의 노드(네트워크에 연결된 하나의 컴퓨터 혹은 장비)와 다음 노드 사이의 데이터 전송을 담당한다. 링크 계층 프레임은 IP 주소가 아닌 목적지의 MAC 주소를 포함해야 한다. 이를 위해 송신 호스트는 자신의 네트워크 어댑터 내의 ARP 모듈에게 목적지의 IP 주소에 대해 질의하고 ARP 모듈은 이에 대응하는 MAC 주소로 응답한다. 만약, 물리 주소에서 IP 주소를 얻으려고 한다면 RARP를 사용한다. ARP 모듈은 ARP cache를 사용해서 매번 동일한 ARP 요청을 막는다.

20. DHCP

네트워크 관리자는 ISP로부터 할당 받은 주어진 주소 블록 내에서 해당 기관의 호스트들에 IP 주소를 할당하고 관리해야 한다. 이를 위해 수많은 호스트마다 IP 주소를 할당하고, 호스트 이동시 새로운 주소를 설정해 주어야 한다. 이때 DHCP를 이용하면 네트워크 관리자들은 이러한 작업을 수동으로 수행하지 않고 자동으로 관리할 수 있는데, DHCP는 호스트가 네트워크에 접속하고자 할 때마다 IP를 동적으로 할당받을 수 있도록 한다. 따라서 호스트가 빈번하게 접속을 연결하고 다시 갱신하는 공유 인터넷 접속 네트워크 및 무선랜(LAN)에서 폭넓게 사용된다. DHCP 서버는 IP 주소들의 풀(pool)과 클라이언트 설정 파라미터를 관리한다. 새로운 호스트(DHCP 클라이언트)로부터 요청을 받으면 서버는 특정 주소와 그 주소의 대여(lease) 기간을 응답한다. 클라이언트는 일반적으로 부팅 후 즉시 이러한 정보에 대한 질의를 수행하며 정보의 유효 기간이 해제되면 주기적으로 재 질의한다. 예를 들면, 커피숍의 와이파이와 집안의 유무선공유기 등을 들 수 있다.

21. DNS

TCP/IP 네트워크에서 사용되는 네임 서비스의 구조이다. TCP/IP 네트워크에서는 도메인이라고 하는 논리적 그룹을 계층적으로 설정할 수 있고, 그 논리적 그룹 명칭인 도메인명을 컴퓨터의 명칭(호스트명)의 일부에 포함시켜 이용하는 방법을 찾고 있다. 도메인 혹은 호스트 이름을 숫자로 된 IP 주소로 해석해 주는 TCP/IP 네드워크 서비스로서, 계층적 이름 구조를 갖는 분산형 데이터 베이스로 구성되고 클라이언트 · 서버 모델을 사용한다. 각 컴퓨터의 이름은 마침표에 의해 구분되고 알파벳과 숫자로 구성된 세그먼트의 문자열로 구성되어 있다. 예를 들어 기관별로는 com이면 기업체, edu인 경우는 교육기관, go 또는 gov인 경우는 정부기관 등으로 나누어져 있다. 국가도메인은 au는 호주, ca는 캐나다, jp는 일본, kr는 한국, tw는 대만, uk는 영국 등이다. 만약, IP에 해당하는 도메인 네임을 얻고자 하면 Inverse DNS를 이용한다.

DNS에 쿼리를 요청하는 방식에는 recursive, non-recursive, iterative가 존재한다. Non-recursive는 첫 번째 DNS가 다른 DNS 서버에게 요청해서 부분적인 결과만을 얻는다(아니면 DNS cache로부터 전체 결과를 얻을 수 있음에 유의). 이로 인해 나중에 실제로 연결을 맺으려고 할 때 DNS로 인한 초기 시간을 줄일 수 있다. Recursive는 첫 번째 DNS가 두 번째 DNS에게 요청하고, 두 번째 DNS가 세 번째 DNS에게 요청하는 방식이다. 그리고 iterative는 첫 번째 DNS가 두 번째 DNS에게 요청하고, 다시 첫 번째 DNS가 세 번째 DNS에게 요청하는 방식이다.

22. Wi-Fi

Wi-Fi[와이파이, Wireless Lan(WLAN)]는 Wireless Fidelity의 약자로 무선 접속 장치(AP: Access Point)가 설치된 곳에서 전파나 적외선 전송 방식을 이용하여 일정 거리 안에서 무선 인터넷을 할 수 있는 근거리 통신망을 칭하는 기술이다. 1999년 9월 미국 무선랜협회인 WECA(Wireless Ethernet Capability Alliance; 2002년 Wi-Fi로 변경)가 표준으로 정한 IEEE 802.11b와 호환되는 제품에 와이파이 인증을 부여한 뒤 급속하게 성장하기 시작하였다. 가끔 발음과 유사한 스펠링 때문에 혼동되는 Wi-Pi(위피, Wireless Internet Platform for Interoperability, 무선 인터넷을 통해 다운로드 된 응용 프로그램을 이동통신 단말기에 탑재시켜 실행하기 위한 환경을 제공하는 데 필요한 표준 규격)와는 전혀 다른 개념이다. 와이파이의 주된 목적은 정보를 더 쉽게 접근할 수 있게 하고, 주변 장치와 공존하여 호환성을 높이며, 응용 프로그램과 데이터, 매체, 스트림에 무선 접근을 사용하여 복잡함을 보이지 않게 하는 것이다. 와이파이를 사용하기 위해서는 접속할 수 있는 지점인 액세스 포인트(AP; Access Point)가 필요하다. AP가 있으면 와이파이를 지원하는 기기가 수신 전파를 잡아 인터넷 접속을 시도한다.

표준이 하루가 다르게 변하는데 최신 버전은 802.11ax(최대 10Gbps)이다. 그리고 동시 사용자를 위해 여러 개의 채널이 존재한다. IEEE 802.11 네트워크 환경은 인프라(infrastructure) 방식과 애드혹(Ad-Hoc) 방식으로 구성할 수 있다. 핫스팟에 여러 대의 클라이언트가 접속해 네트워크를 구성한다면 인프라망(하부구조 네트워크)이라고 부르고, 각 클라이언트가 핫스팟 없이 서로 데이터를 주고 받는다면 애드혹 네트워크라고 부른다. 보통 인프라망에는 핫스팟이 필요하므로 초기 설치 비용이 많이 들지만, 더 많은 클라이언트를 받아들일 수 있고 더 넓은 접속 반경을 제공해 주기 때문에 자주 쓰인다. 예를 들어, 스마트폰에도 핫스팟(Hot-spot) 기능이 존재함을 알 수 있다.

주요개념 셀프체크

- ☑ 텔레메틱스
- ☑ CSS
- ☑ XML
- ☑ NAT
- ☑ DHCP

구조화된 웹 문서의 작성을 위해 W3C에서 제정한 확장 가능한 마크업 언어는?   2014년 지방직

① HTML   ② CSS
③ XML   ④ SGML

해설

XML은 HTML보다 홈페이지 구축 기능, 검색 기능 등이 향상되었고 클라이언트 시스템의 복잡한 데이터 처리를 쉽게 한다. 또한 인터넷 사용자가 웹에 추가할 내용을 작성, 관리하기에 쉽게 되어 있다. SGML의 부분 집합으로 태그를 정의할 수 있다.

선지분석

① HTML: 문서의 글자크기, 글자색, 글자모양, 그래픽, 문서이동(하이퍼링크) 등을 정의하는 명령어로서 홈페이지를 작성하는 데 쓰인다. Hyper(비순차적 이동) Text Markup(태그) Language의 약자이다.
② CSS: 기존의 HTML은 웹 문서를 다양하게 설계하고 수시로 변경하는데 많은 제약이 따르는데, 이를 보완하기 위해 만들어진 것이 스타일 시트이고 스타일 시트의 표준안이다. 웹 페이지의 스타일(작성형식)을 미리 저장해 두면 웹 페이지의 한 가지 요소만 변경해도 관련되는 전체 페이지의 내용이 한꺼번에 변경하면 된다.
④ SGML: 다양한 형태의 전자문서들을 서로 다른 시스템들 사이에 정보의 손실없이 효율적으로 전송·저장·자동처리를 하기 위한 문서처리표준의 하나이다. 이것은 문서의 마크업언어나 태그셋의 정의에 관한 표준으로, 문서언어를 어떻게 지정할 것인가를 설명한 것이다. 문서의 구조를 정의할 수 있는 메타언어이다.

정답 ③

2 시험 출제 용어 - 2

1. RFID

RFID의 기술은 2차 세계대전당시 영국이 자국의 전투기와 적군의 전투기를 자동적으로 식별하기 위해 RFID 기술을 개발하였으나, 태그가 크고 값이 비싸 일반에 보급되지는 못하고 군사부분에서만 사용되다가, 태그의 소형화와 반도체 기술의 발달로 저가격, 고기능 태그가 개발되면서부터 다양한 분야로 적용이 확대되고 있다. RFID(Radio Frequency Identification)는 '전파식별'보다 한국기술표준원에서 정의한 '무선인식'으로 더 불리고 있다. RFID 시스템은 태그, 안테나, 리더기 등으로 구성되는데, 태그와 안테나는 정보를 무선으로 수미터에서 수십미터까지 보내며 리더기는 이 신호를 받아 상품 정보를 해독한 후 컴퓨터로 보낸다. 보내진 자료는 인식한 자료를 컴퓨터 시스템으로 보내 처리된다. 그러므로 태그가 달린 모든 상품은 언제 어디서나 자동적으로 확인 또는 추적이 가능하며 태그는 메모리를 내장하여 정보의 갱신 및 수정이 가능한 것이다. 유비쿼터스에서 일회용 컴퓨팅에 사용된다.

2. USB

범용 직렬 버스는 호스트 기기에 다양한 주변 기기를 연결하는 버스 규격이다. 기존의 RS-232C 시리얼 포트와 IEEE 1284 병렬 포트, PS/2 커넥터를 교체하기 위해, 1994년 컴팩, DEC(Digital Equipment Corporation), IBM, 인텔, NEC, 노텔(Nortel) 등 7개사가 공동으로 개발하여 Windows 98에서 정식으로 지원하도록 보급하였다. USB 표준은 하나의 버스에 최대 127대의 주변 장치가 연결 가능하다. 포트가 부족한 경우에는 나뭇가지 형태로 확장 가능한 USB 허브의 사용도 가능하다. USB 방식으로 연결된 주변 장치는 대부분 컴퓨터의 동작 도중 제거하고 바꾸는 기능인 핫 스와핑(hot swapping)을 지원한다. 또한 호스트 버스 어댑터로부터 주변 장치에 전원 공급이 가능하도록 규정하고 있다. 따라서 기존 컴퓨터 주변 장치뿐 아니라 사무용품 및 휴대폰, 디지털 오디오 플레이어 등 다양한 기기에 전력을 공급하는 용도로 사용된다. 컴퓨터에 연결하면 데이터 전송 또는 전원 충전용으로 사용이 가능하다.

3. 클라이언트/서버 바인딩

바인딩은 원격 프로시저와 호출 프로그램 사이의 관계를 어떻게 설정할 것인가를 명시한다. 비영속적인 바인딩 (nonpersistent binding)은 원격 프로시저 호출을 수행하려는 시점에 두 개의 프로세스 사이에 논리적인 연결이 설정되며, 결과 값이 반환되자마자 연결이 해제된다. 영속적인 바인딩(persistent binding)은 원격 프로시서 호출을 위하여 설정되는 연결이 결과 값 반환 이후에도 계속 유지된다. 원격 프로시저를 반복 호출하는 응용에 적합하다.

4. UDP

송수신측이 서로 데이터를 주고받는 방식이 TCP이고, 수신측이 데이터를 보든 상관없이 송신측에서 데이터만 전달하면 되는 방식이 UDP이다. 즉, UDP는 수신측과 접속 절차를 거치지 않고 송신측에서 일방적으로 데이터를 보내는 방식으로, 이러한 서비스를 무관계 서비스라 하고, 이 무관계 서비스의 통신규약이 UDP이다. 따라서 UDP는 TCP와 달리 데이터의 수신에 대한 책임을 지지 않는다. 이는 송신자는 정보를 보냈지만, 정보가 수신자에게 제때에 도착했는지 또는 정보 내용이 서로 뒤바뀌었는지에 관해서 송신자는 상관할 필요가 없다는 말이다. 또 TCP보다 안정성 면에서는 떨어지지만, 속도는 훨씬 빠르다. 멀티미디어 데이터 전송 등에 사용한다.

5. MIME

다목적 인터넷 메일 확장이라는 뜻으로, 아스키코드 텍스트만을 사용해야 했던 인터넷 전자메일에서 다양한 포맷과 형식을 쓸 수 있도록 지원하는 데이터 부호화 방식이다(메일을 통해 멀티미디어 전송). 인터넷 전자메일의 전송을 담당하는 SMTP 프로토콜은 기본적으로 숫자 및 기호를 7비트로 표현하는 아스키 문자 코드를 기반으로 한다. 또한 인터넷 메일 형식을 정의한 기존 표준(RFC 5322)에서는 한 줄에 1,000바이트(줄바꿈 포함)로 텍스트 데이터를 제한한다. 반면 MIME은 아스키코드만으로 표현할 수 없는 문자나 2진 데이터, 이미지, 음성, 애플리케이션 등의 비문자 데이터를 다룰 수 있도록 지원한다. 또한 멀티파트(multi-part)라고 하여, 메일 본문을 분할하여 여러 콘텐츠를 처리할 수 있다. MIME 표준에 의해 정의된 컨텐츠 타입은 SMTP를 위해 설계되었지만 이메일 이외의 어플리케이션에서도 중요하게 사용되며, 월드와이드웹을 위한 HTTP 프로토콜 통신에서도 사용된다.

컴퓨터 사용 환경이 텍스트 기반에서 멀티미디어 환경으로 확대되면서 전자 메일 시스템도 새로운 형식의 데이터를 수용할 수 있도록 확장 작업이 이루어졌다. 특히 7비트 형식의 ASCII 코드에서 지원하지 않는 각국의 언어와 이진 데이터 형식의 실행 파일, 영상·음성 등의 데이터를 전송하려면 기능 확장은 필수다. MIME(Multipurpose Internet Mail Extensions)는 이러한 필요성에 의해 도입되어 오늘날 전자 메일 환경에서 보편적으로 사용한다. 다음 그림은 MIME의 동작 과정(변환과 역변환)을 나타낸다.

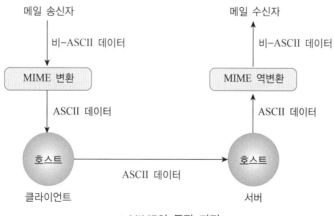

▲ MIME의 동작 과정

6. GSM

유럽의 대표적인 이동통신 시스템인 GSM은 세계에서 가장 널리 사용되고 있으며, 기술적으로는 TDMA를 기본으로 하고 있다. 우리나라에서는 개인이동통신 시스템으로 CDMA를 사용하고 있어 GSM 방식 단말기를 사용하고 있지는 않지만, 수출에 주력하는 많은 이동통신 제조업체들은 이 방식의 단말기를 개발하고 있다. 1982년 유럽전기통신주관 청회의(CEPT) 산하 GSM에서 디지털 셀룰러 시스템을 설정한 것이 기초를 이루었으며, 1989년에 유럽전기통신표준 협회(ETSI)로 이관되어 범유럽 표준규격으로 제정되었다. 이 때문에 ETSI/GSM이라고도 불린다. GSM은 협대역 시 분할 다중접속(TDMA) 방식을 적용해 유럽 17개국을 단일 통화권으로 통일하였다. 또한 종합정보통신망(ISDN)과 연결되므로 모뎀을 사용하지 않고도 전화단말기와 팩시밀리, 랩톱 컴퓨터, 텔레텍스트 터미널 등에 직접 접속해 이 동 데이터 서비스를 받을 수 있다. 기지국의 송신 주파수는 935~960MHz, 기지국 수신 주파수는 890~915MHz로 송수신 주파수 간격은 45MHz이다. 기존 아날로그 방식과는 호환성이 없다. ETSI에서 표준화한 디지털 셀룰러 시스 템도 GSM으로 불리기도 한다. GSM은 2G를 대표하고, 미국에서는 CDMA가 사용되었다.

7. LTE

LTE 통신 규격을 이해하기 위해서는 무선 이동통신 규격의 발전 과정을 먼저 살펴 보는 것이 좋다. 무선 이동통신 규격은 큰 범주로 1세대(1G), 2세대(2G), 3세대(3G)로 나뉘어 있으며, 4세대(4G) 이동통신 방식으로 발전했다. 그리 고 현재 이동통신 업계는 5G를 향해 나아가고 있다. 각 세대 구분의 가장 중요한 기준은 데이터 전송속도의 차이에 있다. 다음의 표는 이동 통신의 발전 과정을 나타낸다.

구분	1G	2G	3G	pre-4G/4G
접속방식	아날로그	GSM CDMA	WCDMA CDMA 2000 와이브로	LTE LTE-Advanced 와이브로-에볼루션(와이맥스2)
전송속도	-	14.4~64Kbps	144Kbps~2Mbps	100Mbps~1Gbps
전송형태	음성	음성/문자	음성/문자/동영상 등	음성/문자/동영상 등
다운로드 속도 (800MB 동영상)	다운로드 불가	약 6시간	약 10분	약 85초~6초(이론적)

LTE는 다음과 같은 특징을 가진다.

(1) MIMO

무선 통신의 용량을 높이기 위한 스마트 안테나 기술이 사용된다(MIMO가 MU-MIMO로 발전함).

(2) All-IP

이동통신 서비스인 롱텀에볼루션(LTE), 초고속인터넷 기반의 인터넷전화(VoIP), 인터넷TV(IPTV), 유·무선 등 모든(All) 통신망을 하나의 인터넷 프로토콜(IP)망으로 통합하는 것이다.

다운 스트림에서는 OFDMA(주파수 분할 멀티플렉싱(FDM)과 시간 분할 멀티플렉싱(TDM)을 결합한 방식)을 사용 하고, 업 스트림에서는 SC-FDMA(시간을 더 잘게 분할)를 사용한다. 다음 그림은 이를 나타낸다.

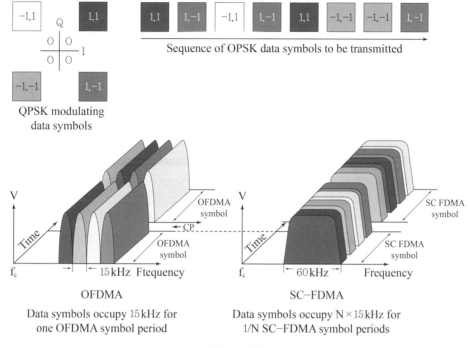

Sequence of OPSK data symbols to be transmitted

QPSK modulating
data symbols

OFDMA

Data symbols occupy 15 kHz for
one OFDMA symbol period

SC-FDMA

Data symbols occupy N × 15 kHz for
1/N SC-FDMA symbol periods

▲ LTE의 다운 스트림과 업 스트림

8. HTTPS(= http + SSL/TLS)

HTTPS(Hypertext Transfer Protocol over Secure Socket Layer, HTTP over TLS, HTTP over SSL, HTTP Secure)
는 월드 와이드 웹 통신 프로토콜인 HTTP의 보안이 강화된 버전이다. HTTPS는 통신의 인증과 암호화를 위해 넷스
케이프 커뮤니케이션즈 코퍼레이션이 개발했으며, 전자 상거래에서 널리 쓰인다. HTTPS는 소켓 통신에서 일반 텍
스트를 이용하는 대신에, SSL이나 TLS 프로토콜을 통해 세션 데이터를 암호화한다. 따라서 데이터의 적절한 보호를
보장한다. HTTPS의 기본 TCP/IP 포트는 443이다. 보호의 수준은 웹 브라우저에서의 구현 정확도와 서버 소프트웨
어, 지원하는 암호화 알고리즘에 달려있다. HTTPS를 사용하는 웹페이지의 URL은 'http://' 대신 'https://'로 시작
한다(자신의 웹브라우저에서 확인).

9. CDMA

하나의 채널로 한 번에 한 통화밖에 하지 못하는 한계가 있는 아날로그 방식의 문제점을 해결하기 위해 개발된 디지
털 방식 휴대폰의 한 방식으로, 코드분할 다중접속 또는 부호분할 다중접속이라고 한다. CDMA는 아날로그 형태인
음성을 디지털 신호로 전환한 후 여기에 난수를 부가하여 여러 개의 디지털 코드로 변환해 통신을 하는 것으로 휴대
폰이 통화자의 채널에 고유하게 부여된 코드만을 인식한다. 통화 품질이 좋고 통신 비밀이 보장된다는 장점이 있다.

이동통신은 주파수라는 한정된 자원을 이용하기 때문에, 쓸 수 있는 분량이 제한된 주파수 자원을 여러 사람이 효율
적으로 함께 쓸 수 있도록 해주는 다중접속이 이동통신에서는 필수적인 기술이며, 다중접속 기술에는 FDMA,
TDMA, CDMA 등의 방식이 있다. CDMA 방식은 대역확산이라는 기술을 이동통신에 적용한 것으로서 보내고자 하
는 신호를 그 신호의 주파수 대역 보다 아주 넓은 주파수 대역으로 확산시켜 전송한다. 같은 공간(주파수 대역)에서
모든 사람들이 동시에 대화를 하되 서로 다른 언어(코드)로 얘기하게끔 한다고 여기면 된다. 이렇게 하면 동시에 대
화할 수 있는 사람 수를 크게 늘릴 수 있다(부호화 = 난수를 부가).

10. QR code

길거리의 광고판을 들여다보면 어느새부턴가 정사각형 모양의 불규칙한 마크가 하나 들어 있음을 알 수 있다. 특수 기호나 상형문자 같기도 한 이 마크를 'QR코드'라 한다. QR은 'Quick Response'의 약자로 '빠른 응답'을 얻을 수 있다는 의미이다. 흔히 보는 바코드와 비슷한 것인데, 활용성이나 정보성 면에서 기존의 바코드보다는 한층 진일보한 코드 체계이다. 기존의 바코드는 기본적으로 가로 배열에 최대 20여 자의 숫자 정보만 넣을 수 있는 1차원적 구성이지만, QR코드는 가로, 세로를 활용하여 숫자는 최대 7,089자, 문자는 최대 4,296자, 한자도 최대 1,817자 정도를 기록할 수 있는 2차원적 구성이다. 때문에 바코드는 기껏해야 특정 상품명이나 제조사 등의 정보만 기록할 수 있었지만, QR코드에는 긴 문장의 인터넷 주소(URL)나 사진 및 동영상 정보, 지도 정보, 명함 정보 등을 모두 담을 수 있다.

최근에는 QR코드가 기업의 중요한 홍보/마케팅 수단으로 통용되면서 온/오프라인을 걸쳐 폭넓게 활용되고 있다. 가장 큰 장점은 기존 바코드에 비해 많은 양의 데이터/정보를 넣을 수 있으면서 코드 크기는 짧고 작은 형태를 유지할 수 있다는 것이다. 일반적인 QR코드의 크기는 약 2㎠ 정도지만, 이를 약 1/4 크기로 줄인 마이크로 QR코드도 사용할 수 있다. 이는 주로 전자부품 등과 같은 작은 공간에 적용된다. 또한 QR코드는 오류 복원 기능이 있어 코드 일부분이 오염되거나 손상돼도 데이터 정보를 복원할 수 있는 것도 장점이다. 물론 손상/오염 정도가 심하면 복원이 불가능하기도 하지만, 기존 바코드에 비해 인식률이 우수한 것은 사실이다. 또한 코드 모양이 정사각형이라 360도 어느 방향으로 읽어도 정확하게 인식된다. 더구나 바탕/배경 그림의 영향을 거의 받지 않으므로 다양한 형태의 홍보/판촉물에 삽입할 수 있다. 현재는 악성코드 배포에 이용한다.

11. URL

URL(Uniform Resource Locator)은 네트워크상에서 자원이 어디 있는지를 알려주기 위한 규약이다. 즉, 컴퓨터 네트워크와 검색 메커니즘에서의 위치를 지정하는, 웹 리소스에 대한 참조이다. 흔히 웹 사이트 주소로 알고 있지만, URL은 웹 사이트 주소뿐만 아니라 컴퓨터 네트워크상의 자원을 모두 나타낼 수 있다. 그 주소에 접속하려면 해당 URL에 맞는 프로토콜을 알아야 하고, 그와 동일한 프로토콜로 접속해야 한다. FTP 프로토콜인 경우에는 FTP 클라이언트를 이용해야 하고, HTTP인 경우에는 웹 브라우저를 이용해야 한다. 텔넷의 경우에는 텔넷 프로그램을 이용해서 접속해야 한다. 다음 그림은 URL과 URN을 포함하는 URI를 나타낸다.

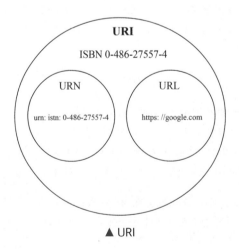

▲ URI

12. 공개키를 사용한 메시지 전송

다음 그림은 공개키를 사용한 메시지 전송을 나타낸다. 수신자의 공개키로 암호화를 수행함에 유의한다.

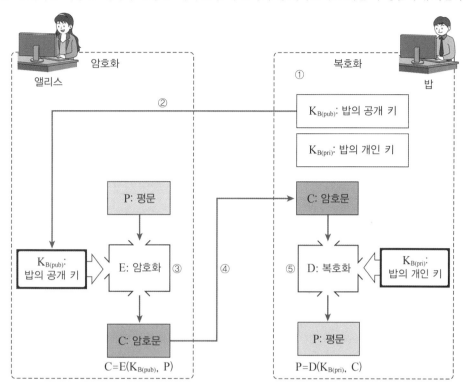

▲ 공개키를 사용한 메시지 전송

13. 콘텐츠 필터링, 디지털 핑거프린팅, 디지털 워터마킹, 디지털 사이니지

콘텐츠 필터링은 콘텐츠 이용 과정에서 저작권 침해 여부 등을 판단하기 위해 데이터를 제어하는 기술로, 키워드 필터링, 해시 필터링, 특징점 필터링 등이 있다. 디지털 핑거프린팅은 디지털 콘텐츠를 구매할 때 구매자의 정보를 삽입하여 불법 배포 발견 시 최초의 배포자를 추적할 수 있게 하는 기술이다.

디지털 워터마킹은 원본의 내용을 왜곡하지 않는 범위 내에서 사용자가 인식하지 못하도록 저작권 정보를 디지털 콘텐츠에 삽입하는 기술이고, 디지털 사이니지는 중앙에서 통제하는 개별 맞춤형 광고를 나타낸다.

14. X.509

X.509는 암호학에서 공개키 인증서와 인증알고리즘의 표준 가운데에서 공개키 기반(PKI)의 ITU-T 표준이다. X.509는 1988년 7월 3일 X.500 표준안의 일환으로 시작되었다. 1993년 인증기관 고유 식별자와 주체고유 식별자가 추가된 v2가 발표되었으며, 1996년에 확장 기능(Extension)을 이용해 데이터를 추가할 수 있는 v3가 발표되어 현재 쓰이고 있다. PGP처럼 상호 신뢰를 기반으로 하는 웹 모델과 달리, X.509는 매우 엄격한 수직적 구조를 채택하였다. 따라서 하나의 인증 기관을 정점으로하는 트리 구조를 갖게 된다. 이러한 형태의 불편함을 해소하기 위해, v3는 보다 유연한 구조를 채택하여 몇 개의 신용할 만한 Root CA끼리는 상호 인증, 혹은 자가 인증을 허용하고 있다.

15. 인터넷

다음의 표는 인터넷의 역사를 나타낸다. 1982년도 TCP/IP, 1992년도 WWW이 등장했음에 유의한다.

연도	내용
1969	미국 국방부의 ARPAnet 출현
1972	e-메일 프로그램 개발, Telnet 표준안, 30개 이상의 노드를 접속
1973	FTP 표준안
1982	TCP/IP 도입
1983	ARPANet이 ARPANet(연구용)과 MILNet(군사용)으로 분리, 인터넷 시작
1992	WWW(World Wide Web) 시작
1993	미국 NSF, InterNIC 발표. 미국 NII 법안 통과, WWW 브라우저인 Mosaic 등장, 2,000,000 호스트 연결
1994	넷스케이프 내비게이터의 등장, 인터넷에서의 전자상거래가 시작됨, 3,000,000 호스트 연결
1995	인터넷 익스플로러 등장, 4,000,000 호스트 연결
2000	미국 인터넷 사용자 약 1억 4천만 명
2004	205개국, 4천 2백만 대 이상의 호스트 컴퓨터가 연결되어 있는 최대 통신망으로 발전
2005	무선 웹 디바이스의 사용 증가로 개발도상국가들의 인터넷 사용자 급증
2011	전 세계 인터넷 이용자 수 약 21억 명, 전 세계 인터넷 이용률 약 30.2%
2016	전 세계 인터넷 이용자 수 약 32억 명, 전 세계 인터넷 이용률 약 45.6%

16. Virtualization(가상화)

컴퓨터 운영체제(OS)를 시스템 구조나 하드웨어에 영향받지 않고 설치하고, 사용할 수 있도록 하는 기술이다. 일반적으로 운영체제는 특정 시스템 구조나 하드웨어에 특화되어 있어 운영체제의 교체가 쉽지 않으며, 하나의 시스템에서 여러 운영체제를 동시에 운영하는 것도 거의 불가능하다. 그러나 다양한 업무 수행을 위해서는 하나의 시스템에 여러 운영체제를 얹거나 운영체제를 교체하여 낡은 컴퓨터를 재활용 하는 기술이 필요하며, 특히 최근에는 서버나 PC 수준에서도 이러한 기능이 절대적으로 요구되고 있다(클라우드 컴퓨팅).

현재 IBM 등의 메인프레임이나 유닉스 서버에서 Vmware나 MS의 가상 서버를 설치하면 가상화 기능을 이용할 수 있으며 인텔 · AMD 등은 가상화 기술을 지원하는 칩이 개발되었다. 컴퓨터에서 가상화 기술을 사용하는 방법은 운영체제 위에 가상 머신 지원 프로그램을 사용하는 방법과 가상 머신위에 운영체제를 올리는 방법 등이 있다(운영체제의 사용 여부).

17. 가상 머신

가상 머신(Virtual Machine, VM)은 컴퓨팅 환경을 소프트웨어로 구현한 것으로, 컴퓨터를 에뮬레이션하는 소프트웨어다. 가상머신상에서 운영체제나 응용 프로그램을 설치 및 실행할 수 있다. 다른 기능들이 있는 여러 종류의 가상 머신들이 있다. 시스템 가상 머신들은(또한 완전한 가상화 가상 머신들으로 알려진) 실제 기계의 대체제를 제공하고 완전한 운영체계의 실행을 위한 요구되는 기능성의 수준을 제공한다. 하이퍼바이저(가상 머신 관리 소프트웨어)는 하드웨어를 공유하고 관리하기 위해 네이티브 실행을 이용한다. 그리고 하이퍼바이저는 독립된 다른 환경들을 같은 물리적인 기계에서 실행하기 위해서 허용한다. 현대의 하이퍼바이저들은 하드웨어의 도움을 받는 가상화를 이용하는데, 그것들은 주로 주 CPU들의 특정 하드웨어 기능을 사용하여 효과적이고 완전한 가상화를 제공한다. 프로세스 가상 머신들은 플랫폼에 독립적인 프로그램 실행 환경과 추상화를 제공하여 하나의 프로그램을 실행하도록 설계되었다(가상화 단위를 시스템 또는 프로세스로 볼 수 있음).

18. Hypervisor

다음 그림은 하이퍼바이저를 나타낸다. 하이퍼바이저는 운영체제를 사용한 경우와 사용하지 않은 경우가 존재한다.

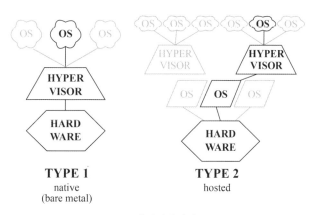

▲ 하이퍼바이저

19. 빅 엔디안, 리틀 엔디안

단어를 형성하는 2진 바이트에서 저장하는 바이트의 순서를 나타내는 방법이다(단위에 주의할 것). 빅 엔디안(big-endian)과 리틀 엔디안(little-endian)이 있는데, 빅 엔디안은 최상위 비트(MSB)부터 부호화되어 저장되며, 리틀 엔디안은 최하위 비트(LSB)부터 부호화되어 저장된다(단위가 비트라고 가정). 예를 들면, 숫자 12는 2진수로 나타내면 1100인데 빅 엔디안은 1100으로, 리틀 엔디안은 0011로 각각 저장된다.

20. USN

유비쿼터스 센서 네트워크는 필요로 하는 모든 곳에 수 많은 센서 노드들을 부착하여 자율적으로 정보를 수집, 관리 및 제어하는 시스템이다. 즉 물리 공간에 빛, 소리, 온도, 움직임 같은 물리적 데이터를 센서 노드에서 감지하고 측정하여 중앙의 기본 노드로 전달하는 구조를 가진 네트워크이다. 센서 네트워크는 물리적 세계와 디지털 세계를 연결할 수 있는 특징 때문에 많은 분야에 응용될 수 있고, 특히 인간 생활의 편리와 안전을 위해 사람의 접근이 불가능하거나 불편한, 그리고 위험한 취약지구에 센서 네트워크 노드를 설치하여 사람이 직접 감시하는 것과 마찬가지의 역할을 한다. 예를 들어 홈 네트워크에서 집안의 침입 감지나 가스 센서를 이용해 가스 안전 모니터링 등을 수행할 수 있으며, 산업 현장에서는 위치 인식 서비스나 물류 관리 등에 사용될 수 있다. 또 지능형 환경 모니터링으로 강수량 측정이나 산불 감시 등에 쓰일 수 있으며, 각종 의료시스템이나 과학, 국방, 사회 안전망 분야에도 사용될 수 있다.

무선 센서 네트워크(wireless sensor network, WSN, USN)는 센서를 네트워크로 구성한 것을 말한다. 인간 중심지향적이면서 장소에 구애받지 않고 언제 어디서나 컴퓨팅 환경에 접속할 수 있는 유비쿼터스 패러다임이 확대되면서 전 세계적으로 활발하게 연구되고 있는 기술 중의 하나이다. WSN 기술은 크게 RFID 등의 내용을 포함하고 있으며, 모든 사물에 적용되는 임베디드 무선 네트워크 기술이다. WSN 관련 소프트웨어 플랫폼으로는 TinyOS, Nano Qplus, Contiki, LiteOS 등이 있으며, 다양한 표준과 프로토콜을 지원한다. WSN 관련 표준으로는 IETF의 6LoWPAN, ROLL, CoRE와 함께 ZigBee, Wireless HART, ISA 100 등이 있다.

현재 IPv6를 접목한 WSN 기술이 많이 확산되었다. 외국에서는 Internet of Things, 국내에서는 방통위에서 사물통신망이라는 이름으로 법제화 및 표준화를 진행하고 있다.

USN의 응용 사례는 다음과 같다.

> - 지역 모니터링: 지역 모니터링은 WSN의 흔한 응용 중 하나이다. 지역 모니터링중에서 WSN는 모니터링이 필요한 지역에 배치되어 현상을 모니터링한다. 군사적인 응용으로는, 적군의 침입을 감지하는 시스템을 예로 들 수 있으며, 상업적인 응용으로는 가스나 오일 파이프라인의 지오펜싱 시스템을 예로 들 수 있다.
> - 스마트 더스트: 스마트 더스트란 먼지 크기의 작은 센서를 물리적 공간에 먼지처럼 뿌려 주위의 정보를 감지하는 기술이다. 비행기로 적지에 침투하여 스마트 더스트를 뿌려 적군의 수, 움직임, 보유 장비등을 체크하고 이를 토대로 전략을 수행할 수 있다.

21. 와이브로(와이맥스)

와이브로(Wibro)는 'Wireless Broadband Internet'의 줄임말로 '무선 광대역 인터넷 서비스', '무선 광대역 인터넷' 등으로 풀이된다. 와이브로의 특징은 휴대폰, 스마트폰의 3G, 4G 이동통신처럼 언제 어디서나 이동하면서 인터넷을 이용할 수 있다는 점이다. 이론적으로 최대 다운로드 속도는 10Mbps, 최대 전송 거리는 1km이며, 시속 120km로 이동하면서 사용할 수 있다. 와이브로의 평균적인 속도는 100Mbps급 초고속 인터넷에는 미치지 못하지만, 3G 이동 통신망보다는 빠르다. 과거 인기를 끌었던 넷북이나 노트북 등으로 인터넷을 사용하는 데 있어 큰 지장은 없을 정도다(단, 이는 지역에 따라 다를 수 있다). 전송 범위는 와이파이 < 와이브로 < 4G(LTE) 순이다.

와이맥스(WiMAX)는 휴대 인터넷의 기술 표준을 목표로 인텔사가 주축이 되어 개발한 기술 방식이다(IEEE 802.16d). 광대역 무선 접속 장비의 호환성과 상호 운용성을 향상시키고 인증하기 위해 설립된 비영리 단체인 WiMAX의 이름에서 유래하였다. 건물 밖으로 인터넷 사용 반경을 대폭 넓힐 수 있도록 기존의 무선랜(802.11a/b/g) 기술을 보완한 것으로 약 30마일(48km) 반경에서 70MB/s 속도로 데이터 전송을 보장하나, 이동 때 기지국과 기지국 간 핸드오프를 보장하지 못하는 단점이 있다(LTE와 다른점).

22. 광대역통합망(BcN)

음성과 데이터 통합에 의해 IP 기반으로 유선전화 또는 그 이상의 품질을 가진 음성서비스 및 멀티미디어 서비스를 경제적으로 제공한다. 유무선의 통합으로 단일 식별번호, 인증 및 통합 단말 등을 통한 최적의 접속 조건으로 끊김이 없는 광대역의 멀티미디어 서비스 제공 가능하다. 통신과 방송의 융합에 의해 차세대 광대역 통신망(FTTH, 4G 등)을 기반으로 개인화 및 주문화 된 고품질 양방향 방송 서비스를 제공한다. End-to-End 고품질 서비스가 제공 가능하도록 QoS가 보장되고 SLA에 따른 고객의 서비스 품질 차별화 가능 및 네트워크 전체 계층의 Security를 보장한다. 망 소유를 하지 않은 제3자도 손쉽게 서비스의 창출, 제공이 가능한 개방형 통신망(Open API)이다. 유비쿼터스 환경을 위한 광범위한 단말기 주소 수요 충족을 위해 IPv6를 사용한다. 특정 네트워크나 단말 종류에 구속되지 않고 다양한 접속환경에서 다기능 통합 단말 등을 통해 시간과 공간의 제약을 받지 않고 언제 어디서나 안심하고 사용 가능한 유비쿼터스 환경을 지원한다.

23. 저장용량과 집적도

저장용량을 크기순으로 나열하면 다음과 같다.

> bit 비트 < B 바이트 < KB 킬로바이트 < MB 메가바이트 < GB 기가바이트 < TB 테라바이트 < PB 페타바이트

집적도를 크기순으로 나열하면 다음과 같다.

> 소규모 집적회로(SSI) < 중규모 집적회로(MSI) < 대규모 집적회로(LSI) < 초대규모 집적회로(VLSI) < 극초 집적회로(ULSI)

다음의 표는 단위(10^n)를 정리한 것이다.

10^n	접두어	기호	배수	십진수
10^{24}	요타 (yotta)	Y	사	1 000 000 000 000 000 000 000 000
10^{21}	제타 (zetta)	Z	십해	1 000 000 000 000 000 000 000
10^{18}	엑사 (exa)	E	백경	1 000 000 000 000 000 000
10^{15}	페타 (peta)	P	천조	1 000 000 000 000 000
10^{12}	테라 (tera)	T	조	1 000 000 000 000
10^9	기가 (giga)	G	십억	1 000 000 000
10^6	메가 (mega)	M	백만	1 000 000
10^3	킬로 (kilo)	k	천	1 000
10^2	헥토 (hecto)	h	백	100
10^1	데카 (deca)	da	십	10
10^0			일	1
10^{-1}	데시 (deci)	d	십분의 일	0.1
10^{-2}	센티 (centi)	c	백분의 일	0.01
10^{-3}	밀리 (milli)	m	천분의 일	0.001
10^{-6}	마이크로 (micro)	μ	백만분의 일	0.000 001
10^{-9}	나노 (nano)	n	십억분의 일	0.000 000 001
10^{-12}	피코 (pico)	p	일조분의 일	0.000 000 000 001
10^{-15}	펨토 (femto)	f	천조분의 일	0.000 000 000 000 001
10^{-18}	아토 (atto)	a	백경분의 일	0.000 000 000 000 000 001
10^{-21}	젭토 (zepto)	z	십해분의 일	0.000 000 000 000 000 000 001
10^{-24}	욕토 (yocto)	y	일자분의 일	0.000 000 000 000 000 000 000 001

24. 파밍

'피싱(Phishing)'에 이어 등장한 새로운 인터넷 사기 수법이다. 넓은 의미에서는 피싱의 한 유형으로서 피싱보다 한 단계 진화한 형태라고 할 수 있다. 그 차이점은 피싱은 금융기관 등의 웹사이트에서 보낸 이메일로 위장하여 사용자로 하여금 접속하도록 유도한 뒤 개인정보를 빼내는 방식인데 비하여, 파밍은 해당 사이트가 공식적으로 운영하고 있던 도메인 자체를 중간에서 탈취하는 수법이다. 피싱의 경우에는 사용자가 주의 깊게 살펴보면 알아차릴 수 있지만, 파밍의 경우에는 사용자가 아무리 도메인 주소나 URL 주소를 주의 깊게 살펴본다 하더라도 쉽게 속을 수밖에 없다. 따라서 사용자들은 늘 이용하는 사이트로만 알고 아무런 의심 없이 접속하여 개인 아이디(ID)와 암호(password), 금융 정보 등을 쉽게 노출시킴으로써 피싱 방식보다 피해를 당할 우려가 더 크다.

파밍에 의한 피해를 방지하기 위해서는 브라우저의 보안성을 강화하고, 웹사이트를 속일 수 있는 위장 기법을 차단하는 장치를 마련해야 하며, 전자서명 등을 이용하여 사이트의 진위 여부를 확실하게 가릴 수 있도록 하여야 한다. 또 사용하고 있는 DNS 운영 방식과 도메인 등록 등을 수시로 점검해야 한다.

25. SNS

소셜 네트워킹 서비스(Social Networking Service)는 사용자 간의 자유로운 의사소통과 정보 공유, 그리고 인맥 확대 등을 통해 사회적 관계를 생성하고 강화해주는 온라인 플랫폼을 의미한다. SNS에서 가장 중요한 부분은 이 서비스를 통해 사회적 관계망을 생성, 유지, 강화, 확장해 나간다는 점이다. 이러한 관계망을 통해 정보가 공유되고 유통될 때 더욱 의미 있을 수 있다(키워드: 참여, 공유).

오늘날 대부분의 SNS는 웹 기반의 서비스이며, 웹 이외에도 전자 우편이나 인스턴트 메신저를 통해 사용자들끼리 서로 연락할 수 있는 수단을 제공하고 있다. SNS는 소셜 미디어와 같은 개념으로 오용되는 경우가 많으나, 범주상 블로그, 위키, UCC, 마이크로 블로그 등과 함께 소셜 미디어의 한 유형으로서 보는 것이 타당하다.

26. 이메일 프로토콜

다음의 그림은 이메일 프로토콜을 나타낸다. 메일 클라이언트가 메일 서버로 메일을 보낼 때 SMTP를 사용하고, 메일 서버가 메일 서버에게 메일을 보내거나 받을 때 SMTP를 사용한다. 메일 서버에서 메일 클라이언트가 메일을 내려 받을 때 POP3(메일 사본은 메일 서버에 남기지 않음), IMAP(메일 사본은 메일 서버에 남김)를 사용한다.

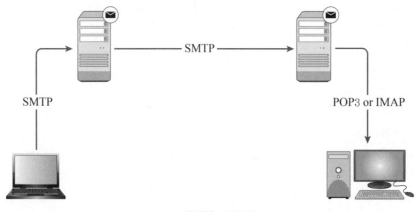

▲ 이메일 프로토콜

27. SNMP

간이 망 관리 프로토콜(Simple Network Management Protocol, SNMP)은 IP 네트워크상의 장치로부터 정보를 수집 및 관리하며, 또한 정보를 수정하여 장치의 동작을 변경하는 데에 사용되는 인터넷 표준 프로토콜이다. SNMP를 지원하는 대표적인 장치에는 라우터, 스위치, 서버, 워크스테이션, 프린터, 모뎀 랙 등이 포함된다. SNMP는 네트워크 모니터링의 목적으로 네트워크 관리에서 널리 사용된다. SNMP는 관리 정보 베이스(Management Information Base, MIB) 상에 관리 중인 시스템의 상태와 설정을 변수의 형태로 관리할 수 있게 해준다. 이러한 변수들은 관리 프로그램에 의해 원격에서 질의될 수 있으며, 경우에 따라서는 원격에서 값을 설정할 수도 있다(SNMP에서 MIB와 OID가 사용됨에 유의).

28. 포트와 서비스

포트 번호	서비스	설명
20	FTP	• File Transfer Protocol-Datagram • FTP 연결 시 실제로 데이터를 전송한다.
21	FTP	• File Transfer Protocol-Control • FTP 연결 시 인증과 제어를 한다.
23	Telnet	텔넷 서비스로, 원격지 서버의 실행창을 얻어낸다.
25	SMTP	• Simple Message Transfer Protocol • 메일을 보낼 때 사용한다.
53	DNS	• Domain Name Service • 이름을 해석하는 데 사용한다.
69	TFTP	• Trivial File Transfer Protocol • 인증이 존재하지 않는 단순한 파일 전송에 사용한다.
80	HTTP	• Hyper Text Transfer Protocol • 웹 서비스를 제공한다.
110	POP3	• Post Office Protocol • 메일 서버로 전송된 메일을 읽을 때 사용한다.
111	RPC	• Sun의 Remote Procedure Call • 원격에서 서버의 프로세스를 실행할 수 있게 한다.
138	NetBIOS	• Network Basic Input Output Service • 윈도우에서 파일을 공유할 수 있게 한다.
143	IMAP	• Internet Message Access Protocol • POP3와 기본적으로 같으나, 메일이 확인된 후에도 서버에 남는다는 것이 다르다.
161	SNMP	• Simple Network Management Protocol • 네트워크 관리와 모니터링을 위해 사용한다.

29. 인터넷 계층 프로토콜

프로토콜 종류	정의
IP(Internet Protocol)	비연결형 데이터 전달
ICMP(Internet Control Message Protocol)	호스트나 라우터의 상황 및 오류에 대한 정보 전달
OSPF(Open Shortest Path First Protocol)	동일한 시스템 내에 있는 라우터 간에 라우팅 정보 전달
RIP(Routing Information Protocol)	동일한 시스템 내에 있는 라우터 간에 라우팅 정보 전달
BGP(Border Gateway Protocol)	상이한 시스템의 경계에 있는 라우터 간에 라우팅 정보 전달
IDRP(InterDomain Routing Protocol)	상이한 시스템에 있는 라우터 간에 라우팅 정보 전달
IGMP(Internet Group Management Protocol)	멀티캐스팅 지원
ARP(Address Resolution Protocol)	아이피 주소를 이더넷 주소로 변환

30. 블록 체인

블록 체인(block chain)은 비트코인의 모든 거래가 기록되는 공개 거래기록부이다. 비트코인을 사용해서 하는 모든 거래는 전 세계에 단 하나의 공개 거래기록부에 기록하고, 블록 체인이라는 이름이 주는 의미처럼 복수의 거래는 블록(block)이라는 단위로 정리한다. 블록체인은 공개하지 않을 수도 있다. 다음 그림은 블록 체인을 나타낸다. 이전 블록의 정보를 지니기 때문에 수정이 어렵다는 것에 유의한다.

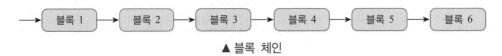

▲ 블록 체인

블록 체인의 기능은 앨리스의 어드레스 A로부터 밥의 상점 어드레스 B에 대해 1BTC를 지급하는 것의 의미한다. 즉, 어드레스 A가 지불할 수 있는 비트코인이 1BTC 감소하고, 어드레스 B가 지불할 수 있는 비트코인이 1BTC 증가한다.

31. 디지털화(표본화 + 양자화 + 부호화)

표본화는 아날로그 신호를 디지털 신호로 바꿔주는 첫 번째 단계로 일정 시간 간격으로 아날로그 신호의 순간적인 값을 취하는 것을 의미한다. 다음 그림처럼 선형으로 이루어진 아날로그 신호를 일정 시간 간격으로 미세하게 나누어 각각의 점에 해당하는 부분을 수로 표현하는 것이라고 할 수 있다. 따라서 표본화를 시간 축의 디지털화라고 하며 말 그대로 아날로그 파형을 디지털 형태로 변환하기 위해 표본을 취하는 것이다. 나이키스트-섀넌 표본화 정리는 신호의 완전한 재구성(복원)은 표본화 주파수가 표본화된 신호의 최대 주파수의 두 배보다 더 클 때, 혹은 나이키스트 주파수가 표본화된 신호의 최고 주파수를 넘을 때 가능하다고 말한다. 즉, 초당 표본추출 횟수는 최대 주파수의 2배가 되어야 한다. 예를 들어, 최대 주파수가 4000이면, 초당 표본추출 횟수는 8000이 되어야 한다. 다음 그림은 표본화를 나타낸다.

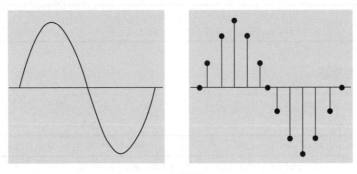

▲ 표본화

양자화는 표본화를 통해 쪼개진 연속적인 값을 진폭(크기)에 따라 연속적이지 않은 각각의 대푯값으로 변환하는 과정이다. 예를 들어 표본화에서 구해진 값이 1.1232312412...이라면 이 값을 1로 정수화 하는 것을 의미한다. 이렇게 정수화하여 구해진 값은 다음 그림처럼 단계화되며 이 값은 정확한 값이 아니기 때문에 오차가 발생하게 된다. 이때 발생하는 오차를 양자화 오차(Quantization error)라고 한다. 다음 그림은 양자화 에러를 나타낸다.

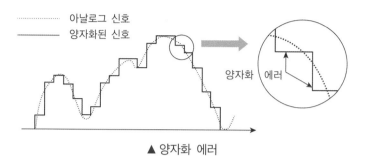

...... 아날로그 신호
—— 양자화된 신호

양자화 │에러

▲ 양자화 에러

부호화는 표본화와 양자화를 거친 디지털 정보를 0과 1의 이진수로 표현하는 과정이다. 양자와 과정을 거친 정보들은 전송 시 잡음에 민감하므로 전송 및 처리에 적합하도록 이진수로 부호화된다.

32. 지리정보 시스템(GIS)

지역에서 수집한 각종 지리 정보를 수치화하여 컴퓨터에 입력·정보·처리하고, 이를 사용자의 요구에 따라 다양한 방법으로 분석·종합하여 제공하는 정보 처리 시스템을 말한다. 지리 정보 체계(Geographic Information System)는 컴퓨터를 이용한 대량의 정보 처리 기술, 지도 제작 기술, 원격 탐사 기술 등이 결합된 현대 과학의 개가로 일컬어진다. 오늘날 지리 정보 체계는 정책 결정의 일관성을 유지하고 합리적인 의사 결정을 내릴 수 있도록 자료를 제공하여 주기 때문에 지역 개발 대상지로서의 적합성 판정, 환경 문제의 원인과 대책 수립, 고급 수준의 국토 관리 등에 이용되고 있다(네비게이션에 활용).

33. 위치기반 서비스(LBS)

위치기반 서비스란, 이동통신 망이나 위성항법 장치(GPS; Global Positioning System) 등을 통해 얻은 위치정보를 바탕으로 이용자에게 여러 가지 서비스를 제공하는 시스템으로서, 이동통신 단말기 속에 기지국이나 위성항법 장치와 연결되는 칩을 탑재하여 위치추적 서비스, 공공안전 서비스, 위치기반정보 서비스 등의 위치와 관련된 각종 서비스를 제공하는 서비스를 일컫는다. 즉, 위치기반 서비스는 유무선 통신망을 통해 얻은 위치정보를 기반으로 제공되는 제반 서비스를 총칭한다. 위치기반 서비스는 고객의 현재 위치인 지역에 대한 정보와 필수적으로 연계되는데, 현재 위치기반 서비스는 관심 지점(POI; Point Of Interest)을 중심으로 지도상의 각 지역 정보를 수집하여 위치기반 서비스가 목표로 하는 다양한 정보를 제공하고 있다. 여기서, POI는 주요 시설물, 역, 공항, 터미널, 호텔 등을 좌표로 전자 수치 지도에 표시하는 데이터, 목적지 검색에 사용되는 검색 데이터 및 바탕 화면에 표시만 되는 바탕 데이터로 구분할 수 있다(가장 가까운 목적지를 찾아줌).

34. 생체(바이오) 인식

개인마다 다른 지문, 홍채, 땀샘 구조, 혈관 등 개인의 독특한 생체 정보를 추출하여 정보화시키는 인증 방식이다. 얼굴 모양이나 음성, 지문, 안구 등과 같은 개인의 특성은 열쇠나 비밀번호처럼 타인의 도용이나 복제에 의해 이용될 수 없을 뿐만 아니라, 변경되거나 분실할 위험성이 없어 보안 분야에서 많이 활용하며, 특히 이용자에 대한 사후 추적이 가능해 관리적인 측면에서도 안전한 시스템을 구축할 수 있다. 이러한 생체 인식을 이용한 예로는 지문(정적 정보), 음성, 얼굴, 홍채, 손금, 정맥 분포 등 아주 다양하다. 최근에는 2~3개의 인식 방법을 함께 사용해 단점을 보완하고 정확도를 높이는 다중 생체 인식(Multimodal biometrics)이 많이 개발되고 있다. 또 걸음걸이(동적 정보)나 체취, 귀 모양, 유전자 정보를 이용한 생체 인식도 연구 중이다.

35. 정규식(regular expression)

다음은 정규식을 나타낸다.

- ^: 문자열의 시작
- $: 문자열의 종료(옵션에 따라 문장의 끝 또는 문서의 끝에 매치된다)
- .: 임의의 한 문자
- []: 문자 클래스(문자 클래스 안에 들어가 있는 문자는 그 바깥에서 하나의 문자로 취급된다)
- ∘^: 문자 클래스 내에서 ^는 not
- ∘-: a - z는 a에서 z까지의 문자
- |: or를 나타냄
- ?: 앞 문자가 없거나 하나 있음
- +: 앞 문자가 하나 이상임
- *: 앞 문자가 0개 이상임
- {n,m}: 앞 문자가 n개 이상, m개 이하({0,1}은 ?와 같은 의미이다)
- {n, }: 앞 문자가 n개 이상(위의 형태에서 m이 생략된 형태이다. {0, }이면 *와 같고, {1, }이면 +와 같은 의미이다)
- {n}: 앞 문자가 정확하게 n개({n,n}과 같은 의미이다)
- ( ): 하나의 패턴구분자 안에 서브패턴을 지정해서 사용할 경우 괄호로 묶어주는 방식을 사용
- \s: 공백문자
- \b: 문자와 공백 사이를 의미
- \d: 숫자 [0 - 9]와 같음
- \t: 탭문자
- \w: 단어 영문자+숫자+_(밑줄) [0 - 9a - zA - Z_]
문자 이스케이프는 대문자로 적으면 반대를 의미한다.

36. Gateway

게이트웨이(gateway)는 컴퓨터 네트워크에서 서로 다른 통신망, 프로토콜을 사용하는 네트워크 간의 통신을 가능하게 하는 컴퓨터나 소프트웨어를 두루 일컫는 용어, 즉 다른 네트워크로 들어가는 입구 역할을 하는 네트워크 포인트이다. 넓은 의미로는 종류가 다른 네트워크 간의 통로의 역할을 하는 장치이다. 또한 게이트웨이를 지날 때마다 트래픽(traffic)도 증가하기 때문에 속도가 느려질 수 있다. 쉽게 예를 들자면 해외여행을 들 수 있는데 해외로 나가기 위해서 꼭 통과해야하는 공항이 게이트웨이와 같은 개념이다. 게이트웨이는 서로 다른 네트워크 상의 통신 프로토콜(통신규약)을 적절히 변환해주는 역할을 한다. 게이트웨이는 OSI 참조 모델의 전계층을 인식하여 전송방식이 다른 통신망도 흡수하여, 서로 다른 기종끼리도 접속을 가능하게 한다(네트워크 전계층을 사용).

37. modem

모뎀(MODEM, MOdulator and DEModulator)은 정보 전달(주로 디지털 정보)을 위해 신호를 변조하여 송신하고 수신측에서 원래의 신호로 복구하기 위해 복조하는 장치를 말한다. 주로 컴퓨터 정보통신을 위한 주변장치로 많이 사용한다. 변조를 하는 이유는 전송선에 디지털 신호를 바로 보내면 신호 전달이 잘 되지 않기 때문이다. 데이터가 같은 비트로 연속되면 전송특성상 신호 전달에 문제가 발생하므로 전송선의 특성에 맞추어 변조한다. 모뎀은 아날로그/디지털 변환기의 일종으로 컴퓨터의 디지털 신호를 아날로그 신호로 바꾸어 전송하고, 아날로그 신호를 받아 디지털 신호로 읽어낸다. 좁은 의미에서는 개인용 컴퓨터와 전화선을 이어주는 주변장치이다(현재는 케이블 모뎀을 사용).

38. 양자 컴퓨터

양자 컴퓨터(quantum computer)는 얽힘(entanglement)이나 중첩(superposition) 같은 양자역학적인 현상을 활용하여 자료를 처리하는 계산 기계이다. '양자 컴퓨팅'(量子-, quantum computing)이라고도 한다. '꿈의 컴퓨터'라는 별칭이 있다. 고전적인(전통적인) 컴퓨터에서 자료의 양은 비트로 측정된다. 양자 컴퓨터에서 자료의 양은 큐비트로 측정된다(0과 1을 동시에 가짐). 양자 계산의 기본적인 원칙은 입자의 양자적 특성이 자료를 나타내고 구조화할 수 있다는 것과 양자적 메커니즘이 고안되어 이러한 자료들에 대한 연산을 수행할 수 있도록 만들어질 수 있다는 것에 기한다. 양자 컴퓨팅이 여전히 유아기에 있지만(구글의 최신 발표 자료 참고), 매우 작은 수의 큐비트를 가지고 양자 수치 계산이 수행되는지에 관한 실험들이 행해져 왔다(큐비트를 자료와 연산에 사용). 다음 그림은 큐비트를 나타낸다.

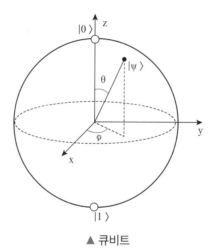

▲ 큐비트

양자 정보 통신은 정보 사회의 패러다임을 바꿀 신기술로 여겨졌다. 양자 정보 통신을 활용한 양자 컴퓨터는 한 개의 처리 장치에서 여러 계산을 동시에 처리할 수 있어 정보처리량과 속도가 지금까지의 컴퓨터에 비해 뛰어나다(양자 우위). 하지만 정보 교환을 위해 발생하는 '얽힘(entanglement)'에 큰 비용이 드는 단점이 있어 양자 정보 통신에서 필수적이지만 비용이 많이 발생하는 얽힘을 가능한 한 줄이고 부정보(side information)를 활용해 정보를 교환하는 방식이 개발되었다.

주요개념 셀프체크

- CDMA
- URI = URN + URL
- 가상화 - 가상머신, 하이퍼바이저
- USN
- 제엑페테 - 피펨아젭
- SNMP
- 블록체인
- GIS
- 양자컴퓨터

핵심 기출

1. 다음 중 집적도가 가장 높은 회로와 가장 큰 저장용량 단위를 나타낸 것은? 2017년 서울시

> GB, PB, MB, TB
> VLSI, MSI, ULSI, SSI

① ULSI, PB
② VLSI, TB
③ MSI, GB
④ SSI, PB

해설

저장용량을 순서대로 나열하면 다음과 같다.

bit < Byte < KB < MB < GB < TB < PB

집적도를 순서대로 나열하면 다음과 같다.

SSI < MSI < LSI < VLSI < ULSI

이를 기준으로 집적도가 가장 높은 회로는 ULSI이고, 가장 큰 저장용량 단위는 PB이다.

TIP 용량의 경우 더 작은 단위와 더 큰 단위로 시험에 자주 출제되므로 기억해두는 것이 좋다(제엑페테 - 피펨아젭).

10^n	접두어	기호	배수	십진수
10^{24}	요타 (yotta)	Y	자	1 000 000 000 000 000 000 000 000
10^{21}	제타 (zetta)	Z	십해	1 000 000 000 000 000 000 000
10^{18}	엑사 (exa)	E	백경	1 000 000 000 000 000 000
10^{15}	페타 (peta)	P	천조	1 000 000 000 000 000
10^{12}	테라 (tera)	T	조	1 000 000 000 000
10^{9}	기가 (giga)	G	십억	1 000 000 000
10^{6}	메가 (mega)	M	백만	1 000 000
10^{3}	킬로 (kilo)	k	천	1 000
10^{2}	헥토 (hecto)	h	백	100
10^{1}	데카 (deca)	da	십	10
10^{0}			일	1
10^{-1}	데시 (deci)	d	십분의 일	0.1
10^{-2}	센티 (centi)	c	백분의 일	0.01
10^{-3}	밀리 (milli)	m	천분의 일	0.001
10^{-6}	마이크로 (micro)	μ	백만분의 일	0.000 001
10^{-9}	나노 (nano)	n	십억분의 일	0.000 000 001
10^{-12}	피코 (pico)	p	일조분의 일	0.000 000 000 001
10^{-15}	펨토 (femto)	f	천조분의 일	0.000 000 000 000 001
10^{-18}	아토 (atto)	a	백경분의 일	0.000 000 000 000 000 001
10^{-21}	젭토 (zepto)	z	십해분의 일	0.000 000 000 000 000 000 001
10^{-24}	욕토 (yocto)	y	일자분의 일	0.000 000 000 000 000 000 000 001

정답 ①

2. 최근 컴퓨팅 환경이 클라우드 환경으로 진화됨에 따라 가상화 기술이 중요한 기술로 부각되고 있다. 이에 대한 설명으로 옳지 않은 것은?

2017년 서울시

① 하나의 컴퓨터에 2개 이상의 운영체제 운용이 가능하다.
② VM(Virtual Machine)하에서 동작되는 운영체제(Guest OS)는 실 머신에서 동작되는 운영체제보다 효율적이다.
③ 특정 S/W를 여러 OS플랫폼에서 실행할 수 있어 S/W 이식성이 제고된다.
④ VM하에서 동작되는 운영체제(Guest OS)의 명령어는 VM명령어로 시뮬레이션되어 실행된다.

해설
VM에서 동작하는 운영체제는 실제 운영체제 위에서 동작하므로(에뮬레이션) 실제 머신에서 동작되는 운영체제보다 비효율적이다.

선지분석
① 하나의 컴퓨터에 여러 개의 가상 머신(virtual machine)을 설치하면 2개 이상의 운영체제 운용이 가능하다.
③ 가상 머신이 없을 때는 특정 S/W의 이식성을 체크하기 위해 여러 대의 컴퓨터에서 실행해야 했는데 가상 머신이 하나의 컴퓨터에서 여러 OS 플랫폼을 만들 수 있기 때문에 기존 방식에 비해 이식성 체크가 수월하다.
④ VM은 실제 운영체제 위에서 동작하기 때문에 VM에서 실행하는 운영체제 명령어는 VM 명령어로 에뮬레이션 된다.

정답 ②

3. 다음 중 양자컴퓨팅(quantum computing)에 대한 설명으로 옳은 것만을 <보기>에서 모두 고르면? 2020년 국회직

<보기>
ㄱ. 양자 얽힘(entanglement), 중첩(superposition)과 같은 양자역학 현상을 이용한다.
ㄴ. 0, 1 또는 0과 1의 상태를 동시에 가질 수 있는 큐비트(Qbit)가 계산의 기본 단위이다.
ㄷ. QKD(Quantum Key Distribution) 시스템에서는 양자 얽힘 현상을 이용하지 않는다.
ㄹ. 이산로그(discrete logarithm) 문제를 다항시간의 복잡도로 풀 수 있는 방법을 제공한다.
ㅁ. 소인수분해(integer factorization) 문제를 다항시간(polynomial time)의 복잡도로 풀 수 있는 방법이 존재하여 기존의 모든 NP(Non-deterministic Polynomial)문제를 다항시간 내에 풀 수 있다.

① ㄱ, ㄴ, ㄷ   ② ㄱ, ㄴ, ㄹ   ③ ㄴ, ㄷ, ㅁ
④ ㄱ, ㄴ, ㄹ, ㅁ   ⑤ ㄴ, ㄷ, ㄹ, ㅁ

해설
ㄱ. 양자컴퓨팅은 양자역학 현상을 이용한다.
ㄴ. 양자컴퓨팅은 큐비트를 기본 단위로 사용한다.
ㄹ. 이산 로그 문제(P 문제)를 다항시간의 복잡도로 풀 수 있다(일정 시간 안에 풀 수 있다).

선지분석
ㄷ. QKD는 양자 암호로서 양자역학 현상(양자 얽힘)을 이용한다.
ㅁ. 소인수분해 문제(P 문제)를 다항시간의 복잡도로 풀 수 있지만, 모든 NP 문제를 다항시간 내에 풀 수 있다는 것은 확실히 증명되지 않았다.

TIP P 문제와 NP 문제
P 문제는 결정 문제들 중에서 쉽게 풀리는 것을 모아 놓은 집합이다. 어떤 결정 문제가 주어졌을 때, 다항식(Polynomial) 시간 이내에 그 문제의 답을 YES와 NO 중의 하나로 계산해낼 수 있는 알고리즘이 존재한다면, 그 문제는 P 문제에 해당된다. NP 문제는 결정 문제들 중에서 적어도 검산은 쉽게 할 수 있는 것을 모아 놓은 집합으로도 정의할 수 있다. 정확히 말하면, 어떤 결정 문제의 답이 YES일 때, 그 문제의 답이 YES라는 것을 입증하는 힌트가 주어지면, 그 힌트를 사용해서 그 문제의 답이 정말로 YES라는 것을 다항식 시간 이내에 확인할 수 있는 문제가 바로 NP 문제에 해당된다. NP에는 NP-hard와 NP-complete가 존재한다. NP-hard는 모든 경우의 수를 전부 확인해보는 방법 이외에는 정확한 답을 구할 수 있는 방법이 없는 문제들을 뜻한다. NP-hard는 NP에 속하는 모든 판정 문제를 다항 시간에 다대일 환산할 수 있는 문제들의 집합이므로 다항 시간내에 해결이 가능하다. NP-complete는 NP-hard이지만 다항 시간 내에 해결할 수 없는 문제를 나타낸다. 예를 들어, Travelling Salesman Problem 등을 들 수 있다. NP-complete 문제를 해결하기 위해 근사 알고리즘을 사용한다. 다음 그림은 P 문제와 NP 문제의 관계를 나타낸다.

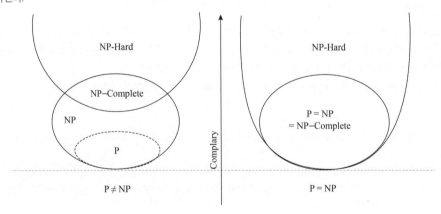

정답 ②

1 개요

인공지능(artificial intelligence 혹은 machine intelligence)은 시스템에 의해 만들어진 지능, 즉 인공적인 지능을 뜻한다. 일반적으로 범용 컴퓨터에 적용한다고 가정한다. 이 용어는 또한 그와 같은 지능을 만들 수 있는 방법론이나 실현 가능성 등을 연구하는 과학 분야를 지칭하기도 한다. 1950년 앨런 튜링은 생각하는 기계의 구현 가능성에 대한 분석이 담긴, 인공지능 역사에서 혁혁한 논문을 발표했다. 그는 "생각"을 정의하기 어려움에 주목해, 그 유명한 튜링 테스트를 고안했다. 텔레프린터를 통한 대화에서 기계가 사람인지 기계인지 구별할 수 없을 정도로 대화를 잘 이끌어 간다면, 이것은 기계가 "생각"하고 있다고 말할 충분한 근거가 된다는 것이었다. 튜링 테스트는 인공 지능에 대한 최초의 심도 깊은 철학적 제안이다. 인공지능, 머신러닝, 딥러닝은 다음과 같은 관계를 가진다.

> 인공지능(학습능력, 추론능력) > 머신러닝(데이터 이용, 패턴 학습) > 딥러닝(신경망, Neural Network)

2 Machine learning

1. 개요

기계 학습 또는 머신 러닝(machine learning)은 인공 지능의 한 분야로, 컴퓨터가 학습할 수 있도록 하는 알고리즘과 기술을 개발하는 분야를 말한다. 가령, 기계 학습을 통해서 수신한 이메일이 스팸인지 아닌지를 구분할 수 있도록 훈련할 수 있다. 기계 학습의 핵심은 표현(representation)과 일반화(generalization)에 있다. 표현이란 데이터의 평가이며, 일반화란 아직 알 수 없는 데이터에 대한 처리이다. 이는 전산 학습 이론 분야이기도 하다. 다양한 기계 학습의 응용이 존재한다. 문자 인식은 이를 이용한 가장 잘 알려진 사례이다. 기계 학습의 종류에는 지도 학습, 비지도 학습, 강화 학습이 존재한다.

2. Unsupervised learning(비지도 학습, 자율 학습)

비지도 학습(Unsupervised Learning)은 기계 학습의 일종으로, 데이터가 어떻게 구성되었는지를 알아내는 문제의 범주에 속한다. 이 방법은 지도 학습(Supervised Learning) 혹은 강화 학습(Reinforcement Learning)과는 달리 입력값에 대한 목표치가 주어지지 않는다. 자율 학습은 통계의 밀도 추정(Density Estimation)과 깊은 연관이 있다. 이러한 자율 학습은 데이터의 주요 특징을 요약하고 설명할 수 있다. 또 다른 하나의 예로는 독립 성분 분석(Independent Component Analysis, 다변량의 신호를 통계적으로 독립적인 하부 성분으로 분리하는 계산 방법)이 있다. 비지도 학습의 종류에는 Clustering, Anomaly detection, Neural Networks, K-means 등이 존재한다.

클러스터 분석(Cluster analysis)이란 주어진 데이터들의 특성을 고려해 데이터 집단(클러스터)을 정의하고 데이터 집단의 대표할 수 있는 대표점을 찾는 것으로 데이터 마이닝의 한 방법이다. 클러스터란 비슷한 특성을 가진 데이터들의 집단이다. 반대로 데이터의 특성이 다르면 다른 클러스터에 속해야 한다. 예를 들면, 자율주행차 주행 도로 인식 등이 존재한다.

3. Supervised learning(지도 학습)

지도 학습(Supervised Learning)은 훈련 데이터(Training Data)로부터 하나의 함수를 유추해내기 위한 기계 학습 (Machine Learning)의 한 방법이다. 훈련 데이터는 일반적으로 입력 객체에 대한 속성을 벡터 형태로 포함하고 있으며 각각의 벡터에 대해 원하는 결과가 무엇인지 표시되어 있다. 이렇게 유추된 함수 중 연속적인 값을 출력하는 것을 회귀분석(Regression, 집의 크기에 따른 매매가격)이라 하고 주어진 입력 벡터가 어떤 종류의 값인지 표식하는 것을 분류(Classification, 스팸 메일)라 한다. 지도 학습기(Supervised Learner)가 하는 작업은 훈련 데이터로부터 주어진 데이터에 대해 예측하고자 하는 값을 올바로 추측해내는 것이다. 이 목표를 달성하기 위해서는 학습기가 "알맞은" 방법을 통하여 기존의 훈련 데이터로부터 나타나지 않던 상황까지도 일반화하여 처리할 수 있어야 한다. 사람과 동물에 대응하는 심리학으로는 개념 학습(Concept Learning)을 예로 들 수 있다. 지도 학습의 종류에는 SVM (Support Vector Machines), Decision trees, 베이시안 네트워크, Neural Networks 등이 존재한다.

SVM은 두 카테고리 중 어느 하나에 속한 데이터의 집합이 주어졌을 때, 주어진 데이터 집합을 바탕으로 하여 새로운 데이터가 어느 카테고리에 속할지 판단하는 비확률적 이진 선형 분류 모델을 만든다. 베이시안 네트워크(Bayesian network) 혹은 빌리프 네트워크(belief network) 또는 방향성 비순환 그래픽 모델(directed acyclic graphical model)은 랜덤 변수의 집합과 방향성 비순환 그래프를 통하여 그 집합을 조건부 독립으로 표현하는 확률의 그래픽 모델이다. 예를 들어, 베이시안 네트워크는 질환과 증상 사이의 확률관계를 나타낼 수 있다. 증상이 주어지면, 네트워크는 다양한 질병의 존재 확률을 계산할 수 있다.

4. 강화 학습(Reinforcement learning)

강화 학습(Reinforcement learning)은 기계 학습의 한 영역이다. 행동심리학에서 영감을 받았으며, 어떤 환경 안에서 정의된 에이전트가 현재의 상태를 인식하여, 선택 가능한 행동들 중 보상을 최대화하는 행동 혹은 행동 순서를 선택하는 방법이다(보상은 확률에 따른 값일 수도 있고 이미 결정되어 있는 값일 수도 있다). 강화 학습은 또한 입출력 쌍으로 이루어진 훈련 집합이 제시되지 않으며, 잘못된 행동에 대해서도 명시적으로 정정이 일어나지 않는다는 점에서 일반적인 지도 학습과 다르다.

3 Deep learning

1. 개요

딥 러닝(deep learning) 또는 심층학습은 여러 비선형 변환기법의 조합을 통해 높은 수준의 추상화(abstractions, 다량의 데이터나 복잡한 자료들 속에서 핵심적인 내용 또는 기능을 요약하는 작업)를 시도하는 기계학습(machine learning) 알고리즘의 집합으로 정의되며, 큰 틀에서 사람의 사고방식을 컴퓨터에게 가르치는 기계학습(machine learning)의 한 분야라고 이야기할 수 있다. 어떠한 데이터가 있을 때 이를 컴퓨터가 알아 들을 수 있는 형태(예를 들어 이미지의 경우는 픽셀정보를 열벡터로 표현하는 등)로 표현(representation)하고 이를 학습에 적용하기 위해 많은 연구(어떻게 하면 더 좋은 표현기법을 만들고 또 어떻게 이것들을 학습할 모델을 만들지에 대한)가 진행되고 있으며, 이러한 노력의 결과로 deep neural networks, convolutional deep neural networks, deep belief networks 와 같은 다양한 딥 러닝 기법들이 컴퓨터비전, 음성인식, 자연어처리, 음성/신호처리 등의 분야에 적용되어 최첨단의 결과들을 보여주고 있다. 종류에는 경사 하강법 등이 존재한다.

2012년 스탠포드대학의 앤드류 응과 구글이 함께한 딥 러닝 프로젝트에서는 16,000개의 컴퓨터 프로세서와 10억 개 이상의 neural networks 그리고 DNN(deep neural networks)을 이용하여 유튜브에 업로드 되어 있는 천만 개 넘는 비디오 중 고양이 인식에 성공하였다. 이 소프트웨어 프레임워크를 논문에서는 DistBelief로 언급하고 있다. 이뿐만 아니라 마이크로소프트, 페이스북 등도 연구팀을 인수하거나 자체 개발팀을 운영하면서 인상적인 업적들을 만들어 내고 있다.

2. 퍼셉트론(perceptron)

퍼셉트론(perceptron)은 인공신경망의 한 종류로서, 1957년에 코넬 항공 연구소(Corncll Acronautical Lab)의 프랑크 로젠블라트(Frank Rosenblatt)에 의해 고안되었다. 이것은 가장 간단한 형태의 피드포워드(Feedforward) 네트워크 선형분류기로도 볼 수 있다. 퍼셉트론이 동작하는 방식은 다음과 같다. 각 노드의 가중치와 입력치를 곱한 것을 모두 합한 값이 활성함수에 의해 판단되는데, 그 값이 임계치(보통 0)보다 크면 뉴런이 활성화되고 결과값으로 1을 출력한다. 뉴런이 활성화되지 않으면 결과값으로 -1을 출력한다. 마빈 민스키와 시모어 페퍼트는 저서 "퍼셉트론"에서 단층 퍼셉트론은 XOR 연산이 불가능하지만, 다층 퍼셉트론으로는 XOR 연산이 가능함을 보였다. 다음 그림은 단층과 다층 퍼셉트론을 나타낸다.

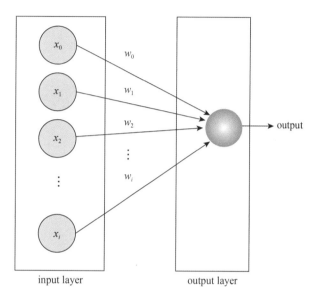

input layer   output layer

▲ 단층 퍼셉트론

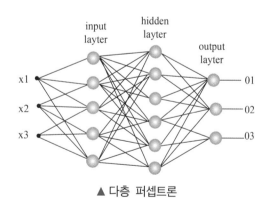

▲ 다층 퍼셉트론

3. 경사 하강법

경사 하강법(傾斜下降法, Gradient descent)은 1차 근삿값 발견용 최적화 알고리즘이다. 기본 아이디어는 함수의 기울기(경사)를 구하여 기울기가 낮은 쪽으로 계속 이동시켜서 극값에 이를 때까지 반복시키는 것이다. 다음 그림은 경사 하강법을 나타낸다.

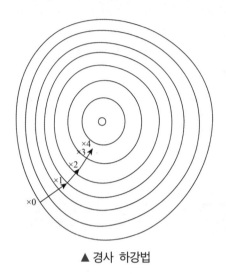

▲ 경사 하강법

 요약정리

인공지능
인공지능(학습능력, 추론능력) > 머신러닝(데이터 이용, 패턴 학습) > 딥러닝(신경망, Neural Network)

머신 러닝	• 지도 학습: 입력값에 대한 목표치가 주어짐, 회귀분석(Regression), 분류(Classification), SVM, Decision Trees • 비지도 학습: 입력값에 대한 목표치가 주어지지 않음, 통계의 밀도 추정, 클러스터링, 독립 성분 분석, 베이시안 네트워크 • 강화 학습: 보상이 주어짐, Q-Learning
딥러닝 (경사 하강법)	• 지도: CNN(Convolutional Neural Networks), RNN(Recurrent Neural Networks) • 비지도: Autoencoders • 강화: Deep - Q - Network

 주요개념 셀프체크

☑ 인공지능, 머신러닝, 딥러닝
☑ 지도학습, 비지도학습, 강화학습

다음 중 기계학습(machine learning)에 관련된 설명으로 옳지 않은 것은? 2016년 국회직

① 학습 개별 데이터에 대한 미리 지정된 레이블 또는 목표치가 없는 경우에 적용하는 기법들을 비교사 또는 자율 학습 (unsupervised learning)이라 부른다.
② 대표적인 unsupervised learning 기법으로는 clustering이 있다.
③ 인공신경망(artificial neural network) 기법을 이용하여 unsupervised learning을 시행할 수 있다.
④ Decision tree는 unsupervised learning 기법으로 분류된다.
⑤ SVM(Support Vector Machine)은 교사 또는 지도 학습(supervised learning) 기법이다.

해설

decision tree는 지도 학습 기법으로 분류된다.

선지분석

① 자율 학습은 기계 학습의 일종으로, 데이터가 어떻게 구성되었는지를 알아내는 문제의 범주에 속한다. 이 방법은 지도 학습 (Supervised Learning) 혹은 강화 학습(Reinforcement Learning)과는 달리 입력값에 대한 목표치가 주어지지 않는다.
② 자율 학습에는 clustering이 존재한다.
③ 자율 학습에는 neural networks가 존재한다.
⑤ 지도 학습에는 SVM(support vector machines)가 존재한다. SVM은 두 카테고리 중 어느 하나에 속한 데이터의 집합이 주어 졌을 때, 주어진 데이터 집합을 바탕으로 하여 새로운 데이터가 어느 카테고리에 속할지 판단하는 비확률적 이진 선형 분류 모델을 만든다.

정답 ④

1 이미지의 개요

1. 이미지의 개념

'이미지(Image)'는 영상, 심상, 그림 등으로 번역되고, 시각 이미지와 청각 이미지로 구분된다. 시각 이미지는 이미지에 대한 지식이 없어도 그 자체를 직접적으로 경험할 수 있고, 청각 이미지는 언어나 음악으로 표현되어 대상과 일정한 거리를 유지하게 만든다. 그리고 시각적 이미지에 비해 간접적이다. 모든 이미지는 전달하고자 하는 정보를 구체화함으로써 내용을 보다 선명하게 인식할 수 있다.

2. 멀티미디어 환경에서 이미지

GUI 기반의 윈도우 운영체제가 시각적인 요소를 화면에 배치하면서 시작되었고, 멀티미디어 환경을 구성하는 여러 데이터 중 이미지는 특히 중요한 위치를 차지한다. 텍스트로 전달하기 어려운 내용을 그림이나 그래프로 쉽고 명확하게 전달이 가능하고, 인간이 받아들이는 정보의 80% 이상이 시각을 통해서 인지한다. 입력된 이미지는 기억장치에 저장 및 처리(전송, 복사 등)되고, 픽셀(Pixel) 단위로 표현된다. 효율적인 처리와 저장을 위해 이미지 압축(Image Compression)이라는 과정을 거친다.

3. 디스플레이 장치의 이미지 표현

해상도(Resolution)란 디스플레이 장치나 인쇄물에서 이미지의 정밀도를 나타내는 지표이고, 단위는 인치당 픽셀 수(PPI)를 사용한다. 하나의 픽셀에는 이미지를 표현하기 위한 색상(Color) 정보가 저장되고, 디스플레이 장치의 해상도는 PPI(Pixel Per Inch), 인쇄물의 해상도는 DPI(Dot Per Inch)를 사용한다.

인치당 픽셀의 개수가 많을수록 이미지는 더욱 선명해지고, 픽셀 수가 많을수록 메모리 용량을 많이 차지하게 되어 컴퓨터 속도가 느려진다. 원래 이미지가 손상되지 않도록 이미지 사용 목적에 맞게 적절한 해상도를 적용하는 것이 바람직하다.

픽셀의 색상 수는 픽셀을 구성하는 비트의 수로 결정된다. 다음의 표는 픽셀을 구성하는 비트의 개수와 색상의 종류를 나타낸다. 표에서 팔레트는 인덱스 칼라(원하는 칼라만을 선택해서 색을 구성)를 나타낸다.

비트수	색상의 종류	기타
1	$2^1 = 2$	흑백
2	$2^2 = 4$	팔레트
4	$2^4 = 16$	팔레트
8	$2^8 = 256$	팔레트
16	$2^{16} = 65,536$	하이컬러(RGB 각 5비트)
24	$2^{24} = 16,777,216$	트루컬러(RGB 각 5비트)
32	16,777,216 + 8비트 알파채널	트루컬러 + 알파채널

2 비트맵 방식과 벡터 방식

1. 비트맵 방식

이미지를 픽셀 단위로 분해하여 각 픽셀의 색상과 위치를 저장하는 방식이고, 화면에 표시되는 이미지와 메모리에 저장되어 있는 이미지의 비트 대 비트 형태가 일치한다. 이미지를 저장하는 데 필요한 메모리 용량이 크고 디스플레이 부분의 하드웨어가 복잡하고, 레스터(Raster) 이미지라고도 한다. 래스터는 수평 주사선을 구성하는 연속적인 픽셀의 집합을 의미한다.

이미지를 표현하는 구조가 단순하기 때문에 화면에 이미지를 나타내는 속도가 벡터(vector) 이미지에 비해 빠르고, 2차원 이미지의 각 픽셀에 대한 정보는 I(r,c)로 표현한다(I는 명도(Brightness), r과 c는 각각 행과 열을 의미). 사진이나 회화 이미지를 표현할 때 많이 사용하고, 각각의 픽셀은 하나의 색상을 표현하기 위해 적색(Red), 녹색(Green), 청색(Blue)의 값을 적절히 배합하여 색을 표현한다. 윈도우의 비트맵 확장자는 .bmp이고, GIF, JPEG, PNG, TIFF, PCT, PCX 등으로 저장된 파일은 모두 비트맵 방식이다. 비트맵 방식의 대표적인 이미지 처리 프로그램으로는 포토샵, 페인터, 코렐 페인터 등이 있다.

각각의 픽셀에 명암과 색상을 정보를 모두 저장해야 하기 때문에 파일의 용량이 증가하고, 이미지를 확대하거나 축소할 경우 이미지의 외관선 부분이 계단 모양으로 변형된다. 최근에는 이미지의 외곽선을 따라 점의 크기를 다르게 하여 외곽선 부분이 매끄럽게 보이도록 하는 기술 RET 사용된다. 다음 그림은 벡터 방식과 비트맵 방식의 차이를 나타낸다.

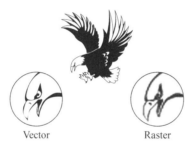

Vector   Raster

▲ 벡터 방식과 비트맵 방식의 차이

2. 벡터 방식

이미지를 수학적인 공식으로 표현한다. 이미지 객체의 위치와 기울기를 산술적 데이터로 기록하고, 외관선을 만들고, 그 내부에 색상이나 패턴을 적용시켜 표현한다. 간단한 도형, 글자, 로고, 캐릭터 디자인에 주로 사용되고, 평면 또는 공간상에 특정한 좌표 값을 가지고 표현된다. 정해진 공식에 따라 처리되기 때문에 파일 크기가 비트맵 이미지에 비해 작고, 이미지의 화질(선명도)을 손상시키지 않고 확대, 축소, 회전 등과 같은 다양한 방법으로 조작 가능하다. 대표적인 벡터 드로잉 프로그램은 일러스트레이터, 플래시, 코렐드로우, 프리핸드 등이 있다.

벡터 방식은 사진과 같은 복잡한 이미지를 표현하기 힘들고, 확대할 때마다 외곽선을 매끄럽게 만들기 위해 연산과정을 거치기 때문에 처리 속도가 늦다. 다음의 표는 비트맵 방식과 벡터 방식의 차이점을 나타낸다.

구분	비트맵 방식	벡터 방식
프로그램 구분	이미지 프로세싱 계열	드로잉 계열
이미지 처리 방식	픽셀로 이미지 표현	수학적 함수로 계산하여 이미지 표현
장점	사진, 회화 등 복잡한 이미지 표현 가능	• 파일의 크기가 작음 • 확대하거나 축소해도 이미지의 변형 없음
단점	• 이미지 크기에 비례하여 파일 용량 증가 • 이미지를 확대하거나 축소하면 계단현상 발생	복잡한 이미지 표현이 어려움
프로그램 종류	포토샵, 페인터, 코렐 페인터 등	일러스트레이터, 플래시, 코렐드로우, 프리핸드 등

3 Raw와 Bitmap

1. Raw

디지털 카메라 또는 스캐너의 이미지 센서가 촬영한 정보에 최소의 처리 과정만 거친 데이터를 의미하고, 전혀 가공되지 않은 상태이며 그래픽 편집기 또는 인쇄 등에 사용할 수 없다. 이미지 센서에 의해 감지된 빛의 세기에 대한 정보만 가지고 있고, 파일의 확장자는 디지털 카메라 제조사에 따라 여러 가지가 사용된다. 사진을 찍으면 이미지 센서에 의해 감지된 이미지 정보가 JPEG 파일로 변환되고, Raw 파일을 이미지로 변환하기 위해서는 사용자가 별도의 처리 과정을 거쳐야 한다.

Raw는 JPEG 이미지보다 화질이 좋고, 압축을 하지 않거나 무손실 압축을 사용하므로 이미지를 항상 원본 형태로 유지할 수 있다. Raw 변환 소프트웨어를 사용하면 섬세한 제어가 가능하고, Raw 파일은 12비트나 14비트의 명암 정보를 가지고 있고 그림자, 밝은 부분, 채도가 깊은 색에 더 정확성을 제공한다. 사용자가 원하는 대로 색 공간을 설정할 수 있다.

Raw는 JPEG 파일보다 일반적으로 2~6배 정도 파일 용량이 크고, 이미지를 메모리 카드에 저장할 때 JPEG 보다 시간이 많이 걸린다. 표준 Raw 포맷이 별도로 지정되어 있지 않고, 다른 표준 포맷에 비하여 아직 활성화가 되지 않았기 때문에 Raw 포맷을 지원하는 별도의 소프트웨어가 필요하다.

2. Bitmap

마이크로소프트사에서 개발하였고, 윈도우 OS의 그래픽, 이미지를 저장하는 기본 포맷으로 사용된다. 확장자는 .bmp이고, 압축되지 않은 비트맵 이미지를 저장한다. 이미지를 저장하는 파일 형식 중 구조가 가장 단순해 빠른 이미지 처리를 위한 전용 포맷으로 사용하고, 이미지를 확대하거나 축소하기 어렵다(계단 현상). 비트맵 이미지 포맷은 모든 픽셀의 컬러 값을 그대로 저장하고, 파일을 저장할 때 다른 포맷으로 저장하는 것보다 파일 용량이 매우 커진다. 비트맵 이미지 파일은 비트맵 파일 헤더, 비트맵 정보 헤더, 비트맵 팔레트, 이미지 픽셀 데이터 등으로 구성된다. 다음은 비트맵 파일의 구성을 나타낸다.

속성 이름	바이트	내용
bfType	2	'BM'이라는 파일 타입의 ID
bfSized	4	파일의 크기
bfReserved1	2	예비 보존(항상 0)
bfReserved2	2	예비 보존(항상 0)
bfOffBits	4	픽셀 데이터의 시작 오프셋

▲ 비트맵 파일 헤더

속성 이름	바이트	내용
rgbBlue	1	청색 색상치
rgbGreen	1	녹색 색상치
rgbRed	1	적색 색상치
rgbReserved	1	예약 보존(항상 0)

▲ 비트맵 팔레트

속성 이름	바이트	내용
biSize	4	헤더 사이즈
biWidth	4	이미지의 폭
biHeight	4	이미지의 높이
biPlanes	2	비트 플레인 수(항상 1)
biBitCount	2	픽셀당 비트수(1, 4, 8, 16, 24, 32)
biCompression	4	압축 유형
biSizeImage	4	이미지 크기(압축이 안 된 상태이면 0)
ixPelsPerMeter	4	가로의 해상도(pixels/meter)
ixPelsPerMeter	4	높이의 해상도(pixels/meter)
biClrUsed	4	실제 사용되는 색상수
biClrImportant	4	중요한 색상수

▲ 비트맵 정보 헤더

4 JPEG(JPG)

1. 개요

높은 화질, 적은 용량, 자유로운 사용성을 만족하는 디지털 이미지 표준에 대한 요구로 탄생하였고, 현재 웹사이트, 인쇄, 출판, 광고 등에서 가장 보편적으로 사용되는 이미지 포맷이다. RGB, CMYK 컬러 모델을 지원하고, 이미지 데이터를 압축, 저장하여 이미지의 이동, 복사, 전송, 저장, 재생 능력을 향상시킨다. 품질 저하가 발생하는 손실압축 방식을 사용하지만, 손실 없이 최대 25:1까지 압축이 가능하고, 손실을 감수하면 최대 100:1까지도 가능하다.

적은 파일 용량으로 품질이 우수한 이미지를 표현할 수 있기 때문에 사진 압축에 많이 사용되고, 선이나 문자, 세밀한 격자 등이 다수 포함된 이미지는 GIF나 PNG 같은 비손실 압축 표준을 사용하는 것이 바람직하다. 압축률과 화질을 향상시킨 'JPEG 2000'이 발표되었으나 JPEG에 밀려 널리 사용되지는 못하고, 일부 운영체제가 지원하지 않고, 별도의 프로그램을 설치해야 하는 불편하다.

2. 압축 모드

무손실 압축(Lossless Compression) 방식과 손실 압축(Loss Compression) 방식을 모두 지원한다. 무손실 압축 방식은 압축된 데이터를 다시 복원했을 때 이전의 데이터와 모든 비트가 일치하고, 손실 압축은 저장 용량을 감소시키기 위해 압축 과정의 손실을 감수하고 사용하는 방법이다. 사람의 눈에 민감한 밝기 정도를 나타내는 '휘도(음영)' 정보는 유지시키고, '색상' 부분만을 중점적으로 압축한다.

순차적인 부호화 모드(Sequential Encoding Mode)는 픽셀을 위에서 아래로, 왼쪽에서 오른쪽으로 이동하면서 스캔되는 순서에 따라 압축·저장하는 형태이고, DCT 변환과 양자화(Quantization)를 이용하는 손실 압축 방식을 사용한다. 점진적인 부호화 모드(Progressive Ending Mode)는 순차적인 부호화 모드와 방법이 동일하지만, 이미지를 여러 번 스캔한 후 분할하여 압축하는 형태이다. 그리고 점진적으로 이미지가 뚜렷하게 나타나도록 하는 방식이다. 계층적인 부호화 모드(Hierarchical Mode)는 이미지를 다양한 해상도의 프레임으로 분리해 여러 개를 압축하여 저장하는 기법이고, 무손실 부호화 모드(Lossless Encoding Mode)는 이미지를 압축하지 않기 때문에 화질 저하가 발생하지 않는 방식으로, 이미지의 사용 목적에 맞는 적절한 압축 알고리즘을 사용하는 것이 바람직하다.

3. 압축 과정

다음 그림은 JPEG 압축 과정을 나타낸다.

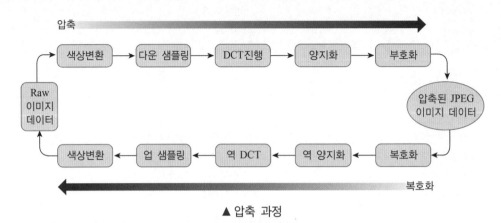

▲ 압축 과정

색상 변환(Color Transformation)은 이미지의 RGB 컬러 모델을 YIQ 컬러 모델로 변환하는 과정이다. YIQ 컬러 모델은 컬러 텔레비전에서 사용하는 모델로 색상보다 밝기에 더 민감한 시각을 고려한 원리이고, 이 과정에서는 정보 손실이 발생하지 않는다. 다음 그림은 변환 공식을 나타낸다.

$$\begin{bmatrix} Y \\ I \\ Q \end{bmatrix} = \begin{bmatrix} 0.299 & 0.587 & 0.144 \\ 0.596 & -0.275 & -0.321 \\ 0.212 & -0.528 & 0.311 \end{bmatrix} \begin{bmatrix} R \\ G \\ B \end{bmatrix}$$

▲ 변환 공식

다운 샘플링(Down Sampling)은 전 단계에서 변환된 YIQ 컬러 모델을 YC_bC_r 컬러 모델로 변환하는 과정이다(Y는 밝기, C_b, C_r은 색상). 이 과정에서 Y 성분은 그대로 유지하고 색상 정보인 I와 Q 값을 감소시키고, 이미지 크기는 1/4 또는 1/2 크기로 감소되며 손실이 발생한다.

DCT(Discrete Cosine Transformation) 진행은 2차원 이미지 공간의 컬러 정보를 2차원의 주파수 정보로 변환하는 과정이다. 중요하지 않은 부분이 손실되기 때문에 전체 데이터 용량이 감소하고(양자화), 이미지를 구성하는 64개 (8×8) 픽셀 블록을 샘플링 한다.

양자화(Quantization)는 DCT 변환으로 발생한 64개의 DCT 계수에서 불필요한 고주파 잡음들을 제거하는 과정이다. 미리 정의된 상수로 나누고 그 결과를 정수값으로 반올림하고, 데이터 압축이 가장 큰 동시에 데이터 손실이 가장 많이 발생한다.

부호화(Encoding)는 양자화 과정을 거친 데이터를 부호화 알고리즘으로 다시 압축하는 작업이다. 모든 데이터에 대해 나타날 확률을 따져 서로 다른 길이의 코드를 배정한다(자주 나타나는 데이터의 코드 길이가 짧음).

5 GIF와 PNG

1. GIF

온라인 전송을 위해 만들어졌으며 무손실 압축 방식인 LZW(Lempel-Ziv-Welch) 알고리즘을 사용하고, 1.5 : 1~2 : 1의 비율로 이미지를 압축한다. 이미지 품질의 손상 없이 파일 용량을 원본의 최대 40%까지 감소시킬 수 있고, 사진의 경우 압축 효과가 크지 않으나 일러스트레이터로 제작된 그래픽 파일은 압축 효과가 크다.

웹페이지에서 간단한 작업으로 다양한 효과를 줄 수 있고, 특별한 플러그인을 요구하지 않아 여러 환경에서 쉽게 사용한다. 1989년 새로운 기능을 추가한 GIF89a 형식을 발표하였고, 현재 두 개의 GIF 버전을 구분하지 않고 사용한다.

GIF는 최대 256가지 색상을 지원하는 이미지만 구현할 수 있고, 압축 기술의 특허 문제로 널리 사용하기에는 한계가 있다. 성밀한 사신보다 난순한 색상으로 이루어진 선, 아이콘 등에 사용하면 유용하다.

GIF는 인터레이싱, 투명, 애니메이션 기능을 가진다. 인터레이싱(interlacing) 기능은 하나의 화면을 짝수 줄의 화면과 홀수 줄의 화면으로 분리하여 교대로 주사하여 재생하는 방법이고, 이미지를 낮은 해상도에서부터 시작하여 서서히 선명하고 뚜렷한 이미지로 표현한다. 투명(transparent) 기능(전경과 배경의 분리)은 특정한 색을 투명으로 지정하여 다른 색의 배경 위에 겹쳐서 표현하는 기능이고, 이미지가 해당 페이지 위에 떠 있는 것 같은 시각적인 효과를 낼 수 있다. 애니메이션(animation) 기능은 이미지를 구성하는 개체가 살아 움직이는 것처럼 이미지를 재생하는 기술이고, 하나의 파일에 여러 장의 이미지 프레임들을 저장해서 순서대로 번갈아 가며 재생시켜 움직이는 것처럼 보이게 한다. 간단하게 만들 수 있는 장점이 있지만, 이미지의 움직임, 유연성, 재생 속도 등이 다소 떨어지는 단점이 있다.

2. PNG

GIF 형식을 대체하기 위해 1995년에 개발되었고, 24비트의 트루 컬러(True Color)를 지원하고 무손실 압축 방식을 사용하기 때문에 이미지를 손상시키지 않는다. PNG 포맷은 GIF보다 압축 효율이 10~30% 정도 향상되어 GIF보다 적은 용량으로도 이미지 표현이 가능하고, GIF의 특징인 인터레이싱(Interlacing) 기능과 투명(transparent) 기능도 제공한다. JPG와 GIF의 장점을 모두 갖추고 있으며, 화질은 BMP 정도의 높은 수준을 유지하고, 파일 용량이 JPEG나 GIF보다는 크다는 단점이 있다.

GIF보다 압축률이 더 높고, GIF처럼 단색 투명층이 아니라, 투명도 자체를 조절할 수 있는 부드러운 투명층을 지원한다. 인터레이싱 이미지 재생 기능이 제공되며, GIF 형식보다 더 빠르게 나타나고, 인터넷에서 이미지 표시를 염두에 두고 개발되었기 때문에, CYMK 등과 같은 색 공간은 지원하지 않는다. 애니메이션 기능을 지원하지 않는다.

6 컬러 모델

1. RGB(Red, Green, Blue) 모델

가산 모델(additive model)로서, 빛의 삼원색(적색, 녹색, 청색)이 기본색이 되는 컬러 모델이다. 기본 색 세 가지를 더하여 새로운 컬러를 생성하고, 더해질수록 흰색이 된다(흰색이 기준). 빛의 성질을 이용하여 컬러를 표현하는 곳인 모니터 등에 사용한다.

2. CMY(Cyan, Magenta, Yellow) 모델

감산 모델(subtractive model)로서, 빛의 혼합에 의해 발생한 2차 색상들을 기본으로 하는 컬러 모델이다. 색의 삼원색 Cyan, Magenta, Yellow(청록, 진홍, 노랑)는 Red, Green, Blue와 보색이고, 물감, 잉크 등의 성질을 이용하는 컬러 프린터나 인쇄 등에 사용한다. CMY를 섞으면 검은색이 생성되지만 만족스럽지 못하며 잉크낭비가 발생하여, CMYK 모델을 많이 사용한다. 여기서, K는 Kappa로 검은색을 나타낸다.

3. HSV or HSB 모델

인간의 직관적인 시각 모델과 흡사하고, 색상(Hue), 채도(Saturation, 색상의 진하고 엷음), 명도(Value 또는 Brightness)의 세 가지 속성을 이용한다. 인간은 128(H)*130(S)*23(B) = 382720 색을 구별하고, RGB 모델, CMY 모델, HSV 모델들 사이에는 변환이 가능하다.

멀티미디어

구분	내용
Raw	디지털 카메라 또는 스캐너의 이미지 센서가 촬영한 정보에 최소의 처리 과정만 거친 데이터를 의미
Bitmap	MS, 압축되지 않은 비트맵 이미지를 저장
JPEG	손실 압축, 적은 파일 용량으로 품질이 우수한 이미지를 표현할 수 있기 때문에 사진 압축에 많이 사용됨
GIF	무손실 압축(LZW), 256가지 색, 인터레이싱, 투명, 애니메이션
PNG	무손실 압축, 24비트 트루 컬러, 인터레이싱, 투명
RGB	가산 모델, 모니터
CMYK	감산 모델, 컬러 프린터나 인쇄
HSV/HSB	인간

주요개념 셀프체크

- ☑ 비트맵 vs. 벡터
- ☑ Raw, Bitmap, JPEG, GIF, PNG
- ☑ JPEG - 색상변환, 다운샘플링, DCT, 양자화, 부호화
- ☑ RGB, CMY, HSV(B)

핵심 기출

컴퓨터 이미지에 대한 설명으로 옳지 않은 것은?   2015년 지방직

① 벡터 방식은 이미지의 크기가 커지면 저장 용량도 커진다.
② GIF와 JPG는 비트맵 방식의 파일 형식이다.
③ 상세한 명암과 색상을 표현하는 사진에 적합한 방식은 비트맵 방식이다.
④ 벡터 방식은 이미지를 확대, 축소, 회전하더라도 이미지의 품질에 영향을 주지 않는다.

해설
벡터 방식(저장 용량): 수학적 함수로 계산하여 이미지를 표현하므로 이미지 크기에 비례하여 파일 용량이 증가하지 않는다.

선지분석
② GIF와 JPG(비트맵 방식): GIF, JPEG, PNG, TIFF, PCT, PCX 등으로 저장된 파일은 모두 비트맵 방식이다.
③ 비트맵 방식(사진): 픽셀로 이미지를 표현하므로 사진, 회화 등 복잡한 이미지 표현이 가능하다.
④ 벡터 방식(이미지 품질): 수학적 함수로 계산하여 이미지를 표현하므로 확대하거나 축소해도 이미지의 변형이 없다.

정답 ①

1. RLE

동일 데이터가 자주 연속되는 경우, 데이터값과 연속되어 있는 길이만으로 정보를 표현하여 정보량을 줄이는 방식이다(무손실 압축 방식). 동일한 데이터가 연속되어 있는 것이 런(run)이며, 그 연속된 길이가 런 렝스(length)인데 이 데이터값과 그 길이만으로도 원래의 정보를 재현할 수 있다. 예를 들어, 'aaaaaaaaaaBcccccccccccccccccccc' 라는 정보는 'a'가 10개, 'B'가 1개, 'c'가 20개이므로 '10aB20c'로 짧게 표현해도 나중에 복원할 수 있다. 아이콘이나 그린 그림, 팩스 등의 그래픽 이미지는 동일 색의 연속이 많기 때문에 런 렝스 부호화(RLE)를 사용하면 정보량을 크게 줄일 수 있어 TIFF, BMP, PCX 등 파일 포맷에 사용되고 있다. RLE에는 변형 허프만 부호화 방식, 와일(whyle) 부호화 방식 등이 있다.

2. RTP

실시간으로 음성이나 동화상을 송수신하기 위한 전송 계층 통신 규약이다. RFC 1889에 RTCP(RTP control protocol)와 함께 규정되어 있다. 자원 예약 프로토콜(RSVP)과는 달리 라우터 등의 통신망 기기에 의지하지 않고 단말 간에 실행되는 것이 특징이다. RTP는 보통 사용자 데이터그램 프로토콜(UDP)의 상위 통신 규약으로 이용된다. 송신 측은 타임 스탬프를 근거로 재생 동기를 취해 지연이 큰 패킷을 포기할 수 있다. 또 수신 측에서 전송 지연이나 대역폭 등을 점검하고, RTCP를 사용해서 송신 측의 상위층 애플리케이션에 통지하는 것으로 부호화 속도 등을 조정하여 서비스 품질(QOS) 제어를 실현할 수 있다. LAN/인터넷 환경에서의 비디오 회의 시스템에 대한 ITU-T 권고 H.323에 채용되었으며, 미국 마이크로소프트사의 영상 회의 프로그램 넷미팅 등이 탑재되어 있다.

3. MPEG(Moving Picture Experts Group)

정식 명칭은 동화상전문가그룹이다. 1988년 설립되었다. 정지된 화상을 압축하는 방법을 고안한 JPEG과는 달리, 시간에 따라 연속적으로 변화하는 동영상 압축과 코드 표현을 통해 정보의 전송이 이루어질 수 있는 방법을 연구하고 있다. 미국의 AT&T, 영국의 BT, 일본의 NTT 등의 통신업체 및 후지쓰, 미쓰비시, 픽처텔, 비디오텔리컴 등 화상회의 장비업체들이 소속되어 있다. 영상압축기술에 대한 표준을 정립하면 반도체 업체에서 이들 표준을 지원하는 영상압축 칩을 개발한다. 종류로는 MPEG1, MPEG2, MPEG3, MPEG4, MPEG7, MPEG21 등이 있다(찾아서 정리할 것). 키 프레임과 마스킹의 원리를 이용한다.

4. TIFF(Tagged Image File Format)

호환성이 뛰어나 매킨토시와 IBM PC에서 공통으로 사용할 수 있는 최초의 파일 포맷이다. RGB 및 CMYK 이미지를 24비트까지 지원하며 이미지 손상이 없는 LZW(Lempelziv welch)라는 압축 방식을 채택하고 있다. LZW 압축은 이미지의 질을 손상시키지 않는 '무손실 압축'으로 가장 좋은 압축률을 보인다. 포토샵 이미지를 이 포맷으로 저장을 하게 되면, 매킨토시에서 사용할 것인지 또는 IBM PC 호환 기종에서 읽어 들일 것인지를 선택해야 한다.

5. AI

어도비 일러스트레이터의 기본 파일 포맷이다. 포토샵의 경우 작업하고 나면 psd 파일로 저장하듯이 일러스트레이터에서 작업한 파일은 기본적으로 ai 파일로 생성이 된다. 일러스트레이터에서 ai 파일을 jpg나 gif 등 여러 이미지 파일 포맷으로 저장할 수도 있다. AI는 이미지 파일 컨테이너이고 벡터 방식이다.

주요개념 셀프체크

☑ RLE
☑ RTP
☑ MPEG

핵심 기출

다음과 같은 압축되지 않은 비트맵 형식의 이미지를 RLE(Run Length Encoding) 방식을 이용하여 압축했을 때 압축률이 가장 작은 것은? (단, 모든 이미지의 가로와 세로의 길이는 동일하고, 가로 방향 우선으로 픽셀을 읽어 처리한다)

2019년 지방직

해설

RLE란 동일 데이터가 자주 연속되는 경우, 데이터 값이 연속되어 있는 길이만으로 정보를 표현하여 정보량을 줄이는 방식(무손실 압축)이다. 압축률이 가장 작다는 것은 하나의 데이터로만 표현할 수 있는 것이 얼마나 적은가를 찾는 것이다. ④는 무조건 2개의 데이터로 표현해야 한다.

선지분석

① 아래 부분을 하나의 데이터로 표현할 수 있다.
② 위와 아래 부분을 하나의 데이터로 표현할 수 있다.
③ 중간 부분을 하나의 데이터로 표현할 수 있다.

정답 ④

참고문헌

- 데이터베이스개론, 김연희, 한빛미디어

- 데이터통신, 이재광, 한빛미디어

- 소프트웨어공학, 최은만, 정익사

- 쉽게 배우는 소프트웨어 공학, 김치수, 한빛아카데미

- 스마트 시대의 멀티미디어, 김용태, 박길철, 한빛아카데미

- 운영체제, 구현회, 한빛미디어

- 자료구조, 천인국, 생능출판사

- 자바 에센셜, 황기태, 생능출판사

- 컴퓨터 구조와 원리 2.0, 신종홍, 한빛아카데미

- 컴퓨터개론, 김대수, 생능출판사

- C언어 콘서트, 천인국, 생능출판사

- New 데이터 통신과 네트워킹, 강문식, 한빛미디어

- New정보통신개론, 고응남, 한빛미디어